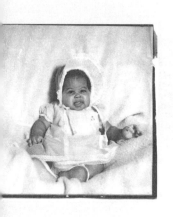

成 为

BECOMING

米歇尔·奥巴马自传

［美］米歇尔·奥巴马　著

胡晓凯　闫洁　译

天地出版社｜TIANDI PRESS

图书在版编目（CIP）数据

成为 / （美）米歇尔·奥巴马著；胡晓凯，闫洁译. —
成都：天地出版社，2019.1（2019年重印）
ISBN 978-7-5455-4422-0

Ⅰ.①成… Ⅱ.①米… ②胡… ③闫… Ⅲ.①米歇尔·
奥巴马—传记 Ⅳ.①K837.127=6

中国版本图书馆CIP数据核字（2018）第272869号

著作权登记号 图字：21-2018-721

成 为
CHENGWEI

出 品 人	杨 政
著　 者	［美］米歇尔·奥巴马
译　 者	胡晓凯　闫 洁
责任编辑	张秋红　李晓娟
装帧设计	索 迪　高 晴
责任印制	葛红梅

出版发行　天地出版社
　　　　　（成都市槐树街2号　邮政编码：610014）
网　　址　http://www.tiandiph.com
　　　　　http://www.天地出版社.com
电子邮箱　tiandicbs@vip.163.com
经　　销　新华文轩出版传媒股份有限公司

印　　刷　河北鹏润印刷有限公司
版　　次　2019年1月第1版
印　　次　2019年2月第2次印刷
成品尺寸　160mm×240mm　1/16
印　　张　31.25
彩　　插　8页
字　　数　400千
定　　价　78.00元
书　　号　ISBN 978-7-5455-4422-0

版权所有◆违者必究
咨询电话：（028）87734639（总编室）
购书热线：（010）67693207（市场部）

本版图书凡印刷、装订错误，可及时向我社发行部调换献给所有帮助我成为自己的人：

抚养我长大的亲人——弗雷泽、玛丽安，克雷格，

还有我众多的家族成员；

我强大的闺蜜团，她们是我坚定的支持者；

我忠诚而敬业的下属，他们一直让我骄傲。

献给我一生的挚爱：

玛利亚和萨沙，我的两个宝贝女儿，

她们是我生存于世的理由；

还有贝拉克，和他一起的旅程从不乏味。

目录
Contents

序

....

Preface

　　小时候，我的愿望很简单。我想要一只狗。我想要一栋带楼梯的房子，一家人住两层楼。我还想要一辆四门的旅行车，而不是我爸爸那个引以为豪的宝贝——一辆双门的别克车。我还常跟人说，等我长大了，我要做一名儿科医生。为什么？因为我喜欢跟小孩子打交道。很快我发现，大人们听到我这么说会很高兴。噢，做一名医生！真会选！那时候，我扎着小辫子，把哥哥使唤得团团转，还总是能够在学校拿 A 的成绩。虽然我并不确切地知道自己的目标是什么，但我壮志满怀。今天的我认为，大人问孩子的一个最没用的问题就是"你长大后想干什么？"好像长大就是终点。好像在某一个时刻，你成了一个什么，然后一切就结束了。

　　在我的人生中，我曾是一名律师，一家医院的副院长，一家帮助年轻人开创有意义的事业的非营利机构的负责人。我曾是一名出身工人阶层的黑人学生，在一所几乎全是白人学生的学费昂贵的大学里就读。我曾是各种场合中唯一的女士和非洲裔美国人。我曾是一位新娘、一位疲惫的新妈妈、一个伤心欲绝的女儿。直到不久前，我刚刚卸任美利坚合众国的第一夫人。第一夫人不是一份真正的工作，却给了我一个超乎想象的平台。它给我挑战，让我谦卑，鼓舞我，又贬低我，有时这些会同时发生。我刚刚开始回首过去这些年里发生的所有事，从 2006 年我丈夫谈起要竞选总统的那一刻，到今年（2017 年）一个寒冷的冬日清晨，我和梅拉尼娅·特朗普步入同一辆轿车，陪她参加她丈夫的就职典礼。这一路走来，真是让人感慨良多。

当你成为第一夫人，美国在你面前便呈现出极端的面貌。我曾经去过募集资金者的私人宅邸，那里看起来像是一座艺术博物馆，里面的浴缸是用宝石制成的。我曾经访问过一些在"卡特里娜"飓风中失去一切的家庭，一台能用的冰箱、一个火炉就足以让他们流下感激的泪水。我遇到过一些浅薄虚伪的人，也遇到过一些精神高尚、坚强到令人惊讶的人，他们中有老师、军属等等。我也见过一些孩子——来自全世界的许多孩子，他们让我大笑，让我充满了希望，他们忘记了我的头衔，和我一起在菜园的泥土中东翻西找。

自从勉为其难地步入公众视野后，我曾被捧为世界上最强大的女人，也曾被贬为"愤怒的黑人女人"。我曾经想问诋毁我的人，他们想强调这个词的哪个部分，是"愤怒""黑人"，还是"女人"？我曾经微笑着跟一些人合影，他们在国家电视台辱骂我的丈夫，但依然愿意留一张合影放在自家壁炉架上作纪念。我听说互联网上有些不怀好意的人将我查了个底朝天，甚至质疑我到底是女人还是男人。一名现任美国国会议员曾经取笑我的屁股。我受伤过、愤怒过，但是大多数时候，我对这种事情都一笑置之。

关于美国、关于人生、关于未来，我都还有很多不了解的地方。但是，我了解我自己。我的父亲弗雷泽教我努力工作，保持开心，信守承诺。我的母亲玛丽安教会我独立思考，发出自己的声音。在我们位于芝加哥南城的那间拥挤的公寓中，他们引导我认识我自己的故事、我们的故事以及我们国家的故事中蕴藏的价值。尽管它并不美好、并不完美，尽管它比你希望的更现实，但你的故事是属于你的，并且永远属于你，所以请珍视它。

我住在白宫八年，这个地方的楼梯多到我数不过来，里面还有许多部电梯、一个保龄球馆和一位常驻花艺师。我睡的床上铺着意大利亚麻布。我们一日三餐都由世界顶级厨师烹制，并由专业人员服侍进餐，他们比任何一家五星级饭店或宾馆的服务人员都要训练有素。特勤人员戴着耳机，端着枪，带着刻意保持的单调表情站在我们门外，尽力不打扰我们一家人的私生活。我们最终习惯了这一切——这个富丽堂皇得有点儿奇怪的新家，还有其他人常态而安静的存在。

在白宫，我们的两个女儿会在走廊上玩球，在南草坪上爬树；贝拉克在条约厅熬夜工作，批阅简报，准备演讲稿；我们的狗萨尼有时会在地毯上拉屎。我站在杜鲁门阳台上，看着游客举着自拍杆拍照，从铁栅栏往里窥视，猜测里面发生的事情。有些日子里，我们的窗户因为安保原因一直关着，我感觉都要窒息了，因为我根本无法不受干扰地呼吸新鲜空气。还有些时候，外面盛放的白色木兰花、日日繁忙的政务，还有庄严的仪仗队，都会让我心生敬畏。在很多日子里，我对政治感到深恶痛绝；而在某些时刻，这个国家和它的人民的美，又让我惊异到无以言表。

然后，一切结束了。即使你早就明白它会结束，即使你在这里的最后几周充满了动情的告别时刻，那一天在记忆里依然是一片模糊。一只手放在《圣经》上，一段誓言再一次被重复。一位总统的家具被抬走了，另一位总统的家具被抬进来。衣帽间清空了，几小时之后又被填满。就这样，新枕头上躺了新人——他们有新的性情，新的梦想。当一切结束，你从世界上最著名地点的那扇门最后一次走出时，你需要从很多方面重新找到自我。

就让我从这里开始吧。不久前，发生了一件小事。我正待在我们的新家里，这是一栋红砖房子，坐落在一条安静的街上，距离我们的旧家大约两英里[1]。我们刚搬来不久，还没有收拾停当。在家庭活动室，我们的家具布置得和在白宫时一样。房间里到处摆放着一些纪念品，提醒我们那些日子是真实的——我们一家人在戴维营的照片、美国原住民学生们送给我的手工陶制品、一本纳尔逊·曼德拉亲笔签名的书。不同的是，这天晚上其他人都不在。贝拉克正在旅行；萨沙和朋友出去了；玛利亚在纽约生活和工作，她正在经历上大学之前的间隔年。这里只有我，我们的两只狗，还有一个空荡而安静的房子，这是过去八年里我从未有过的体验。

我肚子有点儿饿，便从卧室走下楼梯，两只狗跟着我。我走进厨房，打开冰箱找到面包，拿出两片放在烤箱里。我又打开壁橱，取出一个盘子。我知道这么说很奇怪，但是自己从厨房架子上取下盘子而没有人抢着代劳，自己看着面包在烤箱里变得焦黄，这让我感觉回到了之前的生活。或者说，我的新生活从此宣告开启了。

最后，我不光烤了面包，还做了一份烤乳酪三明治，我把面包片放在微波炉里，中间放了一大块油腻的切达奶酪。然后我端着盘子来到后院。这次，我不需要告诉任何人我要出去，而是就那么走了出去，光着脚，穿着一条短裤。冬日的寒意终于离去。番红花正努力沿着我家的后墙往上爬。空气中闻起来有春天的气息。我坐在走廊的台阶上，脚下的石板依然留有阳光的余温。一只狗在远处吠了起来，我家的两只狗驻足细听，似乎一时有点儿迷惑。我意识

---

1 1英里约等于1.61千米。（若无特别说明，本书脚注均为译者注。）

到，这个声音对它们而言是刺耳的，因为我们在白宫时没有邻居，更不要提邻居的狗了。对于它们来说，所有这一切都是全新的。当两只狗在院子里跑来跑去时，我在黑暗中吃我的面包，试图享受这种孤单。我的心思不在离我不到一百码[1]的那队配枪卫兵身上，他们正坐在我们车库里的特设指挥部内；我没去想现在我上街依然还得有安保人员陪同；我也没去想那位新任总统，甚至也没想那位卸任总统。

我在想的是，几分钟后，我要回到屋子里，清洗水槽里的盘子，然后上床睡觉，也许开一扇窗，就可以嗅到春天的气息——那真是太美好了。同时我在想，这种安静让我第一次可以真正地思考。作为第一夫人，我已经习惯了日复一日的忙碌，忙到连不久前在忙什么都忘了。但是，现在我开始感觉不同了。我的女儿们，她们初到白宫时，带着她们的"波利口袋"[2]、一条名为"布兰基"的毯子和一个名叫"泰格"的老虎布偶。而现在她们已经长大了，成了有计划、有主见的年轻女士。我的丈夫正在休整，让自己适应后白宫时期的生活。而我在这里，在我的新家，心里有很多话想说。

写于 2017 年 3 月

---

1 1 码约等于 0.91 米。

2 "波利口袋"（Polly Pocket），一种于 20 世纪 80 年代末至 90 年代后半期盛行于美国的古董玩具，深受女孩喜爱。经典款式的"波利口袋"为一个个形状、大小、颜色各异的盒子，打开后有各式各样的场景，如公寓、酒店、餐厅等，里面有小人等配件。孩子们可以发挥想象力虚构一个个情节。美国南方的孩子又将之称为"八宝盒"。

Part I

*

成为我
Becoming
Me

1

　　我童年的大部分时间都是聆听着奋斗的声音度过的。这种声音以糟糕的（至少是业余的）音乐的方式呈现，从我卧室的地板缝里传出来——那是楼下姑婆萝比的学生弹钢琴时发出的叮当声。他们在缓慢而笨拙地学习音乐。我家住在芝加哥南岸社区一栋整洁的砖砌小楼里。这栋小楼的主人是萝比和她的丈夫特里。他们住在一层，我父母在二层租了一间公寓。萝比是母亲的姑妈，许多年来对母亲一直很慷慨，但是我有点儿怕她。她古板严肃，是本地教堂的合唱团指挥，也是我们社区的钢琴教师。她穿着便鞋，脖子上总挂着一副带链子的眼镜。她笑容狡黠，但不像我母亲那样有幽默感。我时常听见她责备学生不勤加练习，或者责备家长送孩子上课迟到。

　　"晚安！"她白天会突然冒出这么一句，口气里带着怒火，就像有些人会说"哦，我的上帝啊"——感觉几乎没有谁能让萝比满意。

　　然而，奋斗的声音成了我们生活的背景音。每个下午和晚上都有练琴的声音。教堂的女士们有时会过来练习唱赞美诗，她们虔诚的歌声穿透了我家的墙壁。姑婆萝比定的规矩——上钢琴课的孩子一次只能练一首曲子。我在房间里听他们一个音符一个音符地弹，弹得战战兢兢，想努力获得她的认可。他们开始从《刚出炉的十字餐包》练起，直到学会《勃拉姆斯摇篮曲》就可以毕业，不过中间的过程可不轻松。音乐声并不烦人，但它无休无止。琴声爬上隔开我家与萝比家的那段楼梯。夏日里，琴声会从打开的窗户飘进来，伴随着我的思绪，那时候我通常在玩芭比娃娃，或者用积木搭建小小的王国。唯一的间歇是在父亲从城里的水处理工厂上完早班回到家时。他会在电视上放芝加哥小熊队[1]的棒球比赛，放大音量，将琴声挡在外面。

这是 20 世纪 60 年代末期的芝加哥南城。小熊队打得不坏，但也算不上很好。父亲坐在躺椅上看比赛，我坐在他怀里，听他讲小熊队正处在赛季末，毫无状态，还有球队外野手比利·威廉姆斯在球场左侧的挥棒有多么帅气——他就住在我家附近的康斯坦斯大道上。而在棒球场外，美国正处在大震荡中。肯尼迪兄弟被刺杀；马丁·路德·金在孟菲斯市的一个阳台上被枪杀，引发了包括芝加哥在内的席卷全国的抗议活动。1968 年民主党全国代表大会期间，警察在格兰特公园用警棍和催泪弹驱离"越战"抗议者，酿成了流血事件。而格兰特公园就在我家北边大约九英里处。与此同时，许多白人家庭从市中心搬到了郊区，据说那里有更好的学校、更大的空间，很可能也更"白"。

我对这些都没什么印象。我当时还是个玩芭比娃娃和积木的小女孩，和父母、哥哥住在一起，晚上睡觉时哥哥的脑袋离我只有 3 英尺[2]。我的家人就是我的世界，是一切事情的中心。母亲早早开始教我读书，带我去公共图书馆，陪我一起认书上的字。父亲每天穿着城市工人的蓝色制服去上班，晚上下班后会向我们展现他对爵士乐和艺术的热爱。父亲年少时曾在芝加哥艺术学院上过课，高中时学过绘画和雕塑。学生时

---

1 芝加哥小熊队（Chicago Cubs），美国职业棒球大联盟的一支球队，经济实力雄厚，有超过一百年的历史，球迷众多。
2 1 英尺约等于 0.3 米。

代的他是一位实力强劲的游泳健将和拳击手，成年后的他热爱电视上播出的所有运动项目，从专业高尔夫到北美职业冰球联赛。他喜欢看到有能力的人获胜。当我的哥哥克雷格对篮球产生兴趣时，父亲将硬币抛到厨房的门框上，鼓励他跳起来去够。

对我来说，所有重要的事情都发生在五个街区的半径内——我的祖父祖母和堂（表）亲们的家，街角的教堂（我们因为上主日学校所以不经常去），一个加油站（母亲有时会派我去那儿买一盒新港香烟），以及一家酒品商店，那里也卖沃登面包、散装糖果和盒装牛奶。在炎热的夏夜，附近公立公园会传来喝彩声，那里在举行成人垒球联赛，克雷格和我会在这喝彩声中打瞌睡。白天我们会爬上公园游乐场的攀爬架，和其他孩子一起玩捉迷藏。

克雷格和我相差不到两岁。他遗传了父亲柔和的眼睛和乐天派的性情，还有母亲的不妥协。我们两兄妹的关系一直很亲密，一部分原因是他从最初就对自己的妹妹有一种不可动摇和无法解释的忠诚。在一张早年的黑白家庭照片里，我们一家四口坐在沙发上，母亲面带微笑，揽着我坐在她怀里，父亲看起来严肃又骄傲，克雷格倚在他腿上。我们穿着正式，也许正准备去教堂或者参加婚礼。我当时大概八个月大，脸肉嘟嘟的，表情严肃好斗，戴着尿布，穿着熨过的白裙子，看起来随时都会从母亲的手里滑出去，而且盯着镜头，好像要吃掉它。克雷格紧挨着我，他系着蝴蝶领结，穿着西装外套，表情严肃，看起来像个小绅士。他只有两岁，但看样子已经有哥哥的保护欲和责任感了。他的胳膊朝我这边伸着，手握着我胖胖的手腕，似乎要保护我。

拍这张照片时，我们住在帕克维公园社区，和祖父祖母家只隔着一条过道。帕克维公园社区是芝加哥南城的一处经济适用社区，里面都是现代风格的公寓楼房。社区是 20 世纪 50 年代落成的合作公寓[1]，是为缓解第二次世界大战后黑人工人阶层家庭住房短缺问题而设计的。后来，在贫穷和帮派暴力的碾压下，这个社区每况愈下，成为城里最危险的居住地之一。不过，早在那之前，我还在蹒跚学步时，父母就接受邀请，搬到南边几英里外萝比和特里家里住，这里要比之前社区的环境好多了。我的父母十几岁时相识，后来二十几岁时结了婚。

在欧几里得大道上，我们是住在同一个屋檐下的两户人家，空间并不大。从设计来看，二楼应该是老人房，只够一两个人住，但我们一家四口还是设法住了进去。父母用了唯一的卧室，我和克雷格的卧室在一个稍大的区域，我猜这里本该是起居室。后来，我们长大一些，我的外祖父普耐尔·席尔兹，一个热心但技艺不算精湛的木匠，带来一些便宜的木制镶板，做了一个临时隔断，将房间分成了两个半私密的空间。他还给每个空间安了一扇折叠门，这样又隔出了一个小小的公共游戏区，我们可以用来放玩具和书。

我爱我的房间。这里只够放一张单人床和一张窄窄的书桌。我把我所有的毛绒玩具都放在床上，作为一种例行仪式，每晚睡觉时都把它们精心地摆放在我脑袋周围。克雷格那边的空间和我的一模一样，他的床紧挨着木镶板，和我的床平行。我们之间的隔断很薄，晚上躺在床上可以聊天。在隔断和天花板中间有一个 10 英寸[2] 的空隙，我们聊天时经常从这个空隙把卷起来的袜子扔来扔去。

姑婆萝比那边的屋子布置得像一座坟墓，家具都包裹着塑料保护膜，我大着胆子坐上去时，光着的腿挨着保护膜，感觉又冷又黏。她的

---

1 合作公寓，美国城市中低收入居民最主要的居住方式。

2 1 英寸约等于 2.54 厘米。

架子上摆放了很多小瓷像，但不许我们碰。我的手会在一组样子甜美的玻璃贵宾犬上停留一下，那是一只漂亮的母狗和三只小狗，然后我把手撤回来，担心萝比会生气。没有钢琴课的时候，楼下一片死寂。电视从来没有打开过，收音机也没有开过。我甚至不确定他们夫妇在楼下是否说过话。萝比的丈夫全名叫威廉·维克多·特里，不知什么原因我们都称呼他的姓。特里就像个影子，几乎不怎么说话，他一周里每一天都穿着三件套西装，看上去很体面。

那时我把楼上和楼下看成两个不同的天地，由两种不同的氛围主宰。楼上的我们闹哄哄的，并觉得理应如此。克雷格和我在公寓里互相扔球追逐。我们把碧丽珠家具护理喷蜡喷到走廊的木地板上，这样就可以穿着袜子在上面滑得更远更快，经常滑得撞到墙上。我们用两副手套（那是父亲送的圣诞礼物）在厨房里举行兄妹拳击比赛，还有"私人教练"指导我们如何稳准狠地出击。晚上，我们一家人会玩棋类游戏，讲故事或笑话，听杰克逊五兄弟乐队的唱片。如果我们吵到了楼下的萝比，她便果断地走向我们共用的楼梯间的电灯开关，这个开关也控制着我们楼上走廊的灯泡，一开一关，一开一关，这是她在礼貌地提醒我们小点儿声。

萝比和特里上了年纪。他们成长于另一个时代，拥有不同的思维方式。他们看到过我们的父母也不曾看到的事情，克雷格和我两个毛孩子就更不懂了。有时我们对楼下的坏脾气抱怨过度时，母亲会这么教育我们。虽然我们不了解时代背景，但我们被教导要记住它是存在的。父母告诉我们，地球上的每个人都背负着一段看不见的历史，单凭这一点，宽容就是必要的。许多年之后，我才了解到，姑婆萝比曾经以种族歧视的罪名控告西北大学。1943年，她报名参加了一个合唱音乐研习班，却不被允许住女生宿舍，而被通知去住城里的一个出租房，还被告知那里是"有色人种"的住处。特里曾经是出入芝加哥的夜间客运专线上的一名卧车服务员。那是一份体面但薪水一般的工作，从事这个工作的全都是黑人男性，他们穿着干净整洁的制服，为乘客提供行李托运、送餐以及其他服务，包括擦鞋。

退休多年后，特里依然保持着一种麻木的礼节——着装一丝不苟，态度温和谦卑，与世无争，至少在我眼中是这样。好像他为了生存已经放弃了一部分自我，我常看到他在夏天的烈日下割草，脚穿一双布洛克雕花皮鞋，身穿背带裤，头戴一顶卷檐软呢帽，正装衬衣的袖子仔细地挽上去。他每天只抽一根烟，每月只喝一杯鸡尾酒，这是他放松的方式。即便那样的时候，他也不会像我父母在喝了掺有苏打威士忌调酒和喜立滋啤酒后那样放松，他们每个月都要喝上几次。我有点儿希望特里能开口，倾诉他心里藏着的秘密。我想象他有很多关于他曾到过的城市以及富人们在火车上行为是否得体的有趣故事。但是，我们没有听到过任何故事。不知为何，他从来不讲这些。

大概四岁时，我决定学习钢琴。克雷格当时读小学一年级，每周到萝比家学弹立式钢琴，回来时基本安然无恙。我想我准备好了。事实上，我确信自己潜移默化中已经学会了弹钢琴，毕竟之前听了那么久其他孩子磕磕绊绊地弹奏曲子。那些音乐已经印在我脑海中了。我迫不及待想下楼向苛刻的姑婆展示我是一个有天赋的女孩，不费吹灰之力就能成为她的明星学生。萝比的钢琴放在房子后部一个小小的方形房间内，挨着窗户，在那里可以俯瞰后院。房间一角放着一盆盆栽，另一角是一张折叠桌，学生们可以在上面做音乐练习题。上课时，她笔直地坐在一个带软垫的高背扶手椅上，一个手指打着节拍，昂着头仔细听着，不放过任何一个错误。我害怕姑婆萝比吗？并不，但她确实让人心生畏惧。

她代表了一种严苛的权威,是我在别处不曾见识过的。她要求坐在她的钢琴凳上的每一名学生都表现优秀。我希望她能认可我,或者说,我想征服她。在她面前,你总感觉要去证明什么。

上第一堂课时,我坐在钢琴凳上,腿太短够不着地,来回晃荡。萝比给了我一本初级音乐练习册,我兴奋极了。她还给我演示了正确的弹奏手法。

"好了,不要走神。"她说,还没教就开始责备我,"找到中央C音。"

对小孩子而言,钢琴好像有一千个琴键。你盯着那排长长的黑白键,两个小胳膊张开都够不到边。我很快学到,中央C音是个很关键的点。它是左手和右手负责弹奏区域的分界线,在高音和低音之间。如果你可以把大拇指放在中央C音键上,其他的就好办了。萝比家钢琴的按键在颜色和形状上有细微差异,因为长年使用,琴键上有几片象牙掉了,看起来像坏了的牙齿。中央C音键有一个角完全掉了,缺了差不多有我手指甲那么大一块,正好让我的手每次都能很容易地找到它。

我发现自己喜欢钢琴,坐在钢琴前感觉很自然,好像这是我注定要做的事情。我的家族成员中不乏音乐家和音乐爱好者,特别是我母亲这边。我有一个舅舅是专业乐队成员,有好几个姨妈都在教堂合唱团里唱歌。我的姑婆萝比,除了做合唱团指挥和教钢琴课外,还是一个轻歌剧学习班的负责人。那是一个面向孩子的低价音乐剧学习班,克雷格和我每星期六早晨都去上课,地点就在教堂的地下室。不过,我们家族的音乐中心是我的外祖父——木匠席尔兹,他是姑婆萝比的弟弟。外祖父肚子圆滚滚的,留着一把蓬乱的花白胡须,总是无忧无虑的,笑起来极富感染力。我还小的时候,他住在城西边,克雷格和我就称呼他"西区的"。但是我开始上钢琴课那年,他搬到了我家附近,所以我们改了称呼,叫他"南城的"。

"南城的"和我外祖母在几十年前分居了，那时候我母亲只有十几岁。他和我的大姨卡洛琳还有小舅斯蒂夫住在一起，离我家只有两个街区。那是一座舒适的平房，为了听音乐，他把房子里里外外装上电线，每个房间都有扬声器，连浴室里都有。在餐厅，他精心打造了一组橱柜来放他的音响设备。设备大都是从庭院旧货市场上淘来的。他有两个不配套的唱机转盘和一个老掉牙的盘式磁带录音机，还有多年来收藏的满架子的唱片。

"南城的"对世界有很多不信任。他是那种典型的老派阴谋论者。他不信任牙医，结果最后满口牙几乎都掉光了。他不信任警察，也并不总是信任白人。他的祖父是佐治亚州的一名奴隶，在种族隔离法案实施时期，他在亚拉巴马州度过了童年时光，后来在 20 世纪 20 年代北上来到了芝加哥。"南城的"有了自己的孩子后，在保障他们的安全上费尽心思——他用或真实或编造的故事吓唬他们，内容是黑人小孩去了不应该去的社区后的遭遇，还教导他们和警察保持距离。

音乐似乎是他烦恼的解药，是他放松和排解烦恼的一剂良方。"南城的"在领到木匠活儿工钱的日子，有时会挥霍一下，给自己买一张新唱片。他经常为家人举办派对，因为放的音乐声太大，大家被迫要很大声讲话。我们庆祝生活中很多大事件时都是在"南城的"家里，所以这些年来，我们曾听着"艾拉·费兹杰拉"[1] 拆开圣诞节礼物，听着"克特兰"[2] 吹灭生日蜡烛。据我母亲说，"南城的"年轻的时候很重视向七个孩子灌输爵士乐，他经常在日出时带孩子一起散步，同时尽心地播放他的那些

---

1 艾拉·费兹杰拉（Ella Fitzgerald, 1917—1996），美国爵士乐歌手，雅号"艾拉夫人"。
2 约翰·克特兰（John Coltrane, 1926—1967），美国爵士乐萨克斯风演奏家、音乐革新家，是自由爵士乐的先锋。

唱片。

他对音乐的热爱很有感染力。"南城的"搬进我们的社区后，我下午经常泡在他那里，随意从架子上抽下唱片，放进音响里，每一张都是一场独特的冒险历程。尽管我当时还小，但他并不限制我的行动。后来他给我买了我人生的第一张唱片——史提夫·汪达[1]的《发音书》。我把这张唱片放在他房子里一个特别的架子上，这个架子上放的都是我最喜欢的唱片。如果我饿了，他会播放着艾瑞莎[2]、迈尔斯[3]或者比莉[4]的音乐，给我做一杯奶昔，或者煎一整只鸡。对我来说，"南城的"家里就像天堂一样大。而天堂，在我的想象中，是一个充满了爵士乐的地方。

.... ✳ ....

在家里，我继续在音乐之路上稳步向前。坐在萝比的立式钢琴前，我很快掌握了音阶，可见潜移默化还是有用的。我积极地完成她给我的读谱练习簿。因为我们家没有钢琴，所以我不得不去她家里练习。等到没有学生上课时，我经常拖着母亲一起坐在那张带软垫的椅子上，让她听我弹琴。钢琴书里的曲子我学了一首又一首。我也许并不比其他学生

---

1 史提夫·汪达（Stevie Wonder，1950—），美国盲人音乐家、作曲家、音乐制作人、社会活动家。

2 艾瑞莎·弗兰克林（Aretha Franklin，1942—2018），美国流行音乐女歌手、词曲作者、民权运动者、演员、钢琴家。歌曲流派横跨灵魂音乐与流行音乐，有着"灵魂歌后"或"灵魂音乐第一夫人"的美誉。

3 迈尔斯·戴维斯（Miles Davis，1926—1991），美国爵士乐演奏家、小号手、作曲家、指挥家。20 世纪最有影响力的音乐人之一。

4 比莉·荷莉戴（Billie Holiday，1915—1959），出生于美国费城，美国歌手、爵士乐坛的天后级巨星。

优秀，可能一样笨拙，但是我很有动力。对我来说，学习的过程有一种魔力，我从中得到了一种成就感。首先，在练习的时间和取得的进步之间，我发现了一种简单而令人鼓舞的关联。我在萝比的反应里也察觉到了某种情绪——一种隐藏太深无法直接表露的喜悦，在我零失误地演奏完一曲后，还能察觉到她流露出的一丝轻快和高兴的情绪。当我右手选中一首曲子，左手摁下琴键时，我眼角的余光注意到，萝比的嘴唇会稍稍放松，打节拍的手指也会小小地雀跃一下。

后来证明，这是我们的"蜜月期"。如果我少一些好奇心，对她的教学多一些尊敬，萝比和我原本可以继续保持这种状态。但是钢琴书太厚了，开始的几首曲子又练了太长时间，后来我失去了耐心，开始往后看——不是后面几页，而是很靠后。我开始看那些难度更大的曲子，并且在练习时开始试着弹奏。当我得意地在萝比面前弹奏了书里很靠后的一首曲子后，她爆发了，对我的表演报以一声恶狠狠的"晚安！"我被她责骂了一通，就像她之前责骂其他学生那样。我只是想学得更多更快一些，萝比却将此视为近乎叛国的罪行。她并不欣赏我的表现，一丁点儿也不。

我并不后悔。我是那种希望得到具体答案的孩子，我喜欢把事情辩明，得到一个合理的、可能也会让人筋疲力尽的结果。我那时候就像个律师，还有点儿专横，我那位常被我赶出公共游戏区的哥哥可以证明这一点。当我对某件事有个好主意时，我不喜欢别人说"不行"。这也是我和萝比发生冲突的原因，我们两个都很激动，固执己见。

"你为什么会因为我想学一首新曲子而发火呢？"

"你还没有准备好，学钢琴要循序渐进。"

"但是我准备好了，我刚才把那首曲子弹出来了。"

"那不是学琴的方法。"

"那是为什么呢？"

钢琴课变得冗长而令人厌烦，主要是因为我拒绝墨守成规，而萝比也不认同我随意地在她的歌本中选曲子来练习。在我的记忆中，我们连续很多周都在反复地练习。我又是个有主意的人，她也是。在争执间隙，我继续练琴，她继续听，还提出一连串改正意见。我并不把自己在钢琴上取得的进步归功于她，她也不认为我的提高是我自己的原因。但是，我们的钢琴课依然继续。

楼上，我的父母和克雷格觉得整件事非常好笑。晚饭时，我边吃意大利面和肉丸，边讲述跟萝比的"战斗"，情绪仍然激动，他们却捧腹大笑。克雷格和萝比相安无事，他是个让人愉快的孩子，学钢琴按部就班，并不十分投入。父母对我的遭遇并没有表示同情，对萝比也没有。总而言之，他们对于我们学业之外的事情并不过多干预，而且很早就希望哥哥和我能自己处理自己的事情。他们似乎认为自己作为父母，在家中的责任主要是倾听以及在需要时给予鼓励。对于我的表现，其他父母也许会责备孩子对长辈不敬，但他们却不予理会。我母亲从大约十六岁开始和萝比一起住，被迫遵守她定下的那些莫名其妙的规矩，看到萝比的权威受到挑战，她可能心中窃喜。现在回想起来，我觉得父母对我的奋起抗争是欣赏的，我为此感到高兴。那是我心里的一团火，他们想让它燃烧着。

.... ✳ ....

每年，萝比都会组织一场钢琴演奏会，让她的学生们可以现场为观众演奏。直到今天，我都不知道她是如何做到的，总之她想办法借到了位于芝加哥市中心的罗斯福大学的一个练习厅。演奏会就在密歇根大道上一座宏伟的石质建筑里举行，旁边就是芝加哥交响乐团的演奏场地。光是想想要去那里演奏，我就紧张不已。芝加哥卢普区[1]在我们位于欧几里得大道上的公寓以北大约九英里处。那里闪闪发光的摩天大楼，人们熙来攘往的人行道，让我感觉像另一个世界。我们一家人一年里到市中心的次数屈指可数，通常是去参观艺术学院或是看场话剧。一家四口坐在父亲的别克车里，好像太空舱里的宇航员。

我父亲对于任何需要驾车外出的理由都表示欢迎。他的爱车是一辆古铜色的双门别克 Electra 225，他骄傲地称它为"两块两毛五"。他精心为爱车擦拭打蜡，严格遵循保养程序，把车开到西尔斯百货进行轮胎换位和润滑油更换，就像妈妈定期带我们去儿科医生那里做体检一样。我们也爱"两块两毛五"。它那流线型的车身和窄窄的尾灯让它看起来帅气又新潮。车里很宽敞，感觉像个房间一样。我在里面几乎能站起身，手能摸到覆着布的车顶。那时候，系安全带还不是必需的，所以很多时候克雷格和我就在车里打闹，当我们想跟父母说话时，就把身子探到前座。在车里一半儿的时间，我会踮起脚，把头放在驾驶座的头枕上，探出下巴，这样我的脸就贴着父亲的脸，我们的视野就完全一样了。

这辆车让我们一家人有了另一种亲密方式，我们可以一边开车一边聊天。晚饭后，克雷格和我有时会央求父亲带我们出去兜兜风。作为夏夜的消遣，我们一家还会到社区西南方向的一个汽车电影院看《人猿星球》系列电影。我们在暮色中把别克车停下，安顿下来看电影，母亲把从家里带来的晚餐——炸鸡和炸薯片分给我们，克雷格和我坐在后座，把食物放在大腿上吃，小心翼翼地用餐巾纸擦手，而不是直接把油抹在

---

1 卢普区，芝加哥城的传统中央商务区，众多知名跨国企业在此设立总部，同时该区域包含芝加哥城众多知名旅游景点。

座位上。

多年之后，我才完全理解开车对于父亲的意义。小时候我只能模糊地感觉到，他开车时有一种自由自在的感觉。发动机运转良好，轮胎稳稳地转动，这让他有一种快感。父亲三十多岁时，一条腿有种奇怪的无力感，医生告诉他，将来他可能无法走路，疾病发展的过程会漫长又痛苦。很可能在某一天，他的脑神经和脊髓神经神秘脱鞘，他就完全无法走路了。我不记得确切日期，但是父亲买下这辆别克车和他被诊断出患多发性硬化症大约是同一时间。尽管他从未说过，但这辆车对他某种程度上应该是一种慰藉。

关于这种病，父亲和母亲都没有多考虑。那时候，还需要再过几十年才有谷歌，才能一搜就有一堆让人眼花缭乱的图表、数据和医学解释，带来或带走希望。即使当时有这些，我猜父亲也不愿意看。虽然父亲从小就去教堂，但他应该不会乞求上帝祛除他的病。他也不会寻找替代疗法或权威专家，又或者怪罪某个有缺陷的基因。在我的家族中，我们有一个由来已久的习惯，那就是屏蔽坏消息，在它到来的那一刻就忘掉它。没人知道父亲在看医生之前已经有多长时间感觉不舒服，我猜测不是几年也得有几个月。他不喜欢看医生，也不会怨天尤人。他是那种接受命运安排、一门心思往前看的人。

我清楚地记得，在我参加钢琴演奏会的重要日子，他走路已经有点跛，左脚跟不上右脚的步伐。我对父亲的所有记忆里都有他残疾的样子，虽然我们都不愿意用这个词。当时我只知道，父亲比其他小孩的父亲走路要慢一点儿。我有时看见他在爬一段楼梯前会停住，似乎需要想想怎么爬再行动。我们去商场购物时，他会坐在长凳上，帮忙看包或者打个盹儿，让其他人去逛。

到市中心参加钢琴演奏会的路上，我坐在别克车的后座，穿着一件漂亮的裙子和一双漆皮鞋，扎着辫子，生平第一次紧张得直冒汗。我对于演奏很焦虑，虽然我已经在萝比家把曲子练得滚瓜烂熟。克雷格也参加这次演奏会，他穿着一身西装，似乎并不紧张，还在车后座上睡着了。事实上，他睡得很死，嘴半张着，表情愉快而平静。这就是克雷格。我这辈子都梦想可以像他那样淡然从容。他当时参加了青少年篮球联赛，每周末都会比赛，显然对现场表演这档子事已经驾轻就熟。

父亲经常会花很长时间挑选停车地点，为的是与目的地尽可能地接近，这样就要多付一笔钱，但可以让他少走几步路。那天，我们很顺利地找到了罗斯福大学，走进了那个看起来巨大的有回声的大厅，钢琴演奏会就在这里举行。走进大厅，我感觉自己很渺小。大厅装着典雅的落地窗，从那里可以望见格兰特公园的大片草坪，远处还可以看到密歇根湖白色细浪腾起的湖面。大厅内整齐地排列着一排排青灰色的座椅，人慢慢多起来，都是紧张的孩子和满怀期待的父母。在大厅前部，高出地面的舞台上，放着两架小型三角钢琴，这是我有生以来第一次看到这种钢琴，它们那被撑开的巨大的硬木顶盖，就像黑色的翅膀。萝比已经到了，她穿着一条印花长裙，正在忙碌，看起来就像舞会上的美人，不过是上了年纪有点儿发福的美人。她要确保所有学生手里都拿着要演奏曲子的活页乐谱。当演出开始时，她示意全场安静下来。

我记不清楚那天的演出顺序了，只知道轮到我的时候，我从座位上站起来，用最好的仪态走到大厅前面，走上舞台台阶，坐在其中一架闪闪发光的小型三角钢琴前。事实上我已经做好了准备。虽然我认为萝比急躁又顽固，但她对完美的苛求已经内化在我的身体里。我对于要演奏的曲目熟悉到根本不用思考，要做的只是动手而已。

但是有一个问题，当我小小的手指放在琴键上的一瞬间我就发现了这个问题——放在我面前的是一架完美的钢琴，它的表面被仔细地擦拭过，琴弦的音调得很准，八十八个琴键完美地排列着，就像一条黑白相间的缎带。但问题是，我不习惯完美无瑕。事实上，我有生以来从没有见过完美无瑕的东西。我关于钢琴的所有经验都来自萝比那间低矮的小音乐室，屋里有盆乱蓬蓬的盆栽，窗外是我们简朴的后院。我唯一摸过的乐器就是她那台不完美的立式钢琴，上面的琴键已经泛黄，中央 C 音键有个缺口。对我来说，那才是钢琴的样子，就像我的社区是我的社区、我的父亲是我的父亲、我的生活是我的生活一样，那才是我认识的钢琴。

那一刻，我突然意识到台下坐着的观众在盯着我看，而我正盯着那些光滑闪亮的琴键，它们看起来一模一样。我不知道手该怎么放。我喉咙发紧，心扑通扑通地跳，但努力掩饰着自己的紧张情绪向观众席望去，想寻找母亲那张熟悉的脸。这时，我看到一个身影从前排站起来，慢慢地朝我的方向飘过来——是萝比。在那之前我们已有过多次争吵，我已经有点儿把她视为敌人。但就在我感到窘迫的时刻，她像天使一样来到我身旁。也许她明白我的感觉，也许她知道世界的差异正在无声地向我第一次展现，也可能她只是想加快演奏速度。不管怎样，萝比没有说一句话，只是把一根手指放在中央 C 音键上，让我知道从哪里开始。然后，她转过身，带着一丝不易察觉的鼓励的微笑，让我开始演奏。

2

1969 年秋天，我上了布林茅尔小学附属幼儿园，刚入园的我有两大
优势：我已经提前学会认读一些简单的单词，而且还有一个上二年级的
受欢迎的哥哥。学校是一栋带院子的四层砖楼，离我们在欧几里得大道
的家只有几个街区。走路到学校也就两分钟，如果我像克雷格那样跑着
去，一分钟就到了。

我立刻就爱上了学校。我喜欢我的老师，她是一位矮小的白人女
士，名叫巴罗斯太太。当时我觉得她很老，不过她可能也就是五十几
岁。教室里有大大的向阳的窗户，有许多布娃娃可以玩，教室后面还有
一个巨大的纸板玩具屋。我在班里交了一些朋友，都是些和我一样喜欢
上学的孩子。我对自己的阅读能力很自信。我在家已经磕磕巴巴地读完
了"迪克和简"系列[1]，书是用母亲的借书证借的，所以当听到我们上幼
儿园第一件事是认读一组新单词时，我兴奋不已。我们要学习一组颜色
词，不是认颜色，只是学单词——"red""blue""green""black""orange"
"purple""white"[2]。上课时，巴罗斯太太挨个儿考我们。她举起一组马尼

---

1 "迪克和简"系列（*Dick and Jane books*），美国 20 世纪 30 年代到 90 年代都很受欢迎的
　 一套教儿童认字的基础读物。"迪克"和"简"是书里两个主要人物的名字。
2 这组英文颜色词依次为"红色""蓝色""绿色""黑色""橙色""紫色"和"白色"。

拉纸制成的拼读卡片，让我们读出印在上面的黑色字母组成的单词。我看着那些我刚刚认识的男孩女孩站起来认读颜色卡片，表现有好有坏，程度不一。他们念不上来的时候，就被要求坐下。我觉得这本应是一个游戏，类似于英语拼写大赛的游戏，但你能看到一场微妙的分级正在发生，那些连第一个单词"red"都读不上来的孩子明显羞愧难当。当然，这是1969年芝加哥南城的一所公立学校，当时还没有自尊教育或者成长型思维的提法。如果你在家提早预习了功课，在学校就能得到奖赏，被认为是"聪明的"或"有天赋的"，这反过来又提振了你的自信心。这种先发优势累积得很快。我的班上两个最聪明的孩子分别是泰迪和齐娅卡，泰迪是一个韩裔美国男孩，齐娅卡是一个非洲裔美国女孩，之后很多年他们在班里一直都名列前茅。

我立志要赶上他们。当轮到我念老师手里的拼读卡片时，我站起身，不假思索地念出了"red""green"和"blue"。我在"purple"上卡了一下，"orange"就比较难了，但是到了"W-H-I-T-E"这个字母组合出现时，我脑袋一下子蒙了。我的嗓子瞬间变干，嘴巴也不听使唤，怎么都念不出来，脑子疯狂地搜寻着那个音似"wuh-haaa"的颜色词。这就是所谓语塞吧。我感觉膝盖无力，两腿发软。这时巴罗斯太太让我坐下。而就在坐下的一瞬间，一个单词清晰地出现在我的脑子里：white。哦，那个单词是"white"。

那天晚上，我躺在床上，脑袋周围放着毛绒玩具，满脑子想的都是"white"。我在脑子里拼着这个单词，正着拼，又倒着拼，骂自己"蠢"。这件丢脸的事情在我心里像有千斤重，好像永远摆脱不了似的，尽管我知道父母不会在意我是否正确念出了每一张卡片。我只是想要做好，或者说我不愿意让人觉得我做不好。我确信老师现在把我看作一个认读不行的学生，或者更糟，认为我根本不上进。我还念念不忘那个十美分硬币大小的金箔纸做的小星星，那是巴罗斯太太给泰迪和齐娅卡的奖品，让他们戴在胸前，奖励他们准确无误地念出了所有的颜色单词。这个奖品是他们优异表现的象征，或者说是一个表明他们优于我们这些人的符号。

第二天上课时，我要求重念一遍卡片。

巴罗斯太太不同意，和蔼地说我们幼儿园的学生还有其他事情要做。但我坚持要重念。

可怜班上的孩子，要看着我再次面对那些颜色卡片。这次我放慢了速度，在念出一个单词后刻意停顿一下歇口气，以免太紧张而让脑子短路。这个方法奏效了，我念出了"black""orange"和"purple"，特别是最后的"white"。我都没有细看卡片上的字母，几乎是喊出"white"这个单词的。今天回想起来，我觉得巴罗斯太太可能会对那个勇于为自己争口气的黑人小女孩印象深刻。我不知道泰迪和齐娅卡是否注意到我。不过我很快就领了奖品，那天下午我昂首挺胸地回家，衬衣上别着一枚金箔纸做的小星星。

在家里，我沉浸于自己编造的以布娃娃为主角的肥皂剧中，那个世界充满了跌宕起伏的情节和阴谋诡计。那里有出生、争吵和背叛，那里有希望、仇恨，有时还有性。放学后，吃晚饭前，我最喜欢的就是在我和克雷格房间外的公共游戏区，把我的芭比娃娃撒落一地，开始导演剧情，我觉得那些剧情和生活一样真实。有时我还把克雷格的特种部队人偶加到剧情中。我把布娃娃的衣服都放在一个印花的塑料小行李箱里。我给每一个芭比娃娃和特种部队人偶都设定了性格。母亲早年教我们认字的旧字母积木也派上了用场，它们也都有了名字和生命。

我放学后很少和社区其他孩子一起在外面玩，也从不邀请学校的朋友到家里玩，部分原因在于我是个挑剔的孩子，不想别人乱动我的玩具。我曾经去过别的女孩家，看到过那些恐怖的场景——芭比娃娃的头发被扯掉了，脸被记号笔画得面目全非。我在学校学到了一件事，那就是小孩子之间的关系并不简单。不管你在游乐场上看到的场景多么美好，它下面都隐藏着严酷的等级和派别变动规则。那里有女王、恶霸和跟班。我不想放学后还把自己的生活搞得那么复杂。所以，我把全部精力都放在家里的公共游戏区，我是那个区域唯一有生命的力量。如果克雷格也来玩，他胆敢动我一块积木，我就开始尖叫，必要时我还会动手，通常是在他背上猛击一拳。那些玩具和积木需要我赋予它们生命，我也在尽职尽责地这么做，为它们制造一个又一个个人危机，然后像一位贤明的神那样，看着它们在煎熬中成长。

从我卧室的窗户望出去，能观察到我们欧儿里得大道的街区发生的很多事。临近傍晚的时候，我会看到汤姆森先生，他是一个高个子的非洲裔美国人，也是街对面那栋有三个单元的楼房的主人。他将一把大低音吉他放进他那辆凯迪拉克汽车的后备厢，出发去爵士乐俱乐部参加演出。我还会看到门多萨一家，他们住在我家隔壁，是墨西哥裔。白天他们外出给人粉刷房屋，这个时候开着装着梯子的皮卡车回到家，几条狗会汪汪叫着跑到栅栏门处迎接他们。

住在我们街区的多是中产阶层家庭，不同种族杂居。孩子们决定和谁一起玩不是看肤色，而是看谁刚巧在外面，愿意一起玩。我的朋友中有一个叫蕾切尔的小女孩，她的母亲是白人，说话带英国口音；还有苏西，她有一头鬈曲的红发；还有门多萨家的孙女，她过来住时会跟我一起玩。我们的姓氏五花八门——堪索潘、阿布塞夫、雅克尔、罗宾逊。当时我们还小，没有注意到周围的世界已经在快速地发生变化。1950年，南岸社区百分之九十六的居民都是白人。我们一家是1965年搬到这儿的。到 1981 年我要上大学的时候，这个社区百分之九十六的居民都是黑人了。

克雷格和我在时代变动的洪流中健康长大。我们周围的街区住着犹太家庭、移民家庭、黑人和白人通婚的家庭，有些人过得好，有些人过得不好。一般来说，人们都会修剪自家的草坪，看管自家的孩子。他们给萝比开支票，让自己的孩子学习钢琴。我家应该属于社区里比较穷的那个群体，因为我们是周边为数不多的没有自己房子的人，挤在萝比和特里家的二楼。那时，南岸社区还不像其他社区那样——富裕的人早已搬到了郊区，社区的商铺一家家地倒闭，经济一片萧条，但是这种趋势已经明显地出现了。

我们也开始感觉到这种转变带来的影响，特别是在学校。我上二年级时，班里混乱不堪，孩子们闹哄哄的，橡皮乱飞，我和克雷格都没见过这种场面。教我们的老师不知道怎么维持课堂秩序，甚至也不喜欢孩子，而且并没有人特别在意这个老师是否称职。学生们以此为借口开始胡闹，而这位老师对我们的评价也极低。在她眼里，我们是一班"坏孩子"。就这样，我们没有人指导和组织，被发配到学校地下室一个阴冷昏暗的教室。在那里的每一分钟都让人感觉漫长而可憎。我极度郁闷地坐在书桌后的椅子上，那把椅子的颜色是像呕吐物一样的绿色，那是 20 世纪 70 年代的流行色。我在那里什么都学不到，只能枯坐到午餐休息时间，那时我可以回家吃个三明治，跟母亲吐吐苦水。

我小时候生气总会跟母亲倾诉。我气冲冲地抱怨那个新老师，她平静地听着，偶尔插一句"噢，天哪"和"噢，真的吗"。她并不纵容我的怒火，但是会认真对待我的沮丧。如果换作其他母亲，可能只会轻描淡写地说一句："你尽力而为就好了。"但是我母亲知道发牢骚和真正的苦恼之间的差别。她没有告诉我就找到学校去，开始了持续数周的幕后游说工作。后来我和其他几个表现好的孩子被悄悄地从班里抽出来，经过一连串考试，在大约一周后插班进了楼上的三年级，那里光线充足、秩序井然，老师是一位笑眯眯的女士，她做事干练，课讲得很好。

这件小事改变了我的人生。当时，我并没有想过那些留在地下室的孩子跟着一个不会教书的老师会怎样。现在作为一个成年人，我意识到孩子在很小的时候就能感觉到自己被贬低。当他们感觉到大人没有认真投入地教他们时，他们的怒气表现出来就是所谓的不服管教，而这并不是他们的错。他们不是"坏孩子"，只是在努力挨过糟糕的境遇。而当时，我只是庆幸自己脱离了苦海。许多年后，我才知道，当年母亲特意找到我二年级的那位老师，尽可能礼貌地跟她说，她不该当老师，而应该去杂货店当收银员。母亲生性安静、诙谐，但是在任何场合她都是最直率敢言的那一个。

等我再长大一些，母亲开始劝我到外面和社区里其他孩子一起玩耍。她希望我能像哥哥那样顺利地学会交际。我前面提到过，克雷格总是能让困难的事情看起来毫不费力。他当时已是篮球场上一颗冉冉升起的新星，意气风发，动作敏捷，身高蹿得很快。父亲敦促他寻找最强的对手，所以后来就让他独自到市区和篮球打得最好的孩子一起比赛。但是当时还只让他和社区的高手较量。克雷格经常带着他的篮球，去到街对面的罗森布朗公园，经过我常玩的攀爬架和秋千，再穿过一道看不见的界线，消失在树丛形成的幕帐后面，公园的篮球场就在那边。在我的想象中，那边是危险的深渊，神秘幽暗的树林里尽是些醉汉、暴徒和干非法勾当的人，但是克雷格去了那边后，回来便纠正我的认识，说那里的人根本不是我想象中的坏人。

对我哥哥来说，篮球似乎能打破所有界限。它教会他如何接近陌生人，以便加入一场临时球赛。他学会了用友好的方式发动言语攻势，对付球场上那些比他体形大和速度快的对手。篮球还帮助他解开了关于社区里很多人和事的谜团，印证了我父亲长久以来秉持的信条，即如果你对人友善，大多数人都是好人。就连常在街角酒品商店门口晃悠的那些可疑的人看到克雷格，都会面露笑容，喊他的名字，在我们经过时跟他举手击掌。

"你是怎么认识他们的？"我疑惑地问道。

"我也不知道，他们就是认识我。"他耸耸肩答道。

我十岁时，心智才成熟到开始自己外出冒险，而且很大程度上是因为无聊。那是个夏天，学校放假了，克雷格和我每天都坐公共汽车到密歇根湖那里的一个康乐营，地点在一个湖畔公园，由市政府管理。但是，我们从那里回到家时还不到四点，离天黑还早。我的玩具变得不那么有趣了，公寓里没有装空调，临近傍晚的时候热得受不了，于是我开始跟着克雷格在社区里转悠，见一些在学校里还不认识的孩子。我家屋后的小巷对面，有一个名为"欧几里得林荫路"的微型社区，里面有十五栋房屋，中间是一块公共绿地。那里就像天堂，没有车，全是孩子，他们打垒球，玩花式跳绳，或者坐在门廊上闲待着聊天。在我试图接近那里与我同龄的一群女孩子时，我面临着一个考验。女孩中有一个叫迪迪的，她在附近的天主教会学校上学。迪迪爱运动，长得漂亮，但经常嘟着嘴，还总喜欢翻白眼。她常和另一个更受欢迎的名叫迪宁的女孩一起坐在她家的门廊上。

迪宁总是很友好，但是迪迪似乎不喜欢我。我不知道为什么。每次我到那个小区玩，她都会小声地说些挖苦的话，好像我一露面就坏了大家一天的好兴致。夏天一天天过去，迪迪挖苦我时嗓门儿越来越高。我的情绪变得低落。我知道我有很多选择。我可以继续做那个被挑刺的新来的女孩；我可以不再去那个小区，回家玩我的玩具；或者我可以尝试赢得迪迪的尊重。在最后一个选择里还有不同的选择：我可以尝试和迪迪理论，用言辞或者小孩子所用的其他交际手段来让她转变态度，或者我可以强迫她闭嘴。

当下一次迪迪又开始挖苦我时，我向她猛冲过去，把父亲教我的所有打拳招数都使了出来。我们两个人滚到地上，互相拳打脚踢，小区里所有的孩子立刻过来密集地围成一圈，他们的叫喊声里充满了兴奋和小学生的暴力欲。我记不清后来是谁把我们拉开了，可能是迪宁，也可能是我哥哥，又或者哪个被叫来的家长。不过这场架打完，就像进行了某种安静的洗礼仪式，我正式被这个小区的女孩们接纳，成为她们中的一员。迪迪和我都没有受伤，不过两个人浑身是泥，气喘吁吁。我们注定成不了好朋友，但起码我赢得了她的尊重。

父亲的别克车仍然是我们的庇护所，是通向世界的窗口。我们经常在星期日和夏天的傍晚驾车外出兜风。有时我们会到南城的另一个社区，叫作"药丸山"，这样叫显然是因为里面居住着很多当医生的非洲裔美国人。药丸山是芝加哥南城相对漂亮和富裕的地方，那里的人家车道上都有两辆车，走道两旁的花坛里鲜花盛放。

父亲看待富人总是带着一丝怀疑。他不喜欢自负的人，对房产也抱着矛盾的感情。曾经有一段短暂的时间，他和母亲想买下距离萝比家不远的一栋房子，还和房产经纪人一起开车去看过，但最终还是没买。当时，对于买房的事我举双手赞成。在我看来，如果我们家能住上不止一层的房子，那将是一件意义非凡的事情。但是我父亲天性谨慎，知道有得必有失，他认为家里必须有一定的储蓄，以备不时之需。"我们可不想当房奴。"他说有些人花光了所有积蓄，借了好多钱，最后换来了一栋漂亮的房子，却搭上了人身自由。

父母跟我们交流时不把我们当小孩子。他们从不说教，对我们提出的问题有问必答，不管那些问题有多幼稚。他们从不随意敷衍我们。因为克雷格和我不放过任何一个机会来追问父母我们不懂的事情，谈话常常要持续几个小时。我们还小的时候，会问："为什么人要上厕所？"或者："你为什么要工作？"得到回答后还会继续追问。我曾出于自身利益的考虑，问过一个问题："为什么我们早餐要吃鸡蛋？"这引发了一场关于补充蛋白质的必要性的讨论。然后，我问："为什么花生酱不能算是蛋白质？"最终，经过进一步讨论，母亲改变了她关于鸡蛋的立场，这是我早期的一次苏格拉底式的胜利。在之后的九年时间里，我每天早晨给自己做一块抹花生酱和果酱的三明治，一个鸡蛋也不吃，这是我为自己争取的，要知道，我压根就不喜欢吃鸡蛋。

长大后，我们谈论得更多的是毒品、性以及人生选择，还有种族、不平等和政治。父母没有期望我们成为圣人。我记得父亲特意说过，性是快乐的，并且应该是快乐的。他们也从不美化生活残酷的一面。有一年夏天，克雷格买了一辆新自行车，一路向东骑至密歇根湖，到达彩虹海滩旁边的铺砌的道路上，在那儿感受湖面吹来的微风。但立即有一名警察以偷窃的罪名逮捕了克雷格，因为他不相信一个黑人男孩能通过正当手段得到一辆崭新的自行车。（这名警察自己也是非洲裔美国人。后来我母亲劈头盖脸地训斥了他一通，并让他向克雷格道了歉。）父母告诉我们，这件事不公平，但很不幸，它非常普遍。我们的肤色让我们处于弱势地位，但总要设法应对。

我猜测，父亲开车带我们到药丸山，有点儿激励我们出人头地的意思，这是个向我们展示良好的教育会带来怎样的前途的好机会。父亲和母亲一辈子都待在芝加哥，在方圆几英里内搬来搬去。但是，他们不希望我和克雷格也这样。在结婚之前，他们两个都曾上过一段时间的社区大学，又都中途辍学，没有拿到学位。母亲学的是师范专业，后来还是想出来做秘书工作。父亲中止学业是因为没钱交学费，之后他便参了军，父亲家里没有一个人劝他回学校读书，因为他身边没有上过大学的人，不了解那是什么样的生活。他服了两年兵役，在不同的军事基地间来回调动。对父亲来说，大学毕业然后成为一名艺术家是他的一个梦，很快他把希望转移到他弟弟身上，拿出自己的薪水帮助弟弟拿到了大学的建筑学学位。

父亲快四十岁时，一门心思要为我和哥哥存钱。我们一家人永远不会成为房奴，因为我们不会买房。父亲的考虑很实际，他觉得资源有限，并且留给他的时间也有限。他不开车的时候，会拄着一根手杖到处转。我小学毕业前，那根手杖换成了一副腋下用的拐杖，很快又换成了双拐。父亲的身体日渐虚弱，肌肉开始萎缩，神经开始受损，但他把这些视为命运对他的考验，默默地承受着。

我们一家时不时也会"奢侈"一回。当克雷格和我拿到学校的成绩单后，父亲会从我们最爱的意大利嘉年华餐厅叫一个外卖比萨来庆祝。天气热的时候，我们会买打包的冰激凌、巧克力、奶油胡桃和黑莓味儿的各来 1 品脱[1]，能吃上几天。每年到芝加哥海空飞行表演秀[2] 的时候，我们就带上吃的，沿着密歇根湖开车向北，去到一个封闭的半岛。父亲工作的水处理工厂就在那里。这是一年中仅有的几次，职员家属可以进入工厂，在能俯瞰密歇根湖的一片绿草如茵的草坪上观看表演。战斗机列队从密歇根湖上空呼啸着飞过，那里的视野比得上海滨大道上任何一栋

---

1 品脱，英美制容量单位。美制 1 品脱约等于 0.47 升。
2 芝加哥海空飞行表演秀（Chicago Air and Water Show），每年 8 月在密歇根湖上举行。

顶层豪宅。

父亲在工厂里的工作是管理锅炉。每年7月，他都会休一周假。我们一家，还有一个姨妈和两个表亲，七个人挤进那辆双门的别克车，在里面连续几个小时。车沿着天际公路驶出芝加哥，绕过密歇根湖的南端，一直开到密歇根的怀特克劳德，到达一个叫"杜克斯快乐假日"的度假村。那里有一个游戏室、一个卖瓶装汽水的自动售货机，最重要的是，还有一个很大的户外游泳池。我们租了一个带小厨房的小木屋，每天在游泳池里玩得不亦乐乎。

父亲和母亲在外面烧烤、抽烟，和姨妈一起玩纸牌。父亲时不时也和我们这些孩子在游泳池里玩一通。父亲长相英俊，两撇胡子向嘴唇两边倾斜，就像两把镰刀。他的胸膛和手臂很厚实，肌肉发达，依稀可见年轻时的运动风采。在那些漫长的午后时光里，父亲在游泳池里戏水、大笑，把我们小小的身体抛向空中，他那双萎缩的腿似乎突然间康复如初了。

衰退是一件很难评估的事情，尤其当你身处其中时。每年9月暑假结束，克雷格和我回到布林茅尔小学时，都会发现操场上白人孩子越来越少。有一些是转学到了附近的天主教会学校，但更多人是彻底搬走了。起初离开的只是白人家庭，后来这也发生了变化。很快，有能力搬走的人似乎都在准备离开。大多数时候，人们搬家不会提前告知，也没有任何解释。我们看到雅克尔家的房子挂起了"出售"的牌子，泰迪家门前停着一辆搬家卡车，才知道发生了什么事。

对母亲来说，最大的打击是她的朋友维玛·斯图亚特也要搬走了，她和丈夫在郊区一个叫公园森林的社区贷款买了一栋房子。斯图亚特家有两个孩子，住在欧几里得大道靠南的一个街区。和我们一样，他们也住在公寓里。斯图亚特太太有一种顽皮的幽默感，大笑起来很有感染力，母亲对她颇有好感。她们两个常交换菜谱，来往频繁，但不像社区其他主妇那样爱东家长西家短地聊八卦。斯图亚特太太的儿子唐尼和克雷格同龄，也热爱运动，他们两个一拍即合，成了好朋友。她的女儿帕米拉已经十几岁，对我不感兴趣，而我则觉得十几岁的青少年都很有吸引力。我对斯图亚特先生所知不多，只知道他在市区一个大型面包公司开货车。他们一家人是我见过的皮肤最白的黑人。

他们怎么买得起郊区的房子，我猜不出来。后来我才知道，公园森林社区是美国第一个有完整规划的社区，它不只是一个住宅区，而且是一个能承载大约三万人的村庄，里面有购物商场、教堂、学校和公园。社区于1948年建成，在很多方面都可以作为郊区生活的样板，房屋都是批量建造的，庭院整齐划一。那里还曾经实行过配额制，规定每个街区能住几户黑人家庭，不过等斯图亚特一家搬过去的时候，这个配额制显然已经废除了。

他们搬走后不久，就邀请我们在父亲不上班时去做客。我们很兴奋，因为这次出行与以往不同，可以有机会见识一下传说中的郊区。我们四个人坐着别克车，向南驶上高速公路，出了芝加哥市区。开了大约四十分钟后，我们到了高速路出口，旁边是一个了无生气的购物广场。我们依照斯图亚特太太的指示，驶过蜿蜒安静的道路，那两旁的街区看起来一模一样。公园森林社区就像是地区住宅的缩小版，房屋是简朴的田园农场风格，木瓦板是柔和的灰色，门前有新栽的树苗和灌木丛。

"为什么有人愿意跑大老远住在这儿？"父亲盯着仪表盘自言自语。我也觉得没道理。在这里，我目之所及竟没有一棵我的卧室窗外的橡树那般巨大的树木。这个社区所有的东西都崭新宽阔，毫不拥挤，不像我们家那边的街角酒品商店，门口常有一些讨厌的家伙流连。没有汽车喇叭声，没有警报器声，也没有从厨房里飘出的音乐声。这里所有的窗户似乎都紧闭着。

克雷格对那次出行的印象很美好，因为他那天和唐尼·斯图亚特还有一帮新认识的郊区的哥们儿在蔚蓝天空下的空地上打了一天球。我的父母和斯图亚特夫妇愉快地聊天叙旧，而我一直跟着帕米拉，着迷地看着她的头发、偏白的皮肤，还有她的首饰。我们两家人还一起吃了午饭。

直到傍晚，我们才和斯图亚特一家告别。在暮色中，我们走到父亲停车的马路牙子上。克雷格浑身是汗，跑了一整天，他已经精疲力竭，我也很累，想赶快回家。这个地方让我有点莫名地紧张。我不喜欢郊区，虽然说不出来为什么。

母亲后来谈起斯图亚特一家和他们的新社区，提到住在他们那条街上的几乎都是白人。

她说："我想，我们去拜访之前，也许没人知道他们一家是黑人。"

她认为我们可能无意中令他们暴露了，我们从芝加哥南城过去，带着暖房的礼物，还有我们显眼的黑皮肤。即便斯图亚特一家并没有刻意隐瞒他们的种族，很可能也不会主动跟他们的新邻居谈起。不管他们的街区是什么样的氛围，他们都没有公然破坏它，起码在我们去做客之前没有。

那天晚上，当父亲走向我们的车时，窗户后面是不是有双眼睛在盯着看？某个窗帘后，是不是有个黑影，在等着看会发生什么事？我不清楚。我只记得父亲走到驾驶座的车门前时，身体稍稍僵了一下。有人在他的爱车上划了一道，从车门一直划到车尾。那道划痕细长而丑陋，是用钥匙或者石头划出来的，可以肯定，绝不是意外。

前面说过，我父亲是那种逆来顺受的人，他从不抱怨任何事，无论大小——给他上一盘肝脏，他会愉快地吃掉；医生给他判了死刑，他会继续若无其事地生活。这次车的事情也一样。就算可以抗争，可以去敲一扇门理论，父亲也不会那么做。

"真是活见鬼！"他说，然后打开了车门。

那天晚上，我们在开车回市区的路上没有过多地讨论这件事。也许是因为分析起来太累人了。不管怎样，我们都不会再去郊区了。父亲第二天还得开着车上班，可以肯定那道划痕让他很不舒服。没过多久，父亲一得了空，就把车开到西尔斯百货的车身修理厂，把那道划痕给抹掉了。

3

　　不知从何时起，我一向从容淡定的哥哥开始有烦恼了。我说不好是从什么时候开始的，又是怎么开始的。但是克雷格，那个在社区里到处跟人举手击掌打招呼，在任何环境中只要有十分钟空闲就能无忧无虑打个盹儿的男孩，在家里越来越烦躁不安，他总觉得会有什么灾难发生。每到傍晚，他就开始在家里为每一种可能的灾难后果准备预案，设想各种我们觉得匪夷所思的情况。比如他担心自己会失明，便戴着眼罩在屋里走，摸索着熟悉起居室和厨房的方位；担心自己会变聋，他便开始自学手语；显然还有截肢的风险，他把右手绑在背后，练习用一只手吃饭和做家庭作业。毕竟，你不知道未来会发生什么。

　　克雷格最担心的，可能也是最现实的，就是火灾。家庭火灾在芝加哥司空见惯，部分原因是贫民区的房子年久失修，房东又放任不管，发生火灾正好可以向保险公司索赔；还有一部分原因是家用烟雾警报器是个相对较新的发明，价格不菲，工人阶层负担不起。不管怎样，在我们生活的城市里，火灾几乎是家常便饭，它能烧毁房屋，夺走生命。我的外祖父"南城的"后来搬到我们的社区，就是因为他在西区的老房子在火灾中烧毁了，幸好没有人受伤。（听母亲说，当时"南城的"站在熊熊燃烧的房子外的马路边上，大喊着让消防员别把水管往他那些宝贝爵士乐专辑的方向喷。）随后还发生了一场悲剧，我幼小的心灵在那时还无法接受那种惨剧。我五年级的一个同学，一个相貌可爱、高个子的非洲裔男孩——莱斯特·麦科勒姆，他就住在我家附近拐角处位于 74 街上的联排住宅里。一场火灾吞噬了他的生命，同时遇难的还有他的哥哥和妹妹，他们三人当时被大火困在了二楼的卧室里。

那是我生平第一次守灵：殡仪馆中，当杰克逊五兄弟的音乐响起时，社区的所有孩子都在哭泣；大人们都陷入沉默。此时，任何祈祷和陈词滥调都无法填补三个孩子离去留下的空虚。殡仪馆前面放着三副盖了盖的灵柩，每个盖子上都摆着一个相框，上面是一张微笑的脸。麦科勒姆太太和她的丈夫在火灾发生时跳出了窗户侥幸逃脱，他们坐在三副灵柩前，面如死灰，几近崩溃，让人不忍直视。

之后几天，麦科勒姆家被烧毁的房屋还有些余烬，还有地方坍塌，这座房子比那三个孩子的生命力要顽强。社区里弥漫着浓重的烟味儿。

时间一天天过去，克雷格的焦虑有增无减。在学校时，我们在老师的带领下进行过疏散演习，他顺从地学习停下、倒地、滚动三步火灾自救法。最终克雷格决定，我们要在家里提高安全等级，并自封为家庭消防队队长，让我当他的副手，随时准备在演习时清理逃生的通道，或者在需要时让父母配合行动。我们不太相信家里真的会发生火灾，但是我们都认为一定要做好准备。准备工作很重要。我们一家人不管去哪儿都很准时，甚至还会提前到达。如此，父亲就可以从容地找到一个让他少走些路的停车位，去看克雷格打篮球比赛时，也有时间在露天看台上找到一个方便进去的座位。这些都教会我们一件事，那就是人生要学会提前计划。

为此，我和哥哥想出各种逃生路线，甚至还讨论一旦火灾发生，我们是从窗户跳到屋前的橡树上还是邻居的屋顶上。我们想象着各种可能性，比如厨房里发生油脂类火灾，地下室发生电气类火灾，或者房子被闪电击中而着火。如有紧急情况，克雷格和我一点儿都不担心母亲。她个头儿小，动作敏捷，是那种假如肾上腺素飙升，都能举起一辆车以救下遇险小娃娃的人。而父亲就不好讲了，这不言自明，他拖着病腿，不可能像我们一样轻而易举地跳窗逃生，我们都已经好几年没见他跑步了。

我们意识到，万一发生紧急情况，我们的自救工作不可能像课后播放的电影里那样进行。我们的父亲不会像大力神一样，轻松地把我们扛在肩上带到安全地带。如果有人要这么做，那只能是克雷格。他的个头儿后来超过了父亲，然而在当时，他还是一个肩膀瘦削、两腿细长的男孩，他似乎明白，任何英勇行为都需要练习。为此，在我们的家庭消防演习中，他设计出最糟糕的情况，让父亲躺在地板上，并告知他要像一条麻袋一样绵软无力，假装吸入浓烟后昏倒。

"噢，老天爷！"爸爸会摇着头说，"你确定要这么做吗？"

父亲不习惯无助。他尽全力管理着自己的生活，勤勉地照顾家里的车，按时支付家庭账单，从不讨论他日益加重的多发性硬化症，而且没有误过一天工。正相反，父亲乐意成为别人的靠山，体力上不能做的，就用情感和智力上的引导与支持来代替。正因如此，他喜欢自己选区区长的工作，为芝加哥的民主党服务。他担任这个职务已经有很多年，部分原因是本市雇员多少有责任为政党机器效劳。尽管父亲当时也是赶鸭子上架，但他热爱这份工作。母亲对此一直想不通，因为它耗费的时间实在太多。父亲每个周末都会去附近的社区看望他的选民，后面经常跟着不情不愿的我。我们会在停车后，步行穿过两旁都是简易平房的街道，来到某个弯腰驼背的寡妇或者某个大腹便便、喝着一罐米凯罗啤酒、往纱门外张望的工人门前。这些人看到父亲面带笑容、拄着手杖站在他们门外，通常都很高兴。

"哎呀，是你啊，弗雷泽！真让人高兴，快进来。"

这句话对我来说可不是好消息。它意味着我们要进到屋里去，意味着我整个星期六下午就只能坐在一张散发着霉味儿的沙发上，或者坐在餐桌前喝一罐七喜汽水，听父亲收集反馈意见——其实是投诉。他会把这些转给当选的市政委员会委员，也就是选区的负责人。当人们遇到垃圾收集、扫雪、路面不平整等问题时，父亲就会到场。他的目的是让选民感受到民主党在照顾着他们，当选举活动到来时他们能够积极投票。让我感到沮丧的是，他从不催促任何人。对父亲来说，时间是你给别人的礼物。他会啧啧称赞一张可爱的孙辈照片，耐心地聆听人们讲八卦、喋喋不休地谈论自己的健康问题，听到人家说钱如何不够用时点头表示理解。最后，当我们从那些老太太家里起身告辞时，父亲会拥抱她们，保证会尽全力帮助她们，把可以解决的事情都解决掉。

父亲对自身的价值很有信心，并引以为豪。这也是为什么在家里进行消防演习时，他不愿意成为一个被动的"道具"，即使只是做做样子。在任何情况下，他都不肯成为别人的负担，沦落成一个躺在地板上失去意识的人。但是，他似乎明白这样做对我们很重要，尤其对克雷格。所以当我们让他躺下时，他会迁就我们，先跪下，再坐下，然后仰面躺在起居室的地毯上。母亲觉得这一幕有点好笑，父亲会和她交换眼神，好像在说："这些讨厌的孩子。"

他会叹口气，闭上眼睛，等着克雷格的手放在他的腋下，开始救援行动。母亲和我站在一旁，看着还没到青春期的哥哥使出全身力气，笨拙地拖着体重 170 磅[1]左右的父亲，倒退着穿过他想象中的熊熊大火，把父亲拖过地板、绕过沙发，最后拖到楼梯间。

从那儿，克雷格认为他应该可以把父亲的身体滑下楼梯，从侧门拖

---

1 1 磅约等于 0.45 千克。

到安全地带。父亲总是拒绝练习这个部分，他会轻轻地说"到这儿就行了"，然后坚持站起来，不让克雷格把他拖下楼梯。不过，在这两个男人之间，已经形成了默契。如果真的发生什么，事情不会那么容易或者舒服，也没人能保证我们安然无恙。但是，万一最坏的事情发生，起码我们提前有个方案。

慢慢地，我变得更加外向和喜欢交际，愿意更多地接受世界乱糟糟的一面。也许是因为我总是跟随父亲访问选区。我们一家总在周末出游，还频繁地到七大姑八大姨家做客，并在人家后院烧烤。我和社区的孩子们一起往其他社区跑，我天性里对混乱和随意的抵制好像没那么强烈了。

我母亲有六个兄弟姐妹。父亲是家里五个孩子中的老大。母亲那边的亲戚总是聚在拐角处的"南城的"家里。外祖父厨艺很好，在那儿我们还可以玩纸牌，听活力四射的爵士乐。外祖父就像一块磁铁一样，把我们所有人吸引在一起。他对自家院子之外的世界充满疑虑，担心我们每个人的安全和身心健康，所以总是尽全力营造一个环境，让我们吃饱玩好，可能也希望我们永远不要远离那里。他还送给我一只狗，那是一只性情温和的黄棕色牧羊犬，我们给它起名为雷克斯。根据母亲的指令，雷克斯不能住在我们家，但我可以随时去"南城的"家里看它。我躺在地板上，把脸埋到它柔软的毛里。每次"南城的"走过，它的尾巴都会愉快地甩一下。"南城的"宠爱这只狗，就像宠爱我一样，给它食物、爱和包容，所有这些都像是一种无声的认真的恳求，恳求我们永远不要离开他。

父亲那边的亲戚分散在芝加哥广阔的南城，其中有一群姑婆和三个堂亲，还有几个远房亲戚。我们常去拜访这些亲戚，路上我会安静地数街上的树，以此判断我们要去谁家。比较穷的社区通常一棵树都没有，但是，父亲对这些亲戚都一视同仁。他看到总是醉醺醺的卡里欧叔叔时，脸上会露出笑容。卡里欧叔叔一头卷发，身材瘦削，个子不高，长得有点像小萨米·戴维斯[1]。父亲很爱她的维黛拉姑姑，她和八个孩子住在 94 号公路附近一栋破旧的公寓楼里。我和克雷格知道，那个社区的生存法则是与众不同的。

星期日下午，我们一家四口会开车向北，十分钟之后到达帕克维公园社区，和祖父祖母一起吃晚饭，安德鲁叔叔、卡勒顿叔叔和弗朗西斯卡姑姑也住在那里。他们比爸爸小十几岁，所以对我们来说更像是哥哥姐姐，而非叔叔和姑姑。长兄如父，这话一点儿不错，父亲跟他们在一起时，会给他们建议，需要时给他们塞点儿钱。弗朗西斯卡聪明又漂亮，有时会让我给她梳理那一头长发。安德鲁和卡勒顿当时二十出头，很时髦。他们穿着喇叭裤和高领毛衣，还有皮夹克，交了女朋友，谈论的都是诸如马尔科姆·X[2]和"灵歌势力"之类的话题。克雷格和我在他们位于公寓后面的卧室里一待就是几个小时，都想濡染他们的范儿。

我祖父的名字也叫弗雷泽，弗雷泽·罗宾逊，他一点儿也不好玩。这位老太爷总是坐在躺椅上抽雪茄，腿上放着一份打开的报纸，旁边的电视里播放着晚间新闻。他和我父亲的性情截然不同。对于祖父来说，所有的事情都让人生气。每天报纸上的大字标题，电视新闻里的世界局势，还有"波波们"——这是他给那些游手好闲、到处败坏黑人名声的年轻黑人起的外号，这些都让他生气。他常冲着电视大喊大叫，还冲我祖母发脾气。祖母和蔼可亲，说话轻声细语，是一名虔诚的基督徒，名

---

1 小萨米·戴维斯（Sammy Davis Jr., 1925—1990），美国著名歌唱家。
2 马尔科姆·X（Malcolm X, 1925—1965），美国伊斯兰教教士、黑人民权运动活动家。

叫拉沃恩。(父母给我起名米歇尔·拉沃恩·罗宾逊,就是为了向她致敬。)白天,祖母在南郊游刃有余地打理着一家生意红火的圣经书店,但是下班后和祖父在一起时,她变得温顺驯服,当时还是小女孩的我觉得无法理解。她给他做饭,还要听他连珠炮似的抱怨,自己却一声不吭。尽管我那时候还小,但看到祖母在祖父面前的沉默和顺从,也感到非常生气。

据我母亲讲,我是家里唯一敢在祖父大喊大叫时和他顶嘴的人。从小到大,我一直这么干。首先,我受不了祖母不为自己讲一句话;其次,其他人在祖父面前也都不敢讲话;最后,因为我爱祖父,虽然他讨厌我。他的固执脾气我很了解,我自己也遗传了这份固执,但愿没他那么惹人厌烦。祖父也会有柔和的一面,虽然只是偶尔流露。有时,我坐在他的躺椅上面,他会温柔地揉搓我的脖子。或者当我父亲讲了个笑话,或者我们小孩子在谈话里夹带了某个"高级"的单词时,他会微微一笑。但是,一旦有任何不顺心,他就又开始咆哮。

我会说:"祖父,别冲我们大喊大叫了。"或者:"别对祖母发脾气。"经常还会加一句:"你脾气怎么这么坏?"

这个问题既复杂又简单。祖父没有回答过,他对我的干预总是生气地耸耸肩,然后继续看他的报纸。不过回家后,我父母会试着跟我解释。

祖父出生在南卡罗来纳州低地地区,在空气潮湿的乔治敦港长大。在当地广阔的种植园里,曾有数千名奴隶劳作,收割水稻和槐蓝属植物,给他们的主人们带来财富。祖父1912年出生,祖上都是奴隶,他的父亲是一位工厂工人,而他是家里十个孩子中的老大。他从小聪明伶俐、思维敏捷,有"教授"的绰号,并很早就立志要上大学。但他出身贫穷的黑人家庭,成年时又赶上了大萧条。高中毕业后,祖父就到一家木材厂工作,他知道如果待在乔治敦港,人生就不会有太多选择。所以在木材厂倒闭后，他和当时很多非洲裔美国人一样，抓住机会北上来到了芝加哥，成为后来被称为"大迁徙"运动中的一员。"大迁徙"持续了五十多年，涉及来自美国南方的六百万黑人，他们逃离种族压迫，来到北方的大城市定居，寻找工厂里的工作。

如果是在一个美国梦式的故事里，20 世纪 30 年代早期祖父来到芝加哥后，会找到一份好工作，还可以设法上大学。但是，现实远没有那么美好。工作很难找，部分原因是当时一些大工厂更愿意雇用欧洲移民而非黑人。祖父什么工作都做，他曾在保龄球馆整理球瓶，业余时间做点儿杂活。慢慢地，他向现实妥协，放弃了上大学的想法，转而考虑参加培训，希望成为一名电工，但就连这个计划也很快受挫。如果你想在芝加哥做一名电工（或者炼钢工人、木匠、水管工等），或者在任何一家大工厂工作，你必须有工会会员证，但黑人基本不可能拿到这个证。

这种特殊形式的歧视改变了几代非洲裔美国人的命运，包括我家族里的很多人，限制了他们的收入、机会乃至志向。因为无法加入工会，我做木匠的外祖父不能去大建筑公司工作，那些公司接的活儿工期长，收入稳定。特里，就是姑婆萝比的丈夫，也是因为这个原因放弃了水管工的工作，转而去做了卧车服务员。还有我的皮特舅舅，他因为无法加入出租车司机工会，只能开没有执照的黑车，在西城一些危险的地区接活儿，一般的出租车都不去那里。他们都是头脑聪明、身强力壮的男人，却没有机会得到收入稳定、薪水丰厚的工作，所以也没有能力买房子，送他们的孩子上大学，或者为退休生活攒钱。我明白，那种被边缘化的感觉让他们很痛苦，他们被困在无法施展才华的工作岗位上，看着白人被越级提升，有时还要负责培训新员工，而且心里知道这些人可能有一天会成为他们的上司。你永远不知道自己在别人眼里是什么样，这怎能不让他们心怀愤恨和疑虑。

对于祖父来说，生活并不都是糟糕的。他在去南城的教堂时遇到了我祖母，并终于通过联邦政府的公共事业振兴署找到了工作。成立公共事业振兴署是大萧条时期的一项政府救济计划，雇用非熟练工人参与公共建筑工程以解决失业问题。祖父后来做了三十年的邮政工人，退休后拿到一笔养老金，这让他可以舒服地躺在椅子上，冲着电视里的"波波们"大喊大叫。

祖父一共有五个孩子，都和他一样聪明又自律。他的二儿子诺米尼，在哈佛商学院拿到了学位。安德鲁和卡勒顿后来分别成了列车员和工程师。弗朗西斯卡在广告业做了一段时间的创意总监，最后当了一名小学老师。但是，祖父不能把孩子们的成就视为他自己成就的延伸。就像我们每星期日到帕克维公园社区吃晚饭时看到的那样，祖父一直愤恨不平地活在自己破碎的梦想中。

如果说我问祖父的问题难以作答，那很快我就发现，许多问题都是这样的。我自己也开始遇到一些不易回答的问题。其中一个来自一个小女孩，她的名字我想不起来了，只记得是远房亲戚家的妹妹。我父母每次带我们去大西边的一位姑婆家做客时，这门亲戚也常在那里。我常和那些堂兄妹一起在姑婆家平房的后院玩。大人们在厨房里喝咖啡、大声说笑，后院里，我们这些孩子便在一起玩。大家有时会尴尬，好像被迫交朋友似的，不过通常很快就熟络起来。克雷格几乎每次都跑去打篮球，而我会和其他人一起玩花式跳绳，或者插话进去跟大家一起开玩笑逗乐。

那年我大概十岁，一个夏日，我坐在门廊上和同龄的几个女孩聊天。我们都扎着辫子，穿着短裤，坐在那里消磨时间。当时我们在聊什么呢？什么话题都聊，比如学校、我们的哥哥或者地上的一个蚁丘。

突然，一个女孩，说不清是我的哪一个亲戚，她斜眼看了我一下，口气有点冲地说："你怎么说起话来像个白人女孩？"

这个问题很尖锐，对我是一种侮辱，或者说，至少是一种质疑，但也是很认真的一个问题。它包含着一种让我们都感觉困惑的东西。我们两个是亲戚，但好像来自两个不同的世界。

"我没有。"我看着她，气愤她居然说出这种话，而其他女孩看我的眼神也让我感到丢脸。

但是我明白她的意思。我无法反驳她，因为我确实和这些亲戚说话方式不同，克雷格也是如此。我们的父母从小给我们灌输使用标准词汇说话的重要性，比如：要说"going"而不是"goin'"；要说"isn't"而不是"ain't"[1]。我们被教导要把单词说完整。父母给我们买了一本词典，还有一整套《大不列颠百科全书》，放在我们公寓的楼梯间的架子上，书名是烫金的。每次我们对某个单词、某个概念或者某段历史有疑问，他们就让我们去查阅那些书。祖父的影响也是一个因素，我们过去吃晚饭时，他会一丝不苟地纠正我们的语法，告诫我们说话吐字要清晰。总的意思是，我们要超越现状，走得更远。他们早早让我们做准备，并鼓励我们。他们期望我们不只要聪明，还要发挥自己的聪明才智，并且要贯穿到我们说话的方式中。

然而，这样也有问题。我们这种说话方式被认为是"白人的"，是一种背叛和装腔作势，是对我们文化的一种否定。多年后，我认识并嫁给了我的丈夫，他的肤色有些人觉得白，有些人觉得黑，他说话的口音像是常青藤名校毕业、在堪萨斯州中产阶级白人家庭中长大的夏威夷黑人。在政治舞台上，我曾在白人和黑人脸上都看到过那种迷惑的表情，

---

1 goin' 和 ain't 都是黑人俚语。

那种想把某人和自己的种族联系起来却发现并不容易时的懊丧。后来美国也向贝拉克·奥巴马提出了同样的问题，就像那天在门廊上我的亲戚无意中问我的："你是黑人吗？我能否信任你？"

那天，我一直避免跟她说话，她的敌意让我沮丧，但是我又想让她看到我是真诚的，而非在炫耀某种优势。我不知道该怎么做。与此同时，我听到不远处厨房里传来大人的谈话声，父母爽朗的笑声回荡在庭院上方。我看到哥哥正汗流浃背地和附近街角的一些男孩打球。每个人似乎都很适应环境，除了我。今天，我再次回首那一刻的不适，意识到那是一个普遍的问题：我们要在自己的过去和未来中不断加深对自我的认识。我也意识到，我还要走很长一段路，才能找到自己的声音。

4

在学校，我们每天都有一小时的午餐和休息时间。因为我母亲不工作，我家离学校又近，所以我经常带着四五个女孩一起回家。一路上我们聊个不停，到家后就坐在厨房的地板上玩抓子游戏[1]，或者看电视剧《我的孩子们》[2]，母亲会给我们一人一个三明治。对我来说，这开启了我持续一生的一个习惯，那就是身边总围绕着一群关系亲密、昂扬向上的女性朋友，这让我拥有了一处用女性智慧营造的避风港。在我的"午饭团"里，我们会谈论上午学校发生的各种事情、对老师的意见、哪些作业没有用，我们的观点大体上趋于一致。我们共同的偶像是杰克逊五兄弟乐队，不过对奥斯蒙德兄弟乐队的感觉有点飘忽不定。"水门事件"爆发了，我们都弄不明白是怎么回事。好像有很多老家伙在华盛顿特区对着麦克风讲话，但那里对我们而言只是一个遥远的城市，里面有很多白房子和白人。

我母亲很乐意为我们提供午餐，因为这为她了解我们的世界提供了便利。当我和朋友们边吃边聊时，母亲经常在一旁安静地做着家务，而

---

1 一种颇受孩子们喜爱的游戏，有多种玩法，核心在于抛起和接住各种不同形式的"抓子"，抓子多为小球、石子或金属块。

2 《我的孩子们》(*All My Children*)，美国广播公司于 1970 年开始播出的一部长篇电视剧，一直到 2011 年才剧终。

且毫不掩饰自己在认真听我们的谈话。我们一家挤在一套不足 900 平方英尺[1]的房子里，从来谈不上有什么隐私。不过这只在个别时候是个问题。比如，克雷格突然开始对女孩子感兴趣，他打电话的时候会跑到洗手间里，还会把门关上。我家的电话机挂在厨房的墙壁上，卷曲的电话线被拉过走廊后绷得紧紧的。

在芝加哥的学校中，布林茅尔小学排名中等，不好也不坏。南岸社区的种族和经济分层一直贯穿了整个 20 世纪 70 年代，这意味着黑人学生和贫困学生的比例在逐年增加。当时，芝加哥掀起了一场席卷全市的种族融合运动，要把孩子用校车都送到新的学校去，但是布林茅尔的学生家长成功地抵制了这场运动，他们认为把钱花在提升学校质量上才更明智。当时我还是个小孩，不清楚学校的设施是否破旧，以及学校里白人小孩少有什么关系。学校从幼儿园一直开到八年级，这也意味着我上到高年级时，对学校里每一个电灯开关、每一块黑板，走廊上的每一道裂缝都将了如指掌。我认识这里几乎所有的老师和学生。对我来说，布林茅尔几乎就是家的延伸。

我快上七年级时，《芝加哥守卫者》周报上刊登了一篇措辞尖锐的评论文章。文章指出，布林茅尔小学在几年时间里，已经从全市最好的公立学校之一沦落为"贫民区思维"管理下的一个"破旧的贫民窟"。这份报纸的主要读者是非洲裔美国人。我们的校长拉韦佐博士很快写信给那位报纸编辑进行回击，他为社区的家长和学生辩护，并指出这篇文章是"可怖的谎言，旨在煽动失败和逃离的情绪"。

拉韦佐博士是一个笑眯眯的胖子，秃顶的脑袋两边各留着一簇浓密的小短卷。他大多数时候都待在学校前门附近的办公室里。从他的信中

1　1 平方英尺约等于 0.09 平方米。

可以看出，他很清楚自己面对的敌人是谁。失败先是一种感觉，很久后才会变成实际的结果。它先是由自我怀疑滋生出无力感，而后升级，这一切通常是由刻意营造的恐慌所导致的。他提到的这种"失败情绪"已经在我住的社区里蔓延，附着在那些经济状况始终得不到改善的家长身上，那些开始怀疑自己的未来不会有任何改变的孩子，以及那些眼见家境富裕的邻居搬到郊区或者把孩子转到天主教会学校的家庭身上。这里随处可见掠食成性的房产经纪人，他们向业主们吹耳边风：赶快把房子卖掉，趁一切还来得及，赶快离开，他们会提供帮助。言下之意是，失败即将来临，这是不可避免的，而且你已经能感觉到它了。你可以选择变得一贫如洗，或者选择逃离。他们用了人们最惧怕的那个词——"贫民区"，把它像点燃的火柴一样扔在地上。

这些话我母亲统统不信。她已经在南岸社区住了十年，后来又接着在这里住了四十年。她不相信这些恐怖的流言，而且对任何描绘美好愿景的理想主义也同样免疫。她是个彻头彻尾的现实主义者，只相信自己的掌控力。

在布林茅尔小学，她成为家长教师联谊会最活跃的成员之一，为购买新教学设备筹款，为老师举办答谢宴，为成立适合优等生需求的特殊混合班级拉票。最后这个设想是拉韦佐博士提议的。他在夜校拿到了教育学博士学位，一直致力于新教育趋势研究——将学生按照能力而非年龄进行分组教学。其实就是把更聪明的孩子放在一起，让他们以更快的节奏学习。

这个提议是有争议的，被批评为不平等，而不平等是所有"优等生"计划的固有问题。但在当时，这项运动已经在全美国蔚然成风，我在布林茅尔小学的最后三年，成了这项计划的受益者。我和来自不同年级的大约二十个孩子被安排在一间独立的教室。跟学校其他班级不同，我们有单独的休息、午餐、音乐和体育时间表。我们还能得到一些特殊机会，比如每周去社区大学参加高级写作研习班，或者在生物实验室解剖老鼠。回到教室后，我们有很多自主学习时间，自己给自己设定目标，按照最适合自己的速度学习。

分给我们的都是很好的老师，先是马蒂内先生，后来是贝内特先生，他们都是性格温和、让人愉快的非洲裔美国人，很愿意和学生交流。我们能明显感觉到学校对我们的重视，这也让我们更加努力，对自己更有信心。这种独立学习的计划强化了我争强好胜的性格。我疯狂地往前赶功课，暗暗关注着自己在班里的排名，我们逐渐从长除法学到初级代数，从只能写一个段落到能够提交一篇完整的研究论文。对我来说，学习就像一个游戏。和大多数孩子一样，在游戏中占上风的时候，我是最高兴的。

我会把学校里发生的所有事告诉母亲。午饭汇报后，下午我还会跑回家一趟，把书包扔在地上，匆匆找点吃的，向母亲二次汇报。我意识到，我并不知道母亲在我们上学时会做什么事情，主要是因为我没问过，毕竟孩子们大都以自我为中心。我不知道她对于做传统的全职主妇是什么感受，是否更愿意出去工作。我只知道，我回到家时，冰箱里总有食物，不光有我的，还有我朋友的。每次我们班外出活动，母亲总会主动要求陪同，她会穿上件漂亮裙子，涂深色唇膏，和我们一起坐公交到社区大学或者动物园。

我们家的日子过得很节省，但我们不常讨论花费超支的问题。母亲总能想到办法来弥补。她自己修指甲，自己染头发（有一次不小心染成了绿色），只在过生日时买新衣服，由父亲买给她作为礼物。她一辈子都不是很有钱，但是心灵手巧。我们小时候，母亲变魔术般地把旧袜子改成布偶，跟《大青蛙布偶秀》里的那些一模一样。我家的桌布是她自己用钩针手工编织的。一直到中学我的很多衣服都是她做的。后来，在牛仔裤前兜上拥有一个凯莱·范德比尔特的"天鹅"标突然变得意义重大，于是我坚持不要她再给我做衣服了。

母亲还经常改变我们起居室的布置，换一个新的沙发套，或者换一下墙上挂着的照片和装饰画。天气转暖的时候，她循例会进行一次迎春大扫除，把边边角角都打扫一遍——家具用吸尘器吸一遍，窗帘洗一下，风暴窗都拆下来，用威斯特清洁剂清洗玻璃，打扫窗台，然后换上纱窗，把春天的气息迎进我们狭小拥挤的公寓。她还经常到楼下的萝比和特里家里，把那里也打扫一遍，尤其是在他们年纪渐老、精力不济后。因为母亲的原因，直到今天，我一闻到派素清洁剂的味道，马上就会感觉生活很美好。

圣诞节是母亲发挥创意的好时候。有一年，她想出一个点子，把波纹纸板覆盖在家里方形的金属暖气片上，纸板上印着花纹，看起来像是红色的砖，把纸板钉在一起，我们就有了一个直达天花板的烟囱，还有一个壁炉，壁炉架和炉床也都一应俱全。然后，她让我们的艺术家——我的父亲，在很薄的米纸上画上橘红色的火焰，用灯光一打，可以以假乱真。在新年前夜，根据传统，她会买一个特别的开胃食物篮，里面有大块奶酪、罐装烟熏生蚝和不同种类的香肠。她还会邀请弗朗西斯卡姑姑来家里玩棋盘游戏。我们会订一个比萨作为晚餐，然后晚上一起优雅地进餐，母亲把装着肉肠面包卷、煎大虾和乐之奶酪夹心饼干的餐盘依次递给每一个人。等快到午夜时，我们每个人会喝一小杯香槟酒。

母亲在教育子女上秉持着一种禅宗式的冷静和中立，我觉得这种心态非常好，非常难以效仿。我有些朋友的母亲对他们的生活过分关注，我还知道一些孩子的父母因忙于自己的事情而忽略了孩子。我母亲则介于两者之间。她不急于下判断，也不急于干预。她观察我们的情绪，慈爱地见证我们每天的痛苦与欢乐。事情变得糟糕时，她只给予我们一点儿同情。我们做了一件很棒的事，她也只是轻描淡写地表扬一下，我们知道她对此感到高兴，但那不至于成为我们做这件事的理由。

倘若给我们提建议，她通常是冷静理智且讲求实效的。"你不需要喜欢你的老师。"一天，我回到家向她抱怨时，她这样跟我说，"但那位女士脑子里的数学知识，你需要掌握。把注意力集中在这上面，其他的不要想。"

她爱克雷格和我，但是并不过分干预我们。她的目标是把我们推向世界。"我培养的不是小孩子，"她跟我们说，"是未来的大人。"父亲和她会为我们提供指导而不是立规矩。所以在我们十几岁时，没有晚上必须几点前回家的约束。反之，父母会问我们"你们觉得几点前回家比较合理？"，并相信我们会遵守承诺。

克雷格讲过一件事，他八年级时喜欢上一个女孩。一天，那个女孩向他发出了一个意味深长的邀请，让他到她家里去，还特意让他知道她的父母不在家，就他们两个人。

我哥哥内心很挣扎，到底去还是不去——虽然这个机会很有诱惑力，但他知道这是偷偷摸摸、不光彩的事，父母知道后一定不会原谅他。但是，他还是告诉母亲有这么一个女孩，只不过他隐瞒了一部分事实，说他们会在公立公园见面。

克雷格在做这件事之前就已经有负罪感了，他甚至只是想想都感到歉疚，并最终把整件事向母亲和盘托出，他以为母亲会发脾气，或者说他希望母亲发脾气，不许他去。

但是，母亲没有。她不会这么做。那不是她做事的方式。

她听了之后，并没有采取任何强制措施，而是把选择权交还给了哥哥。她耸耸肩，漫不经心地说："你觉得怎么合适就怎么处理吧。"然后她就转身去洗碗或叠衣服了。

这是又一个把孩子推向世界的行动。我相信，母亲心里已经知道哥哥会做出正确的选择。我现在意识到，她的每个行动背后都有一种沉着的自信作为支撑，那就是她会把我们培养成未来的大人。我们的决定要自己来做。这不是她的生活，是我们的生活，而且永远是我们的。

······· ✳ ·······

我十四岁时，已经认为自己是半个成年人——或者说是三分之二个成年人了。第一次来例假的时候，我立刻兴奋地向全家人宣布了这个消息，因为我们就是这样的家庭。我不再穿少女内衣，而是换上了有点女人味的那种，这也让我感到兴奋。那时，我不再回家吃午饭，而是在学校和班里的同学一起到贝内特先生的屋里吃。星期六我也不再去外祖父家里听爵士乐唱片，不再和雷克斯玩耍。我会骑着自行车经过外祖父家，再往东骑六个街区去奥格尔斯比大道上的一栋平房，那里是戈尔姐妹的家。

戈尔姐妹是我最好的朋友，我有点儿崇拜她们。黛安和我同级，帕姆比我们低一级。她们都很漂亮，黛安皮肤偏白一些，帕姆偏黑一点，两人身上都有一种与生俱来的优雅。就连她们的小妹妹吉娜（她比我们还要小几岁）身上也散发着浓浓的女人味，我当时把这种气质归为戈尔家特有的。她们家里几乎没有男人。父亲不和她们住在一起，她们也不怎么提起他。她们有一个年纪比她们大很多的哥哥，也不怎么在家住。戈尔太太是一个乐观向上、富有魅力的女人，做一份全职工作。她的梳妆台上琳琅满目，有各种香水瓶、蜜粉盒和小瓶装的油膏。因为我母亲朴素且讲求实用，所以这些化妆品在我眼里和珠宝一样稀奇。我喜欢在她们家玩。帕姆、黛安和我永远津津乐道的话题是我们喜欢哪个男孩。我们涂上唇膏，还互相试穿对方的衣服，并突然意识到某些牛仔裤更能突显我们的臀部线条。那个时候，我的很多精力都用在想象上，我坐在自己的房间听音乐，想象和一个英俊的男孩跳一支舒缓的舞，或者望着窗外，期待我暗恋的男孩骑车经过。那些年能找到几个姐妹一起度过确实是一件幸事。

戈尔家的门不准男孩子进，但是他们像苍蝇一样在那里转悠。他们骑着自行车在人行道上来来回回。他们坐在门廊上，期待黛安或者帕姆出来和他们调情。身处这种期待的氛围，感觉是很有趣的，虽然我还不太确定那是什么意思。我发现周围人的身体都在发生变化。学校里的男孩体形突然变得像个男人，举止笨拙，焦躁不安，声音也变得低沉。同时，我的一些女性朋友看起来就像十八岁，穿着超短裤和露背装四处走，她们的表情平静而自信，好像知晓了什么秘密，好像她们升级了，而我们其他人还懵懵懂懂，等着成人世界的召唤。我们还在长个儿，看起来像小马驹，那种稚嫩涂再多的唇膏也掩盖不了。

和许多女孩一样，早在成熟之前，我就已经意识到自己身体的弱势所在。现在我更多地会单独在社区里活动，而不是和父母一起。下午晚些时候，我会乘公交车去 79 街上的梅费尔学院上舞蹈课，还有爵士乐和杂技课，有时也会帮妈妈跑腿。与新的自由相伴而来的是新的脆弱。我学会了完全目不斜视地从聚集在街角的一群男人身边走过，不去留意他们打量我胸部和腿的目光，也不去理会他们的口哨声。我还知道了社区哪些地方比较危险，晚上一定不要单独去那里。

鉴于我们两个都已经大了，父母在家里做出了一个很大的调整。他们把厨房的后廊改造了一下，变成了克雷格的卧室，他现在已经是一名高中二年级的学生了。外祖父多年前给我们做的那层薄薄的隔断被拆掉了。我搬进了之前父母的卧室，他们搬进了我俩从前住的屋子，这样，我和哥哥第一次有了属于我们自己的空间。我的新卧室很梦幻，有蓝白花的床裙和枕套，一块挺括的深蓝色地毯，一张白色的公主床，还有和床配套的梳妆台与台灯——跟西尔斯百货的商品图册上的简直一模一样，我当时看上了这样的卧室布置，父母满足了我的心愿。我们两个还都有了自己的分机——我的电话机是浅蓝色的，和我卧室的色调正相配，而克雷格的是充满男人味的黑色，这意味着我们可以半私密地处理自己的私人事务。

我的初吻就是通过这部电话来实现的，是跟一个名叫罗内尔的男孩。罗内尔不是我们学校的，也不住在我们社区，他和我的同学齐娅卡同在芝加哥儿童合唱团里唱歌。我们是通过齐娅卡认识的，然后就互相喜欢上了。我们打电话时有点尴尬，但是我不在意。我喜欢这种被人喜欢的感觉。每次电话铃响起，我都怀着一种兴奋的期待。会是罗内尔打来的吗？我记不清是谁先提出某天下午在我家外面见面，然后试试接吻，但是表达得很明确，没有用什么害羞的委婉语言。我们不是要去"闲逛"或者"散步"，我们就是要去亲热，而且我们两个都同意。

后来，我来到我家侧门附近的一张石凳上，房子所有朝南的窗户都能看到这里，四周环绕着萝比的花坛，我和罗内尔坐在石凳上接了一个温暖的吻。这件事没什么惊天动地或者激动人心的，就是好玩。慢慢地，我意识到，和男孩在一起很有意思。对我来说，在体育场的露天看台上看克雷格打篮球不再是妹妹应尽的义务，因为篮球比赛不就是一个男孩展示自我的场合吗？我会穿上最紧身的牛仔裤，多戴几条手链，有时还会带着戈尔姐妹一起去，提高我在看台上的受关注度。然后我会享受每一分钟：场上汗流浃背的场景——跳跃、进攻、喘息、呐喊，男性的气息及其充分展现的神秘感。一天傍晚，小校队¹的一个男生在下场时冲我微笑了一下，我马上回以微笑。我感觉我的未来正在慢慢来临。

我慢慢疏远了自己的父母，渐渐不愿意跟他们分享心事。在我们一起看完篮球比赛开车回家的路上，我坐在后座，不发一言，我的感觉太深沉或者说太纷乱，无法与他们分享。我正困在青春期孤独的兴奋中，认为身边的大人从未经历过所以也无法理解我的感觉。

有时在晚上，我从洗手间里刷完牙出来，发现房间里漆黑一片，起居室和厨房的灯都关了，大家都回到了自己的空间里。克雷格房门下面的缝隙透出一线光，我知道他正在做作业。父母卧室透出电视机屏幕闪烁的光，我听到他们小声说着什么，不时笑出声来。就像我从未想过母亲做全职主妇是什么感受一样，我那时也从未想过结婚意味着什么。我把父亲和母亲的婚姻视为理所当然。那是一个简单而确凿的事实，是我们一家四口生活的基础。

很久之后，母亲告诉我，每年当春天来临，芝加哥的天气变暖的时候，她都会有离开父亲的想法。我不知道这种想法是不是认真的，也不知道这件事她想了一个小时、一天，还是整整一季。但是对她来说，这是一种积极的幻想，几乎已经成为习惯，在感觉上是健康的，甚至是让人愉快的。

现在我懂了，即使是幸福的婚姻也会让人腻烦。婚姻是一纸要不断续订的契约，甚至可以秘密进行——甚至能独自一人进行。我认为母亲不会直接跟父亲吐露她的疑虑和不满，也不会让他知道她那些日子里梦

---

1 美国很多县里的小学和初中，都还没有学校的球队，一般是到了高中才有校队，但是需要学生有一定的水平，经过挑选才可以参加。按照水平从低到高，学校的球队分为新生队（Freshman Team）、小校队（Junior Varsity Team，也叫 JV Team）、大校队（Varsity Team）三类。

想的另一种人生的样子。她会不会想象自己身处某个热带岛屿，和另一个男人在一起，住另一种房子，有一个转角办公室，而不是拖着两个孩子？我不知道，我想我可以问问母亲，不过她现在已经八十多岁，所以我觉得这都不重要了。

如果你从未在芝加哥过过冬，那让我来描绘一下：你会连续一百天生活在铁灰色的天空下，就像城市上空盖了一个盖子。湖面上吹来刺骨的寒风。下雪的方式有很多种，夜里下鹅毛大雪，白天是狂风加暴雪，有让人泄气的雨夹雪，还有童话般的漫天飞雪。通常还会结冰，到处都是，连人行道和挡风玻璃也需要融冰。大清早你能听到除冰的声音，"吱吱吱"，那是人们在清除车上的冰，赶着去上班。你的邻居穿着厚厚的御寒衣服，低着头躲避寒风，都认不出来是谁。市政铲雪车在街道上隆隆驶过，白色的雪被堆成乌黑的一堆，最后没有什么是一尘不染的。

但是，之后人们会察觉到一种变化。缓慢的轮回开始了。变化可能是空气中一丝不易察觉的湿润，是稍稍放晴的天空。你先是在心里感觉到，冬天可能要过去了。开始你可能还不相信，后来就确定了。因为太阳出来了，树上冒出了小小的嫩芽，邻居们也脱下了厚外套。早晨起来，你可能突然有种冲动，决定把房间里所有的窗户都拆下来，清洗玻璃，打扫窗台。你开始想，做这个男人的妻子，住在这所房子里、带着这些孩子，你是否错过了人生的其他可能？

可能你一整天都在思考新的生活方式，最后，把窗户一一安回窗框里，把桶里兑了派素清洁剂的水倒进水槽。这时，你所有的确定感都回来了，是的，春天又到了，你再次选择留下。

5

在我上高中那一年，母亲最终还是回到了职场。她走出家和社区，来到芝加哥熙熙攘攘、高楼林立的市中心，在那里找到了一份银行行政助理的工作。她买了一套职业装，开始了每天通勤的生活。她乘公交车向北到杰弗里大道，如果和父亲的出门时间碰巧一致，她就搭父亲的别克车走。对母亲来说，这份工作正好可以让她换换环境，而对我们家来说，多一份收入也是必要的。父母要负担克雷格在天主教会学校的学费，而且也在考虑他上大学的事，后面紧跟着还有我。

我哥哥那时已经完全长大成人了，是一个动作优雅的大高个儿，两腿像是装了弹簧，是本市最好的篮球运动员之一。在家里，他吃得很多。他一次能喝掉几加仑[1]牛奶，吃掉一整张大比萨饼，经常从晚饭到睡觉前一直在吃东西。就像他一直表现出来的那样，他既能做到从容随和，也可以注意力高度集中，他有很多朋友，成绩也好，还是一名引人注目的运动员。他曾经参加过一支暑期业余联赛球队，在中西部地区打巡回赛。球队里有一位未来的超级巨星——伊赛亚·托马斯，他最终入选美国职业篮球联赛名人堂。克雷格上高中前，就已经成为芝加哥市几所顶尖公立学校篮球教练争抢的对象，他们的队里需要克雷格这样的球

员。这些球队会吸引大批人呐喊助威，也会吸引大学的星探。但是我的父母态度坚决，他们认为克雷格不能为了打篮球而耽误其学业发展，高中运动场上的辉煌毕竟是过眼云烟。

迦密山学校似乎是最好的选择，里面有一支实力强劲的天主教联盟篮球队，课程标准也以严格著称，值得父母一年交几千美元的学费。克雷格的老师们都是身着棕色长袍的神父。他班里的同学百分之八十都是白人，其中许多人有爱尔兰天主教背景，来自偏远的白人工人阶层社区。高三结束时，第一级别的大学球队已经向他抛出了橄榄枝，其中几个很可能为他提供全额奖学金。但是，我父母还是坚持，他不应该限制自己的选择，要争取进入自己能力所及的最好的大学。至于学费，他们会想办法。

可喜的是，我上高中时学费全免，自己只需要支付公交车费。我幸运地通过考试进入了芝加哥第一所全市统招的高中——惠特尼·扬高中。学校位于卢普区西边一处破败的街区。刚刚成立几年，它就发展为芝加哥顶尖的公立学校。惠特尼·扬高中是以一位民权斗士的名字命名的，1975 年正式对外招生，目的是在"跨区校车接送制度"[1]之外，提供另一种积极方案。学校坐落在北城和南城的分界线上，那里有深具前瞻性思维的老师、崭新的硬件设施。学校招生的原则是，机会面前人人平等，只以学业表现作为唯一录取标准，不考虑人种肤色。芝加哥市教育委员会制定的录取配额制是：百分之四十给黑人学生，百分之四十给白人学生，百分之二十给拉丁裔或其他族裔学生。但实际上，情况有点不同。我上学的时候，学校里百分之八十的学生都不是白人。

---

1 "跨区校车接送制度"，美国为了消除种族隔离而推行的一项制度，通过校车运送学生跨区上学，使学校融合不同种族的学生。

高中开学的第一天，去学校对我来说是一次全新的长途冒险。路上要花一个半小时，搭乘两次公交车，在市中心换乘，神经绷得紧紧的。那天早晨，我五点就起床了，全身上下穿的都是新衣服，还戴了一对漂亮的耳环，心里有点打鼓，不知道在公交旅程的另一端，这些是否会被接受。我吃完早饭，不知道午饭会在哪里吃。我跟父母道别，不知道过完这一天我是否还是自己。据说高中是会改变人的。惠特尼·扬高中对我来说，完全是一个陌生的地方。

学校非常漂亮，设施很先进，比我去过的所有校园都要好。学校由三栋立方体形状的大楼组成，其中两栋大楼之间还有一个别致的玻璃空中走廊，横跨杰克逊大道。教室是开放式的，设计得很用心。有一栋楼专门用于艺术教育，里面有供合唱团练习和乐队演奏的专用房间，还有用于摄影和陶艺课程的教室。整个校园建得像是一个用于学习的圣殿。学生们从学校的大门拥入，在开学的第一天，他们就已经志向明确。

惠特尼·扬高中共有约一千九百名学生，在我看来，他们都比我成熟和自信，似乎可以完全掌控自己的每一个脑细胞，在全市统一考试中答对的每一道多项选择题都为他们注入了能量。我感觉自己很渺小，我曾经是布林茅尔的高年级学生，此时却是高中最低年级的学生。下了公交车，我注意到很多女孩在背着书包的同时还拎着女式小提包。

如果可以分类的话，我对高中的种种担心，大部分都可以归为同一个问题：我是否足够优秀？入学第一个月，这个问题一直困扰着我，同时，我也开始适应新环境，每天黎明前起床，穿梭在学校各大楼之间上不同的课程。惠特尼·扬高中分为五个"舍"，作为其成员的大本营，这是为了让学生在高中生活期间建立密切的关系。我分在了"金舍"，负责我们的是一位副校长——史密斯先生，他家恰巧也住在欧几里得大道，离我家不远。过去几年，我一直帮史密斯先生家做零活，比如临时帮忙照看孩子们，给孩子们上钢琴课，训练他家不听话的小狗。在学校看到史密斯先生对我是个安慰，好像在我的社区和惠特尼·扬高中之间有了一座桥梁，但这并没有抵消我的焦虑。

我们社区只有几个孩子在惠特尼·扬高中上学，其中有我的邻居和朋友泰利·约翰逊，还有我的同学齐娅卡——我们俩从幼儿园就认识并且一直在进行友好竞争，还有另外一两个男孩。我们中的一些人会一起坐公交车上下学，但是在学校，我们分散在不同的"舍"，所以不能总是结伴而行。我也是第一次身处没有哥哥暗中保护的环境。之前，克雷格以他随和讨喜的方式，让我一路走得很顺利。在布林茅尔，他善良懂事，老师们很喜欢他，在孩子中间他也是受尊重的酷小子。我一直生活在他带来的阳光下，走到哪里，人们都会说那是克雷格·罗宾逊的妹妹。

而现在，我只是米歇尔·罗宾逊，这里没有人知道克雷格。在惠特尼·扬高中，我需要靠自己的努力来站稳脚跟。我最初的策略是先不说话，暗中观察一下班里的新同学。这些到底是什么样的孩子？我只知道他们都很聪明，那种聪明是经过证实的、经过精挑细选的。显然，他们是本市最聪明的孩子。但我不也是其中之一吗？我们——我、泰利和齐娅卡——能到这里来不正是因为我们和他们一样聪明吗？

事实上，我并不确定。我不知道我们是否和他们一样聪明。

我唯一知道的是，我们来自一所位于黑人居民占大多数的中产阶层社区的学校。但是，假如我们还不够聪明呢？如果搞了半天，我们不过是最糟的学生中最好的呢？

在学校迎新会上，在上第一节生物课和英语课时，在食堂笨拙地尝试认识新朋友时，这个疑问一直在我脑子里挥之不去。不够优秀，不够优秀——这是对我的出身以及我已经建立的自信的质疑。它就像一个恶性细胞，会不断裂变再裂变，除非我能找到方法阻止它。

.... ✳ ....

我发现，芝加哥是一个比我想象中大得多的城市，因为我当时每天上下学加起来要坐三个多小时的公交车。在75街上车后，一路上会像走迷宫一样经过无数站，车上很挤，没有空座，经常得站着。

在漫长的旅程中，我透过车窗似乎可以逐渐看到整个南城的模样。在清晨的微光中，街角商店和烧烤店还没开门，篮球场和铺砌整齐的游乐场上空无一人。我们向北来到杰弗里大道，向西驶入67街，然后再向北，转来转去，每过两个街区就停一站，让人上车。我们会穿过杰克逊公园高地和海德公园，芝加哥大学的校园就在这些公园里，藏在巨大的铁艺门后面。时间好像过了一万年，我们才终于上了湖滨大道，沿着密歇根湖一路向北到达市中心。

我向你保证，坐公交车心急也没用。你上了车就只能乖乖忍着。每天早上，我都会赶在高峰时段抵达密歇根大道换乘到市区的公交，上车后沿着范布伦大街向西走，这一路上的风景比前一程要好看，我们会路过有金色大门的银行大楼，看到高级宾馆门外站立的侍者。透过车窗，我看到穿着西装、裙子和高跟鞋的时尚男女，拿着咖啡赶去上班，他们的忙碌中透着一种自负。我当时还不知道这样的人叫职场人士。我也不知道他们必须要拿到什么样的学位，才能进入范布伦大街两旁高大的写字楼。但是，我喜欢他们脸上坚定的神色。

同时，在学校里，我也在暗暗收集一些数据，来确定我在同学中的位置。在此之前，我和社区外的孩子的接触，仅限于去几个堂亲表亲家做客，以及参加了几次市里在彩虹海滩上举办的夏令营，那里的所有营员都来自南城，家里都不富裕。而在惠特尼·扬，我认识了一些家住北城的白人孩子，芝加哥北城在我的感觉里就像是月球的背面，是一个我从没想过也没有理由要去的地方。更加有趣的是，我发现有一个叫作非洲裔美国精英的群体。我高中的很多新朋友都是黑人，但这并不代表我们的经历有任何相似之处。其中一些人的父母是律师和医生，而且他们之间早就认识，好像是通过一个名为"杰克与吉尔"的非洲裔美国人社交俱乐部认识的。他们度假时会去滑雪，或者出国旅游。他们谈论的事情我从没听过，比如暑期实习和传统黑人学院[1]。我的班上有一个对每个人都很友善的黑人男生，他的父母创立了一家大型美容用品公司，他家住在市区最豪华的一栋大厦里。

这就是我的新世界。当然学校里并不是所有学生都家境优渥，见多识广。还有很多孩子来自和我差不多的社区，他们付出的努力比我多得多。但是我在惠特尼·扬的前几个月，窥见了之前对我而言隐形的某些东西——特权和人脉，它们就像悬在我们头上的一些半隐藏的梯子和导绳，准备好把我们中的一些人而非所有人拽上天。

我在学校第一轮考试的成绩很好，第二轮也不错。经过了高一和高二两个学年，我开始建立起和在布林茅尔时一样的自信。因为每次考试我都能取得好成绩，几乎没有考砸过，所以我对自己的怀疑慢慢消失。大部分老师我都很喜欢。上课时我也不害怕举手了。在惠特尼·扬高中，聪明的孩子是无须担心的，因为这里几乎每个人的目标都是上大学，所

---

1 传统黑人学院（Historically Black Colleges），指的是那些在 1964 年之前建立的黑人学院，以招收非洲裔美国人为主，并且得到了教育部认可或协会认证。最早的传统黑人学院，重点在于培养教师、牧师和社区服务人士，后来逐渐转变为培养非洲裔的专业人才。人们熟知的杜波伊斯、马丁·路德·金、著名的记者和女权主义者艾达·韦尔斯、教育家和总统顾问布克·华盛顿等，都曾就读于传统黑人学院。

以你无须掩盖自己的智慧，不用担心有人说你说话像个白人女孩。

我喜欢所有包含写作的课程，初级微积分则学得有些吃力。我的法语成绩也差强人意。在我前面，有些同学的成绩总是比我高一点儿，而且似乎学得很轻松，但我努力不让这个影响自己。我开始意识到，如果我多花一些时间学习，通常会迎头赶上。我不是门门功课都能拿 A，但是我一直在努力，而且某些学期的成绩已经接近全 A。

同时，克雷格被普林斯顿大学录取，搬出了家中后廊的卧室，从此，我们的生活中有了一个高 6.6 英尺、重 200 磅的空白。冰箱里备的肉类和牛奶明显少了好多，不再有女孩打来电话，一直占着线跟他聊天。他之前被好几所提供奖学金的大学录取，而且也算是一个篮球明星，但是在父母的鼓励下，他选择了普林斯顿大学，虽然学费要更高一些，但是他们觉得回报也会更多。克雷格在大二时，进了普林斯顿大学的校篮球队，这让父亲倍感骄傲。父亲走路不稳，需要拄双拐，但他还是乐于长途驾车。他用那辆旧别克车换了一辆同车型的新车，颜色是微微发亮的深栗色。每当从水处理工厂休假时，他就开十二小时的车，横穿印第安纳州、俄亥俄州、宾夕法尼亚州到达新泽西州，去现场观看克雷格比赛。

因为我每天需要坐很长时间的公交车上下学，所以和父母见面的时间也变少了。现在回想起来，那段日子他们应该很孤独，或者至少需要适应一下。我当时在外面的时间比在家里多。因为在车上站一个半小时太消耗体力，泰利·约翰逊和我想出了一个妙招，但是需要早晨提前十五分钟出门。我们先坐车去往相反的方向，往南几站就到了一个人少的社区，然后下车过马路，再上我们经常坐的往北走的公交车，这一站比我们平常在 75 街上车的那站人要少得多。我们对自己的小聪明很得意，沾沾自喜地坐下，一路便在聊天或者学习中度过。

晚上，我拖着疲惫的身体回到家的时候，已经六七点钟，匆匆地边吃晚饭，边和父母聊聊白天学校发生的事。等母亲一刷完碗，我就开始做作业。我经常带着书本到楼梯间放百科全书的角落里去，那里临近萝比和特里的房间，更加隐秘安静。

我的父母从没有说起大学学费让他们感到有压力，但我知道压力一直都在。所以当法语老师宣布她要带一个团去巴黎，但需要自费，让大家报名时，我回家压根儿没提这件事。这就是我和"杰克与吉尔"俱乐部那些孩子的差别，虽然他们中很多人现在都是我的好朋友。我有一个充满爱的整洁的家，可以负担我每天往返学校的交通费，晚上回到家还有热饭热菜等着我。除此之外，我不会再向我的父母提任何要求。

一天晚上，父母找我谈话，他们看起来有点困惑。母亲从泰利·约翰逊的母亲那里听说了法国团的事情。

"你为什么不告诉我们呢？"她问。

"因为那个需要很多钱。"

"这个不是你要操心的事情，米歇尔。"父亲温和地说，口气里有一丝不悦，"如果我们连知道都不知道，又怎么去做决定呢？"

我看着他们两个，不知道该说什么。母亲看着我，眼神柔和。父亲已经脱下了他的工作服，换上了一件干净的白衬衫。他们现在都四十岁出头，结婚近二十年了，从没去欧洲度过假。他们没去过海滩旅行，没有在外面吃过饭，也没有属于自己的房子。我和克雷格是他们唯一的投资，家里所有钱都花在我们身上。

几个月后，我跟着老师还有十几个来自惠特尼·扬的同学一起，登上了飞往巴黎的航班。我们后来住在一家旅社，参观了卢浮宫和埃菲尔铁塔，从路边摊买了奶酪煎饼吃，还沿着塞纳河河畔散步。我们这群来自芝加哥高中的孩子说起了法语，虽然生硬，但起码我们开口了。出发那天，当飞机开始移动时，我从舷窗回望机场，知道母亲就站在黑色窗户后的某处，穿着冬天的外套，在朝我挥手。我记得飞机引擎启动时，声音大得吓人。然后它沿跑道滑行，飞离地面，向上加速时，我感觉胸口发闷，一股后坐的力量把我按到座位上，这种奇怪而短暂的适应过程过去之后，我终于感觉自己升空了。

.... ✳ ....

和全世界所有的高中生一样，我和朋友们喜欢闲逛。我们闲逛时会在公共场所吵吵嚷嚷。在放学早或者作业少的时候，我们就结伴从学校到市中心，到有八层商场的芝加哥水塔商厦去。我们在那儿坐着电梯上上下下，买好吃的皆乐爆米花[1]，在麦当劳餐厅里占上几张桌子，只买一点儿吃的，却待上很长时间。我们在马歇尔·菲尔德百货公司里逛名牌牛仔裤和手袋店，经常有不太待见我们的保安偷偷跟着我们。有时，我们还会去看场电影。

我们一路上很高兴，因为我们自由自在，而且是和伙伴们在一起，还不用想学校的事情，所以这座城市看起来更加有魅力。我们是一群学着四处探索的城市孩子。

我大部分时间都和一个名叫桑蒂塔·杰克逊的同学待在一起，她早晨也会坐杰弗里大道上的公交车，但比我晚几站上车。她是我高中时期最好的朋友之一。桑蒂塔有一双美丽的黑眼睛，两颊饱满，举止像是一

---

1 皆乐爆米花（Garrett Popcorn），1949 年创立，总店位于芝加哥，除了美国本土，目前中国香港、日本、新加坡、泰国曼谷都有分店。有人评论皆乐爆米花是世界上最好吃的爆米花。

位充满智慧的女士，尽管她只有十六岁。在学校，她报名参加了所有可以报名的美国大学先修课程[1]，而且几乎都拿到了高分。当所有人还在穿牛仔裤时，她已经穿上了裙子；她的嗓音清澈而有力，多年后，她作为罗贝塔·弗莱克[2]的伴唱参加了巡回表演。桑蒂塔很深沉，这是我最喜欢她的地方。她和我一样，在人多的场合可以轻狂搞笑，但单独相处时我们会严肃认真起来，两个少女哲学家一起讨论大大小小的人生问题。我们坐在桑蒂塔家二楼房间的地板上，一聊就是几个小时，谈论我们的烦恼、未来的人生目标以及我们对世界的认识与不解。桑蒂塔的家是一栋都铎风格的白色房子，在杰克逊公园高地，那里是南岸社区的富裕地段。作为朋友，她是很好的听众，也非常有洞察力。我也努力做到和她一样。

桑蒂塔的父亲是个名人，这是她的生活中最重要的、绕不过去的一个事实。她是杰西·杰克逊[3]牧师的长女。杰克逊牧师是一位极具号召力的浸礼会牧师，也是一位影响力与日俱增的政治领袖。他与马丁·路德·金曾是亲密的战友，在 20 世纪 70 年代早期因创立了一个名为"PUSH 行动"的政治组织而享誉全国，那是一个为非洲裔美国人中的弱势群体代言的机构。我们上高中的时候，杰克逊牧师已经是不折不扣的名人，他富有魅力，人脉广泛，非常活跃。他在全美国发表巡回演讲，号召黑人甩掉贫民窟的典型负面形象，要求获得被长久剥夺的政治权

---

1 美国大学先修课程（Advanced Placement），简称 AP，适用于全球计划前往美国读本科的高中生，由美国大学理事会主办。该课程成绩可以抵扣成功申请美国大学的学生入学后相应课程的学分，是美国各大学录取学生的重要依据。

2 罗贝塔·弗莱克（Roberta Flack, 1937— ），美国最伟大的黑人女歌手之一，在美国歌坛被奉为前辈级歌后。在 20 世纪 70 年代，她几乎家喻户晓，红遍全世界。

3 杰西·杰克逊（Jesse Jackson, 1941— ），美国著名的黑人运动领袖，继马丁·路德·金之后又一位具有超凡魅力的黑人民权领袖和演说家。

利，因而赢得了一大批支持者。他号召黑人团结一致，自强不息。"毒品让人堕落！希望使人奋进！"他这样对听众说。他要学生写保证书，晚上不看电视，做两小时家庭作业。他要求家长承诺关注孩子的学业。他抵制在许多非洲裔美国人社区蔓延的失败感，敦促人们停止自哀自怜，把命运掌握在自己手中。他呐喊道："有谁是因为太穷，而不能晚上把电视关掉两个小时的！"

在桑蒂塔家玩儿是令人兴奋的体验。那里很宽敞，她家里兄弟姐妹共有五人，有点吵闹，房间里满是维多利亚时代的笨重家具和古董玻璃器皿，它们都是桑蒂塔的母亲杰奎琳的收藏品。我称呼杰奎琳为杰克逊夫人，她豁达健谈，笑声爽朗。她穿着彩色波纹的衣服，在餐厅里一张巨大的桌子上招待客人。大部分客人都属于她称之为"运动"中的人，其中包括商界领袖、政界人士、诗人以及一些名人，其中包括歌手和运动员。

当杰克逊牧师在家的时候，房子里就会涌动着一股不一样的能量。惯例被抛在一边，晚餐时间的谈话会持续到深夜，顾问们来了又走，计划需要不断调整。这里不像我在欧几里得大道的家——生活井然有序，没有什么预料之外的事，我父母关注的就是让家人幸福，获取成功。而杰克逊一家参与的似乎是某种更庞大、更复杂，也更有影响力的事业。他们的活动是外向型的，他们的群体很大，他们的使命很重要。桑蒂塔和她的弟弟妹妹从小在参政的氛围里长大，他们知道抵制什么以及怎样抵制；他们为父亲的事业游行抗议，他们和他一起出差，访问以色列、古巴、纽约和亚特兰大等地；他们曾经站在人群前的台上，学着适应有一个身为公众人物的父亲，而且还是一个黑人父亲，所需要承受的焦虑和争议。杰克逊牧师身边有保镖，他们身形彪悍、一言不发，跟着他一起出行。当时，我并不知道他的生命安全曾多次遭到威胁。

桑蒂塔爱她的父亲，为他的工作感到骄傲，但她也在努力过自己的生活。我们两个人都赞成加强"全美黑人青少年的人格教育"的提议，但我们也会疯狂地跑到水塔商厦抢购促销中的盖世威运动鞋。我们两个经常搭车或借车兜风。因为我家只有一辆车，父母都要上班，所以更多时候我们会用杰克逊家的车。杰克逊夫人有两辆车——一辆镶有木板的旅行车和一辆小型跑车。有时，我们会搭乘出入杰克逊家的工作人员还有访客的车，但这样我们会失去主导权。那成为我早年无意中获得的关于政治生活的经验：日程和计划随时都会变。即使站在旋涡的最边缘，你依然能感受到它带来的眩晕感。因为她父亲的原因造成的时间延误——会议延长或是飞机还在机场盘旋，或者临时要去拜访好几个地方，不得不绕道，所以桑蒂塔和我经常需要耐心等待。比如，我们原本以为会坐车从学校回家或去商场，结果却到了西城的一个政治集会地，或者在位于海德公园的"PUSH 行动"总部耽搁好几个小时。

有一天，我们被拉到了巴德·毕利肯日游行中，身边是一群杰西·杰克逊的支持者。这个游行是以很久之前一个报纸专栏虚构的人物命名的，是芝加哥南城最盛大的传统节日之一，于每年 8 月举行。游行活动中有行进的乐队和彩车，沿着马丁·路德·金大道绵延大约两英里，通过非洲裔美国人社区的腹地。那里一度被称为"黑人地带"，后来更名为布朗兹维尔[1]。巴德·毕利肯日游行从 1929 年开始举办，活动都是围绕非洲裔美国人的尊严和骄傲。从过去一直到今天，如果你是社区领袖或政界人士，那在游行中露面并走完全程就是必须要做的。

我当时并不清楚，桑蒂塔父亲周围的旋涡已经开始越转越快。几年后，杰西·杰克逊正式参选美国总统，那也意味着我们上高中时，他

---

1 布朗兹维尔（Bronzeville），直译为"青铜村庄"。

已经在积极考虑这件事了。竞选需要筹款，还需要广结人脉。我现在明白了，总统竞选要求每一个参与其中的人投入全部的时间和精力，好的竞选活动还需要搭舞台、打基础这样的准备工作，又得多花好几年的时间。杰西·杰克逊计划在1984年参选总统，他是第二位参加竞选并开展了严肃的全国性活动的非洲裔美国人。第一位是女性国会议员雪莉·奇泽姆[1]，她在1972年参选总统，但未成功。我猜至少在那次游行的时候，这个想法已经出现在杰西·杰克逊的脑子里了。

我只知道，我并不喜欢在游行队伍里的感觉——烈日炎炎，身边都是气球和扬声器，还有长号和欢呼的人群。号角齐鸣很有趣，甚至令人兴奋，但是其中的某种东西，关于政治的那种，让我感到不适。首先，我是那种喜欢整洁、有条理、做事提前计划的人，而根据我的了解，政治生活是没什么条理性的。参加游行不是我计划中的事情。我记得桑蒂塔和我都没打算参加，我们是在最后时刻被拉进去的，可能是被她母亲或父亲，又或是运动里的某个人。那天我们计划好要做别的事情，结果中途被抓了个正着。但桑蒂塔是我的挚友，我也是个礼貌的孩子，大人让我做什么我大多时候是不会拒绝的，所以就去参加了。我加入巴德·毕利肯日游行的人群中，头上骄阳似火，再加上周围的喧闹声，感觉头晕目眩。

那天晚上，我回到家，母亲看见我便大笑起来。

"我刚刚在电视上看到你了。"她说。

她在新闻里看到我和桑蒂塔在一起，在游行队伍中挥着手、微笑着

---

1 雪莉·奇泽姆（Shirley Chisholm，1942— ），1969年，她代表纽约第十二个会议区域参加了竞选，并赢得选举，成为第一位女性非洲裔国会议员。在担任国会议员期间，雪莉赢得了许多民众尤其是女性的拥护。1972年1月25日，雪莉宣布自己将作为民主党候选人之一竞选美国总统，从而成为首位参选总统的非洲裔女性。

走过。我猜，她之所以大笑，是因为看出了我的不自在，猜出我可能是被硬拉过去而非自愿参加的。

转眼到了申请大学的时候，桑蒂塔和我不约而同地都想上东海岸的学校。她先尝试了哈佛大学，但那儿的录取官直言不讳地盘问她对父亲政见的看法，而她只想凭自己的实力被录取，这让她很灰心。我找了个周末去普林斯顿大学看望克雷格，他的生活似乎已经找到了一个良性的节奏——打篮球、上课，在一个为少数族裔学生服务的校园中心休闲娱乐。普林斯顿大学的校园很大很漂亮，是一所到处爬满了常青藤的常青藤名校，克雷格的朋友看起来人都很好。我没有多想其他的。我的直系亲属中有大学直接经验的人不多，所以也没什么要争论或是探明的。就像以往一样，我认为克雷格喜欢的，我也会喜欢；他能做到的，我也可以。于是，普林斯顿大学成了我的择校首选。

在惠特尼·扬高中刚上高四年级[1]时，我与学校指派的一位大学申请顾问有过一次会面。这种会面是学校安排的。

关于那位顾问，我没有太多要说的，因为我刻意而且很迅速地将这段经历从记忆中抹掉了。我不记得她的年龄、种族还有那天她看我的眼神。我出现在她办公室的门口时，自信满满，因为我将以班里排名前百分之十的优异成绩从惠特尼·扬高中毕业，我被选为了年级的财务总管，还进入了美国国家高中荣誉生会[2]，成功克服了高一刚入学时的战战兢兢和对自己的所有怀疑。我向她表示想在第二年秋天追随我哥哥进普林斯

---

1 美国高中学制一般为四年制，即 9~12 年级，相当于中国的初三至高三。

2 美国国家高中荣誉生会（National Honor Society），简称 NHS，是美国一个全国性的高中社团，意在表彰在学业成绩、领导才能、社区服务及道德品质方面均有突出表现的 11~12 年级的学生。

顿大学，不记得她是在我说这话之前还是之后看了我的成绩单。

事实上，在我们短暂的会面中，这位大学申请顾问可能跟我说过一些积极的有帮助的话，但是我一点儿都记不得了。且不论对错，我只清清楚楚地记得那位女士说出的一句话。

"我不确定你是上普林斯顿的料儿。"她居高临下而敷衍地向我一笑。

她的判断快速而轻率，可能是基于我的在校成绩而得出这样的结论。我猜这是那位女士每天都在做，并且驾轻就熟的一件事——告诉高四年级的学生他们属于哪里、不属于哪里。我相信她认为自己给出的是现实的建议。我怀疑她之后不会再多想我们之间的谈话。

但是，就像我之前说过的，失败是一种感觉，很久后才会变成实际的结果。对我来说，这就是她种下的一粒种子，在我还没有尝试努力前，就暗示我会失败。她的意思是让我降低目标，而这和父母对我的教导正好相反。

如果我决定相信她，她的这番话将会彻底摧毁我的信心。不够优秀，不够优秀——这句话似乎又嗡嗡作响地回来了。

但是在惠特尼·扬的三年，和一些雄心勃勃的同学齐头并进，让我意识到我能做得更好。我不会让一个人的观点动摇我对自己的看法。我会调整方法，但是不会改变目标。我会申请普林斯顿大学和其他几所大学，但是不会再去寻求那位顾问的建议。如果要求助，我会选择一位真正了解我的人，那就是史密斯先生——我的副校长和邻居。他了解我的优点，也信任地把孩子教给我看管。他同意为我写一封推荐信。

在我的人生中，我很幸运地遇到了许多不同凡响、颇有建树的人，其中有世界领袖、发明家、音乐家、宇航员、运动员、教授、企业家、艺术家和作家，以及有开拓精神的医生和研究者。其中一些（尽管数量不多）是女性，一些（尽管数量也不多）是黑人或其他有色人种，一些人出身贫寒，还有的人在我们看来遭遇了重重磨难，但是他们在人生路上披荆斩棘，仿佛拥有世界上所有的优点。我了解到，他们所有人都遭受过质疑。有些人现在依然有众多激烈的批评者和反对者，数量多到能装满一个体育场。每当他们失误或犯错时，那些人就会大喊"我早说过你不行"。这种噪音不会消失，但我知道的那些成功的人都想出了办法应对，那就是依赖那些对他们有信心的人，并不懈地向目标挺进。

那天，我在离开那位大学申请顾问的办公室后，怒气冲天，自尊心受到严重打击。当时，我唯一的想法就是：我会证明给你看。

后来我平静下来，开始着手准备。我从未认为申请大学是一件容易的事情，但是我要把精力集中在一点——要对自己的人生充满信心。我在大学申请资料中将我的全部故事都写了进去。我没有假装自己聪明绝顶，能够轻而易举地融入普林斯顿大学爬满常青藤的校园。我写到父亲的多发性硬化症，家里没有几个受过高等教育的人。我承认我在努力爬得更高。就我的背景来说，努力是我唯一能做的事。

结果，我确实向那位大学申请顾问证明了自己，六七个月后，一封信出现在我在欧几里得大道家的邮箱里，是普林斯顿大学的录取通知书。那天晚上，父母和我特地从意大利嘉年华餐厅订了外卖比萨庆祝。我给克雷格打了电话，大喊着把这个好消息告诉了他。第二天，我敲开史密斯先生家的门，告诉他我被录取了，感谢他的帮助。但我后来并没有去找那位大学申请顾问，告诉她她错了，事实证明我是上普林斯顿大学的料儿。这么做对我们都没意义。说到底，我无须向她证明任何事。我只需要证明给自己看就好。

6

1981年夏天，父亲开车沿着连接伊利诺伊州和新泽西州的平坦公路，把我送到了普林斯顿。但这不是一次简单的父女旅行，我的男朋友大卫也在车里。我受邀参加一个特殊的夏季新生培训项目，为期三周，它的目的是弥合"准备上的差距"，让某些即将入学的新生有更多时间适应大学生活，并提供很多帮助。我不太清楚我们被选中的原因，不知道我们的申请资料中的哪个部分使学校认为我们可能会从这个项目中受益。在培训中，我们需要阅读课程大纲，并提前熟悉校园各建筑之间的路线。不过，此前两年克雷格也参加过这个项目，它似乎是个机会。所以我把行李收拾好，和母亲告别，然后上车出发。离别时，我和母亲都没有掉眼泪或者很伤感。

我离家心切的一个原因是，在那之前几个月，我一直在芝加哥市区的一家小型装订厂的流水线上工作，操作着一把工业用胶枪，每天工作八小时，一周五天，工作乏味得让人想自杀。不过这也让我更加觉得上大学是个好主意。大卫的母亲在那家装订厂上班，是她帮我们俩找到了这份工作。我们整个夏天都在并肩作战，因此工作变得还可以忍受。大卫比我大两岁，他聪明而温柔，是个高个子的英俊男孩。他和克雷格先成了朋友，那是几年前，大卫过来看望他住在"欧几里得林荫路"小区的亲戚，在罗森布朗公园的篮球场上认识了克雷格。最后，我们俩成了男女朋友。我上高中的时候，大卫到州外读大学，刚好没有成为我学业上的干扰因素。但在节假日和夏天，他会回到位于芝加哥西南远郊的家和他母亲一起住，并且几乎每天都开车过来找我一起外出。

大卫脾气随和，比我之前交往过的男朋友成熟。他会坐在沙发上和我父亲一起看球赛，跟克雷格开玩笑，同我母亲礼貌地聊天。我们有过真正的约会，去红龙虾餐厅吃我们认为高档的晚餐，还去看电影。我们在他的车里亲热。白天在装订厂，我们拿着胶枪边干活边聊天，旁若无人地说着俏皮话，直到最后无话可说。我们两个对这份工作都算不上投入，只是想攒点上大学的生活费。我反正很快就要离开，也不打算再回到这家装订厂。从某种意义上说，我已经离开了，我的心已经飞往了普林斯顿的方向。

所以，在那个8月初的傍晚，当父亲、男友和我一行三人下了一号公路，驶入通往普林斯顿大学校园的那条宽阔的林荫大道时，我已经做好了迎接新生活的充分准备。我准备好了把两个行李箱拖入培训期住的宿舍；准备好了和一起参加培训的同学（主要是少数族裔和低收入家庭的学生，还有几个运动员）交朋友；准备好了吃食堂的饭菜，记住校园地图，征服他们给我的任何一个教学大纲。我到了那里，我上"船"了。那年我十七岁，我的生活终于启航了。

只有一个问题，那就是大卫。我们从宾夕法尼亚州一进入新泽西州，他看上去有一点儿沮丧。当我们把行李从车的后备厢里拿出来时，很明显，他已经感到孤独了。我们交往了一年多的时间。我们彼此表达过爱意，但我们恋爱的环境是欧几里得大道、红龙虾餐厅和罗森布朗公园的篮球场，也就是我刚刚离开的地方。当父亲像往常一样费力地从驾驶座上站起来，拄着他的手杖站定时，我和大卫站在暮色中，相对无言。看着面前那片像绿宝石一样干净整洁的草坪，旁边就是我要入住的石头城堡似的宿舍，我想，我们当时都突然意识到，我们俩可能还有一些重要的事情没有讨论。这次是短暂的分别，还是因为分隔两地而彻底地分手，我们也许有不同看法。我们还会去看望对方吗？会写情书吗？如果要保持恋爱关系难度有多大？

大卫紧紧地握着我的手。事情有点混乱。我知道我要什么，但我不知道用什么言语表达。我希望有一天，我对一个男人的感觉会让我不顾一切，让我陷入一场暴风骤雨般的冲动中，就像所有最美好的爱情故事中描写的那样。我的父母在十几岁的时候爱上对方，他们还一起参加了母亲学校的高中毕业舞会。我明白十几岁时的爱情有时也是真实且长久的。我相信会有一个人出现并成为我的一切，他性感、可靠，对我的影响直接而深沉，让我愿意为他做出牺牲和妥协。

但他不是现在站在我面前的这个男孩。

父亲最后打破了我和大卫之间的沉默，说该把我的东西送到宿舍里去了。他在城里的一家汽车旅馆给他和大卫订了一个房间。他们计划第二天出发回芝加哥。

在停车场，我紧紧地拥抱了父亲。他手臂上的肌肉因为年轻时练拳击和游泳的缘故很结实，那时他每天要用手杖支撑着自己四处活动，手臂锻炼得更加结实了。

"要好好的，米歇尔。"他放开我，脸上除了骄傲，没有流露出其他的情绪。

然后他先上了车，贴心地给我和大卫留出一些隐私空间。

我们一起站在砖石铺砌的道路上，两个人都局促不安，拖延着时间。他凑过来亲吻我，我的心一阵狂跳。这个部分总是让人感觉良好。

但是我清楚，虽然我现在正抱着一个真正关心我的善良的芝加哥男孩，但就在不远处，一条灯火通明的小道从停车场通向一座小山丘，后边是一个方形的庭院，几分钟之后，那里将是我的新环境、我的新世界。我感觉有点紧张，这是我第一次离家住校，离开我唯一熟悉的生活。但是我心里明白，长痛不如短痛，干脆利落地分手是更好的选择。第二天，大卫打电话到我的宿舍，问在他走之前我能不能出来吃个便饭或者我们能否在城里最后一起散散步，而我咕哝着说了些我在学校很忙、觉得两地恋爱行不通的话。我们那天晚上的告别是最后的告别。我当时就应该直接跟他说，但是我没有勇气，那样的话，说的人和听的人都会很伤心。所以，我就让他那样离开了。

我发现，原来生活中有许多事情我都不了解，最起码对 20 世纪 80 年代初普林斯顿的校园生活不了解。作为暑期培训生的几周过得忙碌而充实，周围十几个孩子都是好相处且让我觉得熟悉的类型。接着，秋季学期正式拉开了帷幕，学校迎来了大批的学生。我把东西搬到了新宿舍，那是派恩楼的一个三人间。我从宿舍三楼的窗户看到有几千名学生拥入校园，大部分都是白人，他们带着音响、羽绒床品和一架架的衣服。有些学生是坐着豪华轿车来的。一个女孩甚至有两辆豪华轿车随行，而且是超长的那种，里面装的都是她的行李。

普林斯顿的白人和男生占绝对优势，这一点无法回避。学校里男生的数量几乎是女生的两倍。在我入学那年的新生中，黑人学生的占比只有不到百分之九。如果说在参加培训项目时，我们感觉自己是学校的主人，那么现在我们是扎眼的少数派，就像一碗白米饭里的几粒罂粟种子一样。惠特尼·扬高中的学生是比较混杂的。我从未置身于一个白人占多数的社区，也从未因为自己的肤色而在人群中或教室里引人注目。这让人不安、不舒服，起码开始时是这样，我就像被丢进了一个奇怪的新玻璃容器，一个不属于我的环境。

然而，就像任何事一样，你要学会适应。有些适应是容易的，甚至能让人安心。首先，这里似乎没有人担心犯罪问题。学生房间的门经常不锁，自行车随意地停在楼外，女生们的金耳环就扔在宿舍的洗手池上。他们似乎对这个世界有无限的信任，他们在这世间大踏步前行似乎完全有保障。而对我来说，这需要适应。几年来，我在往返惠特尼·扬的公交车上，一直默默地看管着自己的东西。晚上回家走在欧几里得大道上时，我手里会拿着家中的钥匙，钥匙尖冲外，随时准备保护自己。

在普林斯顿，唯一需要担心的事情就是学业。周围的一切都是为服务于学生而设计的。食堂有五种不同种类的早餐。我们可以坐在亭亭如盖的大橡树下或者在开放的草坪上扔飞盘减压。学校的主图书馆建得像一座老式的教堂，有高高的天花板和光亮的硬木桌子，我们可以把课本摊开来安静地学习。在这里我们受到保护，就像裹着一层茧衣，各种需求都会得到满足。我后来才知道，很多学生从小到大一直都处在这样的环境中，不知道还有其他不同的生活。

与这些相伴而来的是一个新词汇表，是我需要学习的。什么是"导修课"[1]？什么是"复习日"[2]？没人跟我解释学校行李单列表上的"超长"床单是什么意思，导致我买的床单太短，整个大一期间，我睡觉时脚都放在裸露的塑料床垫上。在运动项目上，需要学习的就更多了。我从前只熟悉橄榄球、篮球和棒球，现在才发现东海岸预科学校毕业的学生接触过的运动项目要多得多。长曲棍球是一种，草地曲棍球是一种，壁球

---

1 导修课（The Precept System），指普林斯顿大学为学生提供的课外小组讨论活动。小组成员一般一周聚会一次，根据某门课程的指定话题或课外延伸阅读的内容进行小组讨论。

2 复习日（Reading Period），通常为美国大学提供给学生的十天左右的复习期，用于期末备考。

也是一种。对于一个来自芝加哥南城的孩子来说，这有点让人头晕。"你加入赛艇队了吗？"这句话到底是什么意思？

我只有一个优势，那是从幼儿园起就一直拥有的：我是克雷格·罗宾逊的妹妹。克雷格这时念大三，是校篮球队里最优秀的球员之一。他和之前一样，有自己的粉丝。就连学校的保安见到他都会跟他打招呼。克雷格已经有自己的生活，我后来部分地融入了其中。我认识了他的队友和朋友。一天晚上，我和他一起在校外吃饭。在篮球队一位热情支持者那陈设考究的家里，我坐在餐桌前，眼前的东西让我大为惊讶，那是一个长满刺的绿色洋蓟，摆在一个白色瓷盘上，它和普林斯顿大学的很多东西一样，都需要礼仪培训才能了解。

这一年，克雷格给自己找到了一个称心的住处。他到第三世界中心做管理员，可以免费住在楼上的一个卧室里。第三世界中心这个名字很糟糕，但是用意很好，是学校设立的一个旨在帮助有色人种学生的机构。（整整二十年后，第三世界中心才更名为卡尔·A.菲尔兹平等与文化理解中心，是以普林斯顿大学第一位非洲裔美国人院长的名字命名的。）中心是一座砖楼，位于展望大道的一角。展望大道上有很多都铎风格的饮食俱乐部，这些俱乐部是用豪华气派的石头建造的，就像豪宅一样，俱乐部的功能类似于兄弟会。

第三世界中心很快成了我的大本营。我们通常称呼它的简称TWC[1]，这里会举办派对，还有餐饮合作社。有志愿者助教指导我们的作业，我们还拥有休闲空间。包括我在暑期培训中认识的几个好朋友，在空闲时间我们都会被吸引到中心来，其中就有苏珊娜·阿勒勒。苏珊娜身材高挑，眉毛浓密，一头乌黑发亮的长发像瀑布一样披在背上。她生于尼日

---

1 TWC，第三世界中心（Third World Center）的英文首字母缩写。

利亚，在牙买加首都金斯敦长大，十几岁时跟家人搬到了马里兰州。也许是因为这个缘故，她的身上没有特定文化的印记。大家都喜欢苏珊娜，很少有人不喜欢她。她笑起来无拘无束，说话时带一丝岛上的人特有的活泼轻快，这在她疲倦或是喝醉时更加明显。我在她身上看到一种加勒比地区的人特有的轻松快活，这让她在普林斯顿大学勤奋好学的学生中很是显眼。派对上即使一个人都不认识，她也敢一头闯进去。她念的是医学预科，但是特意选了陶艺课和舞蹈课，只因为自己喜欢。

后来，我们上大二时，苏珊娜又进行了新的尝试，她决定在一个名为"方帽长袍"的饮食俱乐部里"斗嘴"，这个动词对于普林斯顿大学的学生而言有特殊含义，指的是俱乐部选择新成员时进行的社交审查活动。我爱听苏珊娜从饮食俱乐部举办的宴会和派对上带回来的故事，但是我对"斗嘴"没有兴趣。我对自己在 TWC 找到的黑人和拉丁裔学生的圈子很满意，心甘情愿地置身于普林斯顿大学社交圈的边缘地带。我们的圈子虽然小，但很团结。我们会举办派对，跳舞一直跳到半夜。吃饭的时候，我们经常十几个人围坐一桌，这让我想起过去在外祖父家里和很多人围坐一桌吃饭吃很长时间的日子。

我想，普林斯顿大学的管理者不希望看到有色人种的学生抱团，而是希望来自不同背景的学生能够多元和谐地融为一体，以提高全体学生校园生活的质量。这是一个值得尊敬的目标。照我理解，提到校园多样性，理想的状态应该是大学宣传手册上经常展示的那样，一群仪容整洁、种族各异的学生在一起，微笑着学习和交往。但即使在今天，大学校园里白人学生的数量依然大于有色人种学生的数量，融入集体的重担多半要落在少数族裔学生的肩上。就我的经验来说，这未免有点要求过高了。

在普林斯顿大学，我需要我的黑人朋友们。我们为彼此提供安慰和支持。我们中的许多人进入大学时，根本不知道自己与他人的差距何在。慢慢地，你才知道你的新同学在高中时就上过 SAT（学术能力评估测试）辅导课或者具有大学水准的课程，有些人上的是寄宿学校，离家住校对他们根本不是问题。这就像你第一次上台进行钢琴演奏，发现自己只弹过那架琴键破损的钢琴。你的世界有了改变，而你要去适应变化和克服困难，和其他人一样"弹奏音乐"。

这当然也是可以做到的，少数族裔和贫困学生一直在奋起迎接挑战，但是这需要力量。无论是作为唯一一名黑人学生坐在课堂上，还是作为仅有的几个非白人学生参加话剧选拔或者参加社团，都需要力量。要想在这些场合侃侃而谈，为自己赢得一席之地，就需要付出努力，并拥有更高层次的自信。这就是为什么朋友们和我在每天晚饭时刻看到彼此，会感到某种安慰的原因，这也是为什么我们在一起能待很长时间并尽情大笑的原因。

我在派恩楼的两个白人舍友人都很好，但是我在宿舍待的时间不多，所以没有跟她们建立起很深的友谊。其实我没有几个白人朋友。回想起来，我意识到我自己要负一半儿的责任。我性格保守，总是固守自己熟悉的领域。有时你能在空气中捕捉到一种安静的、残酷的疏离感，那是一种微妙的暗示，告诉你"不要冒险，找到属于自己的人，然后待在那儿别动"，这是一种很难用语言表达的感觉。

我的一位室友凯茜在许多年后出现在新闻中，她惭愧地讲到一件事，而当年我们住在一起时我并不知情。她的母亲是一位来自新奥尔良的教师，当她听说自己的女儿被安排跟一个黑人住在一起时，不由得大为震惊，她找学校软磨硬泡，一定要让我们分开。她的母亲也接受了采访，证实了这件事，并讲到了背后的一些故事。在她本人成长的家庭里，以"n"打头的词[1]是家里人谈话常用的，她的祖父是一名治安官，经常吹嘘自己怎样将黑人赶出镇子，所以她听到自己的女儿和我住在一起时"深感惊骇"，她如此说。

而我当时只知道大一刚过了一半儿，凯茜就从我们的三人间搬走了，住进了一个单人间。我很庆幸当时我并不知道个中原因。

我在普林斯顿申请的助学金计划要求我找一份勤工俭学的工作。我最终找到了一份不错的工作，被 TWC 聘为主任助理。不上课的时候，我就到那里帮忙，一周大约工作十个小时。我坐在中心的全职秘书洛蕾塔旁边，把备忘录敲进电脑、接听电话、导引前来咨询如何退课和报名参加餐饮合作社的学生。办公室位于楼前的一角，阳光充足，摆放着一些风格混搭的家具，看起来更像一个家而不是一个机构。我喜欢待在那里，喜欢做办公室工作。每次完成一项小的组织任务，我就会有一种小小的成就感。但最重要的是，我喜欢我的老板——泽妮·布拉苏尔。

泽妮是个黑人，聪明美丽，年仅三十。她来自纽约，做事干练，精力充沛。她穿着喇叭牛仔裤、坡跟凉鞋，脑子里总能同时冒出四五个主意。对于普林斯顿的有色人种学生来说，泽妮就像一个导师，是我们超级时尚又直率敢言的首席辩护人，并因此而广受爱戴。在办公室里，她同时操作着几个项目——游说大学管理层制定更多面向少数族裔学生的包容性政策，照顾个别学生的需求，想出新主意来改善我们所有人的生活状况。她做事风风火火，总是全速冲刺着跑出第三世界中心的前门，手里拿着几页纸，嘴里叼着一根香烟，肩上背着一个包，一边走一边大喊着向我和洛蕾塔交代事情。和她一起共事是种令人兴奋的

---

1 指 "nigger" 或 "nigga" 等 "n" 打头的词，是一种蔑称。

体验，这也是我第一次近距离接触一位热爱工作的独立女性。此外，她还是一位单亲妈妈，有一个可爱且早熟的儿子，名叫乔纳森，我经常帮忙照顾他。

泽妮在我身上看到了某种潜质，尽管我当时并没有什么生活经验。她把我视为成年人，在我向她汇报学生反映的各种烦恼和管理纠纷时，她会问我的看法，并认真聆听。她似乎决心唤醒我内心更多的勇气。她问我很多问题的句型都是"你做过……吗？"比如，"你读过詹姆斯·孔恩[1]的作品吗？""你质疑过普林斯顿在南非的投资吗？"或者"你觉得在录取少数族裔学生这件事上还可以做点儿什么吗？"大多数时候，我的回答都是"没有"，但是一旦她提了问题，我会立即产生兴趣。

"你去过纽约吗？"有一天她问我。

我的回答又是"没有"，但是泽妮很快就修正了我的答案。一个星期六早上，我、小乔纳森和另一位在 TWC 工作的朋友挤进泽妮的车里，她开车带我们全速直奔曼哈顿，一路上边说话边抽烟。我们离开了普林斯顿周边围着白色栅栏的马场，驶入拥塞的公路，直到曼哈顿的尖顶建筑逐渐映入眼帘。一路上，你能明显感觉到泽妮的状态越来越放松。纽约是泽妮的家，就像芝加哥是我的家一样。你不会真正了解自己对于家的眷恋，直到你离开后，直到你体会到漂泊感，就像一个瓶盖在异地的海面上漂浮。

不知不觉，我们到了纽约热闹的市中心，这里满街都是黄色的出租车，刺耳的喇叭声此起彼伏，在信号灯之间行驶时，泽妮依然把油门踩到底，直至红灯亮起前的最后一秒才踩下刹车。我记不清楚那天我们是

---

1 詹姆斯·孔恩（James H. Cone），黑人神学家，著有《黑人神学与黑人力量》《黑人解放神学》等。

有什么事要做，但是我们吃了比萨，去了洛克菲勒中心，开车穿过中央公园，还去看了高举着充满希望的火炬的自由女神像。但我们来这儿主要是处理一些实际事务。泽妮需要给自己充电，列了一串要做的事情。她有东西要取，有东西要送。她在好几个大楼中进进出出，把车随意地停在繁忙的十字路口，其他司机愤怒地接连按喇叭，留下我们在车里无助地坐着。纽约让我感到应接不暇、节奏飞快、气氛喧闹，它比芝加哥要缺乏耐心。但是泽妮在这里活力四射，看到违章过马路的行人，闻到马路边上小便和垃圾堆的味道，她都若无其事。

她又想乱停车的时候，从后视镜看了看交通状况，决定放弃。她对坐在副驾驶位置的我打了个手势，示意我到她的位置——坐上驾驶座。

"你有驾照，对吧？"我点点头。她说，"很好。你来开车。绕着街区慢慢地转一圈，或者两圈，然后回到这里。我五分钟以内就能办完事回来，我保证。"

我看着她，觉得她一定是疯了。在我看来，她确实疯了，以为我可以在曼哈顿开车，我不过才十几岁，对这座不守规矩的城市完全不熟悉，却要开着她的车，还带着她的儿子，在临近傍晚的车水马龙中，为了消磨时间去转不确定的圈，我没经验，而且能力也不够。但是我的犹豫更激起了泽妮的某种欲望，我将永远把它和纽约人联系在一起，那是一种对思想保守的人本能的、即刻的反击。她下了车，我只能硬着头皮往前开。"放开自己，勇敢去做。"这是她传递给我的信息。

我每时每刻都在学习。我在学术上日益精进，在课堂上表现良好，课业基本都在第三世界中心一个安静的房间或者图书馆的小单间里完成。我学习如何有效地写作、如何培养批判性思维。大一时，我无意中选了一门 300[1] 级别的神学课，我在最后时刻使出了浑身解数写期末论文，最后勉强通过。分数并不漂亮，但让我深受鼓舞，这证明了我可以凭着努力爬出几乎任何一个坑。我是从市中心的一所高中走出来的，不管我入学时与别人有怎样的差距，只要我付出更多的时间，在需要时寻求帮助，学着调整自己的节奏而不是犯拖延症，我就能迎头赶上。

然而，在一所白人占大多数的学校，作为一名黑人学生，不可能感受不到平权运动[2] 所带来的影响。你从某些学生甚至是某些老师的眼神中能看出他们在审视你，好像在说："我知道你为什么在这里。"虽然我相信有些只是我的想象，但那些时刻总会让人意志消沉。它播下了一颗怀疑的种子。我在这里难道仅仅是作为一个社会实验的组成部分吗？

但是，慢慢地，我开始了解学校实行了多种配额制。作为少数族裔，我们是最显眼的，当然还有其他一些配额，对象是形形色色的分数和表现达不到录取标准的学生。学校并非严格实行精英管理制。比如，运动员有名额；如果有人的父亲或祖父、外祖父曾是学校的运动员，或者他们的家族资助学校修建了一栋宿舍楼或者一个图书馆，那么他们也有名额。我还发现，财富并不能保护你免于失败。在我周围，我看到许多学生遭遇失败，其中有白人也有黑人，有穷人也有富人。一些是因为受到了晚上啤酒派对的引诱，一些是在努力追求某个学术理想中被压力击垮，另一些则纯粹是因为懒惰或者因为感觉格格不入而需要逃离。在我看来，我要做的就是保持稳定，争取最好的分数，顺利完成学业。

大二的时候，苏珊娜和我一起搬进了一个双人间。我已经逐步适应

---

1 300 为美国大学通用课程序号，通常从 10x~3xx，难度依次递增，300 级别通常为高年级学生的课程。

2 平权运动，指鼓励雇用少数族裔成员、妇女等的平权运动。

了环境，习惯了作为仅有的几名有色人种学生之一，坐在挤满人的教室里。当课堂发言被男生主导时（这是一贯的情况），我试着不让自己感到紧张。听了他们的发言，我意识到他们并不比我们这些人聪明。他们只是胆子大而已，是古已有之的优越感支撑着他们的自信，历史也从未告诉他们不一样的事情。

我的一些同伴比我有更强烈的被排斥的感受。我的朋友德雷克，他有一次在人行道上迎面碰到一些白人学生，他们拒绝给他让路。我们认识的另一个女孩在某天晚上邀请了六个朋友到宿舍为她庆祝生日，但她立刻被教务长叫去谈话，说她的一个白人室友显然对房间里出现"一些大块头的黑人"感到不舒服。我想，因为普林斯顿的少数族裔学生数量太少，所以我们的存在感总是很强。我把这个看作是激发自己斗志的动力，我要努力赶上甚至超越身边那些享有特权的人。就像在惠特尼·扬高中，我的斗志至少有一部分是被"我要证明给你看"激起的。如果在高中我代表的是我所在的社区，那么后来在普林斯顿大学，我代表的则是我的种族。每当我在课堂上鼓起勇气发言或者考试名列前茅时，我都暗暗希望它能代表更重大的意义。

我慢慢发现，苏珊娜不是一个深思熟虑的人。我给她起外号叫"苏傻娜"，因为她每天过得不切实际，随心所欲。她做大多数决定，比如跟谁约会、上什么课，都是基于那件事好不好玩。如果事情不好玩，她会很快改变方向。当我加入黑人联合组织，几乎每天泡在第三世界中心时，她跑去参加田径赛，还加入了轻量级橄榄球队，因为这样可以近距离接触那些体格健壮的帅哥。她通过饮食俱乐部交到了一些有钱的白人朋友，其中有一个少年成名的真正的电影明星，还有一位来自欧洲的据传是某国公主的学生。苏珊娜迫于父母的压力，选择了读医学预科，但最终她放弃了，因为不喜欢。她一度还因挂科收到留校察看的通知，但她似乎并不太在意。她是"拉维恩",我是"雪莉"[1];她是"厄尼",我是"伯特"[2]。我们的宿舍就像一个两种思想观念交锋的战场,苏珊娜那边到处是乱扔的衣服和散落的纸张,而我这边的东西则收拾得井井有条。

每次苏珊娜参加田径训练回来,脱下被汗水浸透的运动服扔在地板上,直接跑去淋浴时,我就会说:"你确定要这么做吗?"因为她那身脏衣服会跟干净衣服还有没做完的作业混在一起,一直到下一周。

"做什么?"她会问,脸上带着健康阳光的笑容。

我有时必须要屏蔽苏珊娜留下的一片狼藉才能静下心来思考。我有时想要冲她吼叫,但我没那么做。苏珊娜就是这样一个人,她不会改变。如果我实在忍不下去,就会把她的那堆"垃圾"抱起来放在她床上,什么话也不多说。

现在我认识到,她当时那样激怒我,对我来说是有益处的,即让我意识到并非每个人都会给文件夹贴标签和按字母排序,有些人压根儿就没有文件。多年后,我会爱上一个男人,他和苏珊娜一样,把自己的东西堆成一堆,从不觉得有叠衣服的必要。但是我能够接受这些,这要感谢苏珊娜。直到今天,我还和这个男人生活在一起。这是一个控制狂在大学这个小社会的生活中学到的一点,可能也是最为重要的一点,那就是,世界上还有其他的生活方式。

---

1 拉维恩和雪莉是情景喜剧《拉维恩和雪莉》(*Laverne & Shirley*)中的两个人物。这部剧于 1976 年至 1983 年间在美国 ABC 电视台播出,讲述了两个住在同一宿舍的女人的故事。

2 厄尼和伯特,美国 1969 年首播的儿童教育电视节目《芝麻街》里的两个主要人物。厄尼是个乐天派,为人轻佻,喜欢捉弄伯特,但他能说会道,搞得伯特毫无办法。伯特长期痛苦地忍受着厄尼的取笑,他对人认真,任何事都可以令他沉迷,他最喜欢收集瓶盖和回形针,还喜欢管弦乐和他的宠物鸽子。他总是能原谅厄尼,而且永远做他的好朋友。

一天，泽妮问我："你有没有想过办一个校外托管小班？"

我猜，她这么问是出于补偿心理。因为经过一段时间的相处，我和乔纳森的关系越来越亲密。他正在上小学，很多个下午，我都带着他在普林斯顿校园里闲逛或者在第三世界中心玩儿。我们在那里的一架音调不准的钢琴上弹二重奏，或者在一个凹陷的沙发上读书。泽妮按时间给我付酬，但她似乎觉得这些还不够。

"我是认真的，"她说，"我知道学校有很多老师的孩子都需要托管。你可以在中心之外做这件事。你就做做看吧。"

有泽妮帮我做口头宣传，很快我就招到了三四个孩子。这些都是普林斯顿的黑人管理人员和教授的孩子，他们自己也是少数派，和我一样，他们也经常到 TWC 来活动。一周有几天下午，在公立小学放学后，我会给他们吃一些健康的食物，带他们在草坪上玩。如果他们有作业，我们就一起做。

我感觉时间过得飞快。和孩子们在一起会产生一些意想不到的效果，比如可以消除学业压力，强迫我停止动脑，关注当下。小时候，我天天玩布娃娃，给她们当"妈咪"，假装懂得怎么给她们穿衣喂饭，还给她们梳头发，在她们的塑料膝盖上贴上创可贴。现在我是真的在做这些事，这比小时候的游戏要复杂得多，但是跟我之前想象的一样令人满足。和孩子们玩儿几个小时后，我会回到宿舍，虽然精疲力竭，但是心情愉快。

我有时间就会给欧几里得大道的家人打电话，大概一周一次。如果父亲上早班，下午晚些时候打的话他会接电话，我想象着他是坐在起居室的躺椅上，等着母亲下班回家。晚上一般都是母亲接电话。我会事无巨细地给他们讲述我的大学生活，就像是分得土地的移民尽职地提供来自边疆的消息。我把生活的点点滴滴都跟他们讲，从我如何不喜欢法语老师，到我照管的孩子们的滑稽行为，还有我和苏珊娜都暗恋上一个工程学专业的黑人男生，他有一双迷人的绿眼睛，我们总是偷偷跟着他，但他似乎根本不知道我们的存在。

父亲听完我的故事后会轻声笑。"是那样吗？"他会说，或者"那又怎么样？"又或者"也许那个工程学男孩根本配不上你们两个。"

我说完后，父亲会告诉我家里的一些消息。祖父和祖母搬回了祖父的家乡——南卡罗来纳州的乔治敦港，祖母在那儿有点孤单。母亲下班后还需要照顾萝比。萝比那时七十多岁了，特里已经去世，她的身体有不少问题。父亲从来不提自己的身体，但我知道他的病情在加重。有一次，克雷格星期六在球场上打篮球赛，父母从家里开车到普林斯顿来观看比赛，我第一次看到了他们的现状——在电话里他们对此从来只字不提。车停在扎德温体育馆外宽敞的停车场上，父亲不情愿地挪进轮椅中，让母亲把他推了进去。

我几乎不愿意直视父亲。我无法忍受。我在普林斯顿图书馆查阅了一些关于多发性硬化症的资料，复印了医学期刊上的一些文章后寄给了父母。我努力劝他们找找专家或者让父亲接受物理治疗，但是他们——主要是父亲——就是听不进去。我在大学期间给家里打过那么多次电话，父亲从来不谈自己的病。

如果我问他感觉如何，回答永远是："我感觉挺好的。"就是这样。

他的声音让我感到心安，听起来没有一丝痛苦和自怜，只有愉快、温和，还有一丝若有若无的爵士乐的调子。我听不够他的声音，就好像它是氧气一样。它持续供给，并总是充足。在挂断电话前，他总是问我是否需要什么，比如钱，但我总回答"什么也不需要"。

7

　　家在我的感觉中越来越远，几乎像是想象中的一个地方。在大学期间，我跟高中的几个朋友一直保持着联系，特别是桑蒂塔，她后来去了华盛顿特区的霍华德大学。我找了个周末去那里看她，我们像以前一样，在一起大笑，深入地聊天。霍华德大学的校园在市区，学生数量是普林斯顿大学的两倍，几乎全是黑人。"女孩，你还在老家！"我逗她，就在前一刻，一只硕大的老鼠从我们身边跑出了她的宿舍。我羡慕桑蒂塔，她不会被自己人孤立，她不需要每天承受作为少数派的压力，但是，我还是乐于回到有着翠绿草坪和石头拱门的普林斯顿大学，即使那里没多少人了解我的背景。

　　我学的专业是社会学，成绩优良。我开始和一个橄榄球运动员约会，他聪明，做事常常心血来潮，喜欢玩。苏珊娜和我也多了一个室友，她叫安吉拉·肯尼迪，来自华盛顿特区。她瘦小结实，说话语速很快。安吉拉思维敏捷，风趣幽默，常常逗得我们俩哈哈大笑。尽管是来自城市的黑人女孩，但她打扮得像是电影里预科学校的学生，穿绅士鞋[1]、粉色毛衣，而且看起来居然很协调。

---

1 绅士鞋（Saddle shoes），又名鞍部牛津鞋，其脚面上有一块马鞍形的不同于鞋子整体颜色的皮子作装饰，并因此得名。

我过去生活的世界和现在截然不同，在现在的世界里，人们苦恼的是 LSAT[1] 的分数和壁球比赛。两个世界之间的矛盾一直都在。在学校，当有人问我是哪里人时，我回答说："芝加哥。"为了明确我不是来自富人聚集的北部郊区，比如埃文斯顿和温内特卡，我会加一句"是南城"，语气里带着一丝骄傲或者说挑衅。我不知道这几个字对别人来说意味着什么，想必多半是黑人贫民区的典型形象，因为电视里经常播的新闻就是那里的住宅区发生了帮派斗争和暴力事件。但是，我有意无意地想树立另外一种来自芝加哥南城居民的形象。我属于普林斯顿，和其他人一样；同时，我来自芝加哥南城。我感觉大声说出这一点很重要。

我认识的南城和电视新闻里的南城大相径庭。它是我的家，是欧几里得大道上的那套公寓，有低矮的天花板、已经褪色的地毯，父亲坐在舒服的躺椅上；它是那个小小的庭院，里面盛放着萝比种植的鲜花，还有那张石凳，我曾坐在那里和一个叫罗内尔的男孩接吻，这仿佛已过了几亿年。家是我的过去，一些细微的线将它和我的现在连接起来。

我们在普林斯顿有一家亲戚，是祖父的妹妹，我们叫她西丝姑婆。她是一个淳朴而聪明的女人，住在镇子边缘一栋简朴而明亮的房子里。我不知道西丝姑婆是怎么来到普林斯顿的，但是她在这里已经住了很长时间。她是做家政服务的，说话仍然带有乔治敦港口音。它的语调介于低地方言的拖沓腔调和古勒语[2]的轻快语调之间。和祖父一样，西丝姑婆也在乔治敦港长大，我记得小时候曾跟着父母在夏天去过那里几次。那里的天气非常炎热，槲树上爬满了绿色的寄生藤，沼泽地里长出了柏

---

1 LSAT，法学院入学考试，Law School Admission Test 的缩写。该考试为美国法学院申请入学的参考条件之一。
2 古勒语（Gullah），居住在美国南卡罗来纳州沿海地区的黑人所使用的一种语言，为英语与多种西非语言的结合。

树，老人在浑浊的小溪里钓鱼。乔治敦港还有很多昆虫，多得吓人，在傍晚的空中嗡嗡地叫，呼呼地飞，像小小的直升机。

我们住在叔祖父托马斯的家里，他是祖父的弟弟，在一所高中当校长。他和蔼可亲，曾经带我去过他的学校，让我坐在他的办公桌前。叔祖母多特每天早晨都为我们准备丰盛的早餐，有培根、饼干和黄色的玉米粥，但我不爱吃，托马斯便贴心地给我买了一小桶花生酱。我对南方又爱又恨，因为它跟我熟悉的一切大不相同。在镇子外的道路上，我们开车会经过一些大门，那里通往曾经的奴隶种植园。它们是当地生活的一部分，没有人费心对其进行任何评论。在树林深处一条偏僻的土路上，我们在一个破旧的乡下小屋里吃鹿肉，小屋的主人是我们的远亲。其中一位还带克雷格出去，教他怎么打枪。晚上，我们回到托马斯家里，躺在床上难以入睡，因为这里太安静了，间或能听到树上传来几声蝉鸣。

在我们回到北方后很久，那些嗡嗡作响的昆虫叫声和盘根错节的槲树还一直留在我们的心里，就像是我们的第二颗心脏在跳动。小时候，我的内心便感觉到南方已经融入了我的血脉，是我继承的遗产，它对于父亲很重要，所以他经常回来看望这里的亲人。它对祖父的意义更是非同一般，所以他最终还是要搬回乔治敦港居住，尽管年轻的时候他迫切地要从那里逃离。祖父搬回来后，没有住在某个田园牧歌式的有白色栅栏和整洁后院的河畔小别墅里，而是住在一座单调乏味、千篇一律的房子里（我和克雷格曾经去过）。它挨着一条热闹的商业街。

南方不是天堂，对我们却有特殊的意义。先辈在南方的经历深深吸引着我们，它有一种深沉的熟悉感，建立在更深沉也更丑陋的历史遗产之上。我在芝加哥认识的很多人、在布林茅尔的同学、在惠特尼·扬的许多朋友，也都有相似的感受，虽然我们并未明确地讨论过。孩子们在每个夏天都会"下南方",有时整个季节都会和他们在佐治亚州、路易斯安那州或密西西比州的堂亲表亲们一起度过。可能他们的(外)祖父母或其他亲戚也是随着"大迁徙"[1]的浪潮来到北方的,就像我的祖父是从南卡罗来纳州迁来的,而外祖父的母亲是从亚拉巴马州迁来的。在我们的背景中可能有另外一个沉重的事实,那就是,他们和我一样,都是奴隶的后代。

我在普林斯顿的很多朋友也都有着相似的背景,但是,我慢慢了解到,在美国的整个黑人群体都有着各种各样的背景。我认识的一些来自东海岸的同学,他们的祖先大多来自波多黎各、古巴和多米尼加。泽妮的亲戚来自海地。我的一个好朋友大卫·梅纳德出生在一个富裕的巴哈马家庭。还有苏珊娜,她的出生地是尼日利亚,还有许多她挚爱的亲戚是牙买加人。我们彼此背景各异,我们的世系或是被半掩埋,或已被半遗忘。我们不会互相讨论我们的祖先。为什么要讨论呢?我们是年轻人,目光只盯着未来,虽然我们对前方等待我们的事情还一无所知。

每年有那么一两次,西丝姑婆会邀请我和克雷格到她位于普林斯顿另一边的家里吃晚饭。她将我们的盘子盛满汁多味美的排骨和热气腾腾的甘蓝,还有一篮子切得方方正正的玉米面包,我们吃的时候会涂上厚厚一层黄油。饮料是一种极甜的茶,姑婆会热情地让我们接连续杯。在我的记忆中,我们和西丝姑婆没有讨论过什么重要的事情。我们吃着南卡罗来纳式的丰盛的热饭热菜,跟姑婆礼貌而又随意地聊一个小时左右。我们吃腻了学校食堂的饭菜,在这里心怀感激地大快朵颐。我当时

---

1 大迁徙,1916 年至 1970 年,约六百万非洲裔美国人从美国南方郊区迁徙至美国东北部、中西部和西部地区。

只是把西丝姑婆看作一个温文尔雅、热情周到的长辈，然而她送给了我们一份珍贵的礼物，只是当时我们还太年轻没有意识到。她跟我们讲家里过去的事——我们的故事，她自己的故事，我们父亲的故事，还有祖父的故事。我们不需要做任何评论。我们只管吃饭，帮忙洗碗，然后带着鼓鼓的肚子心满意足地回到校园。

还有一件往事，像大多数回忆一样，我记得不那么清晰，可能还有主观加工的成分，它就像很久之前在沙滩上捡到的一块鹅卵石，滑入了我记忆的口袋。那是我上大二的时候，我和男朋友凯文在一起，他是学校橄榄球队的队员。

凯文来自俄亥俄州，他身材高挑、性格温和、体魄强健，堪称完美。他是学校老虎队的中卫球员，奔跑速度快，擒抱摔倒时无所畏惧。他同时还在修医学预科课程。他比我高两级，跟我哥哥同班，很快就要毕业。他笑起来嘴巴微微张开，我觉得很可爱很特别。我们两个都很忙，朋友圈子也不同，但是我们喜欢在一起。我们在周末会去吃比萨，或者出去吃早午餐。凯文每顿饭都吃得很香，一方面因为他需要为打橄榄球保持体重，另一方面是因为他很难坐着不动。他总是非常活跃，而且常常心血来潮，不过我觉得他很可爱。

"咱们去兜风吧。"一天，凯文说。我记不清他是在电话里说的，还是我俩在一起时他突然冒出这个主意的。不管怎样，我们很快就上了他的车，那是一辆红色的小汽车。我们驾车穿越校园，经过学校一个偏僻的未开发的角落，驶上一条近乎隐蔽的土路。当时，新泽西正值春天，天气温暖晴朗，我们头上是一片开阔的天空。

我们当时聊天了吗？拉手了吗？我不记得了，但那天的感觉是悠闲轻快的，过了一会儿，凯文踩下刹车，我们慢慢停了下来。车停在一片广阔的田野旁。经过了一个寒冬，高高的草不再生长，像干稻草一样，中间夹杂着一些小小的早开的野花。凯文下了车。

"来呀。"他示意我跟他一起下去。

"我们要做什么？"

他看着我，好像事情不言自明。"我们要在这块田野上奔跑啊。"

是的，我们要在这块田野上奔跑。我们从田野的一边跑到另一边，像孩子一样挥舞着双臂，不时快乐地呼喊，打破了这里的沉寂。我们费力地穿过高高的枯草，跳过那些野花。也许开始我不太明白，但后来明白了。我们要在这块田野上奔跑！这还用说吗？

最后我们回到车里，扑通一下坐到座位上，因为刚才做的傻事，凯文和我都气喘吁吁，兴奋得有些头晕。

整件事就是这样。这是一个微不足道、没什么意义的瞬间。我今天依然记得，不为别的，就为我们当时的傻气，因为它让我从每天要做的严肃的事情里短暂地抽身。虽然我是个喜欢社交的学生，会和大家一起吃饭聊天，在第三世界中心的舞池里也会尽情跳舞，但私下里我一直是一个受目标驱动的人。在悠闲放松的外表下，我这个大学生的生活状态就像是坐在办公室里的公司首席执行官。我默默地、坚定不移地达成一个个目标，下决心在每一个框里都打上"√"。待办事项清单一直存在于我的脑子里，随时随地跟着我。我评估我的目标，分析我的成绩，计算我取得胜利的次数。如果前方有一个挑战要迎接，我一定会迎头而上。证明自己一次之后还有下一次。这就是一个女孩的生活，她总在不停地问自己："我是否足够优秀？"并不断地给出自己的答案。

相反，凯文是那种会开小差的人，他喜欢时不时改变方向。在我大二结束时，他和克雷格从普林斯顿大学毕业。克雷格要去英国曼彻斯特，开始打职业篮球比赛。我原以为凯文会直接上医学院，但是他突然转向，决定推迟学业，去争取扮演一个球队的吉祥物。

是的，你没听错。他的目标是参加克利夫兰布朗橄榄球队的选拔，不是球员选拔，而是要竞争扮演球队那个大眼睛的微笑动物玩偶冲普斯。那是他渴望做的事，是他的一个梦，就像要去另一块田野上奔跑。为什么不呢？那年夏天，凯文还从他位于克利夫兰郊区的家来到芝加哥，说是来看我，但是很快他又说，因为芝加哥这样的城市比较容易找到合适的毛绒玩偶服装，帮他赢得即将到来的吉祥物选拔赛。我们花了一整个下午，一起在各个商店里寻找服装，讨论衣服是否够宽松，方便翻筋斗。我不记得凯文那天是否找到了完美的毛绒玩偶服装，我也不确定他最后是否得到了扮演球队吉祥物的工作。不过他最后还是成了一名医生，而且是很好的医生，并和我们的一位普林斯顿校友结了婚。

在当时，甚至是现在，我都因为他的开小差而对他颇有微词，我知道这样对他不公平。但我就是不理解，为什么一个人接受了普林斯顿大学昂贵的教育，不立即把它转化成在世上进阶的资本，这不正是这个学位的价值所在吗？为什么当你可以进医学院时，却愿意去扮演一只翻筋斗的狗？

但这就是我。就像我说过的，我是一个习惯于打"√"的人，我的行进节奏就是付出努力，得到回报，再付出努力，再得到回报。如果我家里没有人（除了克雷格）曾经走过这条路，我会坚定地沿着固定的道路走。我在对未来的考虑上没有太多想象力，换句话说，我当时已经在考虑法学院了。

在欧几里得大道的生活教会我，或许也是迫使我，在时间和金钱上要客观理智，讲求实际。我最大的一次"不务正业"就是在大二结束后的那个暑假，决定用前一半儿假期去纽约哈德逊河谷做一名营地辅导员，照看第一次到森林探险的城市孩子。我喜欢那份工作，但它几乎没有任何报酬，所以工作结束后，我已经身无分文，被迫开口向父母要钱。尽管他们从未有过怨言，但是之后好几年我都为此感到愧疚。

也是在那个夏天，我的亲人开始有人离世。先是姑婆萝比——我那位严苛的钢琴老师，她在 6 月去世，把她的房子遗赠给了我的父母，他们第一次成了房屋业主。一个月后，我的外祖父去世了，他是肺癌晚期，因为长久以来对医生的不信任，他没有接受任何及时的治疗。外祖父的葬礼过后，母亲那边的大家庭的成员还有外祖父的几个朋友和邻居，一起聚在了外祖父那间舒适的小屋子里。温暖的往事涌上心头，我感到一种失去的悲伤。对习惯了大学里的与世隔绝和生机勃勃的我来说，这些都让人感觉不舒服。那是一种比我在学校里能感知到的东西更深沉的情感，代际关系在慢慢发生变化。我小时候的表亲和堂亲都已长大成人，我的上一辈已然变老。新人在喜结连理，新的孩子在出生。在外祖父家的餐厅，音响设备依然都在他亲手打造的橱柜里，大声播放着爵士乐唱片，我们吃着亲人们带来的百味餐。其中有烤培根、果冻粉和炖菜。只是，房间里已没有了外祖父。每个人都很难过，但是时间推着我们一路向前。

每年春天，很多公司都会进驻普林斯顿校园，目标是招聘即将毕业的大四学生。如果你看到某个同学，平时穿破洞牛仔裤，衬衫也从不塞进裤子里，某天忽然身着细条纹西装出现在校园里，你就知道他或她要去曼哈顿的摩天大楼里上班了。事情发生得很快，每个人都有了职业归属，未来的银行家、律师、医生和管理者很快地转移到了他们下一个"发射台"，或者是研究生院，或者是某个轻松安逸的《财富》杂志 500 强公司的管理培训生职位。我确信我们中有些人会追随自己的心，进入教育、艺术、非营利组织，参加和平队 [1]，或者参军，但是这样的人极少。我自己也忙于攀登成功的阶梯，它是坚定、实际而且目标明确的。

如果我当时停下来思考一下，可能会意识到在学校忙于上课、写论文、考试已经把我的能量耗尽了，也许做点其他的事情会让我更受益。但是，我参加了 LSAT 考试，写了毕业论文，老老实实地往上一级阶梯爬去，申请了全美国最好的法学院。我认为自己聪明、善于分析、雄心勃勃。我从小就在饭桌上和父母辩论，据理力争。在论证一个观点时，我可以深入到它的理论基础，并因从未在争论中认输而引以为豪。这不正是律师应该具备的素质吗？我认为是的。

现在我可以承认，我不光是受上述逻辑驱动，也是希望获得别人的肯定。小时候，每当我跟老师、邻居或者萝比在教堂合唱团的朋友说"我将来要做一名儿科医生"时，他们的表情都好像在说："天哪，可真不得了！"这种肯定让我扬扬得意。多年后，事情并无多少不同。教授、亲戚还有我遇到的某些人问我下一步的计划时，我都提到我要去法学院，而且是哈佛法学院。此时得到的那种肯定是让人无法抗拒的。我只是被录取，就得到了掌声，尽管事实上我是在候补名单上勉强被录取的。但是，我被录取了。人们看我的眼神就好像我已经扬名世界了。

也许，根本问题在于我太在意别人的看法了：它可以把你放到既定的道路上，那条"天哪，可真不得了！"的道路，让你在那里待很长时间。它可能会阻止你开小差，甚至让你根本没有开小差的想法，因为那样你就会冒着失去别人崇拜的风险，这代价对你来说太高。可能它会让

---

1 和平队（Peace Corps），美国政府为在发展中国家推行其外交政策而组建的组织，由具有专业技能的志愿者组成，于 1961 年根据肯尼迪总统的建议和国会通过的《和平队法》而建立。志愿者中有相当一部分是大学生。他们要接受 10~14 周的训练，特别是外语训练，然后到某个发展中国家或地区服务两年。

你在马萨诸塞州待上三年，学习宪法，讨论反垄断案件中排他性纵向协议的相对优势。有些人可能确实对这些感兴趣，但你不是。可能在这三年中，你交到了一些你热爱和尊敬的朋友，他们似乎是受到召唤才研究那些没有温度、纷繁复杂的法律条款，但你不是。你没有太高的热情，但也绝不会表现不佳。你像一直以来那样，遵从"付出努力，得到回报"的法则，不断地取得成绩，直到你认为你弄清了所有问题的答案，包括最重要的那个问题："我是否足够优秀？"是的，我确实很优秀。

接下来，你得到了真实的回报。你又往上爬了一级阶梯，这次你得到了一份薪水很高的工作——在一家名叫盛德的高端律师事务所的芝加哥办公室。你回到了你出发的地方，回到了你出生的城市，只是这次你是去市中心一座大楼的四十七层上班。大楼有一个宽阔的广场，楼前还有一座雕塑。当年你从南城坐公交车去上高中时，常常经过这里，你曾默默地望着窗外那些像巨人一样大踏步地走在路上的上班族。而今你是他们当中的一员了。你终于从那辆公交车里下来，穿过广场，上了电梯。电梯往上走时声音很小，像是在滑行。你加入了精英群体。你才二十五岁，已经有了助理。你挣的钱比你父母这辈子挣的钱都多。你的同事都彬彬有礼，而且受过良好教育，大部分是白人。你穿着阿玛尼套装，享受着葡萄酒订制服务。你按月偿还法学院的学费贷款，下班后去做有氧健身运动。因为你已经有能力了，你还给自己买了一辆萨博汽车。

有什么需要质疑的吗？似乎并没有。你已经是一名律师了。你接受了所有别人给予你的东西——父母的爱、老师的器重、外祖父和萝比教的音乐、西丝姑婆的饭菜，祖父给你灌输的词汇，然后把它们转化成当下的生活。你已经爬上了一座大山。你的工作除了为大公司分析抽象的知识产权问题外，还帮忙培训事务所下一批计划招聘的年轻律师。一位高级合伙人问你是否可以督导一名马上要来的暑期实习生，回答很简单：当然可以。你当时还不知道这个回答蕴藏着一种什么样的改变的力量。公司的内部通知下来，确认了这一安排，你不知道你人生中某个深埋的、隐形的脆弱地带开始震荡，之前受掌控的东西开始失去控制。你的名字旁边是另一个名字，那是一名备受瞩目的法学院学生，他正忙着攀爬自己的阶梯。像你一样，他是来自哈佛大学的黑人学生。除此之外，你对他一无所知——只有一个名字，而且是有点怪的名字。

8

贝拉克·奥巴马上班第一天就迟到了。我坐在自己四十七层的办公室里，一面处理工作一面等着他来。像大多数第一年进事务所的律师一样，我很忙。我每天在盛德工作很长时间，经常午饭和晚饭都在办公室解决，手里的文件多到处理不完，所有文件都是用精确得体的律师语言写成的。我读备忘录，写备忘录，帮别人改备忘录。那时，我觉得自己是掌握了三种语言的人才——我会说芝加哥南城轻松的方言，还会说常青藤名校精英的语言，而今我又会说律师的语言。我被分在了市场营销和知识产权事务组，这里在内部被认为比其他组的工作要更自由和有创造性。我想可能是因为我们会跟广告打交道吧。我的一部分工作就是审读客户的电视和电台广告脚本，确保它们不会违反美国联邦通信委员会的相关规定。我后来还有幸负责与小恐龙班尼[1]有关的法律事务（是的，这就算是律师事务所里比较自由的工作了）。

问题是，作为初级律师，我基本没有跟客户打交道的机会。可我是罗宾逊家的人，我父亲是个喜欢热闹的人，我从小就习惯了大家庭的喧

1《紫色小恐龙班尼》（ Barney & Friends ）是美国 PBS Kids 频道面向一到八岁的儿童推出的一档电视节目，由 HIT 娱乐公司打造，通过小恐龙班尼载歌载舞的表演给孩子们传递有意义的教育信息。

闹和吵嚷。我渴望与人互动。为了消除孤独感，我常和我的助理洛琳开玩笑，她比我年长几岁，是一位做事极有条理又有幽默感的黑人女士。她就坐在我办公室外，帮我接听电话。我和事务所几个高级合伙人保持着良好的工作关系，一有机会和同事闲聊我就非常活跃，但一般来说，每个人手里都有一堆工作，很少浪费哪怕一分钟的工作时间。所以我大部分时间都待在办公桌后，和文件在一起。

如果我要在一个地方度过一周中的七十个小时，那我的办公室是相当不错的地方。我有一把皮椅、一张光亮的胡桃木办公桌，还有面朝东南方的大窗户。透过窗户，我的视线可以越过繁忙的商业区，看到密歇根湖上翻腾的白色浪花，夏天的湖面上会有颜色鲜艳的帆船点缀。如果找对角度，我的目光就能沿着海岸线，看到南城的一抹风景。那里房子普遍较矮，树也不多。从我的办公室看过去，那里的住宅区很平静，几乎像玩具一样，但现实情况有很大不同。南城的部分地区已经荒废，店铺倒闭，人们陆续搬走了。曾经提供稳定工作的钢铁厂，解雇了几千人。毒品泛滥的情况在芝加哥初露端倪，并已经对底特律和纽约等地的黑人社区造成严重破坏，在芝加哥的破坏力也丝毫不差。帮派之间为抢夺市场份额互相争斗，他们招募年轻男孩管理街角的生意。对那些男孩来说，这虽然危险，但远比上学要有利可图。芝加哥的谋杀率开始呈上升趋势，那预示着更多的麻烦即将到来。

我在盛德的薪水很高，但在住的方面我比较实际，有现成的就住现成的。从法学院毕业后，我就住回了南岸社区的老房子，那里基本还未受到帮派和毒品的影响。我的父母搬到了楼下萝比和特里的房间，在他们的邀请下，我住到了楼上，那是从我小时候起我们一家人住的地方。我买了一张雪白的沙发，还买了几幅蜡染画挂在墙上，把房间装饰一下。我偶尔给父母写张支票，基本上会覆盖我那部分水电费。那并不算是房租，但父母总是说足够了。虽然我的公寓有单独的入口，但我上下班时总是从楼下的厨房穿行，一来是因为我父母公寓的后门直接通往车库，比较方便；二来是我依然并永远都是罗宾逊家的人。即使我自认为已经是自己梦想中穿职业套装、开萨博车的年轻而独立的职业女性，但我依然不喜欢自己一个人的日子。我每天都跟父母报到。那一天的早上，我在出门前还拥抱了他们。外面下着暴雨，我冒雨开车赶去上班。这里也许应该加一句：我是按时到的。

我看了看表。

"那家伙还没来吗？"我问洛琳。

她叹了口气，答道："亲爱的，还没来。"她有点儿想笑，我能看出来。她知道我受不了别人迟到，会把那看作是傲慢的表现。

贝拉克·奥巴马已经在事务所引起了轰动。首先，他刚刚完成法学院一年级的学业，而我们暑期实习生的职位一般只招二年级的学生。据传他非常优秀。他在哈佛的一位教授，也是事务所一位执行合伙人的女儿，说贝拉克·奥巴马是她遇到过的最有才华的法学院学生。一些在他过来面试时见过他的秘书说，除了显而易见的优秀之外，他长得还很帅。

我对这些说法都持怀疑态度。根据我的经验，你随便给一个头脑不笨的黑人套上西装，白人都会疯掉。我怀疑他名不副实。我在暑期的员工名录里看过他的大头照，长相看起来一般，拍摄光线也不好，笑得倒挺开心，好像有点呆头呆脑，反正照片没有改变我对他的印象。他的简历显示，他的老家是夏威夷，所以他至少是个有异域情调的"呆瓜"，除此之外，没什么特点。唯一的意外是，在他报到前几周，我循例打电话给他作自我介绍。电话那头传来一个浑厚甚至还有点性感的男中音，跟他的照片一点儿也对不上，让我有点惊喜。

时间又过去了十分钟，他才到达我所在楼层的前台。我走出去见他，他正坐在沙发上。那就是贝拉克·奥巴马，他穿着一身深色西装，因为淋了雨身上还有点湿。他不好意思地咧嘴一笑，一面跟我握手，一面为自己的迟到道歉。他的笑容很灿烂，人比我想象中要高和瘦。这个人明显吃得不多，而且看起来很不习惯穿正装。就算他知道自己是顶着天才的名声过来的，他也没有表现出来。我带着他穿过走廊来到我的办公室，向他介绍事务所的情况，告诉他文字处理中心和咖啡机的位置，解释我们是如何计算工作时间的，他安静而谦恭，认真地听着。大约二十分钟后，我把他带到高级合伙人那里，那是他暑期实习期间真正的导师，然后我回到了自己的办公室。

那天晚些时候，我带贝拉克去我们写字楼一层的一家高档餐厅吃午饭。在那里吃饭的都是穿着得体的银行家和律师，午餐的价格堪比晚餐。那是带暑期实习生的一个福利——可以到外面吃大餐，由事务所来买单。作为贝拉克的督导，我最重要的角色是充当社交媒介。我要确保他上班时心情愉快，在必要时为他提供建议，让他在我们团队有归属感。这是一个更大的招揽计划的开端，跟所有暑期实习生一样，在他拿到法学院学位后，事务所可能会招他进来做全职工作。

很快，我意识到贝拉克几乎不需要什么建议。他比我大三岁，快要满二十八岁了。和我不同的是，他在哥伦比亚大学本科毕业后工作了几年，然后才考取的法学院。在我看来，他对自己的人生方向非常笃定。他没有什么怀疑，这让人觉得很奇怪，初看起来也难以理解。我是一环扣一环地走向成功的，从普林斯顿到哈佛再到四十七层的办公室，是一条像箭头一样笔直的轨道；贝拉克的人生道路则是在截然不同的世界中即兴穿梭的过程。在午饭聊天中，我了解到他从各个方面来讲都是"杂糅"的：他的父亲是来自肯尼亚的黑人，母亲是来自堪萨斯州的白人，他们年轻时有过一段短暂的婚姻；他在火奴鲁鲁出生和成长，又在印度尼西亚生活了四年，在那里放风筝、捉蛐蛐；高中毕业后，他先在洛杉矶的西方学院优哉游哉地读了两年，后来转学到哥伦比亚。根据他的说法，他过得不像一个被放飞在 20 世纪 80 年代的曼哈顿的大学男生，而像一个生活在 16 世纪的山中隐士，住在 109 街的一间脏兮兮的公寓里，啃大部头的文学和哲学著作，写一些糟糕的诗歌，每个星期日还会斋戒。

我们边聊边大笑，谈彼此的成长经历，还有我们是如何进入法律这个行业的。贝拉克处事严肃，但高傲自负。他举止活泼，思想强大。这是一种奇特的、激动人心的组合。还有一件事也让我吃惊，那就是他对芝加哥非常熟悉。

贝拉克是我在盛德遇到的第一个会去理发店、烧烤摊和南城远郊宣讲福音的人。在上法学院之前，他受雇于一家非营利组织，那是几个教堂的联合体。他作为社区组织者在芝加哥工作了三年，年薪 12000 美元。他的工作就是帮助重建社区，创造就业机会。根据他的描述，那份工作有两大挫折和一大回报。他曾经花了几周时间筹备一个社区会议，最后只有十几个人到会。他的努力受到工会领导者的嘲笑，白人和黑人都来挑他的毛病。但是做了一段时间后，他赢得胜利的次数在增加，这让他倍受鼓舞。他之所以去上法学院，是因为在基层的工作经历让他看到，重大的社会变革不只需要基层人员的工作，还需要更强大的政策和政府的行动。

尽管我之前对关于他的传言是抵触的，但我发现自己也开始崇拜贝拉克了，崇拜他的自信还有认真。他让人觉得耳目一新、不落窠臼，还有点儿不寻常的优雅。但是，我从来没有把他看作约会对象。首先，我在事务所是他的督导。我随后也下决心不去想约会的事，因为工作太忙实在没有多余的精力。另外，那天吃完午饭后，贝拉克点了一支香烟，这让我大吃一惊，也足以熄灭我对他的任何兴趣——假如说我开始对他有一点儿兴趣的话。

我心想，他会是我带的一个很优秀的暑期实习生。

在接下去的几周里，我们逐渐形成了规律。下午晚些时候，贝拉克会走过大厅，在我办公室的一把椅子上坐下来，好像已经认识我好几年似的。有时感觉确实如此。我们会很轻松地开玩笑，我们的思维模式很相像。当周围的人工作压力大到像得了狂躁症，当事务所合伙人做出一些居高临下或者脱离实际的评论时，我们会交换一下眼神。不言自明的一点是：他是我的同道中人，而且我们事务所雇用了四百多位律师，只有大约五名全职律师是非洲裔美国人，所以我们彼此吸引是理所当然且容易理解的。

贝拉克和那些典型的暑期实习生（比如两年前在盛德实习的我）截然不同：他们野心勃勃，卖力并焦急地经营人脉，期待着一份黄金工作邀请的来临；贝拉克则闲庭信步、平静超脱，而这更增加了他的吸引力。在事务所内部，他的声誉仍在增长。他已经受邀列席高层合伙人的会议，他们会征求他对会上所有讨论议题的意见。在实习期开始后不久，他敲出了一份长达三十页的关于公司管理的备忘录，内容全面详尽，有说服力，立刻引起了轰动。这个人是谁？所有人都在好奇。

"我给你带来了一份。"一天，贝拉克过来，微笑着把他那份备忘录从桌子的另一头滑到我面前。

"谢谢！"我接过文件说，"一定拜读。"

他离开后，我把文件放进了抽屉。

他知道我永远不会读这份文件吗？我想他很可能知道。他把文件拿给我多半是出于玩笑。我们分属不同的专业组，在业务上没什么实际的交集。我有一大堆自己的文件要看，而且他不需要我对他刮目相看。我们那时是朋友——贝拉克和我——我们是并肩作战的同志。我们每周至少一起吃一次午饭，有时还会更频繁，不过当然是由盛德来买单。慢慢地，我们对彼此有了更多的了解。他知道我和父母住在一起，我在哈佛法学院最快乐的回忆是在学校法律援助所工作的时光。我知道他能轻松啃下大部头的政治哲学著作，好像那是沙滩休闲读物。我知道他的父亲在肯尼亚遭遇车祸去世，他后来去过那里一次，想要更多地了解那个男人。我知道他喜欢打篮球，周末会长跑，谈起在瓦胡岛[1]的朋友和家人会怀旧。我知道他过去有很多女朋友，但现在是单身。

最后这一点，我想我可以帮他改变。我在芝加哥的生活圈子里有一堆事业有成的单身黑人女性。虽然我的工作时间很长，但我依然喜欢社交。我的朋友有盛德的同事，有高中同学，有在工作中结交的，还有通过克雷格认识的。克雷格刚刚结婚，当时在芝加哥的一家投资银行工作。我们那个圈子有男有女，充满活力。一有机会大家就在市区的酒吧聚会，周末还会约在一起吃大餐，聊天叙旧，消磨掉很多时间。我在法学院时交过几个男朋友，回到芝加哥后还没遇到合适的，而且也没什么兴趣。我已经跟所有潜在的追求者宣布，我要把事业放在第一位。不过，我倒是有很多女性朋友在寻找约会对象。

初夏的一个傍晚，我带着贝拉克到市区一家酒吧放松一下。那里是黑人职场人士每月一次私人聚会的场所，我经常和朋友约在那里见面。我注意到贝拉克换下了上班的衣服，穿着一件白色亚麻西装夹克，就像是直接从《迈阿密风云》剧组的服装间里拿出来的一样。哈，好吧。

---

1 瓦胡岛，夏威夷群岛中的第三大岛，美国夏威夷州的政治、经济、文化和交通中心。

无可辩驳的是，虽然贝拉克的穿衣品位有点儿问题，但他依然很抢手。他英俊、稳重、成功，他健壮、有趣、和善。你还能要求什么呢？我趾高气扬地进入酒吧，确信我在为所有人——他和在场的所有女士——做一件好事。一眨眼工夫，他就被我的一个熟人锁定了，她是一位在金融行业身居要职的漂亮女士。我能看出来，她和贝拉克聊天时马上就活跃起来了。我对事情的进展很满意，给自己点了一杯喝的，就去找别的熟人聊天了。

二十分钟后，我在房间的另一边看见了贝拉克。他还在跟那位女士聊天，不过主要是那位女士在说话，而且看起来丝毫没有要结束的意思。他给了我一个眼神，暗示我去救他。但他是个成年人，我让他自己救自己。

"你知道她问我什么吗？"他第二天到我办公室时说，依然有点儿不敢相信，"她问我是否愿意去骑马。"他说他们还谈了各自喜欢的电影，但是话不投机。

贝拉克太过理智，可能很多人受不了。（事实上，我和朋友再见面时对方就是这么评价他的。）他不是那种喜欢在酒吧消遣的人，可能我应该早些意识到这一点。我身边围绕的都是一些渴望成功、勤奋努力的人，一心想要往上攀登。他们买了新车，正在买自己的第一套公寓，喜欢下班后喝着马天尼酒谈论这些。而贝拉克则更愿意晚上一个人度过，研究一下城市住房政策。作为一个组织者，他曾经花几周乃至几个月的时间听穷人讲述他们遇到的困难。我后来慢慢发现，他对于希望以及阶层流动性的执着来自一个完全不同、别人不易进入的地方。

他告诉我，他自己也曾有比现在更散漫不羁的时光。他人生的头二十年，对外用的名字都是他的昵称贝里。十几岁的时候，他在瓦胡岛草木茂盛的火山山麓吸大麻。在西方学院时，身处 20 世纪 70 年代颓废的社会风气中，他的偶像是亨德里克斯[1]和滚石乐队。后来，他用回了自己的全名——贝拉克·侯赛因·奥巴马，并接受了自己复杂的身份。他是白人和黑人、非洲人和美国人的混血儿。他为人谦逊，生活简朴，但他知道自己丰富的头脑会让特权世界向他敞开大门。我能看出来，他在严肃地对待这一切。他看起来轻松愉快、爱开玩笑，但从未远离一种更强的责任感。他正踏上某种征途，虽然还不知道会通向何方。我只知道喝酒对他的未来没什么帮助。再一次去酒吧欢聚的时候，我让他留在了办公室。

我小时候，父母都抽烟。每到傍晚，他们坐在厨房里，就会点燃香烟，边抽边聊上班发生的事。晚上洗碗的时候他们还在抽，有时会打开窗户换换新鲜空气。他们不是烟瘾很重的人，但他们有抽烟的习惯，而且不听劝导。在研究证明吸烟有害健康后，他们依然照抽不误。

这件事让我和克雷格都很抓狂。他们一点上烟，我们俩就故意大声咳嗽。我们还经常策划毁坏香烟的行动。在克雷格和我很小的时候，我们曾从架子上拿下一盒新的新港香烟，开始搞破坏，把烟掐成一小截一小截的，像豆子一样撒到厨房的水槽里。还有一次，我们把烟嘴蘸上辣酱，再放回香烟盒里。我们给父母讲吸烟可能会导致肺癌，描述学校健康课上放映的宣传片里的恐怖景象——吸烟者的肺，像木炭一样又干又黑，慢慢死去，就在你的胸腔里慢慢死去。作为对照，我们在影片里还看到了健康的肺：颜色红润，未受香烟污染。好／坏，健康／病态，这种简单的选择题足以使他们的行为令人困惑。你要选择你自己的未来——

---

1 吉米·亨德里克斯（James Marshall "Jimi" Hendrix，1942—1970），出生于美国华盛顿州西雅图，美国吉他手、歌手、作曲人，被公认为摇滚音乐史中最伟大的电吉他演奏者。

这是父母教导我们的话。但是直到很多年后,他们才最终把烟戒掉。

贝拉克和我父母一样,在饭后,走在街上,或者在觉得焦虑需要手里干点儿什么的时候,都会抽烟。1989 年,吸烟比现在要更加普遍,而且更深入日常生活。对二手烟影响的研究成果还相对较新。在饭店、办公室和机场,随处可见抽烟的人。然而,我是看过那个健康宣传片的。在我以及我认识的每个明智的人看来,吸烟无异于自我毁灭。

贝拉克完全清楚我对抽烟的感受。我们的友谊建立在直言不讳的坦率之上,我觉得我们都喜欢这一点。

"为什么像你这样聪明的人要干这么愚蠢的事?"我们第一天见面时我这句话就脱口而出,那是吃完午饭后,我看到他点上了一支烟。这是一个直接的问题。

我记得他只是耸耸肩,承认我说得对。他没有争执,也没有辩论。唯有在抽烟这个问题上,贝拉克似乎丧失了他的逻辑。

不管我承不承认,我们之间的关系似乎发生了某种变化。在我们工作太忙见不上面的日子,我都会想他在干什么。当他没有出现在我办公室门口时,我在谈话中会掩饰自己的失望。当他出现时,我又在谈话中掩饰自己的兴奋。我对他有感觉,但这种感觉被我隐藏起来,藏得很深,因为我决心让我的生活和事业有序地向前推进,不要有任何变数。我在事务所的年度评估结果相当不错。很可能在三十二岁之前,我就可以做到盛德的权益合伙人。这是我全部的目标,或者说我只是在让自己相信这一点。

我也许可以忽略我们之间正在滋长的感觉,但他没有。

"我觉得我们应该约会。"一天下午我们一起吃饭时贝拉克说。

"什么,你和我?"我假装震惊于他居然认为我们之间存在这种可能性,"我告诉过你,我不打算约会。而且我是你的督导。"

他苦笑了一下。"这算什么理由，你又不是我的老板。"他说，"而且你很漂亮。"

贝拉克有时笑起来嘴巴好像能咧到耳朵根儿。他既温和，又理性，真是"致命"的组合。在接下来的日子里，他不止一次列出证据说明为什么我们要约会：我们合得来，我们能让彼此开心，我们都是单身，而且我们都表示对其他人没兴趣。他说，事务所里没人在意我们约会。事实上，这可能也是一件好事。他猜想事务所的合伙人希望他最终能来为他们工作。如果他和我成为一对，这会提高他入职的概率。

"你的意思是，我是个钓饵？"我大笑道，"你也太高看你自己了。"

在那个夏天，事务所为我们律师组织了一些活动和旅行，让有意愿参加的人填写报名表。其中一项是在晚上观看离办公室不远的一个剧院上演的音乐剧《悲惨世界》。我给我们两个报上名，要了两张票，那是初级律师督导和她带的暑期实习生的常规行为。按规定我们是要一起参加事务所的活动的。我的职责是确保他在盛德的工作感受是愉快而积极的。这是所有安排的用意所在。

我们并排坐在剧院里，工作了一整天都累坏了。大幕拉上去，歌声响起来，一个灰暗、阴沉的巴黎出现在我们面前。我不知道是情绪的原因还是音乐剧本身的缘故，接下去的一小时我感觉自己在无助地被法国的苦难碾压。呻吟和锁链，贫穷和强暴，不公和压迫——全世界无数人都曾为这出音乐剧痴狂，我却在座位上不安地扭来扭去，努力想摆脱乐曲每次重复带给我的无以言表的折磨。

幕间休息灯光亮起来时，我偷偷看了贝拉克一眼。他整个人陷在椅子里，右手肘支在扶手上，食指顶着额头，表情让人捉摸不透。

"你觉得怎么样？"我问。

他转过头来看我，说道："很糟，是吧？"

我笑起来，对他跟我感觉一样感到宽慰。

贝拉克从座位上直起身。"咱们出去怎么样？"他说，"我们可以现在就走。"

一般情况下，我是不会动的。我不是那种人。我太在意别的律师的看法，如果他们看到我们的座位空着会怎么想？我一向奉行做事有始有终的原则，不管多小的事，都要从头至尾看着它完全结束，即便是一出让人神经紧张的百老汇[1]音乐剧，而且是在一个本该美好的星期三晚上上演的。不幸的是，我就是个内心打"√"的人。一直以来我都在为了面子而忍受痛苦。但那时，我跟一个与我不同的人在一起了。

在大厅里其他督导和他们的暑期实习生聊得热火朝天时，我们避开所有人的视线，溜出了剧院，来到了温暖宜人的夜色中。紫色的天空中最后一丝光线正在退去。我吁了一口气，感觉得到了解脱，贝拉克不禁大笑起来。

"我们现在去哪儿？"我问。

"我们去喝一杯怎么样？"

我们步行走到附近的一家酒吧。跟往常一样，我走在前面，他紧跟在后面。贝拉克走路悠闲从容，带着夏威夷式的关节松弛的随意感，从来不着急，尤其是你让他加快步伐时。而我正相反，我在闲暇时间走路也是大步流星，很难让自己放慢速度。但是我记得那天晚上，我告诉自己要慢一点儿，以便听到他说的话，因为我开始意识到，我在意他讲的每一句话。

---

1 百老汇，指美国纽约市百老汇大道（Broadway），该道路两旁分布着众多剧院，有美国戏剧中心之称。百老汇上演的多为格调比较高雅的歌剧、音乐剧，内容多以经典剧目为主，代表剧目为《剧院魅影》《美女与野兽》《国王与我》等。

　　直到那时，我一直都在小心翼翼地塑造自己的外在形象，每个松开或者凌乱的边边角角都要塞好折好，好像在做某个密不透风的折纸手工。我费尽心力去做好它，对它的外观感到骄傲。但是它很脆弱，如果一角没有塞好，我发现自己就会坐立不安；假如另一角松开了，就可能暴露我对自己精心设计的职业道路以及自认为想要的所有东西并不确定。我觉得正是出于这种原因，我一直小心翼翼地保护自己，没做好接纳他的准备。因为他就像一阵风，可能会把一切事情都吹乱。

　　一两天后，贝拉克问我是否可以在周末开车带他去一个为暑期实习生举办的烧烤派对，地点在一位高级合伙人的家里，位于市区北边一个富裕的湖滨郊区。我记得那天风和日丽，在一块悉心打理的草坪尽头，湖面泛着粼粼波光。负责餐饮的人端上了食物，音响里高声播放着音乐，人们对主人豪宅的品位交口称赞。整个环境就是一幅富足而安逸的画面，也很明显地提醒着你，全身心投入枯燥乏味的工作会带来怎样的回报。我知道，贝拉克一直在纠结自己未来要做什么，要选择什么样的职业方向。他对财富有一种不安。和我一样，他从未拥有过很多财富，也并不渴望财富。他希望人生过得有价值胜过希望挣很多钱，但是他仍然在想怎样去实现这种价值。

　　我们在派对上不太像一对，但是大多数时间都在一起，在同事堆里穿梭，喝啤酒和柠檬汁，吃塑料盘子里的汉堡和土豆沙拉。我们不时会分开，然后再找到对方。一切都感觉很自然。他会含蓄地和我调情，我也会回应他。一些男同事临时组队打起了篮球，我看到贝拉克穿着人字拖鞋溜达到球场加入比赛。他和事务所的所有人都相处得轻松融洽。他能叫出所有秘书的名字，跟每个人都合得来，包括正在打篮球的那些人——从年长的古板而保守的律师到雄心勃勃的年轻小伙子。"他人挺好。"看着他把球传给另一位律师，我心里想。

我从高中到大学看过很多场球赛，很容易就能看出一个人打球的水平，贝拉克很快通过了测试。他打篮球时身手矫健，很有艺术感，瘦长的身体移动迅速，展示出我之前未曾注意到的力量。即使穿着夏威夷式的鞋子，他的行动依然迅捷优雅。我站在那里假装听某位同事态度友好的妻子跟我说话，但是眼睛一直盯着贝拉克。我的内心第一次被他——这个奇怪的混合了各种元素的男人——打动。

傍晚，在我们开车回市区的路上，我内心感到一种新的疼痛，那是某个新播下的渴望的种子。当时是 7 月，贝拉克 8 月就要走了，回到法学院和那里的生活中去。从表面看什么都没有改变——我们像往常一样开着玩笑，八卦着谁在烧烤派对上说了什么话，但是一股热流爬上了我的脊背。在我车里的狭小空间里，我强烈地感受到他身体的存在——他的手肘支在控制台上，他的膝盖在我触手可及的地方。当我们沿着湖滨大道开始向南行驶，经过两旁人行道上骑自行车和跑步的人时，我在心里默默地和自己进行斗争。是不是可以不那么严肃地试着交往一下？这会在多大程度上影响我的工作？我对所有事都没把握——怎么做才合适？谁会发现？会有什么影响？但是我突然觉得，我不想再等到什么都有把握了。

他住在海德公园，是从一位朋友那里分租了一套公寓。车子驶进社区的时候，我们之间的空气里充满了紧张感，好像某件不可避免、命中注定的事情就要发生。或者那只是我的想象？可能我拒绝了他太多次。可能他已经放弃，现在只是把我看成一个不错的、可靠的朋友——一个在他有需要时可以开着有冷气的萨博车送他的女孩。

我在他家楼前停下车，我的脑袋因为过度思考还有点蒙。气氛有点尴尬，我们都在等对方开口说再见。贝拉克抬起头看着我。

"我们去吃个冰激凌吧。"他说。

那个时候，我知道游戏开始了，那是我人生中少有的几次决定停止思考、活在当下的时刻。那是一个温暖的夏夜，在我热爱的城市里，空气触着皮肤感觉很柔和。在贝拉克公寓旁边的街区有一家芭斯罗缤冰激凌店[1]，我们要了两个甜筒，走出店门，在外面的步行道上找了个位置。我们伸直了膝盖，挨近了坐着，在户外待了一天，疲惫但心情愉快。我们快速地吃着冰激凌，没有说话，担心冰激凌化掉。可能贝拉克从我脸上读到了或者从我的姿势上感觉到了我的内心已经开始松动并向他敞开。

他好奇地看着我，脸上挂着一丝微笑。

"我能吻你吗？"他问。

就这样，我把身体靠了过去，一切都明朗了。

---

1 芭斯罗缤冰激凌店，1945 年的一天，美国人伯特·巴斯金和欧文·罗宾斯在加利福尼亚的洛杉矶合伙开的一家冰激凌店，他们的天才创造让美国顾客流连忘返。其中最吸引人的新概念是"每月 31 天，每天一个口味"。

Part II

* * *

成为我们
Becoming Us

9

　　我一下定决心向贝拉克打开心门，各种情感便蜂拥而至，那是一股混杂着渴望、感激、成就感和好奇心的洪流。我之前对我的生活、事业乃至对贝拉克本人的种种担忧，随着我们的初吻全都消失了，取而代之的是一种强烈的渴求，我想要更多地了解他，并尽快地探寻和亲身感受关于他的一切。

　　也许因为他一个月后就要回哈佛了，所以我们好好利用这段时间过了一段放松的生活。我还没准备好让男朋友和自己的父母睡在同一个屋檐下，所以我开始在贝拉克的公寓过夜。那是一间拥挤的公寓，在二层，一层是临街的店铺，没有电梯，位置在 53 街的繁华地段。平常住在那里的租客是一名芝加哥大学法律专业的学生，他把那里装修得一看就是好学生的风格，东西都是从旧货市场淘来的，混搭在一起。公寓里有一张小桌子，几把摇摇晃晃的椅子，地板上放着一张特大号床垫。贝拉克的书和报纸散落在房间各处，占了地板很大一块空间。他的西装外套就挂在厨房的椅子背上，冰箱里几乎是空的。那里并不舒适，但我沉浸在快速发展的恋情中，看所有东西都是玫瑰色的，感觉那里就像家一样。

　　贝拉克让我着迷。他和我之前交往过的所有人都不同，主要是因为他看起来让人非常有安全感。他的感情溢于言表。他会告诉我我很美丽。他让我感觉很好。对我来说，他就像一头独角兽，太不同寻常以至于感觉不太真实。他从不谈论物质话题，比如买房买车，甚至是买双新鞋。他的钱基本都花在书上，对他来说，书是神圣的东西，是他头脑的压舱物。他晚上会读书读到很晚，经常在我睡着后很久，他还在读历史、传记还有托妮·莫里森[1]的作品。他每天都看好几份报纸，从头至尾地通读。他会密切关注最新的图书评论、美国棒球联盟比赛排名以及南城市政委员会委员的行动计划等。他会带着同样的激情谈论波兰选举，还有罗杰·埃伯特[2]抨击了哪些电影以及为什么。

因为没有空调，我们晚上睡觉只能开着窗户，好让闷热的公寓凉爽一些。身体舒服了，耳根却不清静了。那时候，53街是夜生活的中心，街上有人开跑车兜风，但排气管未消音。几乎每个小时，窗外都会响起警报声，或者会有人大声喊叫，并充满愤怒地辱骂，那些会把我从床垫上吓醒。虽然我觉得那令人不安，贝拉克却安之若素。我已经感觉到他比我更适应世界的失序，更愿意接纳它，而非感到苦恼。一天晚上，我醒来时发现他正盯着天花板，他的轮廓被外面的街灯照亮了。他看起来有点苦恼，好像在思考某件非常私密的事情。是我们之间的关系吗？还是他父亲的去世？

"嘿，你在那儿想什么呢？"我轻声问道。

---

1 托妮·莫里森（Toni Morrison, 1931—　），美国黑人女作家，世界文坛最重要的作家之一，1993 年获得诺贝尔文学奖。此外，她获得过许多文学奖项，包括美国国家图书奖、国家图书评论奖、普利策奖。其作品主要表现美国黑人的生活，视角敏锐，情感炽烈。2012 年 5 月 29 日，美国时任总统贝拉克·奥巴马授予托妮·莫里森总统自由勋章，该勋章是美国最高荣誉的文职勋章，由美国总统一年一度颁发，与国会金质奖章并列为美国最高的平民荣誉。

2 罗杰·埃伯特（Roger Ebert, 1942—2013），全美最负盛名的影评人，也是美国有史以来第一位获得普利策奖的影评家。

他转头看着我，笑容有点腼腆。"哦，我刚在想收入不平等的问题。"他说。

我了解到，那是贝拉克思维活动的方式。他的注意力集中在重大的抽象问题上，总感觉自己能够为之做些什么。不得不说，这很疯狂，对我来说十分新鲜。我的朋友圈子都是些好人，他们也关心重大的事情，但主要精力还是放在如何发展自己的事业、让家人生活得更好上。贝拉克跟别人不一样。他会处理自己生活中的日常需求，但同时，尤其在晚上，他的思绪就会漫游到更广阔的领域。我们两人的大部分时间，当然还是花在工作上，在盛德事务所豪华而安静的办公室里。每天早晨，我都甩掉睡意，恢复我作为初级律师的精神状态，尽职尽责地处理我那一大摞文件，还有我从未见过面的公司客户的各种需求。而贝拉克则在大厅另一边的一间公用办公室处理他的文件，欣赏他才华的合伙人与他越来越亲近。

我依然觉得不太得体，因此坚持认为我们应避开所有同事的视线，发展地下恋情，虽然这不怎么行得通。每次贝拉克来我的办公室时，我的助理洛琳都会向他会心一笑。我们在第一次接吻后不久，首次在公共场合约会就被撞了个正着。那天晚上，我们先去了芝加哥艺术学院，然后去水塔商厦看斯派克·李[1]的电影《为所应为》，在排队买爆米花时，我们碰见了事务所级别最高的合伙人之一纽特·米诺和他的妻子约瑟芬。他们热情地跟我们打招呼，甚至还有点赞许的意思，对我们在一起的事没有作任何评论。无论如何，我们确实在一起了。

---

[1] 斯派克·李（Spike Lee，1957— ），美国黑人电影导演、制片人、作家、演员。1986年，其处女作《稳操胜券》大获成功，令斯派克一举成名。他一直致力于"拍出真正的黑人电影"，因而，其作品充满了对种族歧视、城市贫困、城市暴力等议题的关注和探讨。

那时候，我感觉工作是件让人分心的事，是我们要见到对方前必须要做的事。在办公室之外，贝拉克和我聊起来就没完，我们穿着 T 恤和短裤在海德公园悠闲地散步，在一起吃饭会吃上几个小时，却感觉时间过得飞快。我们讨论史提夫·汪达每一张专辑的优点，然后接着讨论马文·盖伊[1]。我对贝拉克着了迷。我喜欢听他缓慢的声音，喜欢看他在我讲了一个笑话后变得柔和的眼神。我也开始欣赏他从容的步态，他从不赶时间。

我每天都会有一点儿小发现。我是小熊队的粉丝，他喜欢白袜队。我喜欢麦卡洛尼芝士意面[2]，他受不了它的味道。他喜欢看黑暗的、有戏剧性的电影，我喜欢看浪漫喜剧。他是个左撇子，写得一手好字；我习惯用右手，字写得潦草难辨。在他回剑桥市[3]之前的一个月里，我们似乎聊了各自的所有记忆和零散的思绪，从小时候干的傻事、少年时犯的错误，到各自之前谈过的不成功的恋爱，这些不成功的恋爱将我们引向彼此。贝拉克对我的成长经历尤其感兴趣。欧几里得大道的生活几十年如一日，我、克雷格、母亲和父亲组成了一个稳固的正方形。贝拉克在做社区组织者的时候在教堂待过很长时间，这让他对有组织的宗教很欣

---

1 马文·盖伊（Marvin Gaye, 1939—1984），美国摩城唱片著名歌手、曲作者，有"摩城王子"之称，对许多灵魂歌手都有巨大影响，可以说是黑人流行音乐史上一位最受人敬重的超级巨星。

2 麦卡洛尼芝士意面（Macaroni and Cheese），这款意面在美国广受欢迎，餐厅居家都很常见。非洲裔美国人将其划为"灵魂食物"（Soul Food）的代表。多数黑人家庭在感恩节时，烤火鸡边上必定有盘烤的奶酪麦卡洛尼。这也是著名脱口秀主持人奥普拉·温弗瑞的最爱。读非洲裔美国人的传记，常常可以看到关于母亲或祖母制作的麦卡洛尼芝士意面的温馨回忆。

3 剑桥市（Cambridge），与美国马萨诸塞州波士顿市紧邻的一个市，与波士顿市区隔查尔斯河相对，属于波士顿都市区。那里是两所世界著名大学哈佛大学和麻省理工学院的所在地。

赏，但同时他并不传统。他之前就跟我说过，婚姻在他看来是一个不必要而且被过分夸张的习俗。

我不记得那年夏天把贝拉克带回家给父母介绍认识过，但是克雷格说我带他回去过。他说，那是一天傍晚，我们两个走到欧几里得大道上的家门口。克雷格当时刚好过来看望父母，正和他们坐在前廊上聊天。他回忆说，贝拉克很友好、很自信，和他们轻松地聊了几分钟后，我们俩到我的房间取了点儿东西。

我父亲一见到贝拉克就很欣赏，但是不敢抱什么希望。毕竟，他曾亲眼看见我是如何在普林斯顿大学的校门口甩掉高中时的男朋友大卫的。还有大学时打橄榄球的男朋友凯文，我看到他穿着吉祥物毛绒服装后就和他分手了，这些父亲也看在眼里。父母不敢表现得太热情。他们一直教育我要对自己的生活负责，我也是这么做的。我跟父母说过很多次，我现在要集中精力忙事业，没有时间谈恋爱。

克雷格说，父亲看着我和贝拉克离开后，摇摇头笑起来。"小伙子不错，"他说，"可惜长不了。"

如果说我的家庭是一个正方形，贝拉克的家庭应该是一个更为复杂的几何体，一个跨越重洋的几何体。1960 年，他的母亲安·邓纳姆是夏威夷的一个十七岁的大学生，她爱上了一名来自肯尼亚的学生，名叫贝拉克·奥巴马，他们的婚姻短暂而复杂。因为她的新婚丈夫在内罗毕已有妻子。他们离婚后，安嫁给了来自爪哇岛的地质学者罗罗·苏托洛，然后搬到了雅加达，带着年幼的贝拉克·奥巴马——我的贝拉克·奥巴马，当时他六岁。

贝拉克跟我说，他在印度尼西亚过得很开心，和他的继父相处得很好，但是母亲担心他的教育质量。1971 年，安·邓纳姆把儿子送回了瓦胡岛上的私立学校,和她的父母住在一起。她是一个无拘无束的人,之后多年,一直在夏威夷和印度尼西亚之间来回飞。贝拉克十岁的时候,他的父亲回夏威夷待过一段时间,此外他基本缺席,也不参与抚养贝拉克。那个男人显然头脑聪明,但有严重的酗酒问题。

不过,贝拉克还是得到了很多的爱。他在瓦胡岛的外祖父和外祖母对他和他同母异父的小妹妹玛雅都很宠爱。他的母亲虽然住在雅加达,但是对他非常关心,并随时为他提供支持。贝拉克还满怀深情地谈起他住在内罗毕的一个同父异母的姐姐——欧玛。跟我相比,他的成长经历充满动荡,但是他并不感到难过。他的故事是独一无二的。他的家庭生活让他学会了自立和乐观的处世态度。他的成长经历如此不同寻常,但他依然能成功地应对,这似乎也预示着他准备好将来承担更多。

一个温暖潮湿的傍晚,我和他一起去给一位老朋友帮忙——他做社区组织工作时的一个同事,问他是否可以去罗斯兰德的一个黑人教区做一场讲座。罗斯兰德位于南城远郊,20世纪80年代钢厂倒闭让这个地区受到重创。贝拉克也愿意花一晚上时间回到他曾经工作的地方,做一做之前的工作。我们走进教堂的时候,我意识到我们两个都还穿着在办公室里的衣服,我从未想过社区组织者都要做些什么工作。我们顺着楼梯走到一个地下室,低矮的天花板上挂着荧光灯,里面有大约十五名教区居民,我记得大部分是女人,她们坐在折叠椅上,正在闷热的房间里扇扇子,那个房间看起来应该还兼做日托中心。我在后面找了一个座位,贝拉克走到房间前面,跟大家打招呼。

对她们来说,他看起来一定就像是个年轻律师。我能看出她们在上下打量他,在判断他到底是个刚愎自用的外来者,还是肚子里真有什么有价值的东西。这种氛围我非常熟悉。我小时候,姑婆萝比每周都在非洲裔卫理圣公会教堂[1] 开办轻歌剧学习班，我也参与其中，那感觉和这个教堂很像。这个房间里的女人跟萝比合唱团里的以及外祖父去世后带着炖锅菜参加葬礼的女人并无不同。她们是好心的有社区意识的女人，很多是单身母亲或者祖母、外祖母，在没有其他人愿意来帮忙时，她们是一定会前来的人。

贝拉克把他的西装外套搭在椅背上，摘下腕表放在面前的桌子上，以方便看时间。在做完自我介绍后，他发起了一场持续了大约一小时的谈话。他让大家分享自己的故事，谈谈自己在社区生活中关注的问题。然后，贝拉克又跟大家分享自己的故事，把它和社区组织的原则联系起来。他在这里是要说服她们：我们的故事把我们彼此联结在一起，通过这些联系，我们是有可能控制不满情绪，并把它转变成某种有用的东西的。他说，即使是在场的各位——一个小教堂里聚集的一个小团体，身处一个感觉像被遗忘的社区，也能够建立起真实的政治力量。这需要付出努力，他这样提醒道。我们需要方针策略，需要倾听邻居的话，需要在缺乏信任的社区里建立起信任。这意味着你要让素未谋面的人给你一点儿时间或者付出他们薪水的一小部分。你可能会被拒绝十几次或者上百次，最后才听到一个肯定的答复，而那会让一切变得完全不同。（看起来，这是一个组织者的主要工作。）但是，他向她们保证，她们可以发挥影响，她们可以引起改变。他曾经见过成功的案例，虽然事情并不总是顺利，那是在阿特戈尔德花园——政府廉租房小区，那里的团体就像房间里的这个一样。他们成功地让新选民登记，集合小区居民去和市政府官员见面，谈石棉污染的问题，还成功说服市长办公室出资建了一个社区就业培训中心。

---

1 非洲裔卫理圣公会教堂，建于 1838 年，是非洲裔美国人独立的宗教教会。

坐在我旁边的一位体格健壮的女士，上下晃动着腿上坐着的小孩，完全不掩饰她的怀疑。她看着贝拉克，高抬着下巴，下嘴唇突出，好像在说：你是什么人？你有什么资格告诉我们要干什么？

但是怀疑不会让他感到困扰，就像胜算不大不会让他觉得困扰一样。贝拉克是一只独角兽——他的名字不同寻常，他的血统复杂，他的种族难以界定，他的父亲缺席，他的思想独特，这一切塑造了他。他习惯了在他去过的几乎所有地方，都证明自己。

他提出的观点不容易被人接受，也不应该那么容易。罗斯兰德受到了一个接一个的打击，白人家庭大批迁出，钢铁工业遭遇低谷，学校开始堕落，毒品交易盛行。贝拉克告诉我，作为在城市市区工作的组织者，他大部分时候都是在跟人们——尤其是黑人——内心的那种极度的疲惫感作斗争，那是从过往上千个不如意的事情中滋生出的愤世嫉俗。我理解那种感觉。我在我自己的社区、我自己的家庭里也看到过。那是一种怨恨、一种信心的缺失。我的祖父和外祖父身上都有这种感觉，它是从他们放弃的每一个目标和被迫做出的每一个妥协中酝酿出来的；它也在我那位深受折磨的二年级老师身上存在，当时她基本上放弃了教我们这些布林茅尔的学生；它也在那位不再修剪草坪、不再管自己孩子放学后去哪儿的邻居身上存在；它存在于被随意丢弃在社区公园草地上的每一片垃圾，以及在夜晚来临前被喝掉的每一滴麦芽酒里；它存在于我们认为不可收拾的每样东西、每件事情上，包括我们自己。

贝拉克没有用高人一等的口气跟罗斯兰德的人们谈话，他也没有掩饰自己的权势，表现得更"黑人"，以此来赢得他们的支持。在教区居民的恐惧和失望中，在他们被剥夺选举权陷入无助中时，他讲的话有点儿自以为是，与他们的诉求背道而驰。

作为非洲裔美国人，我从来不是一个考虑那些令人泄气的方面的人。我从小被教导要从积极的方面思考。我拥有家人的爱和父母对我们的栽培。我曾和桑蒂塔·杰克逊在"PUSH 行动"的集会上站在一起，听她的父亲号召所有黑人记住他们的尊严。我一直以来的目标都是把眼光放在我们社区之上，往前看，去克服困难。我一直是这么做的。我拿到了两个常青藤名校的学位。我在盛德律师事务所有了一席之地。我让我的父母和（外）祖父母都感到骄傲。但是现在听贝拉克讲话，我开始意识到他对于希望的理解比我的要深刻得多。我意识到，让自己从困境中挣脱出来是一码事，而付出努力让那个地方摆脱困境是另一码事。

我再一次被他的与众不同吸引住了。慢慢地，教堂里坐在我身边的女士们，也开始点头表示赞同，在他讲话的间隙会不时喊出"嗯嗯"和"没错！"。

他讲话的声音越来越大时，声音里的感情也会愈加强烈。他不是牧师，但他确实是在宣扬一种愿景。他在争取我们参与进来。在他看来，我们要做这样一道选择题：要么放弃，要么去努力改变。"哪个对我们更好？"他向聚集在房间里的人发问，"我们是要安于这个世界的现状，还是努力让世界变成它本应该有的模样？"

这是他刚做组织者工作时在一本书里看到的句子，便借来用了，这句话我牢记了很多年。我开始从这句话——世界本该有的模样——里理解到是什么在激励着贝拉克。

在我旁边，那个腿上坐着孩子的女士一下子激动起来。"没错！"她终于被说服了，大声吼道，"阿门！"

"阿门！"我自言自语道，因为我自己也被说服了。

在贝拉克回法学院之前，大概是在 8 月中旬的时候，他跟我说他爱我。我们的恋情发展迅速，一切顺理成章，所以那一刻本身倒没什么特别值得纪念的。我不记得他具体是在什么时候以及什么情况下说的。它是对我们之间感觉的温柔而严肃的表达，这种感觉让我们俩都感到吃惊。虽然我们只认识了几个月，虽然这有点不切实际，但我们相爱了。

但是现在，我们要设法应对把我们分隔两地的 900 英里的距离。贝拉克还有两年的学业要完成，他说毕业后希望在芝加哥定居。这段时期我肯定也不会离开我现有的生活。作为盛德的一名资历依然较浅的律师，我明白我事业的下一阶段非常关键，我的表现将决定我是否能升任合伙人。我自己也在法学院念过书，知道贝拉克到时会有多忙。他还被选为《哈佛法律评论》的编辑，这是一份由学生主办的月刊，被认为是全美最顶尖的法学刊物之一。被选入编辑队伍是一种荣誉，但法学院的学业本就繁重，这就像又额外做一份全职工作。

分隔两地的我们靠什么联系呢？答案是电话。请注意，那是 1989年，电话还不能放在我们的口袋里，还没有发短信这回事，也没有替代亲吻的表情符号。打电话既需要时间，也需要双方都有空。打私人电话通常都在家里，在你晚上累得像条狗、正需要睡觉的时候。

贝拉克在走之前告诉我说，他倾向于写信。

"我不是个爱打电话的人。"他原话是这么说的，好像事情就这么定了。

但其实什么都没定。我们两个一整个夏天都在谈话，我不要把我们的爱情降格到邮政服务那令人抓狂的蜗牛速度上。这是我们俩又一个小小的不同：贝拉克可以用笔尖倾吐心声。信对他而言就像是食物，小时候他的母亲从印度尼西亚给他寄来许多封航空信。而我是喜欢面对面谈话的人，小时候每星期日都在外祖父家吃晚饭，有时候你需要大声喊才能让人听到你在说什么。

在我的家庭里，聊天是生活的重要组成部分。我父亲那时刚把他的车换成一辆特殊的厢式货车，以适应他的病腿的需要。即便如此，他也经常到亲戚家里去做客。朋友、邻居和亲戚也定期会来欧几里得大道我家的起居室，父亲坐在躺椅上，他们坐在他旁边，讲故事或者向他寻求建议。就连我高中时的男朋友大卫，有时也会上门征求他的意见。我父亲打电话也没问题。许多年来，他每天都打电话给在南卡罗来纳州的祖母，询问她的状况。

我告诉贝拉克，如果我们要保持恋爱关系，那他最好适应打电话。"如果我跟你说不上话，"我说，"那我可能会找另一个会听我说话的人。"我是在开玩笑，但也是认真的。

就这样，贝拉克变成了一个爱打电话的人。那年秋天，我们一有空就通电话，虽然我们都困在各自的世界和时间表里，但还是可以分享生活中的小细节。我同情他要读一堆公司税法案例，他笑话我靠下班后做有氧运动出一身汗来摆脱工作的种种不如意。几个月过去了，我们的感情依然稳定。对我来说，生活中少了一件需要质疑的事情。

在盛德，我是芝加哥办公室招聘组的成员，任务是面试报名暑期实习岗位的哈佛法学院的学生。这基本上是一种求爱一般的过程。我还是学生时，就亲身体会过公司—司法产业联合体的影响力和吸引力。我们拿到一个像字典一样厚的活页夹，那是全美国律师事务所的名录，我们被告知，里面每一家都有兴趣招聘哈佛培养出来的律师。让人感觉只要你拿到了哈佛法学博士学位，你就有机会在任何一个城市和任何一个涉及法律的领域工作。无论是达拉斯的大型诉讼事务所，还是纽约的精品房地产事务所，不管你对其中哪一家感兴趣，你都可以向其申请校内面试。如果面试顺利，你就会得到一次"外飞"的机会，包括一张机票、一间五星级酒店的客房，在律师事务所办公室再进行一轮面试，然后就可以跟我这样的招聘人员一起享受一次丰盛的酒宴。在哈佛时，我就曾

"外飞"到旧金山和洛杉矶,一方面是去考察一下那里的娱乐业法律事务的情况;另一方面,老实说,是因为我从未去过加利福尼亚。

既然我已经在盛德,并且负责招聘,那我的目标就是引进一些不光聪明和有进取心的学生,而且是非男性和非白人的法学院学生。在招聘组里还有另一位黑人女士,她是一位高级律师,名叫默西迪丝·拉英。默西迪丝比我年长大约十岁,后来成为我的一位亲密的朋友和导师。和我一样,她获得了两个常青藤名校的学位,习惯了身边人的背景都与她不同。我们一致认为,这种情况不能只是习惯或接受。在招聘会议上,我坚决——我相信在某些人看来,也是厚颜无耻、无所顾忌地——主张,事务所在网罗青年才俊上应该把网撒得更广一些。长期以来,事务所的惯例是从一些顶尖的法学院招聘学生,主要包括哈佛大学、斯坦福大学、西北大学、芝加哥大学、伊利诺伊大学,我们事务所的大多数律师也都是从这些学校拿到学位的。这是一个闭环:上一代律师招聘的新律师与他们的生活经历完全一样,造成了多样性的缺失。公平点儿说,不只是盛德,全美国几乎所有大型律师事务所都存在这个问题(不管它们是否承认)。当时《全国法律周刊》做的一份调查显示,在大型律师事务所,非洲裔美国人在所有律师中的占比不足百分之三,在所有合伙人中的占比不到百分之一。

为了改变这种不均衡的局面,我敦促招聘组考虑从其他州立学校或传统黑人学院,如霍华德大学,招聘法学专业学生。当招聘组聚集在芝加哥的一间会议室,审阅一大摞学生简历时,每当一个学生因为成绩单上有一个"B"或者本科毕业于不太知名的院校而被不假思索地弃置一旁时,我都会表示反对。我坚持说,如果我们是态度严肃地想要引进少数族裔的律师,我们就需要更全面地看待应聘者。我需要考虑他们是如何利用人生给予他们的机会,而非只是以他们在精英学术阶梯上爬到的高度来加以衡量。我的意思不是要降低事务所在招聘上的高标准，而是想让大家意识到，如果固守那种最保守和过时的方法来衡量一个新律师的潜力，那么我们会错过很多种有助于事务所取得成功的人。换句话说，我们在淘汰人之前需要面试更多的学生。

因为这个原因，我喜欢出差到剑桥市进行招聘，因为这让我在选拔什么样的哈佛学生进入面试上有一定的影响力，而且我也有机会见到贝拉克。我第一次去的时候，他开着车来接我，那是一辆车头扁平、香蕉黄色的达特桑，由于他是个背负贷款的学生，所以他买的是二手车。他转动钥匙，引擎发动起来，车开始剧烈震颤，接着变成了噪音大、时间长的颤抖，我们在座位上也跟着颤抖。我难以置信地看着贝拉克。

"你就开这个？"我在噪音中大声问。

他冲我顽皮地一笑，那意思是他能搞定，每次这个笑容都会把我融化。"给它一两分钟，"他边挂挡边说，"它能动起来。"过了两分钟，我们开到了一条繁忙的路上，他补充道："另外，最好别往下看。"

我已经看到他不想让我看的东西了，在车的底板上有一个锈坏的、4英尺宽的洞，从这个洞可以看到车下面的道路疾速闪过。

和贝拉克在一起，生活永远不会乏味。我那时就知道这一点。它会是某种香蕉黄色和让人毛发竖起的生活。我同时也感觉到，这个男人很可能永远也挣不了多少钱。

他住在萨莫维尔一所一居室的公寓里，而我出差期间，盛德把我安排在校园旁边豪华的查尔斯酒店。我们睡在平整舒适的床上，贝拉克一个人基本不做饭，这下好了，在上午上课前他还可以吃上一顿热气腾腾的早餐。晚上，他来我的房间做功课，简单地穿着酒店那种厚厚的毛巾布浴袍。

那年圣诞节，我们一起飞去火奴鲁鲁。我从未去过夏威夷，但他很

肯定我会喜欢那里。毕竟，我是芝加哥人，芝加哥的冬天会一直持续到
第二年 4 月，人们需要在车的后备厢里常备一把雪铲。我羊毛料子的衣
服多得吓人。所以，逃离冬天在我的感觉中就像是出去兜风。大学时，
我曾经和来自巴哈马的男朋友大卫去过巴哈马旅行，还跟苏珊娜一起去
过牙买加。在那两次旅行中，我尽情地享受触着我皮肤的柔和的空气，
还有每次走近海洋时感受到的愉悦。也许，我总被来自海岛的人吸引并
非偶然。

在金斯敦，苏珊娜把我带到白色的海滩上，那儿的沙子像粉末一样
细腻，我们在翡翠色的海水里躲避海浪。她还熟练地穿梭于一个喧闹的
市场，和街头小贩叽里咕噜地说话。

"尝尝这个。"她向我喊道，口音更重了，兴高采烈地递给我一些
烤鱼、油炸红薯、几根甘蔗还有切成块的芒果。她坚持让我什么都尝一
下，打定主意要让我感受一下这个地方是多么可爱。

贝拉克也一样。虽然到目前为止他已经在大陆上生活了十多年，但
是夏威夷对他来说意义非凡。他想要我了解这里的一切，从火奴鲁鲁
街道两旁的大棕榈树，到半月形的威基基海滩，再到城市周围翠绿的群
山。我们在一个朋友借给我们的公寓里住了大约一周，每天都去海边，
游泳、晒太阳。我见到了贝拉克同母异父的妹妹玛雅，她当时十九岁，
和善、聪明，马上要从巴纳德学院[1]毕业。她两颊圆润，有一双棕色的大
眼睛，一头鬈曲的黑发披在肩上。我还见到了他的外祖父母斯坦利·邓
纳姆和梅德林·邓纳姆，贝拉克叫他们"姥爷""姥姥"。他们还住在抚

---

1 巴纳德学院（Barnard College），创建于 1889 年，是哥伦比亚大学的本科学院之一。它
  位于纽约曼哈顿晨边高地，占地面积约 4 英亩。巴纳德学院是美国的一所私立女子文理
  学院，是七姐妹学院之一。

养贝拉克长大的那栋高楼里的一所小公寓里，里面装饰着印尼风格的织物，都是那些年安寄回来的。

我还见到了安本人，她身材丰满，充满活力，一头黑色的卷发，有着和贝拉克一样的尖下巴。她带着很粗的银首饰，穿着一条鲜艳的蜡染花布长裙，脚上是一双耐穿的凉鞋，我猜是人类学家会穿的那一种。她对我很友好，对我的背景和职业很好奇。很明显，她爱她的儿子，几乎是崇拜他，她迫不及待地要坐下来和他聊天，描述自己的论文进展，两人互相推荐图书，就好像是见到老朋友叙旧的感觉。

家里每个人仍叫他贝里，我觉得很亲切。尽管他的外祖父母 20 世纪 40 年代就从他们在堪萨斯州的老家搬来这里，但他们给我的感觉依旧是移居他乡的美国中西部人，贝拉克也是这么说的。外祖父是个大块头，像大熊一样，爱讲无厘头的笑话。外祖母胖胖的，一头白发，退休前是当地一家银行的副行长。她午餐会给我们做金枪鱼沙拉三明治，到了傍晚，给我们端上乐之饼干配沙丁鱼当作开胃小吃，晚饭会放在托盘里，这样每个人可以边吃边看新闻或者进行激烈的拼字比赛。这是一个普通的中产家庭，在很多方面跟我的家庭并无不同。

这样的家庭氛围对我和贝拉克来说，都有某种让人深感慰藉的东西。我们虽然有很多不同，但有趣的是我们很合得来。我好像找到我们轻松相处和互相吸引的原因了。

在夏威夷，贝拉克身上似乎少了一些紧张和聪明，悠闲的一面充分展现出来。他到家了。在家里，他不需要向任何人证明任何事。我们干什么都会迟到，不过没关系，连我都觉得没关系。贝拉克高中时的好朋友鲍比是一名商业渔民，一天他开船带我们去潜水，然后在海上随便转转。这个时候，我看到了贝拉克最放松的状态。他懒洋洋地躺在蓝天下，手里拿着一瓶冰啤酒，和他的好朋友一起，不再看每天的新闻、读法学院的书，或者思考怎么解决收入不平等的问题。这个阳光充沛、怡然自得的岛屿让我们度过了从未有过的休闲时光，为我们俩打开了空间。

我的许多朋友都是从外在条件来评判潜在的结婚对象的，首先是看他们的长相，还有经济前景。如果她们选中的人不擅长沟通，或者不愿意把脆弱的一面示人，她们就认为时间或者结婚誓言会把问题解决。但是，贝拉克是以一个完整的人的状态进入我的生活的。从我们第一次谈话开始，他就让我看到，他并不羞于表达恐惧或脆弱，他看重的是真实。在工作中，我看到了他的谦卑，还有他愿意为了更宏大的目标而牺牲自己的需求。

来到夏威夷，我从其他一些细节进一步了解了他。他和高中好朋友持久的友谊显示了他在人际关系上的连贯性。他深爱自己意志坚强的母亲，我从中看到他对女性及其独立性的尊重。不需要充分讨论，我知道他可以接受一个有自己的热情和主张的伴侣。在两性关系中，有些东西是教不了的，甚至是爱情也无法建立或改变的。贝拉克把他的世界向我敞开，也向我展示了他以后会成为哪种生活伴侣。

那天下午，我们借了一辆车，开到了瓦胡岛北岸。我们坐在一片柔软的沙滩上，看着冲浪者在巨浪中出没。我们在那儿待了好几个小时，一直在聊天，看着一道道海浪不断涌来，太阳落下了地平线，海滩上其他人都收拾好回家了。我们还在聊，天空从粉红变成紫色，最后变成黑色，虫子开始咬人，我们肚子饿了。如果说我来夏威夷原本是想看一下贝拉克的过去，那此刻我们坐在大海边上，正畅想未来。我们讨论以后我们想住什么样的房子，我们想成为什么样的父母。谈论这些感觉有点儿过早，有点儿草率，但是也让人感到安心，因为这样好像我们永远不会停下，我们之间的这种谈话会持续一辈子。

　　回到芝加哥，跟贝拉克再次分开后，我有时还会去之前的那些酒吧聚会，不过我很少待到很晚。贝拉克对读书的酷爱也影响了我。我也乐于星期六晚上窝在沙发上读一本好小说。

　　无聊时，我会打电话给老朋友。即使我有一个在认真交往的男朋友，我和我的女性朋友们的交往也依然稳定。桑蒂塔作为罗贝塔·弗莱克的伴唱当时正在全美国巡回演唱，但是我们一有机会就通电话。大概在那一年之前，我和父母坐在起居室里，充满自豪地看着电视里桑蒂塔和她的弟弟妹妹在 1988 年民主党全国代表大会上介绍他们的父亲。杰西·杰克逊牧师的总统竞选结果很不错，赢得了十几个州的初选，之后他把党内候选人提名让给了迈克尔·杜卡基斯[1]。在这个过程中，他让我们这样的家庭充满了新的、更深层次的希望和兴奋，尽管我们心里明白他竞选成功的概率微乎其微。

　　我会定期和读法学院时的好朋友弗娜·威廉姆斯通电话，她一直到最近还住在剑桥市。她见过贝拉克几次，对他很有好感，但是她调侃我说我的高标准有所降低，居然接纳了一个吸烟者进入我的生活。安吉拉·肯尼迪在新泽西州当老师，有一个小儿子，她仍然和我一起大笑着聊天，尽管她的婚姻出现了问题，正在努力应对。我们相识时彼此都是傻乎乎、半成熟的大学女生，现在我们是成年人了，过着成年人的生活，面对着成年人的问题。想到这个，我们有时会觉得滑稽搞笑。

　　而苏珊娜依然与当初在普林斯顿和我同住时一样无拘无束，她在我的生活中毫无规律可循地进进出出，仍然纯粹基于是否好玩来衡量生活

---

1 迈克尔·杜卡基斯（Michael Dukakis, 1933— ），美国政治家，美国民主党成员，曾出任马萨诸塞州州长。1988 年美国总统大选中，杜卡基斯被选为民主党总统候选人，负于老布什。

的每一天的价值。我们有时很长时间不通话，但又会很轻松地拾起友谊的线头。和从前一样，我叫她"苏傻娜"，她叫我"米西"。我们的生活依旧和在学校时一样不同，那时她跑去参加饮食俱乐部的派对，把脏衣服踢到床底下，而我则用不同颜色的笔给我社会学 201[1] 课程的笔记做标注。即使在那时，苏珊娜也是一个和我秉性不同的姐妹，隔着一道鸿沟，她的生活我只能远远地观望。她可爱迷人，令人痴狂，一直是我生命中一个重要的人。她会征求我的意见，然后又任性地不予理会。跟一个花心的半紫不红的流行歌星约会是不是不好？这还用问吗？当然不好，但她还是去做了。为什么不呢？最令我恼火的是，她在大学毕业后放弃了一个去常青藤名校商学院的机会，理由是觉得功课太繁重不好玩。她后来从一所压力没那么大的州立大学拿到了工商管理学硕士学位，我认为那是一种懒惰的选择。

苏珊娜做出的选择有时似乎是对我行事方式的一种挑战，她总倾向于多放松、少努力。现在我可以说我对她的评判有失公允。而在当时，我觉得自己才是对的。

和贝拉克开始交往后不久，我就打电话给苏珊娜，向她倾诉我对他的感觉。她听到我很开心便激动不已。开心就能得到她的认可。她也跟我通报了近况：她丢下了美联储电脑专家的工作，不是离开几周，而是几个月。苏珊娜和她的母亲很快就要踏上环游世界的冒险旅程。为什么不呢？

我不知道苏珊娜潜意识里是否知道她身体的细胞发生了某种奇怪的变化，一场悄无声息的"劫持行动"正在进行。我只知道，在 1989 年秋天，当我穿着名牌皮鞋，在盛德开一些漫长而无聊的会议时，苏珊娜和

---

1 201 为课程序号，美国大学多用 10x~3xx 区分课程难度。

她的母亲在柬埔寨小心翼翼地避免咖喱洒在背心裙上，她们在黎明时泰姬陵那宏伟的走廊上翩翩起舞。当我在结算账单、取干洗的衣服、看着欧几里得大道两旁的树叶枯萎掉落时，苏珊娜正坐着嘟嘟车疾驰在曼谷炎热潮湿的街道上，在我的想象中，她还兴奋地高声大笑着。事实上，我并不知道她的旅行是什么样子，也不知道她都去过哪里，因为她不爱寄明信片，也不爱随时保持联系。她在忙着生活，忙着享受世界所给予的一切。

等她回到马里兰的家，有时间跟我联系时，我听到了与设想中截然不同的消息。我怎么都无法把这个消息与我心目中的苏珊娜联系起来，我根本无法接受。

"我身体里发现了癌细胞，"苏珊娜跟我说，她的声音因为激动而有些沙哑，"很多很多。"

她的医生刚刚确诊她得了恶性淋巴瘤，癌细胞已经开始侵蚀她的器官。她描述了一个治疗方案，把希望寄托在治疗的结果上，但是我当时过于震惊以至于没有记住细节。在电话挂断之前，她告诉我她的母亲也患了重病，真是造化弄人。

我从不认为生活是公平的，但我一直坚信通过努力，我们可以找出解决所有问题的方法。苏珊娜的癌症是我这一信念遇到的第一次真正的挑战，是对我理想的破坏。因为虽然我还没有想清楚具体的细节，但我对于未来已经有了规划。为了我心目中的这个计划，我从大学一年级便开始苦心经营，于是才有了那整齐的一列需要画钩的方框。

对我和苏珊娜来说，我们的生活按计划是这样的：我们会在对方的婚礼上做伴娘。我们的丈夫会非常不同，但他们还是很合得来。我们会在同一时间生孩子，两家人一起去牙买加海滩旅行。我们会善意地挑剔彼此的育儿方法，在对方孩子的成长过程中成为他们最爱的有趣的阿姨。我会在她的孩子生日时送书作为礼物，她会送给我的孩子跳跳杆。我们会一起大笑，分享秘密，对各自眼里对方可笑的怪癖翻白眼，直到有一天，我们成了两个老太太，意识到对方是自己此生最好的朋友，并突然惶惑于时间都去了哪儿。

对我来说，那才是世界应有的样子。

现在回想起来，让我讶异的是，在那年年初的冬天到春天，我只是在忙工作。我是一名律师，律师工作很忙，忙得不可开交。我们的价值取决于我们工作的时间。我告诉自己，没有其他选择。我告诉自己，这份工作很重要。所以，我每天早晨出现在芝加哥市区，到达一个众多公司聚集的名为第一国民银行广场一号大厦的地方，埋下头，开始工作。

那时，在马里兰州，苏珊娜正在和病魔斗争。她要预约看病、做手术，同时还要照顾母亲。她的母亲也得了一种侵袭性的癌症，医生坚持说它跟苏珊娜的病完全没有关联。这就是运气不好，是厄运，恐怖到让人不敢去想。苏珊娜家里的其他人和她们走得不近，只有两个关系最好的表姐妹在尽力帮助她。安吉拉有时会从新泽西开车去看她，但毕竟她自己也有年幼的孩子需要照顾，还要工作。所以我就麻烦读法学院时的朋友弗娜，在有空的时候代我去看望她。我们在哈佛读书的时候，弗娜见过苏珊娜几次，非常凑巧的是，她当时就住在银泉市，和苏珊娜的家隔着一个停车场。

我对弗娜的要求有点儿过分，因为她的父亲刚去世，她本人还没从悲痛中走出来。但她是一个真正的朋友，一个富有同情心的人。5月的一天，她打电话到我的办公室，向我描述她去看望苏珊娜的细节。

"我给她梳了头发。"她说。

苏珊娜现在需要别人给她梳头发，这件事应该告诉了我一切，但是我刻意让自己回避真相。我内心的一部分还在坚持这件事没有发生。我固执地认为苏珊娜的身体会好起来，虽然我得到的消息越来越表明事情并非如此。

最后是安吉拉打电话给我，那是 6 月的一天，她开门见山地说："要是你打算来的话，米西，那最好现在就过来。"

那时候，苏珊娜已经住进了医院。她身体虚弱到已经无法讲话，意识时有时无。我无法再继续拒绝真相了。我挂断电话，买了机票，向东飞去，而后打出租车赶到医院，坐电梯到苏珊娜所在的楼层，穿过走廊到了她的病房。她躺在病床上，安吉拉和她的表姐妹在守着她，大家都默默无言。我那时才得知，苏珊娜的母亲于几天前刚刚去世，接着苏珊娜也昏迷了。安吉拉给我腾出地方，让我伏在苏珊娜的床边。

我紧紧盯着苏珊娜，看着她完美的心形脸、她红褐色的皮肤，她的脸依然光滑青春，嘴唇有少女的曲线，那让我感到一点儿安慰。她的容貌似乎并没有被疾病损害。她的长发依旧黝黑光亮，不知谁给她编了两条及腰的发辫。她那田径运动员般的长腿藏在毯子下。她看起来很年轻，像一个在睡梦中的可爱而美丽的二十六岁女孩。

我后悔自己没有早点儿过来。我后悔在我们拉锯般的友谊中，我许多次都坚持说她的行为是错的，但也许她做的是对的。我突然对她一直无视我的建议感到高兴。我高兴她没有为了拿到某个耀眼的商学院学位而让自己劳累过度，我高兴她为了好玩而和一个半紫不红的流行歌星在周末约会，我高兴她和母亲一起去了泰姬陵看日出。苏珊娜的生活是我未曾体验过的。

那天，我握着她无力的手，看着她的呼吸变得窘迫，最后两次呼吸之间有个长长的停顿。在某个时刻，护士会意地向我们点点头。事情要发生了。苏珊娜就要走了。我的大脑一片空白。我没有什么深沉的思考，没有什么对生活和死亡的顿悟。我只是情绪崩溃了。

　　苏珊娜才二十六岁就生病离世是不公平的，你可以简单地这样说。但这是事实，虽然它冰冷、丑陋。最后离开她的病房时，我心里想的是：她走了，而我依然在这里。在病房外的走廊里，穿着病号服的人走来走去，他们看起来比苏珊娜要老得多，病情要重得多，但是他们依旧还在这里。我搭乘一架满员的航班回到芝加哥，开车驶过一条交通繁忙的道路，坐电梯上到我的办公室。一路上我看到人们开心地开着车，穿着夏天的衣服走在人行道上，无所事事地坐在咖啡馆里，或在办公桌前工作，所有人都不知道苏珊娜发生了什么事，当然更不会去想他们自己可能也会随时死去。世界就这样继续运行着，这让我有种怪异的感觉。所有人都还在这里，除了我的苏珊娜。

10

那年夏天，我开始写日记。我给自己买了一个黑色的布面日记本，封面上还有紫色的花朵，我把它放在我的床头。在盛德工作时，我出差的时候也带着它。我不是个每天写日记的人，甚至也不是每周写，只是在有时间和精力捋清自己纷乱的思绪时才拿起笔。我有时一周写几篇，然后一个月甚至更长时间都不写。我不是一个天生特别有内省意识的人。记录自己所思所想这个行为对我来说是全新的，我养成这个习惯应该部分是因为受到贝拉克的影响，他认为写作有疗愈作用，而且有助于理清思路，所以他多年来一直断断续续地在写日记。

在哈佛放暑假期间，他回到了芝加哥。这次他没有再租房，而是直接住进了我在欧几里得大道的公寓。这意味着，我们作为男女朋友不仅在真正地学习同居相处，而且贝拉克也可以和我的家人亲密相处。在我父亲出门去水处理工厂上班前，贝拉克会和他谈论体育。他有时会帮我母亲把采购的食品、杂货从车库里拿进屋。那种感觉很好。克雷格让贝拉克参加了一场高水准的周末篮球赛，这是他全面透彻地评估贝拉克人品的最好办法。球赛中，其他球员都是克雷格的好朋友，他们大部分都在大学时参加过校篮球队。他做这件事实际上是应我的请求。克雷格对贝拉克的看法对我来说很重要。我的哥哥有知人之明，特别是在球赛中。贝拉克通过了测试。他在球场上跑动灵活，知道什么时候该传球，但在没人防守他时也会果断投篮。"他不霸着球,"克雷格说,"但他是个有胆识的人。"

贝拉克接受了市区另一家律师事务所的暑期实习生职位,办公室离盛德很近,不过他在芝加哥待的时间很短。他被选为《哈佛法律评论》下一学年的主席,这意味着他要负责出版八期刊物,每一期都有大约三百页的内容,所以他需要早些回剑桥市着手准备。《哈佛法律评论》主席的职位每年竞争都很激烈,要进行严格筛选,还要八十位学生编辑集体投票选举。被选中担任这一职位对任何人而言都是极大的成就。而贝拉克是这份刊物创刊一百〇三年以来首位当选的非洲裔美国人主席,这是具有里程碑意义的事件,连《纽约时报》都对此进行了报道,文章还配了一张贝拉克的照片,照片上他穿着冬衣戴着围巾在微笑。

换句话说,我的男朋友是个了不起的人。那时候,他本可以在任何一家薪水丰厚的律师事务所找到工作,但他想在拿到学位之后进入民权法领域,尽管那会让他还清学生贷款的时间延长两倍。他认识的所有人几乎都劝他效仿许多之前在《哈佛法律评论》做编辑的学生,申请最高法院的书记员职位,那是稳操胜券的事。但是,贝拉克对此不感兴趣。他想在芝加哥生活。他在构思一本关于美国种族的书,还说他计划找一份与自己的价值观相符的工作,所以他很可能不会从事公司法领域的工作。他对自己的人生方向如此笃定,这让我感到吃惊。

当然,这种天生的自信是让人钦佩的。但是说真的,你倒是跟它一起生活试试看。对我来说,和贝拉克这种强烈的使命感一起生活,在一张床上睡觉,坐在一起吃早餐,是需要适应的,不是因为贝拉克总在卖弄,而是因为你无法忽视它。在贝拉克的笃定面前,在他对自己能够在某种程度上改变世界的信念面前,我不由得有些怅然若失。他的使命感似乎一直在无意中质问我。

所以，才有了这个日记本。在第一页，我认真写下了一段话，阐明我开始记日记的原因：

> 首先，我对于自己未来的人生方向感到非常迷茫。我想成为什么样的人呢？我想以怎样的方式为世界作贡献呢？
>
> 其次，我现在对自己和贝拉克的关系非常认真，我感觉需要更好地了解自己。

这个小小的封面印花的日记本，在我们搬了好几个地方，历经几十年之后，我依然保存着。它在我白宫更衣室的架子上待了八年时间，最近，我在新家把它从一个盒子里找出来，试着再次走近当年还是一个年轻律师的自己。今天我读到这几行字，清晰地看到我当时试图告诉自己什么，那是一个严肃的女性导师会直接跟我说的话。真的，其实很简单。首先，我讨厌做律师。我不适合做那份工作。它让我感觉空虚，尽管我做得很不错。承认这一点让人痛苦，因为我曾经那么努力，做出了那么多的牺牲。在追求卓越的盲目驱动下，在把事情做完美的迫切要求下，我没有注意道路的标识，走错了路。

其次，我深深地、充满愉悦地爱上了一个男人，他非凡的才智和雄心可能会吞掉我的才智和雄心。我已经察觉到它的到来，就像是暗流汹涌的波涛，一路奔腾而来。我不打算躲开，我那时对贝拉克的感情已经很深，我深陷在爱情中，但是我的确需要让自己站稳。

那意味着我要找到一个新的职业。最让我受震动的是，我对自己想做什么没有具体的想法。在上学的那些年月，我居然没有细想过自己的热情所在，以及如何将它们与我心目中有意义的工作结合起来。年轻时，我没有做任何的探索。我意识到，贝拉克的成熟，部分原因在于他做社区组织者那些年的经历，甚至更早前，他在大学毕业后那年，在曼哈顿一家商务咨询公司做了一年的分析员，显然那是无法令人获得成就感的一年。贝拉克还尝试了其他一些工作，结识了各种各样的人，他在这个过程中认识到了自己最看重什么。相比之下，我一直害怕漫无目的的挣扎，太渴望得到别人的尊重还有挣钱支付账单，所以我没怎么认真思考就步入了法律行业。

　　一年的时间里，我拥有了贝拉克，失去了苏珊娜，这两件事同时发生，让我头晕目眩。苏珊娜的突然离世让我猛然意识到，我想让自己的生活中多一些欢乐和意义。我无法再沾沾自喜地生活下去。对于这一切给我造成的困惑，我对贝拉克既感激又责怪。"如果我的生活中没有这样一个人，总在问是什么在驱动我，又是什么让我痛苦，"我在日记中写道，"我会自己问自己吗？"

　　我在想我还能做什么，我还有什么技能？我能做一名老师吗，或者一名大学管理人员？我能否做一个校外托管项目，就像我在普林斯顿帮泽妮做的那种，但是更加专业吗？我也有兴趣为基金会或者非营利机构工作。我愿意帮助弱势的孩子。我不知道自己是否能找到一份工作，在发挥自己才干的同时，还能有足够的时间做义工、欣赏艺术以及孕育孩子。总的来说，我想要生活。我想要感觉完整。我列了一串感兴趣的事情：教育、未成年人怀孕、黑人的自尊。我知道，一份高尚的工作不可避免地薪水会比现在低。我列的下一个清单更加清醒，是我基本的生活开支——如果我放弃盛德的高薪带给我的奢侈生活，如葡萄酒定制服务、健身俱乐部的会员资格，还会有哪些支出。我每月要还 600 美元的学生贷款、407 美元的车贷，还有吃饭、加油和保险的支出，如果我搬出父母的房子那就还需要一个月大约 500 美元的房租。

　　没有什么是不可能的，但也没有什么看起来是那么简单的。我开始四处打听娱乐法方面的机会，想着那个领域的工作可能会比较有趣，而且薪水也不会比现在低。但是在我心中，我日益确信，我不适合搞法律。一天，我注意到《纽约时报》上刊载了一篇文章，讲的是在美国，律师群体普遍感到疲劳、有压力和抑郁，特别是女性律师。"多让人沮丧啊！"我在日记中写道。

那年8月，我大部分时间都是在华盛顿一家酒店中租来的一间会议室里度过的，我被事务所派到这里为一个案子做准备。盛德要在一场反托拉斯的庭审中代表一家化工集团——美国联合碳化物公司出庭，该案件涉及此公司出售它的某项商业资产。我在华盛顿待了三周，但几乎没怎么出去转，因为我全部的时间都花在了那间会议室，和盛德的几个同事一起，打开公司总部邮来的档案盒，阅读里面的几千页文件。

你可能不认为我是那种能从错综复杂的聚氨酯用聚醚多元醇贸易中得到精神安慰的人，但我的确是的。我当时仍在做法律事务，但是工作的细节和场景的变化让我可以转移注意力，暂时不去想那个出现在我脑海中的更宏大的问题。

最终，化工集团的案子以庭外和解的方式解决，这也意味着那些文件我白看了。这是法律领域里让人恼火但也在预期之中的取舍，做了半天准备，全是徒劳，这种事很常见。在飞回芝加哥的那个晚上，我想到自己又将重复每天要做的事，并要再次面对内心的困惑，心里便升起一种强烈的抗拒感。

我母亲那天很好心地到奥黑尔机场来接我，仅仅是看到她我便感到了安慰。她五十岁出头，在市区一家银行做一份全职行政助理的工作。她说那家银行里有一堆坐办公室的男人，他们进入这个行业就是因为他们的父亲之前也做这行。我母亲是个充满能量的女人。她无法忍受愚蠢的人。她留着短发，穿一双实用而简洁的鞋子，全身都散发着干练和平静的气息。在克雷格和我小时候，她从不干预我们的私生活。她的爱体现在她的可靠上。在你乘坐的飞机落地后，她出现在你面前。她开车带你回家，在你饿的时候给你端上吃的。她平和的性情就像是我的避难所，一个可以寻求安慰的地方。

在我们开车往市区走的路上，我深深地叹了一口气。

"你没事吧？"母亲问道。

我在高速公路昏暗的光线中看着她。"我不知道，"我开口说，"只是……"

就这样，我把自己的感受说了出来。我告诉她，我不喜欢我的工作，甚至也不喜欢我选择的这个行当——我是真的不开心。我告诉她我内心很不安，我迫切地想要做出大的改变，但是又担心那样挣不到足够的钱。我还没有捋清思绪。我再次叹了一口气，说："我就是觉得没有成就感。"

我现在可以理解母亲当时对我这番话的感受，她当时已经工作了九年，她做这份工作主要是为了帮助我完成大学学业，之前很多年她都在家做全职妈妈，给我做上学穿的衣服，给父亲洗衣服，给我们做饭。父亲为了家人，一天八小时都要在水处理工厂的锅炉旁盯着仪表。我的母亲刚刚开了一个小时的车把我从机场接回来，让我免费住在她家楼上的公寓，第二天早晨她还要在黎明时分起床，帮助我患病的父亲做好上班的准备，所以她并没有准备好帮助我处理关于成就感的焦虑。

我可以肯定，成就感在她看来是富人的幻想。我怀疑我的父母在他们三十年的婚姻生活中是否讨论过一次这个话题。

母亲并没有指责我无病呻吟。她从不说教，也不会把自己的牺牲挂在嘴边。她一直默默地支持着我做出的每一个选择。不过，这一次，她嘲弄地斜了我一眼，打开转向灯下了公路，回到我们的社区，然后笑了笑。"如果你是在问我，"她说，"我的意见是先挣钱，然后再考虑成就感的事。"

有些真相我们会面对，有些真相我们会无视。在接下去的六个月，我默默地努力给自己力量，没有做出突然的改变。在事务所，我约见了负责我小组的合伙人，请求承担更多有挑战性的任务。我试着把精力集中在我觉得最有意义的项目上，其中包括招聘新一批更多元化的暑期实习生。同时，我也留心着报纸上的招聘启事，并努力在律师行业之外建立人脉关系。我觉得，这些努力会让自己在未来感觉完整。

而在欧几里得大道的家中，一个新的情况让我感觉无能为力。我父亲的脚开始不明原因地肿胀，他的皮肤也很奇怪地出现斑点并变暗。但每次我问他感觉如何时，他都给我同一个答案，并且带着多年来一以贯之的肯定。

"我很好。"他会说，好像这个问题根本不值得一问。然后他会转移话题。

冬天再次降临芝加哥。早晨醒来，我听到邻居从车的挡风玻璃上削冰的声音。寒风渐起，雪越来越厚，太阳总是一副苍白虚弱的样子。透过我在盛德四十七层办公室的窗户，我能看到密歇根湖面上灰色的冰形成的冻原，湖上是一片铁灰色的天空。我穿着羊毛料子的衣服，盼望着冰雪融化。我前面提到过，在美国中西部，冬天就是对人们耐心的考验，人们在等待解脱，等待鸟儿开始鸣唱，等待第一朵紫色的番红花从积雪中冒出头来。与此同时，你没有选择，只能给自己加油鼓劲以熬过寒冬。

我父亲依旧保持着愉快的心情。克雷格不时会回到家里与我们聚餐，我们围坐在一起，像往常一样欢乐，不过现在多了珍妮丝——克雷格的爱人。珍妮丝性格开朗，工作努力，她是一名通信分析师，也在市区工作。她和我们每个人一样，都非常喜欢父亲。克雷格是从普林斯顿大学毕业后实现都市职场精英梦的典型。他当时即将获得工商管理硕士学位，并已经成为大陆银行的副行长。他和珍妮丝在海德公园买了一套漂亮的公寓。他穿着定制的西装，回来吃晚饭时开的是一辆红色保时捷 944 Turbo。我当时并不知道，这些并没有让他感到开心。和我一样，他内心也有自己的危机感，在后来的多年中他也在纠结自己的工作是否有意义，以及不确定必须要取得的这些回报是否是自己真正想要的。然而，我们知道父亲对自己的孩子所取得的成就是多么自豪，所以我们在聚餐时并不谈论自己的不满足。

每次分别时，克雷格都会关切地看父亲一眼，照例询问一下他的身体状况，父亲每次都会笑着说"我很好"来避开这个问题。

我想我们之所以接受这个答案，是因为它让人感觉安稳，而安稳是我们喜欢的状态。父亲已经患多发性硬化症多年，身体状况一直保持得不错。我们都愿意相信这种情况会持续下去，尽管他的身体明显在走下坡路。他很好，我们告诉彼此，因为他每天早晨仍然照常起床和上班；他很好，因为我们见他晚餐吃了第二份肉丸；他很好，特别是当你不仔细看他的脚时。

我和母亲有过几次紧张的谈话，我问为什么父亲不去看医生。但是像我一样，母亲已经放弃了，之前她太多次催促他去医院但都遭到坚决拒绝。对于父亲来说，医生从来不会带来好消息，所以应该避而不见。虽然他很喜欢聊天，但是从不谈论自己的病。他觉得那是放纵自己。他希望按照自己喜欢的方式生活。他的脚肿得厉害，也只是让母亲给他买一双更大的工作靴。

关于要不要去看医生的僵局一直从那年的 1 月持续到 2 月。父亲因为疼痛而行动缓慢，他靠一个铝制助行架在房间里活动，经常需要停下来喘口气。当时，他早晨需要用更长的时间从卧室到洗手间，从洗手间到厨房，最后走到后门，下三段楼梯到车库，开车去上班。尽管在家里这样，但他依然坚持说在水处理工厂的工作一切顺利。他开着一辆电动小摩托从一个锅炉到另一个锅炉，并因自己的不可或缺而感到自豪。二十六年里，他没有请过一次假。如果某个锅炉出现过热的情况，父亲说他是为数不多的几个经验足够多的工人之一，能够快速且熟练地防止事故的发生。而作为他这种乐观论调的证明，他不久前还上了将要被提拔的员工名单。

母亲和我试图相信他告诉我们的和我们亲眼看到的情况是不矛盾的，但是这样做变得日益艰难。在家里，晚上，父亲大部分时间都在看电视里的篮球和曲棍球比赛，他坐在躺椅上，看起来虚弱又疲劳。我们注意到，除了他的脚，他的脖子似乎也有了肿块。这让他的嗓音变得沙哑，听起来很奇怪。

晚上，我们最终决定要进行干预。克雷格从来唱不了黑脸，母亲在父亲的病这个问题上一直自觉秉持休战的立场。在那样的谈话中，强硬谈话的任务总是落在我头上。我跟父亲说，为了我们他也要寻求帮助，我打算第二天一早给他的医生打电话。父亲不情愿地答应了，保证说如果我预约好了，他就去。我让他第二天一早多睡一会儿，好好休息一下。

那天晚上，我和母亲心情宽慰地入睡了，感觉我们终于对局面有了一些控制。

然而，父亲说一套做一套。休息对他而言意味着屈服。第二天早晨，我下楼时发现母亲已经去上班了，父亲坐在厨房的桌子旁，身边放着助行架。他穿着深蓝色的制服，正在努力穿鞋子。他还要去上班。

"爸爸，"我说，"我认为你要多休息一下。我们正要给你预约医生呢。"

他耸耸肩。"我知道，亲爱的。"他的嗓音因为脖子里长的东西而低沉沙哑，"但是现在，我很好。"

他的固执隐藏在层层叠叠的骄傲之下，让我根本没法生气。他打定主意要做的事，你根本无法阻止。我的父母从小教育我们要处理好自己的事情，这意味着我也要相信他会处理好自己的事，即使那时他已经无法自己穿上鞋子。我只好顺着他的意思来。我强压下自己的担心，亲了父亲一下，上楼做上班的准备。我打算稍晚些时候给母亲的办公室打电话，告诉她我们需要商量一下怎么强迫这个男人休息一段时间。

我听到后门"咔嗒"一声关上了。几分钟后，我回到厨房，发现里面没有人了。父亲的助行架放在后门旁边。我突然有种冲动，便走了过去，透过门上的猫眼儿向外望，从猫眼儿能看到后廊和通往车库的道路，我想确认一下他的小货车是否已经离开。

但是车还在那里，我的父亲也在。他戴着帽子，穿着冬衣，背对着我。他刚下了一半儿楼梯，就需要坐下来休息。我从他身体的姿势能看出他的疲惫，他的头偏向一边，半个身体的重量都靠在木头栏杆上。他并非处在危急关头，但是看起来很累，走不动了。很明显他在积攒力量，想要转身回到屋里。

我意识到，我目睹了他被生活彻底打败的一幕。

他带着疾病生活了二十几年，眼见自己的身体在慢慢地不可避免地被消耗，却从不抱怨，这该有多么孤独啊。看到坐在后廊的父亲，我的心感到一种从未有过的疼痛。我本能地想冲出去，把他带回温暖的房间里，但是我控制住了自己，知道那样是对他自尊心的又一个打击。我深吸了一口气，转身从门边走开了。

我想，在他走进房间时，我能看到他。我会帮他脱掉工作靴，给他倒杯水，扶他坐在躺椅上，两人彼此心照不宣：毫无疑问，他现在必须接受一些帮助。

我回到楼上我的房间，坐着听后门的动静。我等了五分钟，又等了五分钟，终于按捺不住了。我走到楼下，回到后门的猫眼儿处，想确认他是否站起来了。但是，后廊空无一人。我的父亲，不知是怎样撑着肿胀和不适的身体，走下了楼梯，穿过结冰的通道，走进他的货车，现在可能已经在去水处理工厂的半路上了。他终究没有屈服。

几个月以来，贝拉克和我一直在谈结婚的事。我们在一起一年半了，感情非常稳定。他在哈佛的学业还有最后一学期，《法律评论》的工作也脱不开身。之后他很快就会回到我身边，参加伊利诺伊州的司法考试，然后找份工作。我们计划让他直接搬到欧几里得大道住，这次感觉是永久性的。对我来说，这是另一个觉得那个冬季无比漫长的原因。

我们曾经笼统地谈论过彼此对婚姻的看法，我有时会对那些看法的大相径庭感到担忧。对我而言，结婚是理所当然的，是我长大后一定会做的一件事，就像生孩子也理所当然一样，小时候我就曾精心照顾我的小布娃娃。贝拉克不反对结婚，但是他并不着急。对他而言，我们彼此相爱就足够了。爱情构成了未来我们一起充实而幸福地生活的坚实基础，有没有戒指都无所谓。

当然，我们都有各自的成长经历。贝拉克经验里的婚姻都是短暂的。他的母亲结过两次婚，离过两次婚，而她的生活、事业和孩子并没有受到什么影响。而我的父母很早就结婚，并且相守了一辈子。对他们来说，每个决定都是两个人共同的决定，每个行动也是两个人共同的行动。结婚三十年，他们几乎没有分开过一晚。

贝拉克和我想要什么呢？我们想要的是一种切合我们两个人需求的现代伴侣关系。他将婚姻视为两个人爱的结盟，两个人可以过着平行的生活，不需要放弃自己的梦想或追求。对我来说，婚姻更像是一种完全的合并，将两种生活重塑成一种，家庭的福祉应该被置于任何计划或目标之上。我并不是想要我父母那样的生活。我并不想永远住在同一栋房子里、做同样的工作、永远没有自己的空间，但是我的确想要他们那种几十年如一日的稳定。"我认同一个人应该有自己的兴趣、追求和梦想，"我在日记本里写道，"但是我不认为一个人追求梦想必然需要自己的另一半儿做出牺牲。"

我们需要捋清自己的感觉，等贝拉克回到芝加哥，等天气转暖，等我们终于可以一起过周末的时候。我需要耐心等待，虽然等待是种煎熬。我渴望长相厮守。在我公寓的起居室，我有时能听到父母在楼下说话的声音。我听到父亲讲了个什么故事后母亲的笑声；我听到他们关掉电视准备睡觉。我二十七岁了，在有些日子里，我有一种强烈的渴望，想要感觉完整。我想要抓住我爱的每一样东西，把它们牢牢地钉在地上。我已经经历了亲人和朋友的离去，也知道还有更多会到来。

我给父亲预约了看病，但把他送到医院的是母亲——用的是救护车。他的脚肿得厉害，疼到他最终承认自己走路像踩在针尖上。到去医院的时候，他已经完全不能站立了。那天我在上班，后来母亲跟我描述，父亲被几个健壮的急救人员抬出了房子，边走还边和他们开玩笑。

他被直接送往芝加哥大学的医院。之后就是每天抽血、脉搏检查，一队医生来查房，吃不下饭，像炼狱一样的日子。而父亲的脚在继续肿胀。他的脸也肿了起来，他的脖子变得更粗，声音越来越微弱。他的病最终确诊为库欣综合征，可能跟他的多发性硬化症有关，也可能无关。不管怎样，我们早就错过了任何应急治疗的时间点。他身体的内分泌系统已经彻底紊乱。扫描显示他的喉咙里长了一个肿块，已经大到几乎让他窒息的地步。

"我不知道自己怎么会没注意到。"父亲对医生说。听起来他是真的感到困惑，好像他之前并没有感觉到任何不适，好像他没有在过去的几周、几个月甚至几年里无视身体的疼痛。

我们轮流到医院陪护他——母亲、克雷格、珍妮丝和我。我们来来去去，看着医生给他开一堆药，看着他身上插了管子，仪器也架上了。我们试图搞清楚专家跟我们讲的话，但真的听不太懂。我们整理父亲的枕头，徒劳地跟他谈大学的篮球赛和外面的天气，我们知道他在听，虽然他已经没有力气说话。我们一家人习惯做计划，但当时所有事情都无法计划。渐渐地，我的父亲在离我们远去，被某个无形的海洋裹挟而去。我们努力用旧日的记忆把他召唤回来，那些记忆让他的眼睛里有了一点儿亮光。还记得"两块两毛五"吗，还记得我们夏天常常坐在它宽大的后座上到汽车电影院去吗？还记得你给我们的拳击手套吗，还有杜克斯快乐假日的游泳池？还有你以前怎么给萝比的轻歌剧学习班做道具？还记得我们在祖父家的聚餐吗？还记得母亲在新年前夜给我们做的煎大虾吗？

晚上，我顺路到医院去，发现只有父亲一个人，母亲已经回家休息了，护士们都在外面走廊里的护士站。房间里很安静。医院的那一个楼层都很安静。那是3月的第一周，冬雪刚刚开始融化，城市里到处都一片潮湿，感觉永远干不了似的。父亲在医院里已经待了十天了。五十五岁的他看起来像一个老头儿，眼珠儿泛黄，胳膊沉重得无法移动。他醒着，但是不能说话，是因为那个肿块，还是因为情绪，我永远无法知道了。

我坐在他床边的椅子上，看着他艰难地呼吸着。我把手放在他的手上，他安慰地握了一下我的手。我们相对无言地看着彼此。有太多的话要说，但同时感觉该说的话都说了。我们面前只有一个真相：我们在一起的日子就要结束了。他的身体不会康复，他会错过我余生的全部日子。我会失去他给我的安稳、抚慰还有每天的快乐。泪水开始顺着我的脸颊止不住地流淌。

父亲凝望着我，让我把我的手背放在他的唇边，亲了又亲，亲了又亲。我知道他是在说："嘘，不要哭。"他在表达悲伤和急切，还有某种更平静更深沉的情感，那是他想要清晰传达的信息。他用这些吻在告诉我，他全心全意地爱着我，他为现在的我感到骄傲。他在告诉我，他知道他应该早点来看医生。他在请求我原谅他。他在向我告别。

那天晚上，我一直陪着他，直到他睡着我才离开医院，走进冰冷的黑夜中，开车回到欧几里得大道的家，那时母亲已经关灯了。就我们俩在那栋房子里，我和母亲，还有我们即将迎来的未来。因为当第二天的太阳升起，他就要离开了。我的父亲——弗雷泽·罗宾逊三世，那天晚上突发心脏病离开了人世，他把一生所有的一切都给了我们。

11

在亲人离世后继续生活是十分痛苦的。穿过走廊或是打开冰箱时，你会心痛；穿袜子时、刷牙时，你会心痛。你食不甘味，世界在你眼里失去了色彩。听音乐、回首往事，都会让你心痛。你看到往日觉得美好的场景，比如日落时紫色的天空，或者满是孩子的游乐场，却只是加深了失去亲人的悲伤。悲伤原来可以如此孤独。

父亲去世后的第二天，我们三个人，我、母亲和克雷格，开车到南城的一家殡仪馆，去选一副棺木并准备葬礼。我们按照殡仪馆的人所说的，做了各种安排。我不记得太多细节，只记得我们都晕乎乎的，每个人都深陷在自己悲伤的泥淖里。但就在我们走那个可憎的程序、选择合适的棺木来安葬我们的父亲时，克雷格和我之间爆发了我们兄妹成年后第一次也是唯一的一次争吵。

事情是这样的。我想买那里最豪华、最昂贵的一副棺木，里面有你能想到的棺木里应该有的所有把手和垫子。我想买这个并没有什么合理依据。只是在没事可做时，那是一件可以做的事。我们接受的讲求实际和实用的家教，让我无法相信几天后葬礼上那些善良好心的人们告诉我们的套话。我不会轻易得到安慰，相信父亲去了一个更好的地方，或者和天使坐在一起。在我看来，他就应该躺在一副好的棺木里。

而克雷格则坚持父亲会想要一副基本款的棺木，简朴、实用，不要任何多余的东西。那符合父亲的性格，他说。其他的都太花哨了。

我们起初讨论的时候很平静，很快就勃然大怒。厚道的殡仪员假装没有在听我们吵架，母亲只是木然地看着我们，她还处于悲伤中无法自拔。

我们大喊大叫的原因其实跟实际的争论内容没什么关系。我们两个对结果都没有那么执拗。最后，我们达成妥协，给父亲选了一副不很豪华也不很简朴的棺木，之后就再也没有讨论过这件事。我们的争论是荒唐和不合时宜的，在死亡面前，任何尘世上的事情都显得荒唐和不合时宜。

后来，我们开车把母亲送回欧几里得大道的家。我们三个人坐在楼下厨房的餐桌旁，筋疲力尽，面色阴郁。看到第四把空空的椅子，痛苦再次在我们心里升腾起来。很快，我们都哭起来。我们似乎坐了很长时间，大哭着，直到哭累了，没有了眼泪。母亲那天一直没怎么说话，最后她开口了。

"看看我们几个。"她带点伤感地说。

然而，她说话的口吻里有一丝轻快。她是在指出，我们罗宾逊家的人现在真是一团糟啊，有点可笑——眼皮肿胀，流着鼻涕，坐在自家厨房里，心痛而无助。我们是谁？我们难道不知道吗？他不是向我们展示了吗？她用简单的一句话把我们从孤独中召唤回来，只有我们的母亲会这么做。

母亲看看我，我看看克雷格，那一刻突然感觉有点滑稽。我们知道，眼前空椅子上从前坐的那个人通常会第一个笑出来。慢慢地，我们开始傻笑，笑出声，继而哈哈大笑。我知道那可能有点奇怪，但比起哭，我们家的人更擅长笑。重点是，他会喜欢这样，所以我们就让自己大笑起来。

.... ✳ ....

父亲的离世让我更加强烈地感觉到，我没有时间再闲坐着想人生该往何处去了。父亲去世时才五十五岁，苏珊娜去世时只有二十六岁。这告诉我一个简单的道理：生命短暂，不能浪费。如果我死了，我不希望人们关于我的记忆是我写的那堆诉讼案情摘要，或者是我为哪些公司的商标做过侵权抗辩。我确信自己能为世界做出更多贡献。是时候采取行动了。

但我依然不确定自己想做什么。我打印了个人简历，在芝加哥全城散发。我写信给基金会的负责人、做社区工作的非营利组织和规模比较大的大学，寄到他们的法务部门，不是因为我还想做法律工作，而是因为我觉得他们更有可能对我的简历感兴趣。谢天谢地，确实有几个人回复我，邀请我一起吃午餐，参加他们的会议，虽然他们暂时并没有职位空缺。在 1991 年的春季和夏季，我去见了所有我觉得有可能给我建议的人。我的重点并不在于找新工作，而是想扩大择业面，了解别人都在做什么。我意识到，我人生的下一段旅程不会自行展开，我耀眼的学历也不会自动带我找到有意义的工作。跟找工作不同，事业的方向无法从校友录的联系信息页找到，它需要更深沉的思索和努力。我需要抓紧时间学习。所以，我一次又一次向约见的人阐述我的职业困境，询问他们的工作内容以及他们认识什么人。我认真地询问有什么工作是一个不想再从事律师业的律师能做的。

那天下午，我到阿特·萨斯曼的办公室拜访，他是芝加哥大学的内部法律顾问，他亲切友好、缜密周到。我的母亲曾经给他做过一年的秘书，工作内容是做笔录和管理法务部门的文件。那是我上高二的时候，在她去银行工作之前的事。阿特惊讶于我从来没在母亲工作时来看过她，也就是说，在此之前我从没有踏进过芝加哥大学一尘不染的哥特式校园，尽管我就在离那儿几英里的地方长大。

老实说，我并没有来这所大学的理由。我社区的学校没有组织过到这里的校外活动。如果在我小时候这里举办过向社区开放的文化活动，我的家人也不会知道。我们没有朋友，甚至也没有熟人在这所学校就读或者是它的校友。芝加哥大学是一所精英学校，对于我成长中认识的几乎所有人而言，精英意味着和我们无关。它那灰色的石头建筑背对着校园周围的街道。开车经过那里时，父亲看着成群的学生在艾利斯大道上乱穿马路，常常翻翻白眼说："这些头脑聪明的人怎么连好好过马路都没学会。"

和许多南城的人一样，我的家人对这所大学有一种模糊而狭隘的看法，尽管我母亲在那里开心地工作过一年。当我和克雷格考虑申请大学时，我们压根没考虑过申请芝加哥大学。不知为何，感觉普林斯顿大学反而离我们更近。

听我说完，阿特感觉难以置信。"你真的从来没来过这儿？"他说，"一次都没有？"

"没有，一次都没来过。"

大声说出这句话有一种奇怪的力量。在此之前我从未认真思考过这件事，现在我突然意识到如果大学和社区之间没有那么深的鸿沟，如果我对芝加哥大学有过了解并且它也知道我的存在，那么我可能会是芝加哥大学的一名优秀的学生。想到这里，我感到内心一阵刺痛，那是一种由于发现了目标而引发的小小的、隐藏的刺痛。我的出身和我取得的成绩，给了我一个确定的、可能也是有意义的视角。作为一个来自南城的黑人，我突然觉得，这帮助我看到了一个像阿特·萨斯曼这样的人根本看不到的问题。

几年之后，我得到一个为芝加哥大学工作的机会，直接参与解决和社区关系相关的问题。但是当时阿特只是好心地表示会帮我把简历转给认识的人。

"我认为你应该去跟苏珊·谢尔谈一谈。"他对我说。现在看来他似乎无意中触发了一个连锁反应，让我结识了一连串能力卓越的人。苏珊大概比我大十五岁，曾经是一家大型律师事务所的合伙人，但是她最终脱离了企业界，那正是我想做的事。不过，她在市政府仍然负责法律事务。苏珊有一双灰蓝色的眼睛，皮肤白皙得像维多利亚女王，笑起来会以一种调皮的响鼻声收尾。她温和自信，极有才干，后来成为我毕生的朋友。"我现在就想雇用你，"我们后来见面时她说，"但你刚刚告诉我你不想再做律师了。"

后来，苏珊把我介绍给了另一个人，现在看来这似乎也是冥冥之中注定的事情。她把我的简历转给了她在市政厅的一个新同事——一位转行的公司律师，这位律师热心于公共事业，并且也来自南城。最终她改变了我的人生走向，而且不止一次。"你真正需要见的人，"苏珊说，"是瓦莱丽·贾勒特[1]。"

瓦莱丽·贾勒特是新上任的芝加哥市长办公室副主任，她在芝加哥非洲裔美国人社群中人脉很广。和苏珊一样，她非常优秀，从法学院毕业后在一家实力雄厚的律师事务所找到一份工作，后来她足够有自知之明，意识到自己不想做这一行。她到市政厅工作，主要是受到哈罗德·华盛顿的激励。1983 年，我还在上大学时，哈罗德当选为芝加哥市市长，是第一个担任这个职位的非洲裔美国人。他是一位口才极佳、充满活力

---

1 瓦莱丽·贾勒特（Valerie Jarrett, 1956 — ），白宫政府间事务与公共交往领域的高级顾问和助理，对奥巴马内阁很有影响力，也是一名非洲裔美国人。

的政治家。我的父母很喜欢他，因为他能用莎士比亚的名言给一场朴实接地气的演讲增添色彩。他还到南城参加社区活动，大吃炸鸡，活力四射。最重要的是，他对长期以来统治芝加哥的根深蒂固的民主党机制深恶痛绝。在这种机制下，政治捐赠者得到了获利丰厚的市政合同，黑人虽然受雇为党派服务，却很少有机会能成长为正式候选人。

他的竞选围绕改革芝加哥市的政治机制以及提升对被忽视的社区的管理展开，并最终以微弱的优势获胜。他做事雷厉风行，性格大胆自信。他用自己的辩才和智慧无情地碾压对手。他无所畏惧地与白人占绝大多数的市议会那些保守的议员频频交战，被视为活着的传奇。他在黑人市民中的威望尤其高，他的领导被认为点燃了进步主义的燎原之火。他的远见卓识在早年激励了贝拉克，所以他会在 1985 年到芝加哥做社区组织者。

瓦莱丽也是被哈罗德吸引过去的。她三十岁时加入了哈罗德的工作团队，那是 1987 年，哈罗德的第二个任期刚刚开始。瓦莱丽的婚姻面临危机，而且她的女儿当时还小，离开豪华的律师事务所到市政府工作，薪水会少很多，可以说时机很不好。在她开始工作几个月后，悲剧发生了：哈罗德·华盛顿突发心脏病，伏在办公桌上离世，而三十分钟之前，他还主持了一个关于低收入群体住房问题的新闻发布会。在之后，市议会任命了一位黑人议员接替哈罗德，但他的任期很短。接着，理查德·M. 戴里当选为市长，他的父亲，曾任市长的理查德·J. 戴里，被广泛认为是芝加哥臭名昭著的任人唯亲行为的始作俑者。这让许多非洲裔美国人感到泄气，认为芝加哥的政治由此迅速退回到了之前由白人主导的局面。

尽管瓦莱丽对新的政府班子持保留意见，但她还是决定留在市政厅，从法务部直接调到了戴里市长的办公室。她很高兴在那里工作，因为现在的工作跟之前的工作对比强烈。她跟我说，从律师事务所转到政府部门让她感到解脱，以前在摩天大楼的高层办公室衣着光鲜地处理上流社会的法律事务的感觉很不真实，现在她跳到了真实的世界，一个无比真实的世界，浑身充满了活力。

芝加哥市政厅与县办公室[1]在卢普区的北边，是一个有着灰色花岗岩外观的独栋建筑，屋顶是平的，共十一层，占据了克拉克街和拉萨勒街之间的整个街区。跟周围高耸的写字楼比起来，它虽然低矮，却有一种宏伟的气势，大楼前方耸立着科林斯式的柱子，大厅主要由大理石砌成，巨大宽敞，能产生回声。县办公室占据了大楼东面的一半儿，市办公室占据着西边的一半儿，市长、市议会和市政职员都在那里办公。我是在一个炎热的夏日去市政厅见瓦莱丽进行面试的，也是在那天我才知道，市政厅是一个挤满人的地方，这让我既惊奇又振奋。

那里有人在结婚，有人在做车辆注册。有人在投诉坑洼的路面、下水道、他们的房东等各种他们认为需要市政帮助解决的问题。那里有躺在手推车里的婴儿，还有坐着轮椅的老妇人。那里有记者和政府说客，还有躲避暑热的无家可归的人。在大楼外的人行道上，一群激进分子挥舞着标语，喊着口号，不过我记不清他们抗议的内容是什么了。我只知道那里复杂而节制的混乱场景既让我感到害怕，也把我完全吸引住了。市政厅属于人民。它有一种喧闹而真实的急迫感，那是我在盛德从未感受过的。

瓦莱丽原本在她的日程表上安排了二十分钟给我，结果我们的谈话持续了一个半小时。她是非洲裔美国人，身材瘦削，肤色偏浅，穿着一

---

1 芝加哥市政厅与县办公室，芝加哥市政厅是芝加哥市政府的所在地，县办公室则用于库克县事务的办公。

套漂亮合身的西装，说话轻声细语，气质沉着，褐色的眼睛目光坚定，又熟稔市政事务，让人印象深刻。她热爱她的工作，但并不试图粉饰政府工作中令人头疼的官僚作风。她身上的某种东西让我立刻放松下来。多年后，瓦莱丽告诉我，那天让她吃惊的是，我居然在面试中反客为主——我介绍了一些关于自己的基本信息后，就开始盘问她，了解她对自己所做工作的全部感受，以及市长对下属的回应是否积极。与其说是她在评估我是否适合做那份工作，不如说是我在评估那份工作是否适合自己。

回想起来，我确定当时我只是试图抓住一个难得的机会，希望能和一个跟我背景相似但比我早几年转变职业轨迹的人充分交流。瓦莱丽沉稳、果断、充满智慧，与我之前认识的人都不同。她是一个值得学习的榜样，是可以保持密切关系的朋友。我当即就意识到了这一点。

在我离开前，她给我提供了一份工作，邀请我加入她的团队，成为戴里市长的助理，只要我准备好了随时可以上班。我不会再做法律业务了。我的薪水是六万美金，大约是当时在盛德的薪水的一半儿。她跟我说，我应该花时间想想自己是否真的准备好做出改变。我必须考虑清楚再迈出这一步。

我对市政厅的评价向来不高。作为一个在南城长大的黑人，我对政治没有什么信心。政治历来都是压迫黑人的，是隔离和排斥我们的手段，让我们无法受到良好教育，找不到工作，所得报酬偏低。我的（外）祖父母经历了吉姆·克劳法[1]的恐怖和住房歧视的羞辱，对任何权威都不

---

1 吉姆·克劳法（Jim Crow laws），泛指 1876 年至 1965 年间美国南部各州以及边境各州对有色人种（主要针对非洲裔美国人，但同时也包含其他族群）实行种族隔离制度的法律。这些法律上的种族隔离强制公共设施必须依照种族的不同而隔离使用。

信任。(也许你还记得,我的外祖父认为连牙医都会对他不利。)我的父亲做了一辈子的城市工人,后来被征召担任民主党选区的区长,就是为了在工作上有职位升迁的机会。他很享受自己选区职责中的社会服务的方面,但对于市政厅任人唯亲的行为总是深感厌恶。

而我那时突然在考虑接受一份市政厅的工作。薪水下降让我有点退缩,但是在内心的某个层面我被吸引住了。我感到另一种刺痛,它在默默地把我推向一个与我计划中完全不同的未来。我几乎已经准备好要迈出那一步,但还有一样,那不再是我一个人的事了。几天后,瓦莱丽打电话来跟进,我告诉她我还在考虑中。然后我问了一个可能听起来有点奇怪的问题。"请问,"我说,"我能把我的未婚夫介绍给您吗?"

我想我应该在这里补叙一下,让我们再回到那个炎热的夏天。父亲去世后漫长的几个月,我一直处在一种迷失方向的混沌状态中。贝拉克飞回芝加哥,在父亲葬礼前后尽可能陪我多待些时间,然后才返回哈佛完成学业。他在5月末毕业,打包好行李,卖掉他那辆香蕉黄色的达特桑汽车,飞回芝加哥,来到南欧几里得大道7436号,回到我的怀抱里。我爱他,也感觉得到他爱我。我们分开两地将近两年,现在终于团聚了。这意味着我们又可以在周末一起赖床、读报纸、出门吃早午餐、聊天谈心。我们可以在星期一晚上出去吃饭,星期二、星期三、星期四晚上也可以。我们可以一起出去采购日用品,可以一边看电视一边叠洗好的衣服。在许多个晚上,当我因为失去父亲而泪水涟涟时,贝拉克抱着我,吻我的头。

从法学院毕业让贝拉克感到解脱,他迫不及待地要摆脱抽象的学术领域,进入更有吸引力和更具现实意义的工作中。他还把一本关于种族和身份的非虚构图书的构想卖给了纽约的一家出版社,对于像他这样的狂热图书爱好者来说这是一个巨大而又令人兴奋的福利。出版社付给了他一笔预付金,给了他一年时间来完成书稿。

一直以来,贝拉克都拥有很多选择。他的名声——法学院教授对他的溢美之词,《纽约时报》对他当选《哈佛法律评论》主席的报道——给他带来了许多机会。芝加哥大学为他提供了一个不领薪水的研究员职位,以及一间小办公室,让他在那里完成书稿,并希望他最终能留在芝加哥大学法学院担任教职。我在盛德的同事仍然希望贝拉克能在事务所全职工作,还给他提供了一张办公桌,当时距离7月司法考试还有八周左右,他可以在那段时间里使用。而他那时还在考虑加入一家名叫戴维斯·迈纳·巴恩希尔&加朗的小型公益律师事务所。这家律师事务所受理公民权利和公平住房领域的事务,里面的律师和哈罗德·华盛顿有密切合作,这对贝拉克有很大吸引力。

一个知道自己有无穷无尽的机会的人底气是很足的,他从不用浪费时间和精力去想自己的机会是否会枯竭。贝拉克在所有交付给他的事情上都努力而负责,但和我认识的许多人不同,他从不以别人为标杆来衡量自己的成就、自己的进步,而我自己有时就会那么做。他有时似乎完全无视人生赛场上的激烈竞争,以及一个三十几岁的律师应该追求的所有物质上的东西,比如一辆不那么寒酸的车、郊区一栋带庭院的房子或者卢普区一套值得炫耀的公寓。我以前就曾注意到他身上的这种品质,而当时我们住在了一起,在我正考虑做出自己人生中第一次真正的改变时,我愈加珍视这种品质。

简言之,当其他人持怀疑和谨慎的态度时,贝拉克会相信你并对你有信心。他怀有一个简单而令人鼓舞的信念,那就是,只要你坚持自己的原则,一切问题都会迎刃而解。那个时候,我已经和许多人进行了许多次审慎而理智的谈话,探讨我如何从一个以所有外在标准衡量都前程似锦的事业中抽身。当我谈到自己还有贷款要还、还没有买房时，我一次又一次地从许多张脸上读到了慎重和关切。我不由得想起我的父亲，他刻意地放低自己的目标，避开每一个风险，就为了让我们有一个稳定的家庭环境。母亲的话也在耳边回响："先挣钱，然后再考虑成就感的事。"另外，加重我焦虑感的还有我内心的一个深深的渴望，它凌驾于任何物质愿望之上，那就是，我想要生孩子，而且想尽早。如果我突然转到一个全新的领域从零做起，这件事要怎么办呢？

贝拉克回到芝加哥后成了安抚我的一剂特效药。他化解我的种种忧虑，听我列举每一项债务，告诉我他也非常愿意要孩子。他承认，因为我们两个都不愿意被困在舒适而有保障的律师工作中，我们没有办法预测未来的情况。但底线是，我们肯定不会变成穷人，我们的未来大有希望，可能正因为它没办法轻易规划，所以更加让人期待。

他是唯一一个告诉我大胆去做的人：消除顾虑，向着会让自己开心的方向前进。贝拉克认为你尽可大胆地跳到一个未知领域，因为你不会死，但这对我的祖父、外祖父乃至席尔兹、罗宾逊家族的每一个成员来说都算是个令人吃惊的消息。

"别担心，"贝拉克说，"你可以做到的，我们会想出办法的。"

······· ✳ ·······

再来说一说司法考试的事。它是任何初出茅庐的律师在执业前必须迈过的一道门槛，就像是一个成人礼。尽管各州考试的内容和结构有所不同，但是参加这个考试被公认为梦魇般的经历。考试共持续两天，总共十二个小时，从合同法到关于担保交易的艰深法则，考察你掌握的所有知识。贝拉克很快就要参加这个考试，而我是在三年前参加的伊利诺伊州司法考试。那是从哈佛毕业后的夏天，我主动提前两个月进入盛德工作，这被认为是刚参加工作的律师上进的表现。与此同时，我还参加了一个司法考试复习班，硬着头皮啃一本厚得像砖头一样的模考练习册。

也是在那个夏天，克雷格和珍妮丝在丹佛举行婚礼。丹佛是珍妮丝的家乡，她请我做她的伴娘，我欣然应允，而且迫不及待地早早就进入了角色。我这么做有很多原因，其中一个是我在普林斯顿和哈佛连续用功读了七年的书，终于可以放松一下了。我对着婚纱欢呼雀跃，还帮忙策划新娘的婚前单身派对。凡是能让婚礼那天更欢乐的事情，我都不遗余力地去做。换句话说，比起复习侵权行为的构成要点，想象哥哥在婚礼上念结婚誓词要让我兴奋得多。

那个时候，考试结果还是通过邮局寄送的。到了秋天，司法考试和哥哥的婚礼都已经结束，一天，我上班时给父亲打电话，让他看看有没有邮件寄来。"有的。"我问里面有没有给我的一个信封。"有的。""是不是伊利诺伊州法律协会寄来的？""是的，没错，信封上写的寄件人是这个。"我请他拆开信封，一阵窸窸窣窣的响声过后，电话那头沉默了好一会儿。

我没及格。

我这辈子没有一次考试不及格过，除非算上幼儿园那次，我在全班同学面前站起来，没有读出老师举着的拼读卡片上的单词"white"，而我居然没有通过司法考试。我觉得无地自容，对不起每个教过我、鼓励过我和雇用我的人。我不习惯失误，实际上，我经常努力过度，特别是在为某个重要时刻或考试做准备时，但是这次我想蒙混过去。现在想想，这应该是我上法学院期间对学业不感兴趣的一个衍生结果。我的热情在学习中被耗干了，那些深奥难解、与现实严重脱节的课让我感到厌倦，所以我在法学院最美好的回忆就是在学校的法律援助所做志愿者的时光。在那里，我可以帮人拿到社会保障金的支票，可以跟做事出格的房东对峙。

但是，我还是不能接受自己不及格。它带来的刺痛感伴随了我几个月，即使我在盛德的许多同事都承认他们的司法考试也不是一次通过的。那年秋末，我全力以赴，认真准备补考，后来轻松通过了。除了自尊心的问题，考试没通过其实对其他事情并没有任何影响。

几年后，回想起这件事，我对贝拉克的表现多了几分好奇。他在上考试复习班，到哪儿都带着复习的书，但是好像翻看得并不勤，或者说，他的准备程度并没有达到我这个过来人认为应该达到的标准。但是我也不会去唠叨他，或者举我当年的例子跟他讲不充分准备的后果。我们两个太不一样。首先，贝拉克的脑袋就像一个塞得满满当当的行李箱，他能随意从里面抽取各种类别迥然不同的数据。我叫他"数据男"，因为在谈话中他总能列出一些数据来支撑他的观点。他的大脑差不多像照相机一样，能过目不忘。事实上，我并不担心他能不能通过考试，但让人有点恼火的是，他自己也不担心。

所以，我们就提早庆祝了，在他考完试当天，1991 年 7 月 31 日，我们在市区一家名叫戈登的餐厅订了位子。这是我们最爱的一家餐厅，在特殊的日子里，我们常到那儿庆祝。店里有柔和的装饰艺术风格的灯光，雪白的桌布，菜单上还有鱼子酱和油炸洋蓟馅饼这样的菜品。当时正值盛夏，我们的心情很愉快。

在戈登，贝拉克和我常会每道菜都尝尝。我们喝马天尼酒，点上开胃菜，配着主菜再选一款好喝的葡萄酒。我们漫无目的、心满意足地聊着天，也许还有点儿情意缠绵。快吃完饭的时候，贝拉克微笑地看着我，谈起了婚姻的话题。他握着我的手，说虽然他全心全意地爱着我，但是他依然看不到结婚的意义何在。瞬间，我感到血液冲上我的脸颊。这就好像触发了我身上的一个按钮，而且是大大的闪着红光的按钮，就是你在某个周围挂着警告标志和疏散地图的核设施上能看到的那种。真的吗？我们现在要讨论这个话题了？

是的。我们已经进行过很多次关于婚姻的讨论，各自的观点没有什么改变。我是个传统的人，贝拉克不是。显然我们两个的态度都很坚决。但是这并没有妨碍我们两个人——特别还是两个律师——对这个话题展开激烈的争论。在我们周围，穿着运动外衣的男士们和穿着漂亮裙子的女士们正在享受他们精致的晚餐，我尽可能地让自己的声音保持平静。

"如果我们彼此相爱，"我说，努力让自己的语气保持平和，"为什么我们不能用某种形式加以确定？你的尊严会因此受到任何损害吗？"

从这里开始，我们又开始重复之前讨论的点。婚姻重要吗？为什么重要？他有什么问题？我有什么问题？如果我们在这件事上不能达成一致，我们将来的关系如何发展？我们不是在争吵，而是在争辩，用的是律师的方式。我们互相攻击，分析盘问，显然我是火气大的那个，因为主要是我在说话。

最后，我们这桌的侍者端来了盛着甜点的盘子，上面盖着一个银色的盖子。他把盘子放在我面前，揭开了盖子。我当时情绪太激动，根本不想低头看。后来我低下头，看到本该盛着巧克力蛋糕的盘子里放着一个黑色的天鹅绒盒子，里面是一枚钻戒。

贝拉克调皮地看着我。他在逗我生气，在搞恶作剧。我反应了一会儿才转怒为喜。他故意惹恼我，是因为这是他在我们两个有生之年最后一次援引他的"婚姻无意义论"。事情就这样了结了。他单膝跪地，声音因为激动而有点儿发抖，真诚地问我，我是否愿意嫁给他，让他有此荣幸。后来我才知道，他已经提前跟我母亲和哥哥都提过亲，征求了他们的同意。当我回答"愿意"时，餐厅里的所有人似乎都开始鼓掌。

有那么一两分钟，我呆呆地盯着手指上的戒指。我看着贝拉克，想证实这是真的。他在微笑。他这么做我完全没想到。在某个层面上，我们两个都赢了。"好了，"他轻快地说，"这下你该安静了。"

在我答应贝拉克的求婚后不久，我也答应了瓦莱丽·贾勒特，接受了去市政厅工作的邀请。但在正式答复之前，我打定主意要介绍贝拉克和瓦莱丽互相认识，于是我们定了日子一起吃晚餐，大家边吃边聊。

我这么做有几个原因。首先，我喜欢瓦莱丽，很钦佩她，所以不管最后我会不会接受这份工作，我都愿意与她有更深入的交往。我知道贝拉克也一定会钦佩她。最重要的是，我想让他听听瓦莱丽的故事。和贝拉克一样，她小时候也在国外生活过一段时间，在伊朗，她的父亲曾在那里的一家医院做医生。后来她回到美国上学，这段经历让她拥有了看待世界的广阔视角，我在贝拉克身上也看到了同样的特质。贝拉克对我去市政厅工作感到担忧。和瓦莱丽一样，哈罗德·华盛顿任市长时，贝拉克也曾受到他领袖力量的激励，但是贝拉克对理查德·M.戴里所代表的保守政府没有多少好感。他曾经做过社区组织者。即使在哈罗德·华盛顿担任市长期间，他为了给基层项目争取到一丁点儿支持，也要跟市政府进行不懈的有时也是徒劳的斗争。虽然他全力支持我选择自己喜欢的工作，但我觉得他内心是有隐忧的，他担心我在戴里手下工作后，理想会幻灭，自信心会被消磨掉。

瓦莱丽是帮忙消除所有担忧的不二人选。她之前为了追随哈罗德·华盛顿，彻底改变了自己的生活，而紧接着就失去了他。哈罗德去世后留下的空白也为未来提供了一个警示，后来我自己也向全国人民反复申述这一点：在芝加哥，我们犯了一个错误，就是把改革的所有希望寄托在一个人身上，而没有建立起政治组织来支持他的愿景。选民们，尤其是自由选民和黑人选民，将哈罗德视为救世主，一个象征，一个能改变一切的人。他也令人钦佩地挑起这一重担，激励了像贝拉克和瓦莱丽这样的人离开私营企业，进入社区公共服务和公共事业领域工作。但是在哈罗德·华盛顿去世后，他所激发的能量也随之消散了。

瓦莱丽也是经过思考之后，才决定继续留在市长办公室工作的。她向我们解释了为什么她认为这是正确的选择。她说感觉戴里是支持她的工作的，她也能为这个城市做些事情。她说，她更多是忠于哈罗德·华盛顿的原则，而不是他这个人。激励本身是肤浅的，你必须用艰苦的工作来支撑它。这个观点引起了我和贝拉克的共鸣，在那次晚餐中，我感觉有一件事已经确定，那就是，瓦莱丽·贾勒特是我们生活的一部分了。虽然我们没有明确讨论，但是我们三个人似乎已经达成一致，要携手互助，走很长一段路。

我们订了婚，我换了新工作，贝拉克也确定要去戴维斯·迈纳·巴恩希尔＆加朗，就是那家一直在争取他的公益律师事务所。剩下最后一件事要做，我们要去度假，或者更准确地说，我们是去朝圣。在 8 月末的一个星期三，我们坐飞机离开芝加哥，在德国法兰克福机场转机，等了很长时间，之后又飞了八个小时，在黎明前到达了内罗毕。我们在肯尼亚的月色中走下飞机，进入了一个感觉上完全不同的世界。

我之前去过牙买加和巴哈马，也去过几次欧洲，但这次是我离家最远的一次。即使是在黎明，我也立刻感觉到了内罗毕的陌生，或者说是我对于它的陌生。随着旅行次数增多，我开始爱上这种感觉，一个崭新的地方在一瞬间毫无虚饰地呈现在你眼前。空气的重量都和你习惯的不同，里面还有一种你无法辨别的味道，那是一种微弱的木头燃烧的烟味儿或柴油的味道，又或者是树上的某种花朵开放时散发的芳香。同一轮太阳升起来，但看起来跟你熟悉的就是有点不一样。

贝拉克同父异母的姐姐欧玛来机场接我们，她热情地欢迎我们。他们两个只见过几次面，第一次是欧玛六年前到芝加哥时，但是姐弟俩的关系很亲密。欧玛比贝拉克大一岁，1959 年老贝拉克·奥巴马离开内罗毕到夏威夷留学时，欧玛的母亲格蕾丝·克兹亚正怀着她。（他们还有一个儿子，名叫阿邦戈，当时还在蹒跚学步。）20 世纪 60 年代中期，老贝拉克回到肯尼亚后，和克兹亚又生了两个孩子。

欧玛皮肤黝黑，牙齿雪白，说话时带有很浓的英国口音。她笑起来很灿烂，让人感觉很舒服。我刚到肯尼亚，旅途劳累，没有力气和她多作交谈，但是坐在欧玛那辆破旧的大众甲壳虫汽车的后座，我注意到她笑起来的感觉和贝拉克很像，她的头部曲线也和贝拉克很像。显然欧玛也继承了奥巴马家族的聪明头脑：她在肯尼亚长大，也经常回来，但她是在德国上的大学，当时还在那里攻读博士学位。她能说流利的英语、德语、斯瓦希里语和她家乡的土语——罗语。跟我们一样，她也是回来看望家人的。

欧玛安排我和贝拉克住在朋友闲置的一处公寓里，那是一个简朴的一居室，在一栋没什么特色的煤渣砖大楼里，大楼外面刷成了亮粉色。在刚到的头几天，我们因为时差的原因感觉疲惫不堪，走路都慢半拍。或者也可能是因为内罗毕的节奏，这里做事的逻辑和芝加哥截然不同。这里的道路和英式风格的交通环岛，挤满了行人、自行车、汽车，还有一种叫"马踏途"的交通工具，它随处可见，是一种私营的小型公交车，开起来摇摇晃晃，车身上画着五颜六色的壁画和献给上帝的贡品，车顶上堆着高高的行李，车里根本挤不进去，乘客有时就在车外紧贴着车身，看起来很危险。

我现在在非洲了。它让我感觉兴奋、疲惫又新奇。欧玛那辆已经老掉牙的天蓝色甲壳虫汽车，经常需要推着才能发动起来。不知谁给我出的馊主意，为了这趟旅行我还买了一双新的白色运动鞋，在推了一天车之后，鞋已经变成了肉桂色，上面沾满了内罗毕红棕色的尘土。

贝拉克之前来过一次内罗毕，他在这里比我更自在。我是个游客，举止笨拙，明显就是外来者，虽然我们的皮肤也是黑色的。街上的人有时会盯着我们看。虽然我并没有期待马上融入这里，但我来的时候还天真地以为我会对这片大陆有一种天然的亲近感，毕竟它是我从小到大想象中的故土，好像来到这里就会让我感到完整。但是，非洲不欠我们什么。作为一个非洲裔美国人，身处非洲所感受到的那种中间状态，是很奇特的。它让我感到一种难以形容的悲伤，一种在两块土地上都漂泊无根的感觉。

几天后，我依然没有适应，而且我们两个都开始喉咙痛。贝拉克和我吵了一架，具体因为什么我已经记不清了。肯尼亚有很多令我们惊奇的见闻，但是我们也很疲惫，这导致我们开始吹毛求疵，最终不知怎么就火冒三丈了。"贝拉克太让我生气了，"我在日记里写道，"我觉得我们两个毫无共同点。"我的思绪从这里蔓延开去。作为我沮丧情绪的发泄，我在那页下面重重地划了一道长长的口子。

像所有交往得还不太久的情侣一样，我们在学习如何吵架。我们不经常吵架，即使吵也是因为一些鸡毛蒜皮的事。通常在我们其中一个或两个人都非常疲劳或压力大时，积压在内心的火气就会爆发出来。但是我们确实会争吵。且不论好坏，我一生气就会大喊大叫。每当有事情激怒了我，那种感觉是强烈的生理上的，就像是一个火球在我的背上跑，然后爆炸，力量大到有时我都想不起来自己当时说了什么。而贝拉克常常能保持冷静和理智，说起话来滔滔不绝，这也让人恼火。我们过了很多年才认识到，我们彼此就是不一样的，我们是各自遗传密码和我们的父母及父母的父母灌输给我们的一切的总和。慢慢地，我们学会了如何表达和克服我们的恼怒和偶尔的愤怒情绪。现在我们吵架，就远没有当年那么夸张，经常速战速决，不管吵起来有多激烈，我们始终记得彼此是相爱的。

第二天早晨，我们醒来，看到内罗毕蔚蓝的天空，感到身体也充满活力。我们基本摆脱了时差带来的疲惫，找回了快乐和生活规律的自己。我们和欧玛约在市区的一个火车站碰面，三个人坐上一辆窗户上安着板条的列车，向西出了城，目的地是奥巴马家族的故乡。我们坐在靠窗的位置，车厢里挤满了肯尼亚人，有的带着装着小鸡仔的篮子，还有的带着从城里买的笨重家具。我再次对自己生活的变化感到惊奇，我这个土生土长的芝加哥女孩，原本规规矩矩地当着律师，而坐在我身边的这个男人，突然有一天出现在我的办公室，名字怪怪的，带着异想天开的微笑，神奇地把一切都颠覆了。我把目光投向窗外，看到了非洲最大的城市贫民窟——基贝拉社区——从眼前掠过。那里杂乱无章，到处是低矮的棚屋，有波纹状的锡屋顶、泥泞的道路、露天的阴沟，是我从未见过也无法想象的一种贫穷状态。

我们在车上坐了好几个小时。贝拉克后来开始看书，而我继续盯着窗外，内罗毕的贫民窟向后闪去，一片碧绿的田野映入眼帘，然后火车隆隆向北到达了基苏姆镇，欧玛、贝拉克和我在那里下车，外面是赤道附近地区特有的酷热，我们最后又上了一辆"马踏途"，一路颠簸着穿过一片片玉米地，最终来到了科盖洛村，他们的祖母就住在这里。

我永远都记得肯尼亚那个地方深红色的泥土，非常肥沃，有一种原始的感觉。路边的孩子叫喊着跟我们打招呼，他们黝黑的皮肤和头发上都沾着这种泥土。下车后我们又热又渴地往贝拉克祖母家走，最后到了一个干净整洁的混凝土住宅，旁边是一块菜地，还养着几头奶牛。萨拉奶奶就住在这里，他们都这么叫她。她个头儿矮小，身材丰腴，目光睿智，笑起来满脸皱纹。她不会讲英语，只会讲罗语，对我们远道而来看望她表示高兴。在她身旁，我觉得自己非常高大。她好奇地仔细打量着我，好像要确定我是哪里人，怎么会来到她的家里。她问我的第一个问题是："你爸爸是白人还是妈妈是白人？"

我大笑起来，在欧玛的帮助下，我告诉她"我是纯种的黑人，基本是美国最黑的人"。

萨拉奶奶觉得这很有意思。她似乎觉得什么都很有意思，还取笑贝拉克不会说她的语言。我被她的轻松快乐吸引了。到了傍晚，她杀了一只鸡为我们做了一道炖菜，我们配上一种叫乌伽黎的玉米糊一起吃。其间有邻居和亲戚过来问候年轻的奥巴马姐弟，祝贺我们订婚。我感激地狼吞虎咽，不久后太阳落山了，夜色开始笼罩村庄，这里没有电，我们能看到头上夜空的点点繁星。来到这个地方让我感觉像是一个奇迹。我和贝拉克睡在一间简陋的卧室里，听着周围玉米地里传来蟋蟀的叫声，还有我们看不到的动物的窸窣声，在这个小屋里我们感觉舒适而安全。我还记得身处这片广阔的土地，内心升起敬畏感。我有一份新工作、一个未婚夫、一个大家族，甚至还有一个认可我们亲事的生活在肯尼亚的祖母。这是真实的：我被抛出了我自己的世界，而目前感觉一切都好。

12

1992 年 10 月一个阳光灿烂的星期六，贝拉克和我结婚了。婚礼在位于南城的三一联合基督教堂举行，有三百多位亲友到场。婚礼很盛大，也不得不盛大。我们是在芝加哥举行的婚礼，所以宾客名单短不了。我和这里的渊源太深。我不只有堂（表）兄弟姐妹，还有堂（表）兄弟姐妹的堂（表）兄弟姐妹，他们又有孩子，这些人一个都不能落下，正是他们所有人使得婚礼那天更欢乐、更有意义。

我父亲的弟弟妹妹都来了。我母亲那边的亲戚也全部到场。还有我的邻居和老同学，其中有普林斯顿的同学，有惠特尼·扬的同学。史密斯太太协助筹备我们的婚礼，她是我高中副校长的太太，现在依然住在欧几里得大道，离我家不远。住在我家对面的汤姆森夫妇带着他们的爵士乐队，将在接下去的婚宴上演奏。我的伴娘桑蒂塔·杰克逊穿着一件黑色的低胸长裙，看起来热情奔放。我还邀请了盛德的老同事和市政厅的新同事。到场的还有贝拉克事务所的合伙人，以及他做社区组织者时的同事。他在夏威夷读高中时的一帮哥们儿也来了，他们吵吵闹闹，跟他从肯尼亚来的几个亲戚愉快地互动，那几个亲戚戴着颜色鲜艳的东非风格的帽子。让人伤心的是，贝拉克的外祖父在前一年冬天因为癌症去世。但是他的母亲和外祖母都赶到了芝加哥，欧玛和玛雅——他同父异母的姐姐和同母异父的妹妹——也远渡重洋从其他大陆赶来，所有人聚在一起，为贝拉克和我送上祝福。这是我们两家人第一次见面，感觉令人愉快。

我们被爱包围着——奥巴马家的人风格各异、十分多元，而来自南城的罗宾逊一家都是扎根本地的人，现在两家人明显地交织在一起，坐在教堂里一排一排的长椅上。克雷格陪着我走红地毯，那时我紧紧地挽着他的胳膊。我们走到前面时，我和母亲的目光交织在一起。她坐在第一排，穿着我们一起挑选的一件带亮片的黑白拖地长裙，看起来雍容华贵。她的下巴高抬着，眼神里满是骄傲。我们的心依然每天在为失去父亲而疼痛，但就像他希望的那样，我们在继续生活。

贝拉克那天早晨醒来有点感冒，头痛得厉害，但到了教堂后，他的头奇迹般地不痛了。他站在圣坛旁边，微笑着看向我，眼神明亮。他身上穿着一件租来的燕尾服，脚上是一双锃亮的新鞋。相较于我，婚姻对他而言要更加神秘，但是在我们订婚后的十四个月里，他对于筹备婚礼可以说是全情投入。我们认真地为这一天挑选所有东西。贝拉克起初说他对婚礼细节不感兴趣，结果最后从花卉布置到婚宴上的开胃饼，他都细心周到地给出了意见，而且态度坚决，这也是预料之中的。我们的婚宴将在仪式结束一小时后，在南岸文化中心举办。我们还挑选了婚礼歌曲，由桑蒂塔在钢琴伴奏下用她令人销魂的嗓音来献唱。

那是史提夫·汪达的一首歌，名为《你和我（我们可以一起征服世界）》。我第一次听这首歌时还是个小女孩，大概是小学三四年级的时候，外祖父送给我一张名为《发音书》的唱片作为礼物，那是我拥有的第一张唱片，我无比珍视。我把它放在外祖父家里，并得到允许，每次去那儿都可以听。他还教我如何打理黑胶唱片，怎么给唱片的凹槽除尘，怎么从转盘上抬起唱针，小心地放在正确的位置上。播放唱片时，他通常都会回避，让我独自一人享受音乐，这样我就可以不受打扰，用我稚嫩的嗓音一遍又一遍地高声唱那些曲子，学习唱片能教给我的所有东西。"哦，在我心中，我们可以一起征服世界 / 我们坠入爱河，你和我，你和我，你和我……"

我当时只有九岁。对于爱情、承诺和征服世界还一无所知。我只是在脑海中模糊地、闪闪烁烁地幻想：爱情是什么样子，有一天谁会走入我的生命，让我感觉无比强烈。会是迈克尔·杰克逊吗？会是小熊队的乔丝·卡德纳尔吗？还是一个像我爸爸那样的人？我还没有开始想象他的模样，是的，那个会成为我的那个"你"的人。

但是现在，我们在这里了。

三一教堂充满活力，注重精神交流。贝拉克早在做社区组织者时就开始到这里来，后来，我们在城里许多年轻的黑人朋友的引领下（多为职场人士），正式成为它的一员。教堂的牧师是耶利米·莱特，他是一位热心社会正义且极富感染力的传道者，为我们主持婚礼的正是他。他向到场的亲友致欢迎辞后，举起我们的结婚戒指让所有人看。在到场的这些深爱我们的亲友见证下，他动人地讲述缔结婚姻意味着什么，这些人作为一个集合，了解贝拉克的全部、了解我的全部。

我当时就感受到了这场婚礼的力量以及这个仪式的意义，我们站在那里，对未来还一无所知，只是抓着彼此的手，说出了我们的结婚誓词。

不管将来的路怎样，我们都会携手走下去。我之前在全力地为这一天做准备，好像整个过程的优雅得体对我来说都很重要，但是我现在明白了真正重要的，就是我们的手握在一起，我会永远记住的。它给了我任何东西都不曾给过的安全感。我对我们的婚姻充满信心，对面前这个男人充满信心。当众声明这件事是世界上最容易的事。看着贝拉克的脸，我能肯定他也是一样的感觉。我们两人那天都没有哭，我们的声音也没有颤抖，我们只是感到有点头晕目眩。从教堂出发，我们要带着几百位见证人，一起去参加婚宴。我们兴高采烈地吃喝跳舞，直到筋疲力尽。

.... ✳ ....

我们的蜜月计划是去加利福尼亚州北部进行一次悠闲低调的自驾游，享受美酒、泥浆浴、美食还有睡懒觉。婚礼第二天，我们飞往旧金山，在纳帕待了几天，然后驱车上一号公路前往大苏尔。我们在那里读书，望着蔚蓝的大海发呆，放空自己。整个过程十分美好，虽然贝拉克的感冒又卷土重来且症状不轻；虽然泥浆浴并没有让我们感到放松，而是黏糊糊的有点不舒服。

忙碌了一年后，我们已经准备好大干一场。贝拉克起初计划在我们婚礼前几个月完成他的书稿，然后入职新的律师事务所，但是最后这些计划都暂时搁置了。1992 年年初的时候，一个名为"投票项目"的全国性无党派组织的领导人找到他，问他是否愿意负责该组织在伊利诺伊州的工作——在芝加哥设立一个分部，为 11 月的大选登记黑人选民。这个组织扮演着领头羊的角色，致力于在少数族裔投票率一向偏低的州登记新选民。据估计，伊利诺伊州大约有四十万非洲裔美国人具备投票资格而没有登记注册，他们主要集中在芝加哥市区及周边地区。

那份工作的薪水少得可怜，但是符合贝拉克的核心理念。1983 年，在芝加哥进行的一个类似的选民登记运动帮助哈罗德·华盛顿成功当选市长。1992 年，赌注的风险也很高，结果另一位非洲裔候选人——卡罗尔·莫斯利－布朗在美国参议院的选举中以微弱优势获得了民主党的提名（后来，也就是 2004 年，他还参加了竞争激烈的总统大选）。同时，比尔·克林顿将与乔治·H. W. 布什（老布什）在大选中展开对决。此时不是少数族裔选民置身事外的时候。

如果只是简单地说贝拉克积极投身于这份工作，那就显得有些轻描淡写了。要知道，"投票项目"的目标是以一周一万人的惊人速度来登记伊利诺伊州的新选民。这份工作类似于他做基层组织者时的工作：在那年春夏两季，他和他的团队去了无数教堂的地下室，挨家挨户跟没有注册的选民谈话。他和社区领袖保持着紧密联系，无数次地游说富裕的捐赠者出资，帮助制作电台广告并在黑人社区以及公共住宅区散发宣传手册。那个组织的目标坚定而明确，且直接反映了贝拉克内心的想法——投票是会产生影响的。如果你想要变革，就不能在大选日那天待在家里。

晚上，贝拉克回到我们在欧几里得大道的家，经常一屁股坐在沙发上，浑身散发着烟味儿——他还在背着我抽烟。他看起来很疲惫但并不颓废。他认真地记录着注册的人数，到仲夏时达到平均每周七千人，已经很了不起了，但是还没有达到预定目标。他在制订行动计划——如何将信息传递出去，如何争取更多的选民、找到更多的资助。他似乎把那些挑战视为像魔方一样的智力测验，只要他能把正确的方块以正确的顺序排好，问题就可以迎刃而解。他告诉我，最难说动的人群是十八岁到三十岁之间的年轻人，他们似乎对政府完全没有信心。

而我也完全投身于政府事务。我当时已经跟着瓦莱丽在市长办公室工作了一年，负责几个部门之间的联络工作，包括卫生及公共服务部门。工作涉及的范围很广，直接为民众服务，这让我充满活力，而且感觉十分有趣。曾几何时，我在一间安静的铺着豪华地毯的办公室里写案情摘要，一抬头就能看到窗外的密歇根湖。后来，我在市政厅最高楼层的一间没有窗户的房间里工作，每天都有人在喧闹、在大楼里进进出出，一刻不停。

我逐渐了解到，政府事务是错综复杂的、没有尽头的。我不停地往返于和不同部门领导的会议之间，和各处长的下属职员一起工作，有时还被派到芝加哥周边各社区，跟进市长收到的投诉意见。我曾经去视察过一些需要被挪走的倒下的树，和忧心交通状况、垃圾收集状况的社区牧师交谈，还经常代表市长办公室参加社区宴会。有一次，我还在北城一个老年人野餐会上劝架。这些都不是一个公司法律师该干的事，但也因此让我觉得很有吸引力。我在以一种前所未有的方式体验着芝加哥。

同时，我也在学习另外一些有用的东西，在苏珊·谢尔和瓦莱丽·贾勒特身边工作，耳濡目染可以学到很多。在我看来，她们两个是有着强大自信心且有着浓浓人情味的女人。苏珊主持会议时有一种坚定而从容的优雅。瓦莱丽在一屋子固执己见的男人面前，并不惮于表达自己的观点，经常还会巧妙地让其他人转而支持她的论点。她就像一颗高速运转的彗星，我认定她是一个会有所作为的人。在我婚礼前不久，她升任负责城市规划和经济发展事务的处长，并邀请我做她的助理处长。和贝拉克蜜月旅行结束后，我就走马上任了。

我和瓦莱丽的接触比跟苏珊要多，但是我仔细观察了她们两人做的所有事情，就像我当初观察我大学时的良师益友泽妮一样。她们都是了解自己的声音而且不惮于使用它们的女人。她们在需要的时候会表现得幽默而谦卑，但是遇到满口大话的人也不会被吓倒，而且她们不会怀疑自己所持观点的力量。还有很重要的一点：她们都是职场妈妈。我在这方面也认真观察过她们，因为我知道自己将来有一天也会扮演这样的角色。瓦莱丽即使在开大会时，接到女儿学校打来的电话，也会马上走出会场。苏珊也一样，如果她的儿子发高烧或者要在幼儿园的音乐会上表演，她会在上班时间冲出去。她们毫不愧疚地将自己孩子的需求摆在第一位，即使那会打乱工作节奏，她们也没有试图将工作和家庭截然分开。我在盛德工作时，发现事务所的男性合伙人会将工作和家庭截然分开。我不确定这种区分对瓦莱丽和苏珊而言算不算一种选择，因为她们既要承担起母亲应尽的各种责任，又都离了婚，需要面对情感上的动荡和经济上的挑战。她们并没有追求完美，但总是能够做到出色，两人之间还缔结了深厚的、互助的友谊，这也给我留下了极为深刻的印象。她们扔下了所有伪装，活出了自己，而且活得精彩，活得内心强大，并给他人树立了榜样。

贝拉克和我从加利福尼亚州北部度蜜月归来后，迎接我们的既有好消息也有坏消息。好消息是 11 月的大选带来了一轮鼓舞人心的变化。比尔·克林顿在伊利诺伊州和全国范围内取得了压倒性的胜利，将只做了一个任期的老布什总统请下了台。卡罗尔·莫斯利－布朗也取得了决定性的胜利，成为美国历史上首位非洲裔女参议员。更让贝拉克兴奋的是，大选日当天的投票人数足以载入史册，通过"投票项目"直接登记的就有十一万新选民，它发起的范围广泛的"走出去投票"宣传活动对整体的投票人数可能产生了很大的带动作用。

近十年来第一次，芝加哥有超过五十万黑人选民参与了投票，这证明了他们团结起来的力量能够改变政治结果。这也向立法者和未来的从政者传递了一个清晰的信息，重新确立了一种随着哈罗德·华盛顿的离世而消失的感觉，那就是：非洲裔美国人的投票是十分重要的，任何人如果无视或者不重视黑人的需求和关切，将会在政治上付出高昂的代价。这也间接地向黑人群体传递了一个信息，进步是可能的，他们的价值是可见的。所有这些都让贝拉克感到振奋。虽然很累，但是贝拉克热爱这份工作，它让他了解了芝加哥复杂的政治体系，也证明了他的组织天分可以在更广的层面上得到发挥。他与基层领导、普通公民和当选的官员通力合作，并奇迹般地取得了成果。有几家媒体已经注意到了"投

票项目"的重大影响。《芝加哥》杂志的一位撰稿人将贝拉克描述为一个
"高个子、为人友善的工作狂",并建议他将来也竞选公职,贝拉克对此
不以为意。

坏消息是,贝拉克有麻烦了,因为一直忙于登记选民的工作,我刚
刚嫁给的这个"高个子、为人友善的工作狂"没能在截止日期前完成书
稿,只写了一部分。我们从加利福尼亚回家后,得知出版社已经取消了
与他签的合同,并通过他的文学代理人传话说,他要把 40000 美元的预
付金还回去。

就算他着了慌,那他起码也没有在我面前表现出来。那时我正忙
着适应市政厅的新工作,相比之前的工作,我当时要参加很多分区董事
会议,老年人野餐会这样的活动就去得少了。虽然我每天的工作时间
没有之前做公司法律师时那么长,但市政厅烦琐的事务让我到了晚上已
筋疲力尽,不想再处理家里的麻烦事,而更愿意倒一杯葡萄酒,脑子什
么都不想,只坐在沙发上看电视。如果说我从贝拉克对"投票项目"神
魂颠倒的投入里学到了什么东西的话,那就是替他着急也没用,部分原
因是,我比他的压力还要大。混乱让我不安,但是似乎让贝拉克精神焕
发。他就像杂技团的表演者一样,喜欢看着一堆盘子转起来,如果事情
太平静了,他就会觉得还需要做更多的事情。我逐渐意识到,他是个停
不下来的工作狂,完全不考虑时间和精力的极限,一直在接新工作。比
如,他一面答应在几个非营利组织的董事会任职,一面又答应芝加哥大
学在第二年的春季学期兼职教一门课,同时还计划着在律师事务所做全
职工作。

然后还有那本书。贝拉克的文学代理人确信她能把这个选题卖给另
一家出版社,不过他必须尽快完成书稿。他的教学工作还未开始,又得
到那家已经等了他一年的律师事务所的允许,于是事情有了一个完美的

解决方案——他要找一个与世隔绝的地方写书，在某个地方租一个小木屋，摆脱所有让他分心的事，专心致志地写作。这就像是在大学里熬通宵疯狂赶论文，只不过贝拉克预计他要用几个月的时间来完成书稿。大约是在我们婚礼后六周，一天晚上在家时他向我说了这个计划，然后小心翼翼地透露了最后一点信息：他的母亲已经帮他找到了一个完美的小木屋。事实上，她已经帮他租下了。在海边，房租不贵，环境安静。在印度尼西亚巴厘岛的沙努尔，距我有 9000 英里远。

这听起来像是一个冷笑话，不是吗？当一个喜欢离群索居的男人娶了一个外向的重视家庭、一丁点儿都不喜欢孤独的女人，会发生什么事情呢？

对于婚姻里出现的几乎所有问题，不管你是谁，面对的是什么事情，最佳的也是最行得通的方案就是——你要想办法去适应。如果你永远陷在里面，那就真的没有选择了。

也就是说，1993 年年初，贝拉克飞到了巴厘岛，独自和他的思想一起度过了五周，写他那本名为《我父亲的梦想》的书。黄色的美式笔记本上写满了一行行工整的字。他每天在椰子树和拍打着海岸的浪花间漫步，撷取写作灵感。与此同时，我留在欧几里得大道的家里，住在母亲的楼上。又一个铅灰色的冬天降临在了芝加哥，树上和人行道上都结了冰。我把自己的生活安排得很满，晚上会去见朋友或者上健身课。在平常工作或者在市里和朋友聚会时，我发现自己能随口说出那个奇怪的新名词——"我的丈夫"。我的丈夫和我想买一套房子。我的丈夫是个即将出书的作家。那个词新鲜，让人愉快，是对一个不在场的男人的记忆再现。我非常想念贝拉克，但是我为当时的情况找到了合理的解释：虽然我们新婚宴尔，但这种小别的插曲可能也是有好处的。

他带着自己未完成的书稿，跑到 9000 英里之外奋战，也许是为我好，不希望我看到他一团糟的状态。我提醒自己，我是嫁给了一个不按常理出牌的人。他在用自认为最明智和高效的方式来处理自己的事情，虽然从表面来看他似乎是去海边度假，和我一起度完蜜月后又去享受一个人的蜜月（在孤独的时刻我禁不住这么想）。

你和我，你和我，你和我。我们在学着适应，将彼此融进一个更坚实和长久的"我们"的形式中。虽然我们仍然是和过去一样的两个人，是和过去几年一样的一对情侣，但我们有了新的标签，有了第二重身份。他是我的丈夫，我是他的妻子。我们站在教堂里，大声说出了这句话，向彼此，也向全世界。那时感觉我们的确需要为对方做更多。

对于许多女人而言，包括我自己，"妻子"是一个有特定含义的词。它承载着历史。如果你和我一样，在 20 世纪 60 年代和 70 年代长大，你应该会有和我一样的感受，妻子似乎就是那种电视情景喜剧里的白人女性，她们愉快活泼，头发梳得整整齐齐，穿着紧身胸衣。她们待在家里，围着孩子转，在灶台前把晚饭做好。她们有时会喝杯雪利酒，和真空吸尘器推销员调情，但是兴奋之处似乎也就到此为止。讽刺的是，那时在我们欧几里得大道的起居室里，经常是我在看这些电视剧，而我那个待在家里的母亲则毫无怨言地在准备晚饭，我仪表整洁的父亲工作一天后在休息。我父母的分工和我们在电视上看到的一样传统。贝拉克有时会开玩笑说，我的成长过程像是黑人版的《反斗小宝贝》[1]，住在南岸社

1《反斗小宝贝》（*Leave It to Beaver*），美国 20 世纪 50 年代的电视剧，片中的克利弗家，已成为美国中产阶级白人家庭的模范。他们这一家，就是你希望自己也拥有的那种快乐家庭，包括一个亦师亦友的聪明老爸华德、高贵又能干的妈妈琼、在学校出尽风头的运动健将大哥华利，以及幺儿小毕。小毕是个平凡的八岁小男孩，他总是努力让自己少惹麻烦，但是最后总是有一千个理由把事情搞得一团糟。

区的罗宾逊一家和住在梅菲尔德的克利弗一家一样安稳、幸福，不过我们是贫穷版本的克利弗一家，我父亲穿的是蓝色城市工人制服，克利弗先生则西装革履。贝拉克做这个类比时带着一丝羡慕，因为他自己的童年非常不同，另外，这也颠覆了人们对非洲裔美国人的那种固有印象，认为我们大都住在破败不堪的房子里，我们的家庭也无法像我们的白人邻居那样，实现安稳的中产阶级梦想。

就我自己来说，小时候我更喜欢的是《玛丽·泰勒·摩尔秀》[1]，看得入了迷。玛丽有一份工作，有时髦的衣服，头发也很好看。她独立且有趣，和电视里其他女人不同，她遇到的问题都很有意思。她不会谈论孩子和家庭琐事。她不允许卢·格兰特对自己颐指气使，她也不一心只想找个男人嫁了。她既活力四射又成熟老练。在网络时代到来很久很久之前，世界几乎完全是通过三个电视频道呈现在我们面前的，而它们的影响很大。如果你是一个有头脑的女孩，并模糊地认识到你未来不想只成为一个妻子，那么玛丽·泰勒·摩尔就是你的女神。

二十九岁的我坐在公寓里，而多年前，我就是坐在这里看那些电视节目，吃耐心而无私的玛丽安·罗宾逊做的饭菜的。我拥有的太多——良好的教育、对自我的健康认知、满怀的雄心壮志，这些是她灌输给我的，我知道我尤其要感谢我的母亲。在我上幼儿园之前，她教我认字，我像只小猫一样窝在她怀里，她一个单词一个单词地教我念从图书馆借的《迪克和简》。她精心地为我们准备饭菜，把西兰花和抱子甘蓝放在我们的盘子里，让我们必须吃。而且，我的舞会礼服都是她亲手做的，你能相信吗？我想说的是，她勤勉地为我们操劳，给了我们她的一切。

1《玛丽·泰勒·摩尔秀》(*Mary Tyler Moore Show*)，1970 年上映的美国电视剧，该剧讲述的是女性如何在光怪陆离的大都市中发现自己、爱自己的故事。

她完全把自己奉献给了家庭。我这时才意识到，她为我和克雷格付出的那些时间，都是没有花在她自己身上的时间。

我人生最大的幸运给我带来了心理上的矛盾。我从小被教育要自信，不要给自己设限，要相信自己有能力去追求想要的任何东西，而且一定可以得到。我确实也什么都想要。因为就像苏珊娜说的那样：为什么不呢？我想像玛丽·泰勒·摩尔那样成为一名独立的职业女性，活得洒脱而充满激情，同时我也想做一个能够保持家庭稳定、有牺牲精神、看似平凡的妻子和母亲，而这两者又不会互相限制。我希望效仿我的母亲，同时又希望和她完全不同。这件事思考起来很奇怪，让人困惑。我能拥有一切吗？我会拥有一切吗？我不知道。

这时候，贝拉克从巴厘岛回家了，他晒黑了，带着一个装满了笔记本的书包，他离群索居的生活换来了文学上的胜利。书稿基本完成了。几个月之后，他的文学代理人把书稿卖给了另一家出版社，还清了他之前的债务，并敲定了出版计划。对我来说更重要的是，在几个小时的时间里，我们又回到了新婚生活的轻松节奏里。贝拉克回来了，结束了他的隐居生活，回归到我的世界里。我的丈夫。他微笑着听我讲笑话，听我讲白天发生的事，晚上吻我入睡。

几个月过去了，我们做饭、工作、大笑、做计划。那年春末的时候，我们攒够了钱，买了一套公寓，离开了南欧几里得大道 7436 号，搬进一套位于海德公园社区的铁路风格的漂亮公寓，里面装着硬木地板和镶有瓷砖的壁炉，我们在那里开启新生活。在贝拉克的鼓励下，我又冒了一次险，换了另一份工作，告别了市政厅的瓦莱丽和苏珊，开始尝试在一直感兴趣的非营利组织工作，并担负起让我有机会成长的领导职位。关于自己的生活，我还有很多没有想清楚的事情——如何既成为"玛丽"又成为"玛丽安"，这个谜还没有解开。但是当时，所有这些深沉的问题都暂时被我抛在脑后，不闻不问。我想，眼下不必烦恼这些，因为我们如今是"我们"了，我们很快乐。而快乐似乎是一切的起点。

13

　　新工作让我感到紧张。我受雇于一家名为"公众联盟"的组织，在其于芝加哥新成立的分会担任执行董事，而这个组织本身也刚成立不久。也就是说，我要在一个新机构里再创业，并且是在一个我没有丝毫专业经验的领域。"公众联盟"是一年前在华盛顿成立的，创始人是瓦内萨·基尔希和卡特丽娜·布朗，两个人当时都刚刚大学毕业，希望帮助更多人进入公共服务和非营利工作领域。贝拉克在一次开会时认识了她们，并成为这个组织董事会的成员，最终向她们推荐我担任职务。

　　这家机构和"美国教育行动"的模式有点类似，在当时来说是相对新颖的："公众联盟"招募有才华的年轻人，为他们提供集中培训和负责的导师，介绍他们进入社区组织和公共服务机构带薪实习十个月，希望他们能够施展才华，做出有益的贡献。其更大的目标是，借这些机会让受招募的人——我们称其为"盟友"——在未来有经验和动力继续从事非营利和公共服务领域的工作，以此来助力新一代社区领袖的培养。

　　这个愿景引起了我很深的共鸣。我还记得在普林斯顿上大四那年，我的同学大部分要么在准备 MCAT[1] 和 LSAT 考试，要么穿上正装去面

---

1 MCAT（Medical College Admission Test），申请北美临床医学的学生必须参加的一项
　标准化考试。

试公司管理培训生的岗位，从未考虑过甚至从未意识到还有很多公益性职位的存在（起码我是这样）。"公众联盟"存在的目的就是希望能改变当时这一状况，拓宽正在选择自己职业道路的年轻人的视野。我尤其欣赏的一点是：它的创始人不是想把常青藤名校的毕业生空降到城市的社区里，而是更注重发掘和培养当地的人才。你并不需要拿到大学学位才能成为盟友，你只需要有高中毕业证或者 GED[1] 证书，年龄在十七岁到三十岁之间，显示出了一定的领导能力，即使这一能力还未得到充分开发。

"公众联盟"旨在挖掘潜质——发现它，培养它，让它得到发挥。它致力于挑选一些才华可能被忽视的年轻人，给他们提供做有意义的工作的机会。对我而言，这份工作就像是命运特意为我准备的。坐在盛德四十七层的办公室里，我曾有许多次惆怅地看着窗外的南城，而现在我终于有机会施展我的能力。我知道在像我长大的社区那样的地方有很多隐藏的人才没有被发现，我非常确信自己知道怎么去发现它。

在我思考新工作时，我的思绪常常回到童年，特别是布林茅尔小学二年级时，在铅笔乱飞的嘈杂的教室里度过的一个月，后来我母亲想办法把我救了出来。当时，我只为自己的好运感到庆幸。但是当我人生的好运从那里开始滚雪球般越滚越大时，我开始更多地想到其他二十几个孩子，他们被困在那间教室里，跟着一个没有爱心也没有动力的老师。我知道我并不比他们中任何一个更聪明，我只是有后盾。后来我长大了，开始更多地想起这件事，特别是当别人为我取得的成就鼓掌时——好像这不是一个奇怪而令人痛苦的巧合。那些二年级的孩子，由于一个

---

1 美国的一种考试，叫"一般教育发展考试"（General Educational Development Tests），简称 GED，也可以算是一种全美国承认的替代高中毕业文凭的考试。

并非他们自己所犯的错误，失去了一年的学习时间。足够的阅历让我明白，即使是微小的差距也会像滚雪球般越滚越大。

在华盛顿，"公众联盟"的创始人当时已经招募了十五个没有经验的盟友，他们正在市里多家机构工作。他们还募集了足够的资金在芝加哥开办分会，成为第一批通过"美国志愿计划"获得联邦资助的组织，这个计划是在克林顿总统任内设立的。这就是我这份新工作的背景，我的心情可以说是喜忧参半。在谈工作条件时，我了解到非营利组织的一个不言自明的事实就是：它不盈利。起初谈的时候，给我的薪水少得可怜，比我在芝加哥市政厅的薪水还要低很多，而那已经是我做律师时薪水的一半儿了，这让我根本没有办法答应。后来，我对非营利组织特别是像"公众联盟"这样由年轻人创立的新组织，以及在里面工作的许多善良慷慨、充满激情的人，有了另一个发现：他们和我不同，似乎不需要考虑钱的问题，他们的美德都有优越的背景支撑——要么没有学生贷款要偿还，要么某一天会继承家族遗产，所以不必为未来储蓄。

事情明朗了，如果我想要加入，就要进行协商，提出我心目中最低的薪酬要求，而那要比"公众联盟"期望的高很多。但这就是我的现实。我不能对自己的需求感到难为情或羞愧。我当时每个月要还大约 600 美元的学生贷款，我嫁给的这个男人自己还有法学院的贷款要还。"公众联盟"的领导听到我学生贷款的总额以及相应的每月还款数额后，简直难以置信，但是他们努力到外面筹集了新的资金，让我最终能够加入。

就这样，我开始大展拳脚，迫切地想要充分利用这个机会做些事情。这是我人生第一个从零做起的工作机会：成功还是失败，完全取决于我的努力，而不是我的老板或其他任何人。1993 年春天，我疯狂地投入工作，开设办公室，招募了几个员工，目标是秋天时就能招募到第一批盟友。我们在密歇根大道的一栋楼里找到一间租金便宜的办公室，一家当时正在重新装修办公室的企业咨询公司捐给我们一些二手桌椅。

同时，我把贝拉克和我在芝加哥所有的人脉关系捋了一遍，开始寻找捐赠者和能帮助我们获得基金会长期支持的人，还有那些愿意在第二年邀请盟友在他们的组织里工作的公共服务领域的人。瓦莱丽·贾勒特帮助我搞定了在市长办公室和市政卫生部门的实习岗位，在这些岗位上，盟友们将为一个社区层面的儿童免疫接种项目工作。贝拉克发动他社区组织者的网络，帮我们联系上了法律援助、游说和教学等工作机会。盛德的几个合伙人给我们写了支票，还介绍我认识了重要的捐赠者。

最让我兴奋的事情是寻找盟友。在总会的帮助下，我们在全国的大学校园里发广告，招募申请者，同时也在本地寻找。我和我的团队去了芝加哥的社区大学以及一些规模较大的市区高中。我们曾在卡布里尼－格林之家小区[1]挨家挨户敲门，参加社区会议，争取一些对帮助单亲妈妈的计划的支持。我们询问认识的每一个人，从牧师到教授到社区麦当劳店的经理，请他们介绍身边认识的最有趣的年轻人给我们。谁有领导才能？谁准备好突破自己？我们想要鼓励这些人来申请，敦促他们暂时忘掉致使一些事情行不通的种种障碍，向他们承诺我们这个组织会尽全力帮助他们解决他们的需求，不管是提供一张公交卡，还是补贴一些抚养孩子的费用。

到了秋天，我们招募到了二十七位盟友，他们分散在芝加哥全市的机构实习，有的在市政厅，有的在南城的社区援助机构，有的在位于皮尔森地区的非传统拉丁裔青年高中。我们的盟友风格迥异、精力充沛，

---

1 卡布里尼－格林之家小区（Cabrini-Green Homes），是美国政府面向低收入群体开发的福利住房项目，犯罪率极高，治安状况糟糕。

有理想、有雄心，代表了不同背景的群体，其中有：一个前黑帮成员；一位在芝加哥西南部长大，后来上了哈佛大学的拉丁裔女士；一位二十岁出头的女士，她住在罗伯特·泰勒之家[1]，有一个孩子，同时还在攒钱上大学；一个住在南城葛兰大道的二十六岁的年轻人，他高中辍学后，靠着图书馆的书一直没有中断学习，后来又回去拿了毕业证。

每个星期五，所有盟友都会到我们主办机构的办公室聚会，用一整天的时间来述职、交流并进行一系列关于职业发展的研讨。我无比热爱那些日子。我喜欢看到盟友们拥进来，房间变得吵闹，他们把背包扔在角落里，脱掉一层层冬衣，然后围坐一圈。我喜欢帮助他们解决遇到的问题，比如：学习使用 Excel 表格、在办公室如何着装才得体、如何在一屋子受过更好教育和更自信的人面前鼓起勇气表达自己的观点。我有时也必须给盟友一些不那么令人愉快的反馈。如果我听到盟友上班迟到、不认真对待工作，我就会严厉起来，让他们知道我们期待更好的表现。当盟友因为社区会议没有组织好或者在机构里遇到难缠的客户而心灰意冷时，我会劝告他们保持信心，并提醒他们看看自己相较于他人的幸运之处。

我们会一起庆祝学到的每一样新东西，取得的每一点进步。这些有很多。不是所有的盟友都会留在非营利组织或者公共事业领域工作，不是每个人都能克服来自弱势背景的障碍，但是慢慢地，我看到许多盟友取得了成功，并长期投身于为更多人谋福利的工作。一些盟友成了"公众联盟"的工作人员，一些后来成为政府机构或全国性非营利组织的

---

1 罗伯特·泰勒之家（Robert Taylor Homes），第二次世界大战后美国高层公共住房兴建热潮中，规模最大、最具代表性的小区。高层设计的泰勒之家短期内对缓解芝加哥市低收入群体住房短缺问题极有助益。但投入使用后，种族隔离、贫困集中、社区衰败等社会问题持续发酵，成为芝加哥最臭名昭著的黑人隔离区，最后被拆除。

领导人。在成立二十五年后的今天，"公众联盟"依然在不断壮大，在芝加哥和其他二十几个城市都设立了分会，在全美国范围培养了数千位盟友。想到我曾为此做过微薄的贡献，帮助建立了一个生命力持久的组织，我就觉得那是我职业生涯中最满足的事情之一。

我将"公众联盟"视为自己初生的孩子，它让我筋疲力尽而又充满骄傲。每晚睡觉前，我都会在脑子里过一下要做的事情，第二天早晨睁开眼睛，脑子里已经列好了当天、当周和当月的待办事项清单。第二年春天，我们第一批二十七个盟友的班级毕业了，在秋天我们又迎来了四十个新盟友，队伍在不断壮大。现在回过头去看，我认为这是我做过的最好的一份工作，因为我在工作时是非常振奋的，即使很小的胜利也需要拼尽全力取得——不管是为一个以西班牙语为母语的人安排一个好的职位，还是帮助某个人克服在不熟悉的社区工作的恐惧。

真的，那是我人生中第一次觉得自己在做一件有现实意义、能直接影响他人生活，同时又与我的城市和文化相联结的事情。它让我更好地了解了贝拉克做社区组织者和"投票项目"时的感觉，那就像是进行一场漫长而艰苦的战斗——正是贝拉克热爱的那种战斗，他将热爱一生的战斗——它会耗尽你的全部，同时也将给予你所需要的一切。

当我把全部精力放在"公众联盟"上时，贝拉克进入了一个相对平稳、按部就班的阶段，这当然是就他的标准而言。他在芝加哥大学的法学院教授一门关于种族歧视和相关法律的课程，白天在律师事务所工作，主要处理与选举权和就业歧视相关的案件。他有时还会去社区作讲座，还参加过几次星期五的盟友研讨会。从表面看，那是一个有思想、有公民意识的三十几岁男人的理想生活状态，他为了自己的原则，坚决拒绝了不知多少报酬丰厚、风光体面的工作机会。在我看来，他在从事

的所有工作中找到了一个完美的平衡。他是一名律师、一名教师，同时
也是一名组织者。很快，他会成为一个有作品出版的作家。

从巴厘岛回来后，贝拉克又花了一年多时间，在工作之余把书稿修
改了一遍。他在一个小房间里工作到很晚，房间位于我们公寓的后部，
我们把它改成了一间书房。那是一个拥挤的堆满了书的小仓库，我亲切
地称之为"洞"。有时我会在他工作时进去，迈过成堆的报纸，坐在他
椅子前面的储物凳上，微笑着跟他开个玩笑，把他正在奔腾的思绪从某
个遥远的田野上拉回来。他对我的打扰一般会保持好脾气，前提是我待
的时间不长。

我逐渐发现，贝拉克是那种需要"洞"的人，他喜欢待在一个封闭
而拥挤的小空间，不受干扰地读书和写作。它就像是一扇门，通向他头
脑的广阔天地。在那里度过的时间似乎能给他充满电。为此，我们在每
一个住的地方都造了那么一个"洞"，只要一个安静的角落或者一个壁龛
就可以。直到今天，我们到夏威夷或者玛莎葡萄园岛[1]上的出租屋时，贝
拉克都会去寻找一个空房间，作为他度假期间的"洞"。在那里，他可
以同时看六七本书，把报纸扔得满地都是。对他来说，"洞"是一个神圣
的地方，在那里，他会有新的顿悟，思路变得清晰。对我来说，那是一
个令人讨厌、杂乱无序的烂摊子。我的一个要求是：不管在哪里，"洞"
必须有一扇门可以关上。原因就不必多说了。

《我父亲的梦想》在1995年夏天终于出版了。口碑很好，但销量一
般，而这无所谓。重要的是，贝拉克已经成功梳理了他的人生故事，把
他在非洲、堪萨斯、印度尼西亚、夏威夷、芝加哥的身份碎片串联在了

---

1 玛莎葡萄园岛（Martha's Vineyard），简称"葡萄园岛"，是美国马萨诸塞州外海的一个
岛屿，是美国著名的度假胜地。

一起，通过写作的方式，让自己完整起来。我为他感到骄傲。他在文字中和自己幻影般的父亲达成了和解。这个和解当然是单方面的，贝拉克试图填充老奥巴马留下的每一个空白，解开他留下的每一个谜团。而且这也符合他一贯的做事方式。我了解到，从他还是个小男孩的时候起，他就努力把所有重担都背在自己身上。

······· ✳ ·······

书稿完成后，他的生活中又有了新的空间，贝拉克感觉一定要把它立刻填满，就像他一直以来做的那样。在个人生活方面，他收到一个令人难过的消息：他的母亲安，被诊断出患了卵巢癌，从雅加达搬回了火奴鲁鲁接受治疗。据我们所知，她接受了很好的治疗，化疗似乎也起作用了。玛雅和外祖母都在夏威夷照顾她，贝拉克也经常回去看她。但是她的病查出得太晚，癌细胞已经扩散，结果很难预料。这件事让贝拉克寝食难安。

同时，在芝加哥，政治运作再次开启。理查德·M. 戴里市长在1995 年春天连任成功，进入他的第三个任期。当时每个人都在为1996年的选举做准备，伊利诺伊州将选出一名新的国会参议员，克林顿总统也将为他的第二个总统任期竞选。令人惊愕的是，当时一位在任的国会议员因为性犯罪指控正在接受调查，这样一来，在州第二选区就有一个民主党席位空缺，芝加哥南城的大部分地区都属于这个选区。贝拉克在为"投票项目"工作时认识了一位呼声很高的州参议员，名叫艾利斯·帕尔默。她代表的是海德公园社区和南岸地区，并在非公开场合表示，她有意参选。这样的话，她在州参议院的席位就会空出来，贝拉克就有了参选的可能。

他感兴趣吗？他会参选吗？

我当时还不知道，但这些问题主导了我们接下去十年的生活，就像在我们做的所有事情背后鼓点会敲响一样。他会吗？他能吗？他要吗？他应该吗？但是，在所有这些问题之前还有一个问题，是贝拉克自己提出的，在竞选任何职位之前那都是他预先要问的，应该也是先发制人的。他第一次问这个问题的那一天，他告诉我，艾利斯·帕尔默和她空出的席位，还有他的想法，也许他可以不只是一个律师、教师、组织者、作家，在这些之外还可以再加一个身份——州议员。"你怎么想的，米西？"

对我来说，这个问题不难回答。我不认为贝拉克竞选公职是个好主意。每次他把这个问题抛给我时，我思考的具体逻辑可能都有些微不同，但我的大立场是不变的，就像深深扎根地下的红杉一样。不过显然你能发现，我的立场什么都阻止不了。

就1996年伊利诺伊州的参议院来说，我的逻辑是这样的：我并不喜欢从政者，所以也不愿意让我的丈夫成为一名政客。我对州政治的了解大部分都来自报纸，没有一件事是良好而富有成效的。我和桑蒂塔·杰克逊的友谊给了我一种感觉，搞政治的人经常需要离家外出。总的来说，立法者在我的印象里就像带壳的乌龟，外皮很厚，行动缓慢，自私自利。在我看来，贝拉克太热心肠，满脑子都是大胆的计划，恐怕无法忍受在州南部的斯普林菲尔德[1]那栋圆顶议会大厦下面的深仇积怨。

在我心里，我总觉得一个好人能有更好的方法来发挥影响。老实讲，我是担心他被生吞活剥了。

然而，在我的心里有两个相反的论调在打架。如果贝拉克认为他

---

1 斯普林菲尔德（Springfield），又称春田市，是美国伊利诺伊州的首府。

能在政坛有所建树，我凭什么阻止他？我凭什么在他还没有尝试之前就把这个想法踩在脚下？毕竟，在我想离开律师行业时，他是唯一鼓励我向前走的人，他对我去市政厅工作感到担忧，但还是选择支持我，他当时同时做几份工作，部分也是为了弥补我在"公众联盟"全职为社会做贡献而锐减的收入。我们在一起六年，他从没有一次怀疑我的直觉和能力。他经常重复同一句话：别担心，你可以做到，我们会想出办法的。

所以，我表示同意他首次竞选公职，但也以妻子的口吻给他泼了冷水。"我认为你会失意的。"我告诫他说，"如果你最后当选了，到了那儿，不管付出多大努力，最后依然什么事也干不成，那会让你发疯的。"

"也许吧。"贝拉克茫然地耸耸肩说，"但也许我能做点事情。谁知道呢？"

"说得也对。"我也耸耸肩，我不能干预他的乐观主义心态，"谁知道呢？"

.... ＊ ....

这对所有人来说都不是新闻了，我的丈夫真的成了一名从政者。他是一个好人，想要在世界上发挥影响，虽然我对此持怀疑态度，但他认为这是最好的方式。这就是他的信心。

1996 年 11 月，贝拉克被选入伊利诺伊州参议院，于两个月后，也就是次年年初宣誓就职。让我惊讶的是，我自己很享受竞选的过程。我帮助收集签名为他拉票，星期六时在我之前住的社区挨家挨户敲门，聆听居民对州政府的意见、建议和所有他们认为需要改进之处。这让我想起了小时候，父亲做选区区长工作时，我跟在他身后爬上人家门廊前的阶梯。除此之外，我不需要做其他事情，这正合我意。我可以将竞选视为一个爱好，在方便时拾起它，玩一玩，然后回到我自己的工作中。

就在贝拉克宣布自己的候选资格后不久，他的母亲在火奴鲁鲁去世了。她的病情迅速恶化，他都没来得及见她最后一面。这让他难过至极。正是安·邓纳姆，他的母亲，让他认识到了文学的丰富以及有理有据的论点的力量。没有她，他就无法感受到雅加达雨季的暴雨，也无法看到巴厘岛的水神庙。他也许永远都不会了解，从一个大陆跳到另一个大陆，拥抱陌生的环境，是多么轻而易举和令人激动。她是一位探险者，勇敢地追随着自己的心。通过大大小小的事情，我在贝拉克身上看到了她的灵魂。失去她的痛苦就像在我们身上插了一把刀，紧挨着它的另一把刀，是父亲离世时插在我们身上的。

当时是冬天，州议会正在开会，我们一周有好几天都见不着面。每星期一晚上，贝拉克都开四个小时的车到斯普林菲尔德，住进一家便宜的旅馆，很多议员都住在那里，然后他通常在星期四晚上很晚才回到家。他在州议会大厦有一间小办公室。在芝加哥，他手下有一个兼职的工作人员，他为此减少了在律师事务所的工作量，但是为了不耽误偿还我们的贷款，他增加了在法学院教学的工作，在不去斯普林菲尔德的日子他都排满了课，参议院休会时他还会增加课时。他在州南部的时候，我们每晚都会通电话，交流体会，聊聊白天发生的事情。等他回到芝加哥，我们每星期五晚上都会固定在外约会，通常是下班后，在市区一家名为仙粉黛的餐厅见面。

那些夜晚在我心中留下了非常温馨的记忆，我还记得餐厅里低垂的灯发出温暖的光，我这个守时的人总是先到，等着贝拉克。因为一周的工作结束了，而我到那时为止也习惯了，所以并不介意贝拉克迟到。我知道他一定会出现，每次看到他走进门，把大衣递给迎宾的女招待，我的心都会跳得快起来。他穿过餐厅的桌子，看到我时，脸上会露出微笑。他会吻我，脱下西装外套搭在椅背上，然后坐下来。我的丈夫。这个例行程序让我定下心来。每星期五我们基本点的都是同样的东西——炖肉、抱子甘蓝和土豆泥，菜上来后，我们会吃得一点儿都不剩。

那时是我们二人的黄金时间，我们的婚姻关系非常均衡，他有他的目标，我有我的目标。去斯普林菲尔德开会的前一周，贝拉克提交了十七个新议案，可能创了纪录，这至少证明他迫切地想做一些事情。一些议案最终通过了，但大多数都被毙掉了。议会当时是由共和党控制，充满了党派斗争和冷眼旁观，他的新同事们对此都习以为常。在贝拉克进入议会最初的几个月里，就像我预见的那样，参政就意味着要斗争，而斗争让人疲倦，其中有僵持，有背叛，有肮脏的交易，有令人痛苦的妥协。但是我也看到，贝拉克自己的预测也是正确的。不可思议的是，他很适应立法过程中的争斗，在混乱中能够保持平静，习惯于置身局外，用他夏威夷式的轻松步态来接受失败。他向来如此，总是怀着希望，相信他的一部分愿景将来一定会实现。他已经受到了打击，但是他并不介怀。看起来他确实是这块料儿。他就像一个旧铜罐一样，被敲得叮当响，却依旧通体发亮。

我当时也处在过渡期。我换了一份新工作，决定离开我一手创立、精心呵护的"公众联盟"，这让我自己都有点吃惊。三年间，我充满热情地投入其中，大大小小的事情都亲力亲为，就连复印机里的纸用完了都是我亲自去装。"公众联盟"那时发展得很好，在联盟政府的层层拨款和基金会的支持下，它的长期发展有了保障，我感觉自己可以安心地离开了。在1996年秋天，一个偶然的机会摆在我面前。阿特·萨斯曼，就是我几年前在芝加哥大学见的那位律师，打电话给我，告诉我那里设立了一个新职位。

学校在招聘一位负责社区关系事务的副处长。学校终于决定在大学与城市的融合上做一些提升，特别是与它附近的南城居民区。其中包括订立一个社区服务计划，让学生有机会到居民区做义工。就像在"公众联盟"的职务一样，这份新工作指向的也是我亲身经历过的现实。就像我几年前跟阿特说的，对我来说，背对着居民区的芝加哥大学，比我后来上的东海岸的学费昂贵的大学更让人感觉遥不可及，我对它也没有兴趣。现在有机会去"拆掉高墙"，让更多学生参与到城市生活中，让更多的城市居民和大学进行互动，我觉得那是鼓舞人心的工作。

撇开鼓舞人心不谈，我换工作还有其他原因。大学给人一种体制保障下的稳定感，这是一个初创的非营利组织不能提供的。我的薪水也会更高，工作时间会更加合理，同时有专人负责复印机的纸张和修理激光打印机。我当时三十二岁了，开始更多地思考我想要担负什么样的责任。在仙粉黛约会的那些晚上，贝拉克和我经常谈到多年间一直在聊的话题：关于发挥影响，关于我们怎样以及在哪里可以做出改变，还有如何最佳分配我们的时间和精力。

对我来说，那个关于我是谁和我想要什么的老问题再次冒了出来，在我的脑海中盘旋不去。我接受这份新工作，部分原因是想让我们的生活多一些空间，而且它的医疗福利比我之前的工作都要好。这一点后来证明是很重要的。又到了一个星期五晚上，贝拉克和我在仙粉黛餐厅的烛光中，面对面坐在餐桌旁，握着彼此的手，炖肉吃完了，正在等甜点，你会发现，我们的幸福中有一份缺憾。我们在尝试怀孕，但是事情并不顺利。

事实证明，两个彼此深爱、有着良好职业道德和强烈进取心的人并不能凭意志力怀孕。生孩子不是能打拼的事情。让人抓狂的是，就这件事而言，努力和回报之间没有必然的联系。对我和贝拉克来说，这一点不仅让人失望，也令人惊讶。不管我们多么努力地去尝试，都没能成功怀孕。有一段时间，我告诉自己这是概率问题，因为贝拉克频繁往来于斯普林菲尔德与芝加哥之间，我们尝试怀孕不是根据每月激素的峰值水平，而是根据伊利诺伊州议会的日程。我想，这一点，我们是可以尝试修正的。

但是，我们的调整并没有奏效。即使贝拉克在议会投票后已经很晚的时候，沿着州际公路全速开车赶回来，就为了赶上我的排卵期；即使议会夏天闭会期间，他一直在家，随叫随到。多年间我一直小心避孕，现在却在做完全相反的努力。我把怀孕当作一项使命。我们曾经成功怀上过一次，那让我们忘记了所有烦恼，欣喜若狂。但是几周后，我流产了，这既让我感到身体很不适，也毁掉了我们的乐观情绪。看到女人带着孩子在街上走，我心底感觉到一阵渴望的疼痛，紧随而至的是强烈的挫败感。唯一的安慰是，我家离克雷格家只有一个街区，他有两个漂亮的孩子——莱斯利和埃弗里，我到那里陪他们一起玩耍，给他们读故事，从中能得到一些安慰。

如果我要列一个清单，关于直到身陷其中才有人告诉你的事情，那么第一个就是流产。流产会让你身体的每个细胞都感到孤独、痛苦和意志消沉。如果你有这个经历，你可能会错将它视为个人的失败，但它不是的。或者你会认为这是一个悲剧，然而不管当时你有多么崩溃，它都不是的。没人告诉你的是：流产是司空见惯的事情，很多女性都有这种经历，而且人数比你想象的要多得多，只不过大家都不说而已。我知道这一点是在我告诉几个朋友我流产的事之后，她们用爱和支持来回应我，并告诉我她们流产的故事。这并没有带走我的痛苦，但是听了她们曾经的挣扎，我也能保持平静，认识到我经历的不过是一次正常的生理挫折，一颗受精卵也许有很充分的理由退出。

其中一个朋友还给我介绍了她和丈夫曾经看过的一位不孕不育科的医生。贝拉克和我去做了检查，我们后来跟医生坐下来谈时，他说我们两个没有什么明显的问题。至于为什么怀不上孩子，仍然是一个谜团。他建议我口服几个月的枸橼酸氯米芬，这是一种刺激排卵的药物。后来证明没有效果，他转而建议我们尝试做试管婴儿。非常幸运的是，芝加哥大学的医疗福利可以报销大部分治疗费用。

这感觉是在买一种高风险的彩票，只是有科学的因素在内。很不走运的是，我们做完初步检查后，州议会的秋季会议开始了，带走了我亲爱的体贴的丈夫，留下我独自一人操控自己的生殖系统以达到最佳状态。我需要连续几周每天给自己注射一针。根据计划，我需要先注射一种药物抑制排卵，然后再注射另一种药物刺激排卵，这样就能够产生很多能存活的卵子。

所有这些治疗和它的不确定性都让我感到焦虑，但我想要孩子，我从小就有当母亲的愿望。小时候，当我厌倦了亲吻玩具娃娃的塑料皮肤时，我就恳求母亲再生一个，一个真正的娃娃，为我生一个。我保证自己会干所有的事情，但是母亲不同意。于是我就在她放内衣的抽屉里翻找避孕药，想着如果我把药藏起来，可能就会有效果，但是显然没有。我想说的是，我为做母亲已经等待了很长时间。我想要孩子，贝拉克也想要。而现在，我独自一人在家里的洗手间，为了这个愿望，鼓起勇气往大腿上扎针。

也许就是在这时候，我第一次对政治以及贝拉克对工作的坚定投入有了一丝怨恨。或者说我只是感到了作为女性的巨大负担。不管怎么说，他走了，而我留在这里，担负着责任。我已经感觉到，我做出的牺牲要比他多。在未来的几周，他可以正常上班，而我却要每天做超声检查监测排卵情况。他不需要抽血，也不需要取消任何会议去做宫颈检查。虽然我的丈夫对我呵护备至，在这件事上也尽他所能全力以赴，他读了所有关于试管婴儿的资料，整晚地跟我讨论这个问题，但是他唯一真正需要做的就是到医生的办公室去提供一些精子。之后如果他愿意，还可以去喝杯马天尼酒。这些都不是他的错，但确实不公平。对于任何一直抱持平等原则的女人来说，这可能都有点令人困惑。那个要改变所有计划、暂时搁置激情和事业以实现我们这一梦想的人，是我而不是他。我发现自己在暗自思忖：我想要孩子吗？是的，我太想要了。想到这儿，我举起针头，扎进了肉里。

大约八周后，我听到一个声音，它消除了我所有的怨恨，那是超声波捕捉到的一个嗖嗖的水样的声音，从我体内那个温暖的洞穴里传出来。我们有孩子了。这次是真的。突然，那些责任和相对的牺牲有了完全不同的意味，就像一片风景着了新颜色，或者房子里所有家具都重新布置了，一切看起来都各得其所。我身体里藏着一个秘密，那是我的特权，是身为女性的礼物。我怀揣着它带来的希望，感觉充满活力。

那种感觉贯穿了我整个孕期，虽然前三个月的疲劳耗尽了我的精力，我的工作仍然很忙，贝拉克仍然每周都要到斯普林菲尔德去。我们有外在的生活，但是当时我们的内在发生了变化，一个小宝宝在成长，是一个小女孩。（因为贝拉克是个求真务实的男子，我又是个习惯做计划的人，所以提前知道它的性别是必须的。）我们看不到她，但她就在那儿，秋去冬来，然后又是春天，她越长越大，越来越活跃。我之前的感觉——对贝拉克超脱于整个过程的嫉妒，完全翻转了。他是局外人，而我在体验整个过程。我是这个过程的一部分，跟这个小小的迅速成长的小生命不可分割，她就在我的肚子里伸胳膊踢腿。我不再是一个人，不再感到孤独。她在那儿，当我开车去上班时，切菜做沙拉时，或者晚上躺在床上第九百次看那本《孕期完全指导》时，她一直都在。

芝加哥的夏天对我有一种特殊的意义。我喜欢这个季节天色到傍晚还是亮的，喜欢看到繁忙的密歇根湖上到处是帆船和小艇，让人几乎忘却冬日的挣扎。我还喜欢在夏天时，政治活动慢慢归于平静，生活开始变得有趣。

尽管我们其实控制不了任何事情，但到最后，我们的时间点似乎踩得刚刚好。1998 年 7 月 4 日清早，我感到了第一次阵痛。贝拉克和我赶到芝加哥大学的医院，玛雅和我的母亲都过来帮忙，玛雅是从夏威夷飞过来的，在我临近预产期的那一周陪护我。这一天是国庆，还有几个小时，烧烤的煤火会在全城各处点燃，人们会把毯子铺在湖滨的草地上，挥舞着国旗，等待观看湖面上精彩的烟花表演。所有这些我们都将错过，而会迷失在一种全新的火焰和烟花之中。我们没在想国家而是在想家庭，就在这一天，玛利亚·安·奥巴马，我们将拥有的世上最完美的两个孩子中的第一个，降生到了我们的世界。

14

　　母亲这一身份成了我的驱动力。它支配着我的行动、我的决定以及我每天的节奏。我未及多想就被母亲这一新角色吞噬了。我是一个注重细节的人，而孩子全身上下都是细节。贝拉克和我仔细观察神秘的小玛利亚，看着她像玫瑰花瓣一样的嘴唇、毛茸茸的黑脑袋、茫然的眼神，还有不停舞动的小手小脚。我们给她洗澡，包上褪褓，抱在怀里。我们记录下她的进食情况、睡觉时间和每一次打嗝。我们分析她脏尿布里的东西，似乎它能告诉我们她所有的秘密。

　　她是一个小人儿，一个被托付给我们的人。我满怀兴奋地照顾着她，对她着了迷。她睡觉时，我能一动不动地看她呼吸一个小时。家里有了孩子后，时间有时感觉很长，有时感觉又很短，不符合常规。短短一天会让人觉得那么漫长，然而，整整六个月又像一阵风一样很快就过去了。贝拉克和我对我们做了父母后的改变感到好笑。曾经，我们会在晚饭时分析错综复杂的青少年司法制度，讨论我在"公众联盟"工作期间了解到的情况和他计划提交给州议会的改革法案里的观点是否相契合；而现在，我们怀着同样的热情，讨论玛利亚是否对安抚奶嘴过于依赖，比较各自哄她入睡的方式。和大多数初为父母的人一样，我们有点强迫症，有点无聊，没有什么能让我们更开心。星期五晚上，我们用婴儿车推着玛利亚一起到仙粉黛餐厅约会，想办法缩短上菜时间，以便在她变得躁动不安之前，赶快吃完出去。

玛利亚几个月大的时候，我回到芝加哥大学工作。我跟学校商量我只在中间休息的时候回来，自以为这是双赢的安排，我既可以做职业女性又不耽误照顾孩子，达到一直希望的玛丽·泰勒·摩尔与玛丽安·罗宾逊之间的平衡状态。我们雇了一个既喜欢孩子、做事又专业的保姆，她叫格罗丽娜·卡萨巴尔，比我大十岁左右。她出生在菲律宾，上过护士学校，自己有两个孩子。格罗丽娜——我们叫她"格罗"——个子小小的，剪着利落的短发，戴一副金边眼镜，做事利索，能在十二秒之内换完一片尿布。她身上有专业护士那种非常称职的品质和所有事都能扛起来的精力，在后来的几年里，她成为我们家非常重要和受器重的成员。她身上最重要的一点是——她非常喜欢我的孩子。

有件事我没有预料到，我觉得这也是很多人会后知后觉的一件事，那就是一份兼职工作，特别是当它是你此前所做全职工作的缩减版时，那会是一个陷阱，至少在我身上是这样的。上班时，我还是需要参加之前要参加的所有会议，工作量基本跟之前一样。唯一的不同是，我的薪水是过去的一半儿，却要在一周二十小时的工作时间里做完所有事。如果某次会议结束晚了，我就要以百米冲刺的速度奔回家，带玛利亚赶去北城一个音乐工作室上摇摆虫儿歌早教课（玛利亚快乐而兴奋，我则一身大汗、上气不接下气）。对我来说，那简直是要把人逼疯的节奏。在家里接工作电话时，我会有负疚感；同样，我坐在办公室里突然分心想到玛利亚可能会对花生过敏时，会有另一种负疚感。兼职工作原本是想给自己更多自由，结果后来我感觉负荷增加了一倍，我生活中所有的界限都一片模糊。

同一时间，贝拉克的事业似乎发展得顺风顺水。玛利亚出生几个月后，他再次被选入州参议院，赢得了百分之八十九的选票，任期四年。他很受欢迎，很成功，就像我前面说的，他是一个喜欢看着一堆盘子转起来的人，那时他又开始考虑更高的目标，那就是进入美国国会，希望取代一位连任四届的民主党人——鲍比·拉什。他竞选国会议员是个好主意吗？不，我不这么认为。我觉得他获胜的可能性不大，因为鲍比·拉什是个名人，而他基本上还是个无名小卒。但他是个从政者了，在州民主党内部有影响力。他有顾问和支持者，其中一些人力劝他试一试。有人做了一个初步的民意调查，结果显示他有获胜的可能。对我的丈夫，有一点我是了解的：你不能用机会去引诱他，如果那个机会可以让他在更广的范围内发挥影响力，那他绝不会坐视不理。因为他不是那样的人，以后也不会是。

1999 年底，玛利亚快满十八个月的时候，我们在圣诞节带着她回到夏威夷，看望她的曾外祖母。贝拉克的外祖母当时已经七十七岁了，还住在那栋已经住了几十年的高楼里。那是探亲之行，每年只有那时候，外祖母才能见到自己的外孙和曾外孙女。冬天再次降临芝加哥，带走了空气中的暖意和天空中的湛蓝。我们在家和上班时都感到烦躁不安，在预订了威基基海滩附近的一家普通旅馆后，我们开始数着日子期待出发。贝拉克这一学期在法学院的课已经结束，我也把工作推后了。但是接下来，政治阻碍了我们的计划。

伊利诺伊州参议院正在进行一场马拉松式的漫长辩论，要落实一个很重要的打击犯罪法案的具体条款。那场辩论并没有因为假期而中断，参议院决定再加开一次会议，希望在圣诞节前敲定条款并提交表决。贝拉克从斯普林菲尔德打电话给我，说我们可能需要推迟几天再走。这不是个好消息，但我理解那是突发情况，不是他能控制的。我在乎的是，我们最后还是能赶上圣诞节，我不想让外祖母一个人过圣诞节，而且贝拉克和我都需要休假。我想，去夏威夷度假可以让我们抛开工作，放松一下。

后来，他正式参选国会议员，这意味着他几乎没有休息时间。再后来，他接受一份本地报纸的采访时说，在他竞选国会议员的大约六个月的时间里，他待在家里陪我和玛利亚的时间加起来不超过四天。在众多的职责之外，贝拉克心里还装着一个时钟，时刻提醒他距离3月的初选还剩多少小时多少分钟，至少从理论上来说，他如何安排那些时间将会影响最终结果。我慢慢了解到，就选举活动而言，一位候选人选择和家人度过的每一小时和每一分钟，都被视为对那段宝贵时间的浪费。

我那时是个经验丰富的老手了，基本不太在意他每天竞选活动的起起伏伏。我对贝拉克参选的决定并不热心，对整件事抱着一种尽快解决了事的态度。我想也许在进军国会受挫后，他会去尝试其他完全不同的事情。在理想的世界里（起码是在我的理想世界里），他会去做一家基金会的负责人，这样他不仅能在重要的事情上发挥影响力，而且晚上还能按时回家吃晚饭。

我们是在12月23日飞往夏威夷的，那时州议会因为假期已经休会，但是仍然没有找到解决方案。让我松了一口气的是，我们的探亲之旅还是成行了。威基基海滩对玛利亚来说是一大发现。她沿着海岸走来走去，踢着浪花，开心地玩到筋疲力尽。我们和外祖母在她的公寓里度过了一个快乐而平静的圣诞节。我们拆开了礼物，惊叹于她在牌桌上玩的有五千块之多的拼图游戏。像以前一样，瓦胡岛懒洋洋的绿色海水和快活的人们，让我们从日常的忙碌中得以抽离，心情愉快，空气触在皮肤上感觉很温暖，这一切也让我们的女儿感到兴奋。就像报纸的大标题提醒我们的，很快我们就会迎来一个新的千禧年。而我们当时正在一个可爱的地方度过1999年的最后几天。

　　一切都很顺利，直到贝拉克接到伊利诺伊州打来的一个电话，通知他参议院临时决定重新开会，完成那个打击犯罪法案的工作。如果他计划投票的话，那就还有48小时的时间赶回斯普林菲尔德。时钟又开始嘀嗒嘀嗒地响起来。我心情低落地看着贝拉克行动，把我们的航班改签到第二天，就这样结束了我们的假期。我们没有选择。我可以和玛利亚继续待在这里，但是那样有什么意思呢？我虽不愿意走，但是我再次表示理解，这就是政治。那次投票很重要，法案里增加了新的管控枪支的条款，是贝拉克强烈支持的，而议员们对法案的意见分歧很大，只要有一位参议员不到场投票，法案可能就无法通过。我们一定得回去。

　　但是，后来发生了一件意想不到的事。玛利亚半夜突然发起高烧，白天她还在兴高采烈地踢浪花，不到十二小时之后，她就成了一个浑身发烫、无精打采的小病孩，两眼呆滞，难受得一直哭泣，可是她太小了，不能告诉我们到底哪里不舒服。我们给她吃了泰诺，但是没什么效果。她老是使劲拉一个耳朵，我怀疑是耳部感染。我们开始想该怎么办。我们坐在床上，看着玛利亚渐渐入睡，她显然并没睡实，看起来还是不舒服。返程的航班还有几个小时就要起飞了。我看到贝拉克的脸色越来越凝重，他正在互相对立的责任的洪流里挣扎。我们未来要做出抉择的远不止眼下这件事。

　　"她现在显然没法坐飞机。"我说。

　　"我知道。"

　　"我们还要再改签。"

　　"我知道。"

　　我没说出来的是，他可以一个人走。他可以出门，叫一辆的士到机场，依然可以及时赶到斯普林菲尔德投票。他可以把他生病的女儿和焦急的妻子扔在太平洋中间，赶去和他的同事们一起投票。这是一个选择。但是我不会主动提出来，让自己受苦。我当时很脆弱。这一点我承认，因为玛利亚的病情不知会怎么发展。万一她烧得更厉害了呢？万一她需要住院呢？同一时刻，这世上还有一些比我们更多疑的人，正在准备掩护所，在里面囤积现金和一罐罐的水，以防关于 2000 年的最糟糕的预言成真，因为染上病毒的电脑无法记录新千年的到来，电力和通信网络会发生故障。那当然没有发生。但是当时一切都说不好。他真的会考虑离开我们吗？

事实证明他没有。他当时以及后来都没有。

我没有听到他那天给立法助理打电话时是怎么解释他会错过打击犯罪法案的投票的。我也不在意。我的全部注意力都在我们的女儿身上。而贝拉克打完那通电话后，他的所有注意力也都转到女儿身上。她是我们的小人儿，我们首先要对她负责。

最终，2000 年平静地到来。玛利亚被确诊是耳部重度感染，在休息了几天，用了一些抗生素后，病情开始好转，她终于又恢复了之前的活泼状态。生活总要继续。一直都是如此。在火奴鲁鲁另一个碧空如洗的日子，我们飞回了芝加哥，回到了冬日的寒冷中，而贝拉克也将面临一场政治灾难。

打击犯罪法案在州议会没有获得通过，差了五票。我算了算：就算贝拉克及时从夏威夷赶过去，他的投票也改变不了最终结果。但他因为没赶回来而饱受抨击。他国会初选的对手抓住这个机会，将贝拉克描述成一个耽于享受的立法者，跑去度假——去的还是夏威夷，不肯屈尊回来为控制枪支这么重要的事情投票。

鲍比·拉什，那位时任国会议员，几个月前刚刚在一次枪支暴力事件中失去一位亲人，这让贝拉克的形象变得更糟。似乎没有人注意到夏威夷是他的家乡，他回去是看望他孀居的外祖母，没赶回来是因为他的女儿生病。最重要的事情就是投票。媒体连续几周都在大力报道这件事。《芝加哥论坛报》的社论版批评那天没有到场投票的议员，称他们为"一帮没胆的绵羊"。贝拉克的另一个对手，一个叫多恩·特洛特的州议员对他进行攻击，告诉记者说"拿自己孩子当借口不来工作的人，其人品可想而知"。

所有这些都让我感到不适应。我不习惯有对手，不习惯看到我的家庭生活在新闻上被仔细审查。我从没听到过自己丈夫的人品被如此这般地质疑。我想到这样一个好的决定——从我的角度而言也是正确的抉择——却让他付出了如此高昂的代价，不禁感到心痛。贝拉克在我们社区的周报上设有一个专栏，他平静地为自己选择陪我还有玛利亚待在夏威夷的决定辩护。"我们曾听到许多从政者大谈家庭价值观的重要性，"他写道，"希望你们能理解，你们的参议员是在尽自己最大的努力来践行这些价值观。"

就这样，因为孩子一时耳痛，贝拉克在州参议院三年的工作似乎被一笔勾销了。他曾经领导对州竞选经费法案的全面修订，从而加强了对当选官员的道德约束。他曾为帮助穷人减税和贷款而抗争，曾致力于减少老年人处方药的费用。他赢得了来自伊利诺伊州各地的议员的信任，不管是共和党还是民主党。但这些似乎都无关紧要了。竞选已经演变成了一系列卑劣的勾当。

竞选伊始，贝拉克的对手及其支持者就在散播不得体的观点，在非洲裔选民中煽动恐惧和不信任情绪，暗示贝拉克是海德公园那些白人居民——有学问的白人、犹太人——策划的阴谋，要把他们中意的候选人强加给南城。"贝拉克在我们的社区被视为长着黑人面孔的白人。"多恩·特洛特接受《芝加哥读者》杂志采访时说。在同一份杂志上，鲍比·拉什还说："他上了哈佛，成了一个受过教育的蠢货。我们不喜欢这些拿着东海岸精英大学学位的家伙。"换句话说，他跟他们不是一路人。贝拉克不像他们是真正的黑人——一个会那样讲话、长成那样、读了那么多书的人永远不会跟他们是一路人。

最让我困惑的是，贝拉克就是南城的父母们常说的希望自己的孩子成为的那种人。他代表了鲍比·拉什和杰西·杰克逊那样的黑人领袖多年来谈论的一切：他受到了良好的教育，努力为非洲裔群体服务，而不是抛弃他们。那场竞选的竞争很激烈，但是贝拉克受到抨击的理由都是错的。我吃惊地看到我们的当政者只是将他视为对自身权力的一种威胁，通过玩弄关于种族、阶级的落后手段和反智的观点来煽动不信任情绪。

那让我感到恶心。

贝拉克比我淡然得多，他在斯普林菲尔德已经见识过政治会变得多么丑陋，为了达到政治目的，真相往往被歪曲。他受到了挫折但仍然不愿意放弃，在冬天依然继续进行竞选活动，每周往来于斯普林菲尔德和芝加哥之间，尽力回击针对他的疾风骤雨，即使对他的政治捐赠开始减少，鲍比·拉什得到了越来越多的支持。当初选进入倒计时的时候，玛利亚和我几乎都见不到他了，虽然他每晚都会打电话回来跟我们道晚安。

当时，我内心无比感激我们在海滩上"偷来"的那几天。我知道贝拉克的感觉也一样。在所有那些喧嚣中，在所有那些他不在我们身边的夜晚里，有一样是永远不会丢的，那就是：他关心我们。他不会把我们的存在视为可有可无。几乎每次他挂断电话时，我都能从他的声音里捕捉到一丝痛苦。好像他每天都要被迫投出一票，在家庭和政治、政治和家庭之间做出选择。

3 月，贝拉克在民主党初选中落败，鲍比·拉什取得完胜。

而目睹这一切发生时，我一直抱着我们的女儿。

.... ✻ ....

我们迎来了第二个女儿。2001 年 6 月 10 日，娜塔莎·玛丽安·奥巴马在芝加哥大学医学中心出生。我们只做了一轮试管，就很容易地怀上了，分娩过程也非常顺利，玛利亚当时已经快三岁了，我母亲带着她在家里等待。我们刚出生的宝宝很美丽，像小羊羔一样，满头黑发，棕色的眼睛很机警——她是我们一家组成的正方形的第四个角。贝拉克和我都高兴极了。

我们打算叫她萨沙。我选这个名字是因为它听起来生气勃勃。一个叫萨沙的女孩绝不要是个傻瓜。像所有父母一样，我对我们的孩子寄予了厚望，祈祷她们不会受到任何伤害。我希望她们长大后聪明有活力，像她们的爸爸一样乐观，像她们的妈妈一样上进。更重要的是，我希望她们坚强，有钢铁般的意志，不管遇到什么困境都能站起来往前走。我对于未来会发生什么、我们一家人的生活将如何展开都还一无所知。不管将来是一帆风顺，还是举步维艰，或者像大多数人的经历一样，会喜忧参半，我的责任都是要确保她们做好了一切准备。

大学的工作让我疲于奔命，我要同时应付很多事情，做得也不好，而且养孩子的花费快要耗尽我们的积蓄了。萨沙出生后，我内心在纠结是否回去工作，也许我全职在家会更好。格罗，我们深爱的保姆，得到了一份薪水更高的保姆工作，虽然她不情愿，但她还是决定要走。我当然不能怪她，但是失去了她，我这个职场妈妈就要重新安排一切。由于她对我家庭的投入，我可以安心工作。她对我的孩子视如己出。那天晚上她告诉我她要走时，我哭了又哭，知道没有她，我们要保持平衡有多么艰难。我知道我们非常幸运，在之前雇用了她。但是她要走了，我感觉像失去了一个臂膀。

我喜欢和我的女儿们在一起。我意识到在家里陪孩子的每一分钟和每一小时的价值，特别是在贝拉克的日程没有规律的情况下。我再次想到我的母亲，她决定留在家里照顾我和克雷格。我对于自己将她的生活浪漫化感到内疚，在我的想象里，她用派素清洁剂擦洗窗台、为我们做衣服，都是乐在其中的。但是和我眼下的生活状态相比，全职在家的想法虽然感觉有点怪，但是容易控制，也许可以一试。我喜欢负责一件事而不是同时做两件事，这样我的脑子不会被工作和家庭撕扯得一团乱。而且我们在经济上似乎也可以承受得来。贝拉克在法学院从兼职教师晋升为高级讲师，这样玛利亚上芝加哥大学附属实验学校就可以免除学费，很快她就会在这所学校上幼儿园。

然后，我接到苏珊·谢尔的一个电话，就是我之前在市政厅的导师和同事，她是芝加哥大学医学中心的总法律顾问和副院长，萨沙就是刚在那里出生的。医学中心来了一位新院长，大家都对他交口称赞，他的一个主要目标是扩大医学中心的社区服务范围。他正在招聘一位负责社区事务的执行董事，这份工作似乎是为我量身定做的。苏珊问我对于面试这份工作有兴趣吗？

我在纠结要不要发简历过去。它听起来是一个很好的机会，但是我刚刚还在劝说自己回来做全职妈妈，这样对我对家人都好。不管怎么说，这不是我闪亮登场的时候，不是我吹干头发、穿上职业套装的时候。我一晚上要起来好几次照顾萨沙，这让我严重缺觉，头脑也不清醒。虽然我仍然很努力地在保持整洁，却节节败退。我们的公寓里到处都是孩子的玩具、书和一包包的婴儿湿巾。每次出门，我都要推一个大手推车，背一个不时尚的尿布包，里面装满了必要的东西：一包五谷麦圈，几个常玩的玩具和一套替换的衣服，她们两个都要各备上一份。

但是我用妈妈的身份也交到了一些好朋友。我结交了一些职场女性，我们形成了一个爱聊天的社交圈。我们大都三十多岁的年纪，在不同的行业工作，包括银行业、政府机构、非营利组织。我们许多人都是在同时间要的孩子。我们的孩子越多，彼此之间的关系就越紧密。我们几乎每周末都见面。我们照顾彼此的孩子，一起去动物园游玩，团购迪士尼冰上表演的门票。有时在星期六下午，我们会把一帮孩子放在某个人家里的游戏室里玩，然后开一瓶葡萄酒。

我的这些女性朋友，每一个都受过良好的教育，而且雄心勃勃，她们爱自己的孩子，也都像我一样迷茫，不知如何平衡家庭和工作的关系。说到这个，我们的做法各有不同，有的是全职上班，有的是兼职上班，还有的是全职在家带孩子。有的允许她们蹒跚学步的孩子吃热狗和炸玉米片，有的给孩子吃的都是全谷物。有几个人的丈夫在大力分担照顾孩子的责任，其他人的丈夫和我的丈夫一样，工作很忙，经常不在家。我的一些朋友非常幸福，另一些则在努力调整，尝试达到另一种平衡。我们大多数人都生活在不断校准自己的状态里，对生活的一个领域进行调整，希望能给另一个领域带来更多的稳定。

我们在一起度过的那些下午，让我了解到，做母亲没有什么定式，没有什么正确的或错误的方法。认识到这一点是有好处的。不管她们是以何种方式生活及其缘由是什么，游戏室里的每个孩子都得到了疼爱并在健康成长。每次聚会时，我都能感受到这些女人在努力做对孩子正确的事时联合起来的力量。最后，不管怎样，我们会互相帮助，大家都会好起来的。

在和贝拉克还有我的朋友们谈过之后，我决定面试大学医学中心的工作，至少应该看看它是做什么的。我感觉自己很适合那份工作。我知道我有它所需的能力和足够的激情。但是如果我接受了它，我就要尽力去做，而且要在兼顾家庭的前提下。我想，我可以做到，前提是不用参加不必要的会议，工作时间比较灵活，在需要的时候可以在家工作，而且必要时可以离开办公室去日托中心接孩子或者带孩子看医生。

我不想再兼职工作了，再也不那么干了。我想要全职工作，领一份有竞争力的薪水，这样我们就能更好地负担抚养孩子和家务的开支，我就能丢开派素清洁剂，在空闲时间陪女儿们玩耍。同时，我也不会试图掩盖我棘手的生活状态，我的小女儿还在吃母乳，三岁的大女儿在上幼儿园，我丈夫的政治活动日程乱七八糟，所以家里方方面面的事情都落在了我身上。

在面试时，我厚着脸皮，一股脑儿把这些都跟麦克·赖尔登——医院的新任院长——说了。我甚至还是带着三个月大的萨沙一起去面试的。我记不清楚当时的情况了，那天我是没找到临时看孩子的人还是我根本就没去找。萨沙还很小，需要我的照顾。她是我生活中的一个事实——一个可爱的、咿咿呀呀的、无法忽视的事实，我似乎觉得必须带着她，在进行这场讨论时把她放在桌面上。我是在说，这是我，我还带着我的宝宝。

我未来的老板似乎能理解我，这真是令人惊奇的事。面试时，我一边晃着坐在我腿上的萨沙，一边解释灵活的工作时间对我多么重要，整个过程中我还一直担心她的尿布会漏。就算他有任何顾虑的话，他也没有当场表达出来。面试结束后，我感觉很愉快，很肯定我会得到这份工作。但是不管成不成功，至少说出我的需求对我是好的。我感觉到，大声说出自己的需求是有力量的。接着，我带着清醒的头脑和一个开始哭闹的婴儿，急忙赶回了家。

大约在 1965 年的某一天，我们一家人为了出席一场庆祝活动盛装打扮。注意到我哥哥克雷格的表情了吧，他的眼神充满关切，他还用手小心翼翼地抓着我的胳膊

小时候，我们一家人居住在我的姑婆萝比·席尔兹家楼上的公寓里，照片中抱着我的就是我的姑婆萝比。那些年，萝比一直教我弹钢琴，我们之间也因此有过很多不快，但她总是耐心地帮助我，让我将自己最优秀的一面发掘出来

这是我的父亲弗雷泽·罗宾逊。他曾在位于芝加哥湖岸地区的水处理工厂做锅炉工人，做了二十多年。尽管他多年间一直深受多发性硬化症的折磨，并随着年龄的增长愈发行动不便，但他从来没有耽误过一天工作

这是我父亲的座驾别克 Electra 225，我们都叫它"两块两毛五"。这辆车一直都是他的骄傲，也是我们一家人许许多多快乐回忆的源泉。每年夏天，我们都会开着这辆车去密歇根州的杜克斯快乐假日度假村度假。这张照片就是我们在度假时拍摄的

1969 年，我开始上幼儿园，我们家所在的芝加哥南岸社区是一个由多种族中产家庭构成的混合社区。但是，随着较为富裕的白人家庭陆续迁往郊区——也就是大家所熟知的"白人群飞"现象——当地人口结构迅速发生变化。到了我上五年级的时候，我们社区原来的多元化已经消失不见。上面这张照片是我幼儿园的同班同学合影，我在第三排，从右向左数第二个；下面这张照片是我五年级的同班同学合影，我在第三排的正中间

左边这张照片是我在普林斯顿大学读书时拍摄的。当时，我刚刚进入大学校园，还有一丝紧张。但是后来，我在那里结识了很多非常亲密的朋友，包括右上边这张照片中的苏珊娜·阿勒勒，她教会了我很多很多，包括如何才能快乐地生活

我和贝拉克曾经在欧几里得大道我从小长大的二层公寓里住过一段时间，当时，我们俩都还是律师。也就是从那时起，我对我的职业道路产生了怀疑，我开始思考如何去做更有意义的事情，同时又能坚守我的人生观、价值观

1992 年 10 月 3 日，我和贝拉克举行了婚礼，这是我人生中最幸福的时刻之一。可惜在此一年半之前，我的父亲已经过世，因而，我的哥哥克雷格代替父亲陪着我走入教堂

在我和贝拉克交往初期，我就知道他将来一定会是一位伟大的父亲，他一直都非常喜欢孩子，愿意全心全意地为孩子付出。1998 年，我们的大女儿玛利亚出生了，我们深深为她倾倒。她的出生改变了我们的生活

玛利亚大约三岁的时候，我们的二女儿萨沙出生了，她有着胖乎乎的脸蛋儿和不服输的精神，她让我们的家庭从此完整。每年圣诞节的时候，我们一家人都会去贝拉克的老家夏威夷旅行，与他家族的人团聚，并享受那里温暖的气候。这也成了我们家非常重要的一项传统

一直以来，玛利亚和萨沙的关系都非常亲密。直至今天，想起两个女儿娇小可爱的模样，我的心依然会瞬间融化

我曾经在"公众联盟"芝加哥分会做过三年的执行董事，该机构旨在帮助年轻人培养公共服务精神。该照片显示的是我（最右边）跟一些年轻的社区领导者以及时任芝加哥市长的理查德·M. 戴里在一次活动的现场

后来，我又转到芝加哥大学医学中心工作。这期间，我努力改善医院与社区的关系，并创建了一个服务中心，还帮助芝加哥南城数千名居民享受到能够支付得起的医疗保障服务

因为丈夫经常不在家，我又是一位全职工作的妈妈，所以，我对许多女性朋友所遇到的难题——如何努力在家庭生活与职场工作之间取得平衡——是再熟悉不过了

1991 年，我第一次见到瓦莱丽·贾勒特（左一）时，她是芝加哥市长办公室的副主任。很快，她就成了我和贝拉克都非常信任的朋友以及顾问。这张照片是 2004 年贝拉克参加美国参议院议员竞选时拍摄的

在贝拉克参加竞选活动期间，两个孩子会时不时地去探访她们的父亲。照片中是 2004 年的时候，玛利亚正通过竞选巴士的窗户，观看她的父亲发表又一场竞选演说

2007 年 2 月非常寒冷的一天，在伊利诺伊州首府斯普林菲尔德，贝拉克正式宣布参加美国总统竞选。当时，我专门为萨沙买了一顶粉色帽子，但是帽子太大，以至于我一直担心帽子会从她头上滑落下来，但出乎意料的是，她一直稳稳当当地戴着没掉

我们正在开展竞选活动。我们身边一如既往地围着十几名甚至更多的媒体工作人士

我喜欢竞选活动，与全国各地的选民建立联系总能让我倍感振奋。但不可否认的是，整个竞选过程无论对脑力还是体力都是极大的消耗。照片显示的是我在竞选过程中抽空休息

在普选正式开始前几个月，我被授权使用一架竞选专机。有了这架飞机，我的工作效率得以大大提高，同时，我们的旅途也多了很多欢乐。照片中和我一起合影的都是我的团队成员，我们是一支紧密团结的团队，从左到右依次是：克里斯汀·贾维斯、凯蒂·麦考密克·莱利维尔德、查文·里茨（我们当天乘坐的飞机的乘务员），以及梅丽莎·温特

可以说，乔·拜登是贝拉克非常得力的竞选助手。这有很多原因，其中之一就是我们两家人一见如故，非常合拍。从很早的时候起，乔的夫人吉尔就开始与我一起研究如何更好地帮助军人家庭。照片显示的是2008年，我们两家在宾夕法尼亚州开展竞选活动时于途中休息

2008年，经过整个春季和夏季艰苦忙碌的竞选活动，在丹佛举行的民主党全国代表大会上，我第一次在黄金时段面对无数观众，分享自己的人生故事。之后，萨沙和玛利亚也走上台，和我一起通过视频向贝拉克问好

2008年11月4日，也就是正式选举的当天晚上，我母亲玛丽安·罗宾逊和贝拉克一起坐在沙发上静静地看电视关注选情，等待选举结果

2009年1月，贝拉克宣誓就职美国总统。当时，我们的大女儿玛利亚只有十岁，小女儿萨沙才刚刚七岁，因为个头儿太小，她不得不站在一个事先准备好的台子上，好在仪式上让大家都能看到她的存在

正式成为美国总统和美国第一夫人那天，我和贝拉克当晚一共举办了十场就职舞会。每场舞会上，我们俩都会共舞一曲。当天的各种庆祝活动结束之后，我彻底累垮了。但是，照片中我所穿的这件由华裔设计师吴季刚设计的礼服，华丽优雅，为我注入了全新的力量。而我的丈夫——我最好的朋友、我永远的搭档，也总能用他自己的方式让我们之间相处的所有时光都异常温暖幸福

我们搬到华盛顿后,萨沙第一天上学时就被偷拍了,她的小脸贴着车窗的防弹玻璃向外凝视。至今,我一直保留着这张照片。当时看到这张照片后,我完全不能控制自己的情绪,担心这样的经历会给我们的孩子造成负面影响

在我们一家还未住进白宫时,时任第一夫人的劳拉·布什非常热心地邀请我和两个女儿访问白宫,并热情地招待了我们。她的两个女儿杰娜和芭芭拉专门向萨沙和玛利亚介绍了白宫那些好玩有趣的地方。照片显示的是她们正在教萨沙和玛利亚如何在白宫的倾斜走廊里滑滑梯

初到白宫时,我们不得不做一些调整,以适应时时都有特工人员跟随的生活。但是随着时间的推移,他们中有很多人都成了我们非常亲密的朋友

照片中最左边的人是威尔逊·杰曼,他自1957年起就在白宫工作。如白宫的其他管家和员工一样,他已经体面地服务了好几任美国总统

我们在白宫开辟菜园，将其作为倡导营养和健康生活的象征，我也希望以此为出发点，来发起更有意义的运动，比如"让我们行动起来"这项运动。但是，我之所以如此喜欢这片菜园，还因为在这里，我可以和孩子们一起立足土地，用我们自己的双手种植作物

我希望白宫能够成为一个让大家觉得舒服自在，让孩子们觉得无拘无束的地方。我希望大家能够在我们身上找到共鸣，希望他们有机会和我一起玩花式跳绳

贝拉克和我都对伊丽莎白女王怀有一种特殊的感情，贝拉克说女王总能让他想起他那严肃的外祖母。与女王的几次会面中，她的一举一动让我明白：人性远比礼仪和规矩重要得多

与纳尔逊·曼德拉的会面让我明白了一个道理：真正的变革不是几个月的事情，也不是几年的事情，而是一个非常缓慢的过程，需要几十年甚至几代人去完成

对我来说，拥抱是一种消除伪装、建立联系的方式。照片中，我正与来自伦敦伊丽莎白·加勒特·安德森女校的孩子们一起在牛津大学参观

我曾多次去沃尔特·里德国家军事医疗中心探访伤兵，这些士兵以及他们家人身上的乐观主义精神和强大的抗逆力让我永远无法忘怀

哈迪雅·彭德尔顿在一起枪支暴力事件中不幸遇难。她的母亲克利欧佩特拉·考利－彭德尔顿用尽全力，也没能保护好自己的女儿。我在哈迪雅的葬礼上见到了这位母亲，她的悲痛欲绝让我无比痛心，我感觉这一切太不公平了

每天下午，当两个女儿放学回家时，我都尽量待在家里等着迎接她们。这也算是生活在办公室里的一个好处

一直以来，贝拉克都能很好地将工作和生活区分开来。他几乎每天晚上都能准时上楼吃晚饭，并尽量保证不中途离开。但2009年贝拉克生日那天，我和两个女儿打破了这一规矩，我们来到总统的椭圆形办公室给他一个惊喜

当初，我们曾答应玛利亚和萨沙，如果她们的父亲能够成功当选美国总统，我们就会养一只宠物狗。后来，我们兑现了诺言，而且前后迎来两只小狗——阿博和萨尼，它们的出现让我们的生活轻松了不少。照片中这只是阿博

每年春天，我都会在一些学校的毕业典礼上发表演说，我希望我的演说能够给即将毕业的孩子们带来鼓舞，帮助他们发现自身的优点和潜力。照片显示的是 2012 年，我正在为弗吉尼亚理工大学的毕业典礼演讲做准备。我身后那位是陈远美，她做了我五年的幕僚长，永远不知疲惫。从照片中可以看到，她正在用手机同时处理多项工作，这也是她一贯的风格

我们的宠物阿博与萨尼能够在白宫大多数区域自由出入，但它们最喜欢的是白宫花园和厨房。照片中显示的是它们正在食品储藏室，与管家豪尔赫·达维拉在一起，或许它们希望他能偷偷给它们一些食物

我们在白宫八年时间，白宫里所有的工作人员都尽心尽力，使得我们一家人的生活能够正常运转，我们将永远对他们心怀感激。我们甚至认识了他们的孩子、孙子，也与他们一起庆祝他们的人生大事。照片显示的是 2012 年，我们为白宫助理接待员雷吉·狄克逊庆祝生日

作为第一家庭，我们拥有一些不同寻常的特权，但同时也面临一些不同寻常的挑战。但是，我和贝拉克一直尽全力让两个女儿的生活保持一种正常状态

左上边的照片显示的是：玛利亚、贝拉克和我一起为萨沙的篮球队——"毒蛇队"加油

右上边的照片显示的是：两个女儿在美国第一夫人的专机——"灿烂之星"上的放松状态

一直以来，我们都尽力让我们的两个孩子过上和其他孩子一样的生活，比如学习驾驶，即使这意味着她们需要在特工处工作人员的陪同下学习驾驶课程

每年的7月4日，对我们来说都不同寻常，因为这天不仅是我们的国庆日，也是我们的大女儿玛利亚的生日

如果说我这一生只学到一样东西，那就是一定要发出自己的声音。我会竭尽所能，利用一切机会与大家坦诚交流，与大家分享那些常常被社会忽视的弱势群体的故事

2015 年，我们一家人参加了在埃德蒙·佩特斯大桥举行的"血色星期天"五十周年纪念活动。当天参加活动的还有时任国会议员的约翰·路易斯以及其他民权运动的代表人物。那天的活动让我开始思考美国的历史和未来

　　这是我家的新算术题：我们有两个孩子、三份工作、两辆车、一套公寓和零空闲时间。我接受了医院的新职位，贝拉克继续一边教书一边做立法工作。我们两个都是几家非营利组织的董事会成员。虽然贝拉克在国会初选中落败，但他仍然在计划竞选更高的职位。当时的总统是乔治·W.布什。我们的国家遭受了"9·11"恐怖袭击带来的震惊和悲痛。当时，一场战争正在阿富汗进行，美国正在起用一套新的恐怖主义警报系统，奥萨马·本·拉登显然正躲在某个洞穴里。像以往一样，贝拉克认真地看每一条新闻，照常做自己的事情，同时心里在默默地对这些进行思考。

　　我不记得他是什么时候第一次提出想要竞选美国参议院席位的。当时他刚刚萌生这个想法，很长时间后，它才成为一个真正的决定，但显然他已经在考虑这件事了。我清楚地记得我当时的反应，我用难以置信的眼神看着他，意思是：你不觉得我们已经够忙了吗？

　　我对政治的反感与日俱增，倒不是因为在斯普林菲尔德或者华盛顿特区发生的事，而是因为贝拉克做了五年的州参议员后，他繁忙的日程已经开始让我无法忍受了。随着萨沙和玛利亚慢慢长大，我发现生活的节奏变得更快，要做的事情清单越拉越长，这让我疲于奔命，感觉事情无穷无尽。贝拉克和我尽可能地让女儿们的生活保持平静和易于管理。我们雇了一个新的保姆在家里帮忙。玛利亚很喜欢芝加哥大学附属实验学校，她在那儿交到了朋友，还在自己小小的日程表上标记了生日派对和周末的游泳课。萨沙当时一岁左右，在摇摇晃晃地学步，也开始学说话，她迷人的微笑常逗得我们捧腹大笑。萨沙的好奇心非常强，决心要跟上玛利亚和她四岁的朋友们的步伐。我在医院的工作很顺利，即使我发现掌控工作进度最好的方式是早晨五点钟起床，在其他人起床前便已在电脑前工作了几小时。

这让我晚上有点疲惫，有时还会跟我那位夜猫子丈夫起冲突，他星期四晚上从斯普林菲尔德回到家时精神还很饱满，想要立即享受一下家庭生活，弥补一下他错过的所有时间。但是当时，时间已经成为我们家的一个问题。贝拉克一贯不守时，如果先前我还能温柔地取笑他，那现在这真的让人恼怒了。我知道星期四这天让他很高兴。他打来电话报告说他做完工作了终于可以回家时，我能听出他的兴奋。我理解他完全是出于好意说"我在路上了！"或者"快到家了！"有段时间，我把这些话当真了。我给女儿们洗完澡，推迟她们上床睡觉的时间，等着爸爸回来给她们一个拥抱。或者我先让她们吃完晚饭，哄她们睡觉，我自己先不吃，点上几根蜡烛，期待着和贝拉克一起吃。

然后我就开始等，等啊等，萨沙和玛利亚的眼皮开始打架，我不得不把她们抱上床睡觉。或者我一个人饿着肚子等啊等，随着眼皮越来越重，蜡油在桌上滴成了一坨，我的怨气也越来越重。我慢慢发现，"在路上了"不过是贝拉克一贯的乐观主义表达，只是表示他着急回家，但并不能表示他真正到家的时间。"快到家了"不是一个地理定位，而是一种心态。有时他在路上了，但是需要停下来和某个同事谈四十五分钟的话，然后才上车往回赶。有时他快到家了，但是忘了提一句，他要先去健身房快速地锻炼一下。

在我们有孩子之前，这些可能都是小事，但是现在，作为一个做着全职工作的妈妈，伴侣有一半儿时间不在家，自己还要天不亮就起床，我感觉自己的耐心正慢慢消失，最终，到了一个时间点，它直接滑落悬崖。当贝拉克回到家后，我要么冲他发脾气，要么他找不到我，因为我已经关掉家里的每一盏灯，闷闷不乐地睡觉了。

我们都是根据自己知道的范式来生活的。在贝拉克的童年里，他的父亲是不在场的，他的母亲不断地来来去去。她深爱他，但是并不被他束缚。而在他看来，这种做法没什么错。陪伴他的有山脉、海滩和自己的头脑。在贝拉克的世界里，独立很重要。这在过去和未来对他都很重要。而我是在关系亲密的家庭里长大的，在我们狭小的公寓里，在狭小的南城社区，我的（外）祖父母、姨妈舅舅、姑姑叔叔都在身边，每星期日晚上，我们大家都围坐一桌聚餐。在相爱了十三年后，我们两个需要好好思考一下这些意味着什么。

说到底，没有他的陪伴我感到脆弱无助。不是因为他对我们的婚姻不够投入——这一点我向来是确定无疑的，而是因为我从小在一个所有人都在场的家庭里长大，当有人缺席时我会感到非常失落。我容易觉得孤独，加上还要照顾女儿们的需求，又感到愤怒。我们想要他在身边。他不在的时候我们会想念他。我担心他不理解我们的感受。我害怕他为自己选择的道路——而且很明显他依然想在那条路上走下去——最终会压倒我们的每一个需求。在他几年前第一次问我对于他竞选州参议院席位的想法时，需要考虑的还只有我们两个人。等我们有了两个孩子，我才知道答应他从政对我们意味着什么。我当时有了足够的阅历，知道政治对家庭向来不友好。早在高中时，我和桑蒂塔的友谊就让我看到了这一点；后来在贝拉克的政治对手攻击他留在夏威夷陪生病的玛利亚时，我再次看到了这一点。

有时，我在看电视新闻或读报纸时，发现自己会盯着那些置身于政治生活中的人——克林顿一家、戈尔一家、布什一家，还有肯尼迪家族的老照片，禁不住想幕后的故事是怎样的。他们都正常吗？幸福吗？那些笑容是发自内心的吗？

在家里，我们开始频繁且激烈地争吵。贝拉克和我深爱彼此，但是在我们的关系中心好像突然出现了一个解不开的结。我当时三十八岁了，看到了其他人的婚姻解体，这让我想要保护我们的婚姻。我有亲密的朋友经历了让人崩溃的分手，起因都是些小问题，由于没有重视和缺乏沟通，最终形成了无法修补的裂痕。几年前，我的哥哥克雷格一度搬回我们从小长大的公寓，住在我们母亲的楼上，此前，他的婚姻缓慢而令人痛苦地走到了尽头。

贝拉克起初不愿意尝试婚姻咨询。他习惯了思考复杂的事情，靠自己把问题想清楚。坐在一个陌生人面前让他觉得不舒服，甚至觉得有点戏剧化。他就不能跑到博德斯书店[1]买些两性关系的书吗？我们就不能两个人讨论一下吗？但是我想要认真地谈，认真地听，不是在深夜或者在我们陪着女儿的时候。我认识的几个做过婚姻咨询而且不惮于公开谈论的朋友说，它是有帮助的。所以我为我们预约了市区的一位心理医生，是一个朋友推荐的，贝拉克和我去找他做过几次咨询。

我们的咨询师，让我们叫他伍德丘奇医生吧，他是一个谈吐温和的白人，毕业于很好的大学，爱穿卡其色的衣服。我设想的是，他听贝拉克和我说完各自要说的话后，会立刻认定我的委屈是合情合理的。因为在我看来，我的所有委屈都是绝对合情合理的。我后来猜想，贝拉克对他自己的委屈也许也是这种感觉。

然而最后，我对咨询这件事有了一个大发现：中间没有认定，没有偏袒。在我们看法不统一时，伍德丘奇医生从不会投票支持任何一方。他是一个有同理心和耐心的聆听者，小心地引领着我们通过自己感觉的

---

1 博德斯书店（Borders），曾经是美国第二大连锁书店。2011 年，由于网络书店的冲击和财务状况的恶化，这家美国图书零售巨头突然宣布破产，数百家门店在美国各地相继关闭。

迷宫，把我们的武器和我们的伤口分开。当我们像律师一样辩论时他会提醒我们，并精心设定一些问题，引导我们思考为什么自己会有那样的感觉。慢慢地，经过几个小时的谈话，那个结解开了。每次贝拉克和我离开他的办公室时，我们都感觉离彼此更近了一些。

我渐渐意识到，我有办法让自己更开心，不必非要贝拉克退出政界转做某个朝九晚六的基金会的工作。（我们的几次心理咨询也让我看到那是不现实的期望。）我发现，我一直在给自己最消极的部分火上浇油，觉得一切都不公平，然后像一个哈佛大学培养的律师一样，千方百计地搜寻证据来支持这一假想。我开始尝试新的假想：也许我可以比以往做更多事情，让自己开心起来。我忙于责怪贝拉克把健身这一项加进他的日程表里，而根本没想我自己如何定时健身。我耗费了太多精力，为他能否赶回家吃晚饭而烦恼，结果不管他在与不在，晚饭本身已经不再有趣。

这是我的支点，我自我救赎的时刻。我像一个即将滑下冰峰的攀登者，将我的镐头搠进了地下。这并不是说贝拉克没有做出调整——这些咨询让他看到我们以往沟通中的问题，他也在努力改进，但是我做出了我的调整，它们帮助了我，然后也帮助了我们。首先，我下决心让自己的身体变得更健康。贝拉克和我在同一家健身房锻炼，老板是一个性格开朗、善于激励人的运动教练，名叫科内尔·麦克莱伦。我跟着科内尔锻炼了几年，但是有了孩子以后，我的日程规律就被打乱了。我在这一点上的改变要感谢我无私奉献的母亲，她依然在全职工作，但是主动表示一周可以抽出几天，早晨四点四十五分赶到我家，让我可以在五点钟跑到科内尔的健身房和一位女性朋友一起锻炼，然后六点半回到家，照顾女儿们起床，为她们的一天做好准备。这个新的生活规律改变了一切：平静和力量，这两样我担心自己正在失去的东西，回来了。

在回家吃饭这个难题上，我制定了更适合我和女儿们的新规矩。我们定下时间表，然后严格遵守。每天晚饭时间是下午六点半，洗澡是在七点，接着是读书、拥抱，最后在八点整熄灯。这个作息是雷打不动的，这就把责任放在了贝拉克身上，他要么赶得上，要么赶不上。对我来说，这比推迟晚饭时间或者让女儿们一边打瞌睡一边等着和爸爸拥抱要合情合理得多。这回到了我对她们的希望，也就是我希望她们长大后内心强大、关注自己的需求、不容忍任何形式的老派的男权政治：我不想让她们认为生活是要等男人回到家才开始。我要让女儿们知道："我们不等爸爸，是他要赶上我们。"

15

在芝加哥市区北边的克莱伯恩大道上，有一个神奇的乐园，似乎是专门为有工作的家长而建的，是专门为我而建的。那是一个标准的、超级美国式的、无所不有的购物广场。那里有一家盖璞童装店、一家百思买、一家金宝贝、一家CVS便利店，还有其他几家大大小小的连锁店，可以满足消费者的所有紧急需求，不管是疏通马桶的搋子、熟透的牛油果，还是儿童浴帽。附近还有一家肯泰纳家居日用商店和一个小辣椒墨西哥卷饼快餐店[1]，简直是锦上添花。那里是我的心仪之地。我开车过去，快速逛两三家店，吃一个卷饼碗[2]，然后回到办公室，时间可以控制在一小时之内。我非常擅长这种午餐时间的闪逛——买一双新袜子替换掉该丢弃的那双，给某个星期六要开生日派对的五岁孩子选礼物，储备盒装果汁和杯装苹果酱。

当时萨沙三岁，玛利亚六岁，她们聪明活泼，长得很快，精力充沛

---

1 小辣椒墨西哥卷饼快餐店（Chipotle），这家快餐店是一位年轻人于1993年在美国的丹佛创立的，主要供应墨西哥式的食品。食材多是新鲜的牛肉、鸡肉、猪肉，各种蔬菜、各种豆类、米饭等。它是美国市场表现最好的连锁餐饮企业之一。

2 卷饼碗（burrito bowl），卷饼的衍生食品。它和卷饼的区别在于没有了最外层的墨西哥薄饼，而是直接将原本包在薄饼内的食物和佐料倒到碗中，还可以添加诸如柠檬等调味品，形式与拌饭类似。

到让我喘不过气来，这也让那个购物广场有了更强的吸引力。有时我坐在车里，吃着快餐，听着车里的收音机，感到无比放松，对自己的办事效率佩服不已。这就是有小孩的生活，这就算是有所成就了，我买了苹果酱，吃着饭。所有人都还活着。

看我做得多好——我很想说这么一句，虽然没有听众。我成功完成任务了，你们都看到了吗？

这就是四十岁的我，有点像琼·克利弗[1]，有点像玛丽·泰勒·摩尔。在我感觉好的日子里，我会称赞自己干得不错。其实我的生活只有从远处看起来平衡得还不错，而且你要眯起眼睛看，不过至少有一点儿类似平衡的东西存在。医院的工作当时看起来很好，有挑战性，让人有成就感，符合我的价值观。有一点让我感到吃惊：像芝加哥大学医学中心那样一个有九千五百名员工、受尊敬的大机构，居然主要是由做医学研究和写论文的学者来管理的，那些人大都认为周边的社区很恐怖，不愿意走出校园一步。对我而言，正是这种忧惧激励着我采取行动，早晨把我从床上拽起来。

我人生的大部分时间都在与这种隔阂为伴——我注意到居住在我们社区的白人的紧张，注意到有影响力的人似乎都在绕开我们的社区，去往更富足的地方，差距变得越来越大。我有机会消除一些隔阂，通过鼓励人们更好地了解彼此，在我能力所及的地方消除屏障。这个想法得到了我的新老板的大力支持，我可以按照自己的想法制订计划，在医院和附近的社区之间建立更强的联系。起初我只有一个下属，最后有了一个二十二人的团队。我采取的行动是将医院员工和理事带到南城各处的社区里，访问社区中心和学校，让他们注册成为助教、导师和科学博览

---

1 琼·克利弗，指电视剧《反斗小宝贝》里能干的妈妈。

会的裁判，品尝当地的烧烤摊。我们把社区的孩子带到医院跟着员工实习，增加医院里社区志愿者的数量，通过医学院和一个暑期学术机构合作，鼓励社区的学生未来考虑学医。在发现选择少数族裔和女性经营者作为外包业务的合作伙伴有助于改善医院的体系后，我还协助成立了商业多样性办公室。

最后，还要解决急需治疗的病人的问题。南城有一百多万居民，医疗机构却极为稀缺，而这些人中有相当大的比例容易患上穷人易得的慢性病，比如哮喘、糖尿病、高血压和心脏病。大多数人都没有上保险，还有很多人依赖医疗补助保险[1]，病人常挤在医学中心的急诊室，要么经诊断发现是常见病，要么因为没有及时治疗致使需要急救。对所涉及的所有人而言，这个问题显而易见，代价高、效率低、压力大。况且，看急诊不会改善人们的长期健康状况。努力解决这一问题成为我的一项重要任务。我们采取的一个措施是：招聘和培训导医人员（通常是友好而乐于助人的本地人），他们可以陪急诊室的病人坐下来，帮助他们做好在社区卫生中心后续的预约，告诉他们可以去哪里接受质优价廉的日常护理。

我的工作很有趣，也让我很有成就感，但是我要当心它把我的精力消耗殆尽。我需要为女儿们留出精力。我们决定让贝拉克继续干他的事业——给他自由，让他追寻梦想，这就意味着我必须在自己的工作上有所保留。我刻意收敛自己的雄心壮志，在通常需要向前一步的时候，转而选择后退一步。我相信我身边的人不会说我做得不够，但是我自己清楚有哪些事情本可以进行到底我却选择了放弃。有些小型项目我没有跟进；有些年轻的员工，我其实可以带得更好。人们总说全职工作的妈妈

---

1 医疗补助保险（Medicaid），由联邦政府和州政府合作为低收入者提供医疗服务的保险。

要做出妥协，这些就是我的妥协。如果说，我曾经是一个全身心投入到每一项工作中的人，那么，现在我要更加谨慎，保护好我的时间，因为我需要为家庭生活保留足够的精力。

.... ＊ ....

　　我的主要目标是维持家庭正常而稳定地运转，但这永远不是贝拉克的目标。我们已经清楚地认识到并接受了这一点。我们俩一阴一阳。我渴望规律和秩序，而他不。他可以在海洋里生活，而我需要一条船。他在家的时候存在感很强，和女儿们在地板上玩儿，晚上和玛利亚一起大声朗读《哈利·波特》，听我讲完笑话后哈哈大笑，拥抱我，而在我们感受到他的爱和存在后，他又会消失半个星期或者更长时间。他不在的时候，我们会出去吃饭，和朋友见面。他有时会迁就我看《欲望都市》，我有时会迁就他看《黑道家族》。我已经完全接受了一点——离开我们是他工作的一部分。我并不喜欢这样，但是我基本可以做到不抗拒。贝拉克可以在一个遥远的宾馆高高兴兴地结束一天的工作，其中蕴藏了各种各样的政治争斗，还有一堆未了结的事情。同时，我在为了家庭而生活——每晚哄萨沙和玛利亚睡觉，听着厨房的洗碗机嗡嗡作响，我内心都会有一种完整感。

　　我没有选择，只能调整自己以适应贝拉克经常不在身边的生活，因为这种日子看不到尽头。在日常工作之外，他又开始竞选了，这次是美国参议院的一个席位，时间是在 2004 年秋天的选举之前。

　　他在斯普林菲尔德渐渐感到烦躁不安，州政府闲庭信步式的工作节奏让他很灰心，他确信自己在华盛顿可以做得更多更好。我有很多理由反对他参选，但他也有自己的理由，所以在 2002 年年中的时候，我们召集了十几个最亲密的朋友开了一个非正式会议，是在瓦莱丽·贾勒特家的早午餐聚会上，我们想把整件事说出来，听听大家是怎么想的。

瓦莱丽住在海德公园的一个高层公寓里，离我们家不远。她的公寓整洁而有现代感，白色的墙，白色的家具，上面喷绘了精致而鲜艳的兰花，为她的家增加了一抹亮色。那时，她在一家房地产公司做执行副总裁，也是芝加哥医学中心的理事。我在"公众联盟"工作时就得到过她的支持，贝拉克参加各种竞选时她还帮忙筹集资金，我们的每个行动都得到了她广泛人脉的支持。正是因为这些，正是因为瓦莱丽的温情和智慧，她已经在我们的生活中占据了一个不同寻常的位置。我们的友谊既是私人层面的也是职业层面的。她既是我的朋友也是贝拉克的朋友，根据我的经验，这种情况在夫妻中存在是很不寻常的。我有我精力充沛的妈妈团，贝拉克在他不多的空闲时间也会和一帮哥们儿打篮球。我们有一些好朋友也是夫妻，他们的孩子和我们的孩子是朋友，我们喜欢一起组团去度假。但是瓦莱丽不同，她对我们两个而言都像是一位大姐姐，在我们生活面临困境时，她会帮助我们退后一步，找到应对措施。她把我们看得清清楚楚，把我们的目标看得清清楚楚，对我们两个都充满了保护欲。

她提前私下跟我说，她不认为贝拉克应该竞选美国参议员，所以，那天早晨我去她家吃早午餐时觉得自己稳操胜券。

但是我错了。

这次的参议员竞选是一个千载难逢的机会，贝拉克那天解释道。他觉得很有把握。参议院里民主党人数越来越多，时任议员彼得·菲茨杰拉德是一个保守派共和党人，他当时都难以维持自己党派对他的支持。党内初选可能会有多个候选人，而贝拉克只需要得到多数票赢得民主党提名就可以。关于资金问题，他让我放心，说不需要动用我们的家庭储蓄。我问他如果我们要在华盛顿和芝加哥都安家，那生活费用怎么解决，他说："那我就再写一本书，会是一个大部头，能赚钱的那种。"

我不禁大笑起来。贝拉克是我认识的唯一有这种信心的人，认为一本书能够解决所有问题。我开玩笑说，他就像是童话故事《杰克和豆茎》里的那个小男孩，把家里的所有钱都拿去换了一把魔豆，一心相信它们会带来什么收获，尽管其他人都不相信。

但是，从其他各方面来说，贝拉克的逻辑都讲得通，那很让人气馁。在他讲话时，我观察着瓦莱丽的表情，发现她很快就被说服了，而且贝拉克对于扔给他的每一个"但是……怎么办呢"的问题都对答如流。我知道他说得有道理，但我抑制自己不去计算他当时离开我们有多长时间，更不要提还有搬到华盛顿这个担忧。关于他的政治事业对我们家庭的消耗，虽然我们已经争论了很多年，但我确实深爱和信任贝拉克。他已经是一个有"两个家庭"的男人了，他的精力一半儿放在我和女儿们身上，一半儿放在他的二十万南城选民的身上。要换成和伊利诺伊州来分享他，情况会有很大不同吗？我不知道，但是我不能阻碍他实现抱负，正是它一直在促使他尝试更高的目标。

所以那天，我们达成了协议。瓦莱丽答应为贝拉克竞选参议员筹款。我们的几个朋友也答应提供时间和资金支持。我正式同意了所有安排，但是附上了一条重要的警告，并大声讲了出来，好让每个人都听到：如果这次他落败，他就要彻底退出政界，另外找一份工作。如果大选日当天他没有成功，一切都要结束。

这一次是真的，那天一切都要结束。

然而，贝拉克之后接二连三地交好运。首先，彼得·菲茨杰拉德决定不再争取连任，向挑战者包括我丈夫这样的新来者敞开了竞选的大门。后来，很奇怪的是，参加民主党初选的领先者以及共和党后来的提名人都卷入与他们前妻的丑闻中。所以在离选举还有几个月时，贝拉克连一个共和党的对手都没有。

可以肯定的一点是，他那次竞选表现得很好，从之前失败的国会竞选中学到了很多。他在党内初选中击败了七位对手，获得了一半儿多的选票，赢得了提名。当贝拉克在州内各地出差，与潜在的选民交流时，他还是我所认识的那个男人——风趣、迷人、聪明、准备充分。在市政厅的论坛和竞选辩论中，他对答如流的回应，似乎清晰地表明了美国参议院是他应该待的地方。尽管贝拉克自己也很努力，但是他走向美国参议院的道路似乎是铺满了幸运四叶草的。

所有这些都发生在约翰·克里邀请他在2004年民主党全国代表大会上发表主旨演讲之前，大会在波士顿举行。克里当时是来自马萨诸塞州的一名参议员，正同乔治·W.布什展开拉锯战，争夺总统职位。

我丈夫在当时完全是一个无名小卒——一个不起眼的州参议员，从来没有在大场合讲过话，而波士顿的会议聚集的人群有一万五千人甚至还要多。他从来没用过电子提词器，没有上过黄金时段的电视直播。他是个新手，一个闯入传统上属于白人领域的黑人。他的背景普普通通，有一个奇怪的名字和一段不寻常的成长经历，他希望能够引起民主党普通民众的共鸣。正如电视评论员后来所承认的那样，选择贝拉克·奥巴马来向百万民众发表讲话是孤注一掷的做法。

然而，他似乎注定为那一刻而生，虽然有点不寻常，有点绕圈子。我知道这一点，因为我曾近距离地看到他的大脑在不停地高速运转。多年来，我看着他读书看报、吸收新观点，每次只要有人向他提供一点儿新经验或者新知识，他都会充满能量。他把所有这些都储备起来。我现在看到了，他在建立一个愿景，而且不是一个小的愿景。在我们共同的生活中，我要为它留出空间，和它一起生活，虽然我并不情愿。它有时会惹恼我，但是我无法从贝拉克身上赶走它。从我认识他的那天起，他就在一直安静地、一丝不苟地建立它。当时观众的数量可能终于达到了他的期望值。他准备好了迎接这一召唤。他那时要做的就是开口而已。

"听上去真是不错的演讲。"这成了我后来经常重复的一句话。这是我和贝拉克之间的玩笑话，在 2004 年 7 月 27 日晚之后，我经常会语含讥诮地重复这句话。

那天，我把女儿们留在家里让母亲照看，陪他飞往波士顿发表演讲。我当时站在会议中心的边厢，看着贝拉克步入炽热耀眼的舞台灯光中，几百万人都在看着他。他有点紧张，我也一样，尽管我们都决心不表现出来。这是贝拉克一贯的行为模式——他面临的压力越大，似乎就越冷静。他用了几周时间来准备演讲稿，在伊利诺伊州参议院投票的间隙进行练习。稿子他已经滚瓜烂熟，并认真地练习过，根本不需要电子提词器，除非他临场紧张突然大脑一片空白。但是，这种事情没有发生。贝拉克看着台下的观众和摄像头，似乎"咔嗒"一声启动了体内的发动机，他微笑了一下，开始演讲。

那天晚上，他讲了十七分钟，解释了他是谁，来自哪里——他的外祖父曾是巴顿将军麾下的一名士兵，他的外祖母战争期间在一条生产线上工作，他的父亲在肯尼亚放羊长大，还有他父母之间那听起来不大真实的爱情故事，他们坚信良好的教育会给儿子带来好的前途，即使他并非出身大富之家也非名门之后。他用真诚而巧妙的言辞，将自己描述成为一个美国故事的化身，而非一个外来者。他提醒观众，一个国家不能简单分为红色和蓝色两个阵营，我们都是由共通的人性联结在一起的，我们必须关心整个社会。他号召大家要充满希望而非悲观怀疑。他带着希望演讲，向观众播撒希望，怀着希望放声歌唱。

在那十七分钟里，贝拉克熟练从容地驾驭着语言；在那十七分钟里，贝拉克展示了他深沉耀眼的乐观主义。他结束演讲后，又为约翰·克里和他的竞选搭档约翰·爱德华兹拉票，观众站起来欢呼，掌声响彻整个大厅。我走上舞台，穿着高跟鞋和白色套装，走进令人目眩的灯光中，拥抱贝拉克，向他表示祝贺，然后转身和他一起朝激动的人群挥手致意。

演讲气氛非常热烈，欢呼声、鼓掌声震耳欲聋。贝拉克是一个胸怀宽广、对民主有坚定信仰的好人，这不再是一个秘密了。我对他的表现感到骄傲，但我并不惊讶。这就是我嫁的男人。我一直以来对他的能力了然于心。回想起来，就是在那个时刻，我开始意识到，不可能再让他回头了，他不只属于我和两个女儿。我几乎能在那些掌声中听见人们的呼声：再多讲一会儿，再多讲一会儿，再多讲一会儿。

媒体对贝拉克演讲的报道很夸张。"我刚刚看到了第一位黑人总统。"克里斯·马修斯[1]跟他美国国家广播公司的评论员同事说。《芝加哥论坛报》的头版大标题就是简单的一个词——"新秀"。贝拉克的手机开始响个不停。电视评论员给他贴上"摇滚明星"和"一夜成名"的标签，好像他不是努力多年才有了台上的辉煌一刻，就像是那场演讲成就了他而不是正相反。然而，那场演讲的确是一个新的开端，不只是对他而言，也是对我们，对我们一家人。我们被卷入了媒体的聚光灯之下，还有他人期待的急流之中。

整件事感觉很不真实。我也只能拿它开开玩笑。

当贝拉克在街上被人拦住要签名或者表达他们喜欢他的演讲内容时，我总是耸耸肩说："听上去真是不错的演讲。"我们走出芝加哥的一

---

1 克里斯·马修斯（Chris Matthews），美国时事评论员，2002 年至 2013 年在美国国家广播公司电视台主持《硬球》节目。

家餐厅，发现外面的人行道上聚集了一群人在等他时，我说："听上去真是不错的演讲。"当记者问他对国家大事的看法，当重要的政治策略分析人士围着他转，当他那本《我父亲的梦想》在默默无闻九年后，再版发行并登上了《纽约时报》畅销榜时，我都会重复这句话。

一天，当奥普拉·温弗瑞[1]笑容满面、风风火火地出现在我们家，花一天时间为她的杂志采访我们时，我说："听上去真是不错的演讲。"

我们的生活发生了什么？我几乎有点跟不上节奏。11月，贝拉克被选入美国参议院，赢得了全州范围内百分之七十的选票，那是伊利诺伊州历史上最大的胜利，也是那年全国参议员竞选中最大的胜利。他在黑人、白人和拉丁裔人群，男人和女人，富人和穷人，城市、郊区和农村中都获得了多数选票。有一次，我们到亚利桑那州去短暂度假，他被那里的支持者包围了。对我来说，这是一个能衡量他名气的真实而奇特的标准：就连白人也逐渐认可他了。

我把握住生活中仍保持常态的那一部分，让自己沉浸其中。我们在家里的时候，一切和往常一样。我们和朋友、家人在一起时，一切和往常一样。我们和女儿在一起时，也一切如常。但是在外面，事情就不同了。贝拉克频繁地往返于华盛顿。他在参议院有一间办公室，在国会山一栋破旧的楼房里有一间公寓，是一个小的一居室，乱糟糟地堆满了书和报纸，那是他远离家的"洞"。我和女儿去那里看他时，我们都不会假装愿意待在那儿，而是在宾馆为我们一家四口订一个房间。

---

1 奥普拉·温弗瑞（Oprah Winfrey，1954— ），美国电视脱口秀主持人、制作人、投资家、慈善家及演员，美国最具影响力的非洲裔名人之一，2018年获第75届金球奖终身成就奖。

我在芝加哥的生活依然规律。健身房、工作、家，循环往复。我用洗碗机洗碗，坚持上游泳课、足球课、芭蕾课。我的生活按部就班地进行着。贝拉克那时适应了华盛顿的生活，举手投足间有了一种参议员特有的庄重，但我依然是我，过着和往常一样的生活。一天，我到克莱伯恩大道的购物广场去，在盖璞童装店火速转了一圈，又从小辣椒墨西哥卷饼快餐店买了吃的，正坐在车里边吃边享受属于自己的时光，就在这时，我医院的秘书打电话给我，问是否可以转过来一个电话，是华盛顿的一位陌生女士打来的，她是另一位参议员的妻子，已经打过几次电话找我。

"没问题，接过来吧。"我说。

然后我听到了那位参议员妻子温和悦耳的声音。"嗨，你好！"她说，"真高兴啊，终于跟你通上话了！"

我告诉她我也很高兴跟她通话。

"我给你打电话是向你表示欢迎，"她说，"还要告诉你，我们想邀请你加入一个很特别的组织。"

她打电话是邀请我加入某个私人组织——一个俱乐部，听起来里面的成员主要是华盛顿一些重要人物的妻子。她们定期会举办午餐会，讨论当下的一些问题。"这是很好的结识人脉的渠道，我知道你初来乍到，认识新朋友不容易。"她说。

我这辈子从未受邀加入过任何的俱乐部。高中时，我看着朋友和他们"杰克与吉尔"圈子的人一起去滑雪旅行。在普林斯顿，我有时会等着参加完饮食俱乐部派对的苏珊娜，她回到宿舍时还在兴奋地傻笑。那些年，我也去过很多俱乐部，为"公众联盟"筹款，为贝拉克的竞选筹款。我一早就认识到，俱乐部通常是个充满金钱交易的地方，属于一家俱乐部并不单纯意味着是它的成员。

她向我发出的是一份友好的邀请，也非常真诚，但是我不假思索地拒绝了。

"谢谢你，"我说，"很感谢你能想到我。但是我们已经商量好了，我不会搬到华盛顿去。"我告诉她我们有两个女儿在芝加哥上学，我也很喜欢我的工作。我解释说，贝拉克虽然正在融入华盛顿的生活，但一有时间就会回芝加哥。我没有说的是，我们喜欢住在芝加哥，而且在考虑买一栋新房子，这要感谢他的书再版发行后带来的版税收入，另外他已签约开始写第二本书，报酬也很丰厚——这是贝拉克的魔豆带来的惊喜收获。

那位参议员的妻子沉默了一会儿，气氛有点尴尬。她再次开口时，语气依然很温和。"你知道，一家人不在一起，"她说，"这对于婚姻来讲会很艰难。"

我当时感觉到了她的不认同。她自己在华盛顿已经生活了很多年。她的言下之意是，她曾看到过当妻子留在后方时婚姻发展不顺利的事例，作为参议员的妻子只有一条正确的路可选，而我的选择是错的。

我再次向她表达谢意，然后挂断电话，叹了口气。这些在一开始就不是我的选择。这些压根儿就不是我选的。我像她一样，是一位美国参议员的妻子——奥巴马夫人，她在整个通话中一直这么称呼我，但是那并不意味着我要放弃一切去支持他。老实说，我什么都不想放弃。

我知道有一些参议员的妻子选择留在家乡，而不是搬去华盛顿。我知道美国参议院当时的一百名成员中有十四位是女性，早已不像过去那样僵化保守。但是另一个女人告诉我，我想让孩子留在原来的学校，我自己想继续做现在的工作，这是错的，这让我觉得她有些自以为是。在选举结束几周后，我和贝拉克一起去华盛顿，参加一个为新当选的参议员及其配偶举办的迎新会，要一整天的时间。那天只有不多的几个人参加，在简短介绍后，参议员去了一边，配偶们被领进另一个房间。我是带着问题来的，我知道从政者及其家人都要遵守严格的联邦道德政策，很多事情都有规定，比如他们可以从谁那里收取礼物，怎样支付来往华盛顿的交通费用。我想也许我们可以讨论一下怎样应付政治说客，或者未来竞选筹款的合法性问题。

然而，我们只是听了一个关于国会历史和建筑的内容详尽的专题演讲，还去看了看参议院定制的官方瓷器的图案，然后是一顿客套地聊闲天的午餐。整个过程持续了好几个小时。如果我不是从医院请了一天假，还让母亲帮忙照顾孩子，大老远专程跑到那儿的话，可能我会感觉整件事挺好笑的。如果我真的要成为一位政治家的妻子，我想认真对待这个角色。我不关心政治本身，但我也不想把任何事搞砸。

事实上，我在华盛顿的所见所闻让我感到迷惑，它有着高雅的传统和孤芳自赏的气质，白人和男性在这里占主导地位，女士们要去另一边吃午餐。这种迷惑中还包含着一种恐惧，虽然我没有选择参与其中，但我当时正被吸进去。我做了十二年的奥巴马夫人，但那时这个称谓的含义开始发生变化。至少在一些地方，作为奥巴马夫人让我感觉受到轻视，我成了一个被自己丈夫定义的妻子。我是贝拉克·奥巴马——那个政治"摇滚明星"、参议院里唯一一个黑人——的妻子，这个男人曾经深刻而强有力地谈起希望和宽容，而今他身后总是跟着充满期待的嗡嗡声。

我的丈夫是一名参议员，但不知为何，人们似乎希望他往上再跃一步。也就是说，每个人都热切地想知道他是否会参加 2008 年的总统竞选。这个问题甩都甩不掉。每个记者都会问，街上每个接近他的人都会问。我在医院的同事会站在我办公室门口，会随口问一下，希望提前探听到点儿口风。就连玛利亚都想知道，她爸爸是否会参加 2008 年的总统竞选。贝拉克在参议院宣誓就职那天，六岁半的她穿着粉色的天鹅绒裙子站在他旁边。和其他人不同的是，我们这位上小学一年级的女儿足够聪慧，感觉到这件事似乎很仓促。

"爸爸，你要竞选总统吗？"她问道，"你不觉得也许你应该先当个副总统或者其他什么的吗？"

在这件事上我和玛利亚的意见一致。我一辈子都是务实主义者，总是建议做事慢一点儿，有条不紊地一项一项推进。我天生喜欢漫长审慎的等待。所以，每次我听到贝拉克面对询问的人，谦虚地说一句"哪有这样的事"来挡掉关于他竞选总统的问题，并表示他唯一计划做的就是埋头在参议院努力工作时，我都会感觉好一些。他经常提醒人们他只是一个少数党里的下级成员，一个替补队员而已。而且，他有时会补充说，他还有两个孩子要抚养。

但是鼓已经开始敲起来，很难让它停下。贝拉克当时正在写后来出版的那本《无畏的希望》，认真思考他的信条和他对国家的愿景，把那些萃取成文字，深夜时写在他的笔记本上。他告诉我，他对当前的状态真的很满足，希望能慢慢积累自己的影响力，等着属于他的时机以在嘈杂的参议院里发声，但一场风暴降临了。

2005年8月末，飓风"卡特里娜"袭击了美国的墨西哥湾地区，新奥尔良市的防洪堤决堤，人们——大部分是黑人——被困在他们被毁坏的房屋的屋顶上。那场天灾的影响是巨大的，据媒体报道，大批医院停电，悲痛欲绝的人们被带进阿斯托洛圆顶体育场，救援人员因为缺乏物资而束手无策。最终，飓风造成了一千八百多人死亡，五十多万人无家可归，联邦政府救灾不力对那场悲剧来说更是雪上加霜。这也令人痛心地看到了我们国家人口结构的弊端，特别是非洲裔美国人和各族裔的穷人的脆弱处境，在困境面前，他们往往是最无助、最容易受到伤害的群体。

希望在哪里？

我揪心地看着关于"卡特里娜"飓风的报道，明白如果一场灾难袭击了芝加哥，我的姑姨叔舅、我的堂（表）兄弟姐妹、我的邻居，也会遭遇相似的命运。贝拉克的反应也同样激动。在飓风来袭后一周，他飞到休斯敦，和前总统乔治·H. W. 布什，还有克林顿夫妇一起（希拉里·克林顿当时是他在参议院的同事），看望新奥尔良被疏散到阿斯托洛圆顶体育场的成千上万的人们。那段经历点燃了他心中的一团火，那是一种折磨人的感觉，让他感到自己做得还不够。

大约在一年之后，我还常想到这一点，那时，鼓声变得越来越大，我们两个都感受到巨大的压力。我们还在正常地生活和工作，但是关于贝拉克是否会竞选总统这个问题一直围绕着我们。他能吗？他会吗？他应该吗？2006 年夏天，受访者在填写一份开放式调查问卷时，将贝拉克列入总统的候选人，尽管希拉里·克林顿毫无疑问是第一位的。然而，到秋天时，贝拉克的声望开始上升，这在一定程度上要感谢《无畏的希望》的出版，新书宣传为他带来了很高的媒体曝光率。他的民调数字突然和阿尔·戈尔以及约翰·克里持平甚至有时还要领先，这两位曾获得民主党之前两届的总统候选人提名——这也充分显示了贝拉克的潜力。我知道，他已经和朋友、顾问以及潜在的捐赠者有过私下的交流，并向所有人发出信号：他在考虑参选。但是他一直在避免跟一个人谈话，那就是我。

他当然知道我的想法。我们曾经间接地谈到过这个话题，在谈其他事情的时候提到过。我们一直生活在其他人的期待中，所以这个话题几乎嵌在我们所有的谈话中。贝拉克的潜力无处不在：它和我们一家人坐在晚餐桌前，和女儿们一起去学校，和我一起去上班。即使我们不想让它在那里的时候，它依然还在，这让所有事情都有了一种奇怪的能量。

从我的角度看，我的丈夫做得已经够多了。如果他有竞选总统的想法，我希望他能谨慎一些，慢慢地做准备，等时机成熟，等到女儿们长大一些，也许是在 2016 年。

从我认识他起，我就看到贝拉克的目光似乎一直盯着远方，盯着他对世界的愿景。只是这一次，我希望他能满足于目前的生活。我不理解他看着萨沙和玛利亚还会有什么不满足。她们那时一个五岁，一个八岁，梳着小辫子，活泼可爱。有时我觉得他确实不满足，我就会很伤心。

我们两个像在玩跷跷板，他在一头，我在另一头。我们当时住在一栋漂亮的房子里，是一栋乔治王朝时期风格的砖房，位于肯伍德社区[1] 一条安静的街上，有宽敞的前廊，庭院里有高大的树——正是克雷格和我小时候坐着父亲的别克车在星期日出游时看到后目瞪口呆的那种地方。我经常想到父亲，想到他给予我们的所有东西。我强烈地渴望他还活着，看看我们是怎么发展的。克雷格那时非常开心，他终于调整了人生方向，辞去了他在投资银行的工作，回归了他最初的爱好——篮球。在西北大学做了几年助理教练后，他在罗德岛的布朗大学担任篮球队的主教练。他再婚了，妻子是凯莉·麦克拉姆，她漂亮、务实，是东海岸某所大学的招生办公室主任。他的两个孩子长大了，个子都很高，也很自信，充满活力，从他们身上可以看到我们下一代的潜力。

我是一名参议员的妻子，但比这更重要的是，我有一份对我而言很重要的工作。在春天的时候，我被提拔为芝加哥大学医学中心的副院长。之前几年我一直在做一个名为"南城卫生保健合作社"的项目，到那时为止已经促成了一千五百多名病人与卫生保健人员之间的联系。他

---

1 肯伍德（Kenwood）社区，芝加哥南城富人、中产阶级和中上阶层的居住区。

们原本是到医院的急诊室看病的，而后不论有没有支付能力，他们都可以定期去看卫生保健人员。我的工作感觉很私人。我看到黑人兄弟拥进急诊室，因为长期忽视治疗而导致病情恶化，比如糖尿病人的血管问题没有得到及时治疗，后来一条腿需要截肢。我不禁想到我的父亲，他错过了多少治疗的机会，他低调地处理自己的多发性硬化症，就为了不让大家担心，不花任何人的钱，也省去很多文书工作，或者是为了不让自己被富裕的白人医生看不起。

我喜欢我的工作，尽管它并不完美。我也喜欢我的生活。萨沙马上就要上小学了，我感觉自己似乎正要开启一段新生活，可以再次燃起雄心壮志，考虑实现一系列新的目标。一场总统竞选会带来什么？它会让一切都化为泡影。我有足够的经验，可以预判到这一点。贝拉克和我在十一年中经历了五场竞选，每一次都让我的坚持变得更加艰难。每一次都对我的灵魂和我们的婚姻造成了伤害。一场总统竞选，我担心，会真的摧毁我们。贝拉克离开的时间将比在斯普林菲尔德和华盛顿时更长——不是离开半周，或者一两个月，中间还有休会期，而是一走几个月。这会对我们的家庭产生什么影响？媒体宣传会对我们的女儿产生什么影响？

我尽可能地无视围绕在贝拉克身边的旋风，虽然它并没有减弱的迹象。有线电视新闻评论员在争论他获胜的可能性。《纽约时报》专栏作家大卫·布鲁克斯发表了一篇令人惊讶的敦促他参与竞选的文章，题目就叫《上吧，贝拉克，上吧》。当时他走到哪里几乎都有人认出他，但好在我并不出名。10月的一天，我站在一家便利店门口排队，看到《时代》周刊的封面，不由得把头转向了别处。那是一张我丈夫的脸部特写，旁边的大标题写着"为什么贝拉克·奥巴马可能成为下一任总统"。

我希望的是，在某个时刻，贝拉克自己会终结所有猜测，宣布他不会参加竞选，将媒体的注意力转移到别处。但是，他没有这么做。他不会这么做。他想要竞选。他想，但是我不想。

每次有记者问到他是否会参与总统竞选，他都会否认："我还在考虑。这是一个家庭决策。"背后的潜台词是：要是米歇尔同意的话。

贝拉克在华盛顿的那些晚上，我一个人躺在床上，感觉自己好像在对抗全世界。我想要贝拉克属于我们的家庭，但其他所有人好像都想要他属于我们的国家。他有自己的智囊团——大卫·阿昔洛和罗伯特·吉布斯，这两位竞选策略专家在他进入参议院的选战中发挥了关键作用；大卫·普洛夫，是来自阿昔洛公司的另一位顾问；他的幕僚长佩特·劳斯；还有瓦莱丽——所有这些人都很慎重地支持他。但是他们也明确表示：总统竞选不能半途而废。贝拉克和我都要全身心地参与其中。而且竞选总统这件事对他的要求将是难以想象的。除了要履行在参议院的所有职责外，他还要制订并执行从美国东海岸到西海岸的竞选行动计划，拟定政策纲领，还要筹集数目惊人的资金。我的工作不只是默默支持他竞选，还要参与其中。需要的时候，我和孩子都需要露面，要赞许地微笑，和许多人握手。我意识到，现在一切都要为他服务，支持这个更大的事业。

就连克雷格，这个从我出生起就致力于保护我的哥哥，也为这场潜在竞选感到激动。一天晚上，他打电话给我，明确表态支持贝拉克。"听着，米西，"他用篮球场上常说的行话跟我说，"我知道你对这件事很担心，但是如果贝拉克有机会的话，他就得抓住它。你明白这一点，对吧？"

就看我的了，完全看我的了。我是害怕呢，还是只是累了？

不管是好是坏，我爱上了一个有远见的男人，他乐观但不天真，在冲突面前无所畏惧，世界的复杂令他着迷。很奇怪，他对未来工作的强度似乎毫不胆怯。他说，他担心长时间见不到我和女儿，但是他还不断地提醒我，我们的爱情有多么牢固。"我们可以应付的，对吧？"一天晚上，我们坐在他楼上的书房里，终于开始认真谈论这件事，他握着我的手说，"我们很强大，头脑也聪明，我们的孩子也一样。我们会没事的。我们承受得住。"

他的意思是，没错，竞选的代价会很高昂。我们要放弃一些东西——时间、与家人的厮守、我们的隐私。现在还为时过早，无法清楚地预测我们还需要付出多少，但是一定很多。对我来说，那就像在不知道银行账户余额的情况下花钱。我们有多少恢复力？我们的底线在哪儿？最后还会剩下什么？这种不确定性本身感觉就像是一种威胁，一种会淹没我们的东西。毕竟，我是在一个习惯未雨绸缪的家庭里长大的——我们在家里进行消防演习，做任何事情都会提前到场。在一个工人社区长大，父亲又身有残疾，我一早就认识到计划和谨慎的重要性。你走错一步，往往就会从安稳的生活堕入贫穷之中。它们之间的距离给人的感觉是很窄。一个月没有薪水可能就会没电可用；落下一次作业你就会落后，可能会因此失去上大学的机会。

我上五年级时，一个同学在家庭火灾中丧生；我看到苏珊娜在没有机会真正成人之前就去世了，这些都让我感受到世界的残忍和无常，努力工作并不总能保证结果积极。随着年龄增大，我这种感觉愈发强烈，即使当时，坐在我们那栋位于安静的街道上的安静砖房里，我都禁不住想要保护我们所有的一切——照顾好我们的女儿，忘掉其他一切，至少等她们再长大一点儿。

但是事情还有另一面，贝拉克和我都很清楚这一点。我们从一个幸运的遥远之处关注着"卡特里娜"飓风带来的灾难。我们看到有的父母把他们的孩子高举到洪水之上，看到非洲裔美国人家庭在阿斯托洛圆顶体育场剥夺人性的人间地狱中挣扎度日。我的几份工作——从市政厅到"公众联盟"到芝加哥大学——让我明白，对于有些人来说，获得一些东西，如基本的医疗保障和住房是多么艰难。我看到勉强过活和破产之间的界限非常容易打破。而贝拉克也曾经用许多时间倾听失业工人和年轻的退役军人是怎样努力应对终身残疾的，母亲们是怎样忍受把孩子送到糟糕的学校。换句话说，我们知道自己是多么幸运，我们都感受到了一种责任，而不是自鸣得意。

我知道自己没有选择，只能接受，那就索性打开门把这种可能性迎进来。贝拉克和我把这件事聊得很透，聊了不止一次，而是很多次，一直到圣诞节我们去夏威夷看望外祖母的旅行结束。有些谈话是怒气冲天、泪水涟涟的，有些是郑重而积极的。那是我们十七年来一直在进行的一个对话的延伸。我们是谁？什么对我们重要？我们能做什么？

最终的结果是：我同意了，因为我相信贝拉克会是一个好总统。他有无可匹敌的自信，有做这份工作的头脑和自律意识，有能够承受住所有困难的秉性，以及少见的高度同理心，这让他能够认真踏实地照顾国民的需求。而且他的身边围绕着一群善良而聪明的热心支持者。我凭什么去阻止他？我怎么能把自己的需求，甚至是女儿的需求放在第一位，而无视贝拉克成为那种帮助无数人的生活变得更好的总统的可能性？

我同意了，因为我爱他，对他的能力有信心。

我同意了，但是我心里有一个痛苦的想法，一个我不愿意说出来的想法：我支持他竞选，但是我也很确定他不会走到最后。他频繁而充满激情地谈到要弥合我们国家的分歧，希望唤起一些更高的理想，他相信这些理想是存在于大多数人心中的。但是这种分歧我见得太多了，早就降低了自己的期望值。毕竟，贝拉克是美国的一个黑人，我真的不认为他会赢。

16

　　从我们商定他参选的那一刻起，贝拉克的生活节奏就快到看不清人形，我认识的这个男人好像突然具备了分身能力，经常需要同时出现在不同地方。他为这件大事所驱动，心无旁骛。这时距离从爱荷华州开始的初选还有不到一年的时间。贝拉克必须快速招募人手，争取实力雄厚的捐赠者的支持，并想出如何以最能引起共鸣的方式宣布自己参选。贝拉克和竞选团队的目标是吸引人们的注意力并一直保持，直到选举日那天。竞选的成败可能取决于最初的行动。

　　整个行动是由全身心投入的两个大卫——大卫·阿昔洛和大卫·普洛夫——来统筹的。阿昔——大家都这么叫他——声音柔和，温文尔雅，嘴唇上方蓄着浓密的八字胡。他曾是《芝加哥论坛报》的记者，后转行从事政治咨询，他后来负责贝拉克对外消息的发布和媒体工作。普洛夫当时三十九岁，笑起来有股孩子气，对数字和战略非常热衷，他负责统筹整个竞选。竞选团队快速壮大，经验丰富的人被招募进来，负责财务和活动的提前策划。

　　有人明智地建议贝拉克在斯普林菲尔德正式宣布参选。所有人都赞成这个提议，因为美国中部是一个参与竞选的与众不同的绝佳背景，我们希望进行的是一场自下而上的竞选，参与者大都是政治新手。这是贝拉克希望的基石。多年做社区组织工作的经历让他看到，许多人觉得自己的声音没有被人听到，觉得自己在美国人的民主中被剥夺了公民权，而"投票项目"帮助他看到，如果这些人都去投票会带来什么样的可能。他竞选总统是对这个想法的更大的考验。他传递出的信息会在更大的范围内起作用吗？会有足够多的人前来投票吗？贝拉克知道他是一个另类的候选人，他想要进行一场另类的竞选。

按照计划，贝拉克要在老州议会大厦宣布参选，这处历史地标建筑当然要比任何一个会议中心或者舞台更有视觉冲击力。但那是在户外，在伊利诺伊州中部，在 2 月中旬，气温经常在冰点以下。这个决定的初衷是好的，但我觉得不现实，对建立竞选团队的信心，没有丝毫帮助。当时我们的生活基本都被这个团队操控着。我心里很不高兴，想象着这样一个画面：女儿们和我在飞雪和寒风中努力保持微笑，贝拉克努力表现得精神抖擞而非冻得发抖。我想到那天会有很多人决定留在家里而非在寒风中站上几个小时。我是中西部人，我知道天气会搞砸一切。我也知道贝拉克绝不能一开始就走错。

大约在那一个月前，希拉里·克林顿自信满满地宣布参选。再之前的一个月，约翰·爱德华兹——约翰·克里那位来自南卡罗来纳州的前竞选搭档——也宣布参选，他是在新奥尔良一处遭遇"卡特里娜"飓风袭击的房屋前面发表参选演讲的。算下来，民主党一共有九位候选人。赛场很拥挤，竞争会很激烈。

贝拉克的团队在用一场户外参选演讲做赌注，而我不能提出异议扰乱军心。我坚持让预备团队至少给贝拉克的讲台装上暖气，让他在电视新闻上看起来不要太不舒服。关于其他的我没有多说一句话。我基本什么也掌控不了。当时集会正在计划中，策略制定了，志愿者也招募了。竞选已经开始，想后退是不可能了。

大概是出于潜意识中的自我保护本能吧，我把注意力转向我能控制的事情上，那就是为玛利亚和萨沙找到适合活动那天戴的帽子。我已经为她们找到了新的冬衣，但直到后来才想起还没有帽子。

随着宣布日的临近，我开始在下班后匆忙地跑到水塔商厦的百货公司。冬天已经过去了一半儿，我在越来越少的冬衣中翻来翻去，在清仓的架子上找来找去，一直没找到合适的帽子。我早已不关心玛利亚和萨沙看起来是否像是未来总统的女儿，而只想确保她们看起来至少有个妈妈。终于，在我第三次出去时，我找到了两顶针织帽，白色的给玛利亚，粉色的给萨沙，都是女士小号。玛利亚那顶戴着正好，但萨沙那顶有点大，松松垮垮地盖住了她那张五岁的小脸。帽子并不是最新款，但看起来很漂亮，更重要的是，不管伊利诺伊州的冬天有多冷，它们都会让我的女儿暖暖和和的。这虽是一个小小的胜利，但毕竟也是一场胜利，而且是我的胜利。

2007 年 2 月 10 日，宣布日到来了，早晨阳光灿烂、万里无云，那是隆冬时节一个让人精神抖擞的星期六，看起来比实际感觉要好得多。气温大概在零下十一摄氏度，微风。我们一家人提前一天到达斯普林菲尔德，住在市区一家宾馆的一个三室一厅的套房里，房间所在的整个楼层都被竞选团队租了下来，同时住在那里的还有我们从芝加哥赶过来的几十位亲戚和朋友。

我们已经开始感受到全国竞选的压力了。很不巧，贝拉克宣布参选的那天跟黑人联合大会的日子撞车了，这个大会每年召开一次，召集人是公共广播电台的知名主持人塔维斯·斯迈利，他对此显然很生气。他向竞选团队表达了他的不满，认为这个举动显示出竞选团队对黑人社群的不尊重，最终会影响贝拉克的选情。我很惊讶，向我们开出的第一枪居然来自黑人社群。而且，就在宣布日的前一天，《滚石》杂志刊登了一篇关于贝拉克的文章，记者到芝加哥的三一教堂进行了采访。我们仍然是那里的成员，但是自从女儿们出生后，我们去教堂的次数已经大大减少。那篇文章引用了耶利米·莱特牧师多年前发表的一篇充满愤怒且极具煽动性的布道文，内容是关于我们美国黑人受到的不公正待遇，其中暗示相较于尊崇上帝，美国人更在意维护白人至上。

文章本身基本上是正面的，但是杂志封面上写着一行大字：贝拉克·奥巴马的激进根源——我们知道这很快就会成为保守派媒体的武器。这会发展成一场灾难，特别是在竞选开启前夕，特别是莱特牧师还被安排在贝拉克发表演讲之前做开场祈祷。贝拉克不得不给牧师打了一通艰难的电话，问他是否可以不走到台前，而是在后台私下为我们祝福。贝拉克说，莱特牧师的感情受到了伤害，但是他也明白其中的风险，这让我们相信他会支持我们，不会只顾自己的失望感受。

那天早晨，我突然意识到，我们到了一个无法再回头的时刻。我们真的要把全家人放到美国人民面前了。那天是竞选开始的一个大派对，所有人用了几周为它做准备。像每一个爱操心的东道主一样，我一直在担心，那一刻最终到来的时候，一个人都不会出现。和贝拉克不同，我是个怀疑论者。我心里依然有那个从小就有的焦虑。万一我们不够优秀呢？可能我们被告知的一切都是夸大其词。可能贝拉克没有人们认为的那样受欢迎，可能他的时机还没到。当我们通过一个侧门走到老州议会大厦的舞台区时，我试图把所有怀疑都推到一边。我看不到舞台前面的情况，想从工作人员那里了解一下，于是把萨沙和玛利亚交给我的母亲和凯伊·威尔逊——"凯伊妈妈"，她是贝拉克之前的一位导师，最近一些年已经逐渐成为我们女儿的第二个祖母。

我被告知人来得不少。人们在黎明前就开始聚集了。根据安排，贝拉克会先走出来，稍后我和女儿们上台和他站在一起，我们要爬上几级台阶，然后转身面向人群挥手。我已经讲得很清楚，我们不会在台上一直待着，听他发表二十分钟的演讲，让两个小孩子安静地坐着，假装对演讲很感兴趣，这对她们的要求太高了。如果她们看上去有一点儿无聊，如果其中一个打了个喷嚏或者动来动去，对贝拉克的大事没有丝毫益处。我也是一样。我知道我该扮演什么样的角色，一个打扮得妥妥当当的与丈夫关系和睦的妻子，带着程式化的笑容，眼睛明亮地盯着自己的丈夫，好像在全神贯注地听他讲的每一句话。然而那不是我，而且永远不会是。我可以支持他，但我不能成为一个机器人。

在和耶利米·莱特牧师一起做了简短的祈祷后，贝拉克走出去向观众致意，他一出场，下面就响起一片欢呼声。我在大厦里面就能听到。我回去找萨沙和玛利亚，真的开始感觉到紧张了。"你的女儿们准备好了吗？"我问自己。

"妈妈，我热。"萨沙边说边扯下头上的粉色帽子。

"哦，亲爱的，你必须戴着这个。外面可冷了。"我抓住帽子又戴到她头上。

"但是我们没在外面，我们在里面。"她说。

这就是萨沙，我们这个圆脸的说实话的小人儿。我没法推翻她的逻辑。我看了一眼旁边的工作人员，想向这个显然还没有孩子的年轻人传达一个信息：上帝啊，如果我们现在不赶紧开始，这两个孩子就管不住了。

谢天谢地，她点头示意我们向入口走。是时候了。

我之前参加过很多场贝拉克的政治活动，看过许多次他和大群的选民互动。我参加过竞选启动仪式、筹款派对和"选举夜"派对。我能认出人群里的老朋友和长期支持者，但是这次在斯普林菲尔德完全是另一回事。

　　我们走上台的那一刻，我都顾不上紧张了。我的注意力全在萨沙身上，保证她在微笑，并且不会被脚上的靴子绊倒。"往上看，亲爱的，"我拉着她的手说，"微笑！"玛利亚已经走在了我们前面，她的下巴抬得高高的，笑容灿烂，走到爸爸身边，向观众挥手。直到我们走上台，我才终于看到了到场人群的规模，可以说人山人海。据估计，那天参加集会的有一万五千人之多。以大厦为圆心，观众围成一个300度的扇形，用他们的热情包围着我们。

　　我从来不是一个会在星期六出门参加政治集会的人。站在露天体育场或高中的礼堂，听一些高尚的诺言和陈词滥调，那从来不是我热衷的事情。我很惊奇，这些人为什么会来到这里？为什么他们要多穿一层袜子在冰天雪地中站几个小时？我能理解人们穿得厚厚的等着听他们喜欢的乐队演奏，或者因为赶上了他们从小就追的一个球队参赛，冒雪观看"超级碗"[1]。但是政治呢？这有别于我以往所有的经历。

　　我开始意识到，我们就是乐队，我们就是那个即将开始比赛的球队。我感受最深刻的是一种突然而至的责任感。我们要向这里的每一个人都有所交代。我们在请求他们给予我们信心，未来我们要回报他们的热情，带着这种热情我们要走二十个月、五十个州，最终走到白宫。我曾经不相信有这种可能，但此时我相信了。这就是民主的召唤与回应，我意识到，这是与一个又一个的人达成的契约。你来支持我，我就将成为你的代言人。我多了一万五千个理由希望贝拉克获胜。

　　我当时完全投入其中了。我们全家人都投入其中，虽然感觉有一点儿恐怖。虽然我还无法想象前路是怎样的。但是我们在这里了，我们一家四口暴露在人群和摄像机前，除了身上的衣服和扣在一个小脑袋上的

---

1 超级碗（Super Bowl），美国职业橄榄球大联盟 NFL 的年度冠军赛。

有点儿大的帽子，我们是毫不设防的。

.... ✳ ....

希拉里·克林顿是一个强劲和令人生畏的对手。在一轮又一轮的民意调查中，她在全国潜在的民主党初选选民中都占据领先优势，贝拉克要落后她十至二十个点，约翰·爱德华兹比贝拉克又落后几个点。民主党选民熟悉克林顿夫妇，他们渴望一场胜利。相比之下，只有少数选民能拼出我丈夫的名字。我们所有人——贝拉克、我和整个竞选团队——在宣布参选之前就清楚，撇开他的政治天赋不谈，一个名叫贝拉克·侯赛因·奥巴马的黑人获胜的概率小之又小。

我们在黑人社群中也面临阻碍。就像我起初对贝拉克参选的感觉一样，许多黑人同胞都无法相信我丈夫真的有机会赢。许多人都不相信一个黑人可以在白人主导的领域获胜，这也意味着他们会退而求其次，投票给保险系数比较高的候选人。贝拉克面临的一个挑战是将长期支持比尔·克林顿的黑人争取过来。克林顿在和非洲裔美国人打交道时游刃有余，建立了众多人脉关系。贝拉克在伊利诺伊州已经获得了不同选民群体的好感，包括州南部农业区的白人农民。他已经证明了自己能够赢得所有群体的支持，但是很多人还不清楚这一点。

人们对贝拉克的审视总是非常苛刻，任何细节都不会被放过。我们知道作为一位黑人候选人，贝拉克不能有任何失误，所有事情他都要付出双倍的努力。对于贝拉克来说，对于任何不叫克林顿的候选人来说，唯一赢得提名的希望就在于筹集大量资金并快速地花掉，以便在最早的初选中以强劲表现为竞选制造足够猛的势头，快速超越希拉里·克林顿。

我们的希望系于爱荷华州。我们必须拿下它，否则就要退出竞选。爱荷华州大多是农业区，居民超过百分之九十是白人。作为国家的政治风向标，这是一个不寻常的州，那里也许并不是一个来自芝加哥的黑人尝试定义自己的绝佳之地，但这就是现实。爱荷华州是总统初选的第一站，从 1972 年以来就是如此。隆冬时节，两党成员会在选区会议即党内预选上投票，吸引整个国家的注意力。如果你在得梅因和迪比克引起了关注，你的参选资格在奥兰多和洛杉矶就会自动变得重要。我们也清楚，如果我们在爱荷华州表现不错，就会向全国的黑人选民传递一个信息：可以有信心了。贝拉克是伊利诺伊州的参议员，这让他在临近的爱荷华州有一些知名度，而且他大致了解那里的情况，这使大卫·普洛夫相信，我们至少在爱荷华州拥有一些优势——我们要努力利用这一点。

那意味着，我们几乎每周都要去爱荷华州，清早从奥黑尔机场出发，乘坐美联航的航班，一天之内要去三四个地方开展竞选活动。我一早就跟普洛夫沟通过，我虽然愿意配合竞选，但他们必须把我及时送回芝加哥，让我晚上可以哄女儿们睡觉。母亲答应减少工作时间，在我外出时帮我带孩子。贝拉克也有很多时间待在爱荷华州，但是我们很少一起出现，在其他地方也一样。我是他们所谓的候选人代理，贝拉克在锡达福尔斯市开展竞选活动或者在纽约筹款时，我就代替他在爱荷华城的社区中心和选民见面。只有在非常重要的场合，竞选团队才会安排我们两个一起露面。

当时，贝拉克在出行时身边总有一群细心周到的人跟着，我也分到了一部分资金，可以雇用两个工作人员，因为我计划每周只抽出两三天来帮助竞选，所以两个人就足够了。我不知道自己需要什么样的支持。梅丽莎·温特是我雇用的第一个人，后来成为我的办公室主任，她是贝拉克的日程安排官推荐给我的。她曾经在乔·利伯曼[1]参议员位于国会山的办公室工作，参与过他 2000 年的副总统竞选。梅丽莎一头金发，戴着眼镜，不到四十岁。我在芝加哥家里的起居室面试了她，她精神独立，思维敏捷，而且极度关注细节，这给我留下了深刻印象，我知道这些特质很重要，因为我要把竞选活动安排进我本就很满的医院工作时间表里。她行事干练，效率很高，行动迅速，而且拥有丰富的政治工作经验，对它的强度和节奏非常适应。梅丽莎只比我小几岁，但比起我之前接触的那些很年轻的竞选工作人员，感觉她更像是我的同辈和盟友。后来她成为我可以把生活的方方面面都放心托付的人，直到今天依然如此。

凯蒂·麦考密克·莱利维尔德过来后，我们这个铁三角就完整了，她后来成为我的外联主任。凯蒂还不到三十岁，已经经历过总统竞选，而且在希拉里做第一夫人时为她工作过，这让她的经验对我来说更加宝贵。凯蒂胆识过人，头脑聪明，穿衣品位无可挑剔，她负责和记者以及摄制组打交道，保证我们的活动得到很好的报道。另外，她随身带着一个皮箱，里面装着除污剂、薄荷糖、针线包和一双备用尼龙长袜，确保我在飞机和活动现场之间飞奔时不会把自己弄得一团糟。

多年来，我看过不少新闻上对总统候选人在爱荷华州的活动报道，他们要么笨拙地打断正在路边小店喝咖啡的普通人，要么傻乎乎地在一个黄油雕刻的奶牛前摆姿势，要么在州展览会上吃炸串。对于哪些是对

---

1 乔·利伯曼（Joe Lieberman, 1942— ），美国康涅狄格州的政治人物。他在 1988 年被选为参议员，在 2006 年的选举获胜后已经是第四届任期了。利伯曼在 2000 年美国总统选举中是民主党的副总统候选人，担任阿尔·戈尔的竞选搭档，这也使他成为美国主要政党中出现的第一个犹太人副总统候选人。

选民有意义的，哪些是作秀，我并不确定。

贝拉克的顾问曾经试图用浅显易懂的语言向我解释我在爱荷华州的使命，主要是在州内各个角落和民主党人待在一起，向小团体发表讲话，发动志愿者，努力赢得社区领导的支持。他们说，爱荷华州的人对待他们政治急先锋的角色的态度很认真。他们会事先了解候选人，询问严肃的政策问题。他们对为时几个月的政治献媚行为非常熟悉，不会轻易被一个微笑和一次握手征服。我还被告知，一些人会几个月都不表明态度，等着和每一位候选人都面对面谈过话后，才会最终选定一位。但他们并没有告诉我，我在爱荷华州应该传递什么信息。我没有剧本，没有讲话要点，没有顾问。我想我只能靠自己找答案。

我第一次独自参加竞选活动是在 4 月初，地点是在得梅因一户朴素的人家。起居室里聚集了几十号人，有的坐在沙发和事先带来的折叠椅上，其他人则盘腿坐在地上。我扫视了一下房间，准备开始讲话，我可能不应该对眼前的情形感到吃惊，但我确实有一点儿。茶几上用钩针编织的白色桌巾，和过去我祖母家里用的是同一种。我还看到一些瓷质小雕像，它们和欧几里得大道的姑婆萝比摆在楼下架子上不让我们碰的那些一模一样。坐在前排的一个人热情地微笑着看我。我身在爱荷华州，但感觉像在家里一样放松。我意识到，爱荷华人就像我们席尔兹和罗宾逊家的人一样，他们不容忍蠢货，他们不信任装腔作势的人，他们离着一英里就能闻到虚伪的味道。

我意识到，我要做的就是把真实的自己呈现和讲述出来。我也是这么做的。

　　我来向大家介绍一下自己。我是米歇尔·奥巴马，在芝加哥南城长大，小时候住在一栋两层楼房的顶层，那是一间很小的公寓，跟这个房子感觉很像。我父亲是市里的一名水泵工。我母亲全职在家照顾哥哥和我。

我把所有要说的话都说了出来——关于我的哥哥和我们从小被灌输的价值观，关于我在工作中遇到的这位前途无量的律师，他的脚踏实地和对世界的愿景如何赢得了我的心。早晨这个男人在家里会乱扔袜子，有时睡觉会打呼噜。我告诉他们，我是如何坚持在医院工作的，以及上班那些天我母亲要接我们的女儿放学。

我没有掩饰我对政治的感觉。我说，政界对好人而言并不适合，并解释了我当初如何纠结于贝拉克是否应该参加竞选，担心聚光灯会影响我们的家庭。但是我现在站在他们面前，是因为我信任我的丈夫，对他能够做的事情有信心。我知道他读了多少书，他对一些事情的思考有多么深入。我说，他正是那种我会为这个国家选择的聪明正派的总统，尽管按照我自私的想法，更愿意他这些年来多陪陪家人。

时间一周周过去，我重复着同一个故事——在达文波特市、锡达拉皮兹市、康瑟尔布拉夫斯市，在苏城、马歇尔敦、马斯卡廷市，在书店、工会大厅、老年退役军人之家，天气暖和起来后，又到人家的前廊和公立公园。随着我讲的次数越来越多，我的声音变得越来越自然。我喜欢我的故事，讲述它让我感觉很舒服。虽然我的听众肤色与我不同，但让我想起了我的家人——怀抱更大梦想的邮政工人，让我想起了祖父；热心公益事业的钢琴老师，让我想起了萝比；活跃在家长教师联谊会里的全职妈妈，让我想起了母亲；为家人奉献一切的蓝领工人，让我想起了父亲。我不需要练习或者借助笔记。我讲的都是我真实的感受。

慢慢地，有记者甚至一些熟人开始问我同一个问题：作为一个身高

5 英尺 11 英寸[1]、毕业于常青藤名校的黑人女性，面对大部分是白人的一屋子爱荷华州的人讲话，是怎样一种体验？那种感觉有多奇怪？

我从来不喜欢这个问题。它似乎总是伴随着一丝难为情的笑容，还有一种"别误会"的潜台词，是人们谈到种族问题时的标配。我觉得这个想法把我们所有人都矮化了，认为人们看到的只是我们之间的不同。

我对这个问题感到恼怒，是因为它与我以及我所见到的人们——一个前胸口袋上有种子基金标志的男人，一个穿着黑色和金色相间的套头毛衣的大学生，一个拿着装满了甜饼干的冰激凌桶的退休老人（她把饼干上洒的糖霜做成了我们的竞选标识——一轮正在升起的太阳）——的感受是不同的。这些人在我讲完话后找到我，迫不及待地与我分享我们的共同经历——他们的父亲也得过多发性硬化症，他们的（外）祖父母和我的一模一样。许多人说，他们之前从未参与过政治，但是我们的竞选让他们感觉值得一试。他们打算来当地竞选办公室做志愿者，并会努力劝说他们的伴侣和邻居也一起参与进来。

这些互动让人感觉自然、真诚。我发现自己在情不自禁地拥抱这些人，而他们也在紧紧地拥抱我。

大约是在这个时候，我带着玛利亚去看儿科医生，做了一个健康体检，我们每三到六个月就会带她体检一次，是为了监测她从小就有的哮喘病。哮喘得到了控制，但是医生告诉我了另外一件事——玛利亚的身体质量指数开始飙升，这个指数是综合身高、体重和年龄因素得出的衡量健康状况的指数。他说，这倒不需要紧急治疗，但这个趋势需要严肃对待，如果我们不改变一些生活习惯，它就会日积月累发展成为真正的

---

1 5 英尺 11 英寸，约为 1.8 米。

问题，增加她得高血压和 II 型糖尿病的风险。看到我脸上担忧的神色，他安慰我说，这个问题很常见，也是可以解决的。儿童肥胖比例在全美国范围内呈上升趋势。他在工作中见过许多病例，大部分都出自工人阶层的非洲裔美国人家庭。

这个消息就像是一块打破彩色玻璃窗的石头。我一直非常努力地确保我的女儿们快乐和健康。我做错了什么事？如果这种变化连我都没有注意到，我还算是个合格的母亲吗？

和医生进一步深聊后，我开始明白问题出在了哪里。贝拉克经常不在家，方便就成了我在家里最重要的选择标准。我们越来越多地在外面吃饭。因为没时间做饭，我经常在下班回家的路上买点儿外卖。早晨，我给女儿们的午餐盒里放的都是"午餐方便盒"和果倍爽饮料。周末，芭蕾舞课结束后、足球课开始前，我们经常到麦当劳餐厅的外卖窗口买点儿吃的。我们的医生说，这些并非都不正常，单独来看也没那么糟糕，但是吃太多就会出大问题。

显然，必须要做出改变，但是我不知道该怎么做。每个解决方案似乎都需要更多时间——去杂货店购物的时间、待在厨房的时间、切菜或者从鸡胸肉上片下鸡皮的时间，而当时，时间在我的世界里正是濒临灭绝的东西。

后来我记起了几周前我在飞机上遇到的一个老朋友，在谈话中她提到她和丈夫雇了一个叫萨姆·卡斯的小伙子，定期到她家里做健康餐。很巧的是，贝拉克和我几年前通过另外一些朋友也认识萨姆。

我从没想到自己会成为那种雇人到家里做饭的人。这感觉有点贪图享受，我那些南城的亲戚一定会对这种事情怒目而视。贝拉克这个开着底板上有洞的达特桑汽车的人，一定也不赞成这个想法。这既和他作为社区组织者根深蒂固的节俭习惯格格不入，也不符合他作为总统候选人想要展现的那种形象。但是对我来说，这是唯一明智的选择。必须有所牺牲。没有人能代替我做医院的项目，没有人能代替我作为贝拉克的妻子参与竞选，没有人能代替我作为玛利亚和萨沙的母亲哄她们睡觉，但是也许萨姆·卡斯能帮我们做几顿饭。

我请萨姆一周到我们家来几次，做一顿我们当天晚上吃的饭，再做一点儿我可以放进冰箱第二天早上热热吃的饭。他在我们家里是一个另类——一个二十六岁的白人小伙子，剃着发亮的光头，早晨刮完的胡子下午就能长出来。但是，我的女儿们很快就喜欢上了他的厨艺，还有他讲的老掉牙的笑话。他向她们展示怎么切胡萝卜和焯绿叶菜，让我们一家人远离了杂货店千篇一律的食物，而转为跟着时令的变化选择食物。他虔诚地迎接春天的新鲜豌豆和 6 月成熟的覆盆子。他一直等到桃子圆润多汁时才让两个姑娘吃，他知道那时候的桃子可以跟糖果媲美。萨姆会从专业的视角看待食物和卫生问题，比如食品行业如何以方便之名向千家万户推销加工食品，那对公共健康造成了怎样严重的影响。这个话题引起了我的兴趣，让我想起在医院工作时亲眼看见的情况，想起我作为有全职工作的妈妈在喂饱全家人上做出的妥协。

晚上，萨姆和我在厨房里聊了几个小时，我们在探讨一个想法，如果贝拉克赢得了总统选举，我可以利用我第一夫人的角色来尝试解决一些问题。我们的想法慢慢膨胀起来。我们是不是可以通过在白宫种植蔬菜来宣传新鲜食物的好处？以此作为基础，我们是否可以做更大的事情，比如发起一个儿童健康运动，帮助家长避免我犯下的一些错误？

我们一直谈到很晚。萨姆发出了一声叹息。"唯一的问题是，我们这位候选人在民意测验中落后三十个点，"我们两个人都笑起来，"他肯定赢不了。"

这是一个梦想，但是我喜欢。

说到竞选，每天都像是一场竞赛。我依然在努力维持正常和稳定的家庭生活，不光是为女儿，也是为我自己。我随身带着两部黑莓手机——一部处理工作，一部处理私人生活和政治竞选事宜。说不上好坏吧，这些都搅和在一起了。我每天和贝拉克的通话很简短，有点像新闻报道——你在哪里？事情进行得如何？孩子们怎么样？我们两个都习惯了不去谈自己有多累，以及我们的个人需求。这没有意义，反正我们也顾不上这些。生活就是一个嘀嗒作响的时钟。

在工作上，我努力地跟上进度，我会坐在一个爱荷华州人类学专业的学生志愿者的丰田卡罗拉汽车凌乱的后座上，或者坐在新罕布什尔州普利茅斯市一家汉堡王的安静角落里，给医院的同事打电话。贝拉克在斯普林菲尔德宣布参选几个月后，在医院同事的支持下，我决定改为兼职工作，这是唯一能够兼顾的可持续的办法。梅丽莎、凯蒂和我组成了一个做事高效的"家庭"，我们早晨在机场会合，迅速通过安检，机场的保安当时都能叫出我的名字了。越来越多的人可以认出我来，主要是黑人女性，在我从她们身边经过往登机口走时，她们会大声喊："米歇尔！米歇尔！"

一些事情在发生变化，因为是逐渐发生的，所以一开始很难觉察到。我有时感觉自己好像在一个奇怪的宇宙里飘浮着，向一些假装认识我的陌生人挥手，登上那些把我从正常世界运走的飞机。我是知名人士了。我以某人妻子的身份为人所知，而某人又是跟政治有关联的，这让我感到双倍甚至三倍的不可思议。

在竞选活动中从拉起隔离带的通道中穿过人群，我感觉就好像在飓风中要保持屹立不倒一样。我发现，除了一些心存善意和非常热情的陌生人会抓我的手、摸我的头发，还有些人会毫无征兆地把笔、照相机和孩子塞给我。我要微笑、握手、听故事,同时还要努力往前走。最终出来时,我脸上有口红印,衬衫上有手印,整个人看起来好像刚从一个风洞里走出来一样。

我没时间细想这些,但是我内心隐隐地担心随着我作为贝拉克·奥巴马妻子的这个角色越来越突出,我的其他方面在大众眼里会慢慢淡化。我接受记者采访时,他们很少问到我的工作,只是会在对我的描述中加上"哈佛毕业"的字眼,但也就仅此而已。有几家媒体刊登文章猜测我在医院里受到提拔不是因为我工作努力和表现优秀,而是因为我丈夫日益上升的政治声望,读到这些让我感到很痛苦。4月的一天,我在家接到梅丽莎的电话,她告诉我《纽约时报》的专栏作家莫琳·多德发表了一篇文章,批评我在公开场合说贝拉克随处乱扔袜子,不把黄油放回冰箱,这有损他的高大形象。对我来说,很重要的一点是人们应该将贝拉克看作一个人而不是超凡脱俗的救世主。莫琳·多德显然更愿意让我带着程式化的笑容,深情款款地注视着自己的丈夫。如此尖刻的批评是来自另一位职业女性,这让我感觉奇怪和悲哀,她根本没有打算了解我,就带着怀疑的态度来写我的故事。

我尽量努力不把这看成是针对我个人的,但有时很难做到。

随着每一场竞选活动的开展,每一篇文章的刊登,每一个我们取得进展的信号出现,我们变得更加易受攻击。围绕着贝拉克出现了一些疯狂的谣言:他是在一所激进的穆斯林宗教学校受的教育,宣誓进入美国参议院时手按的是《古兰经》;他拒绝背诵效忠誓词;他在播放国歌时不愿意把手放在左胸上;他在20世纪70年代有一个好朋友是恐怖分子。虽然一些有声望的新闻媒体会经常揭穿这些谎言,但它们仍然通过匿名的电子邮箱链接疯狂传播,不仅是卑劣的阴谋论者在转发,就连一些分不清事实和网上谣言的亲戚、同事和邻居也在转发。

贝拉克的安全是我不愿意去想的问题，更不要说讨论了。我们许多人从小就在晚间新闻上看到过多起刺杀事件。肯尼迪、马丁·路德·金、罗纳德·里根、约翰·列侬都遭到了枪击。如果你引起太多关注，你的人身安全就会有一定的风险。但是话说回来，贝拉克是一个黑人。这个风险对他而言不是什么新鲜事。"他在去加油站的路上都可能遭到枪击。"当人们提到这个话题时我有时会这样提醒他们。

从 5 月开始，贝拉克身边有了特工人员进行贴身保护。以前还没有哪个总统候选人这么早就得到保护，这离他成为候任总统还有整整一年半的时间，这也从侧面说明了针对他的威胁的性质和严重程度。贝拉克当时出行都坐着政府提供的线条流畅的黑色越野轿车，后面跟着一队穿着制服、戴着耳机的持枪的男女。他回到家后，会有一名特工在我家前廊上值勤。

就我自己来说，我从未感到不安全。随着我外出次数的增多，我所吸引的人也越来越多。曾经我在低调的家庭聚会上和二十个人见面，现在我在一个高中体育场上对几百人讲话。爱荷华州的工作人员报告说，我的讲话会带来很多的支持者（衡量标准是一些签名的"支持者卡片"，竞选团队会仔细地收集并跟进）。竞选团队开始称我为"收官者"，因为我能帮助人们下定支持贝拉克的决心。

我每天都在学习新经验——关于如何更高效地行动，如何不被疾病或者其他任何糟糕的情况拖慢速度。在吃过一阵路边小餐馆里的美味但不卫生的食物之后，我改吃麦当劳餐厅的芝士汉堡了，虽然谈不上好吃但起码安全系数高。坐车走在小镇之间颠簸的道路上，我学会了选择掉渣而不是乱溅的快餐，以免衣服被弄脏，因为我不想拍照时裙子上带着一块鹰嘴豆泥的污迹。我训练自己少喝水，因为路上几乎没时间去洗手间。我学会了听着午夜后行驶在爱荷华州际公路上的长途运输卡车的轰隆声入睡，以及无视隔壁房间（一个墙壁很薄的旅馆房间）里一对夫妇快乐地享受他们的新婚之夜。

尽管我的情绪起起伏伏，但是竞选的第一年还是充满了温暖的回忆和开心的笑声。我尽可能带着玛利亚和萨沙一起上路。她们的适应能力很强，喜欢旅行。记得有一次，那是新罕布什尔州的户外集会，我要去发表讲话，还要和选民握手，就把她们交给一位工作人员照看，他们去售货棚和供骑乘的游乐设施那里玩，稍后我们要会合，为一份杂志拍照。大约一小时后，我看到萨沙后，顿时乱了分寸。她的脸颊、鼻子和额头都被仔细地涂上了厚厚的黑白色颜料。她被画成了一只熊猫，还高兴得不得了。我立刻想到正等着我们的杂志工作人员，这个安排恐怕得打乱了。但是我回头看看萨沙那张小熊猫脸，长出了一口气，我的女儿很可爱、很满足。于是我大笑起来，然后到最近的一个房间帮她把那些颜料洗掉。

偶尔我们一家四口会一起旅行。竞选团队在爱荷华州租了几天的旅行房车，方便我们去各个小城镇做巡回宣传，在宣传间隙我们会玩让人振奋的优诺纸牌游戏[1]。我们在爱荷华州展览会上度过了一个下午，坐碰碰车，玩水枪，赢毛绒玩具，其间摄影师互相推挤争夺拍摄位置，相机镜头都快推到我们脸上了。真正好玩的时候是等贝拉克赶去下一个目的地之后，大批媒体、安保人员和工作人员都跟着他走了，我和女儿们就获得了自由。他一离开，我们就可以在游乐场里疯玩了，我们把脚放在麻袋里从一个巨型黄色滑梯上急速滑下，风在我们耳边呼啸。

我每周都会回爱荷华州，通过飞机舷窗可以看到季节的变换，大地

---

1 优诺纸牌游戏（UNO），于 1971 年由梅尔·罗宾斯发明，已经风靡全球数十年。由于游戏规则中，当玩家手上只余下一张牌时，必须喊出 "uno" 而得名。

慢慢披上了绿色的新装，大豆和玉米的新苗笔直地排列在庄稼地里。我喜欢那些整齐的几何形状的田地，还有一些五颜六色的饮料瓶一样的东西，后来才知道那是谷仓。笔直平坦的高速公路一直延伸到天边。我开始爱上了那里，即便我们在那里做了很多工作后仍有可能赢不了。

至此一年已经过半，贝拉克和他的竞选团队把大量资源都投放在了爱荷华州，但根据大多数民调结果，他依旧排在第二位或第三位，落在希拉里·克林顿和约翰·爱德华兹之后。虽然差距很小，但是贝拉克处于劣势。从全美国来看，形势更糟：贝拉克一直落后希拉里·克林顿整整十五至二十个点——每次我经过机场或者于竞选中间休息在餐馆看电视新闻时，都会被迫直面现实。

几个月前，我受够了美国有线电视新闻网、微软全国广播公司和福克斯新闻上无休无止、像狂欢节招揽顾客一样的评论，晚上在家时我把这些频道永久列入了黑名单，转而看能让我的情绪变得更平静的 E！频道和 HGTV 频道（美国家园频道）。说真的，在忙碌了一天后，没有什么比看一对年轻夫妇在纳什维尔找到梦想中的家或者一位年轻的准新娘挑中一件心仪的婚纱更让人放松的了。

坦白讲，我不相信专家的话，对民调结果也不是百分百相信。在我心里，我觉得它们都是错的。在毫无生气的都市录影棚里描述的氛围，跟我在爱荷华州的教会礼堂和康乐中心里感受到的不同。那些专家没有和那些自称"贝拉克之星"的高中生粉丝见过面，他们会在橄榄球训练或者戏剧俱乐部的活动结束后为贝拉克竞选团队做志愿者工作。那些专家也没有和那位白人握手，她憧憬着自己混血的孙辈能有一个更好的未来。他们似乎也没注意到我们的现场组织团队已经发展到多大的规模。我们当时在组建一个巨大的基层竞选网络——最终设立了三十七个办事处，约有两百位工作人员，这是爱荷华州党内预选历史上最大的竞选网络。

年轻人也站在了我们这边。我们这个团队的主力是怀抱理想、精力充沛的二十二岁到二十五岁的年轻人,他们放下手头的一切,开车来到爱荷华州加入竞选团队,每个人都和多年前受驱动到芝加哥来做组织工作的贝拉克有同样的基因。他们的精神和能力并没有被纳入民意测验的考虑范围。我每次去那里,跟那些真正相信我们的人互动时都能感受到一种强烈的希望,他们每晚都会花四五个小时登门拜访选民或者给他们打电话,就连最小最保守的镇子上也有他们建起的支持者网络,他们对我丈夫在大规模生猪饲养上的立场以及修复移民体系的计划都烂熟于心。

在我看来,那些负责管理办事处的年轻人是下一代领导人的火种。他们不知疲倦,并且被激励起来采取一致的行动。他们更加直接地将选民与他们的民主联结在了一起,不管是通过街上的办事处,还是通过网站自己组织会议或者给银行打电话。就像贝拉克经常说的,我们做的不是一场单纯的竞选,而是要让政治在未来变得更好——更少被金钱驱动,与普通人关系更加紧密,最终让人充满希望。即使我们最后没有赢,但我们取得了重要的进步。不管怎样,他们的工作都不会白做。

随着天气再次转冷,贝拉克知道他只剩最后一个机会扭转爱荷华州的选情,那就是在"杰斐逊-杰克逊纪念日"晚餐会上有亮眼的表现。这是民主党每年在各州都会举行的仪式。在爱荷华州,总统选举期间,它是在11月初举行的,距离1月的党内预选有大约八周时间,全美国媒体都会前来报道。仪式上,每个候选人都要发表演讲——不用笔记和提词器,而且要争取尽可能多的支持者到现场助威。本质上,这是一个候选人之间互相比拼的大规模动员大会。

几个月来,有线电视新闻的评论员一直在怀疑爱荷华州的人是否会在党内预选上支持贝拉克，他们旁敲侧击地说，虽然他是一个有实力的、不同寻常的候选人，但他仍然无法将热情转化为选票。而在"杰斐逊－杰克逊纪念日"晚餐会上聚集的人群，就是我们针对这种质疑给出的答案。大约有三千名支持者从全州各地开车赶来，这表明了我们既有组织性又有积极性——比任何人想象的都要强大。

那天晚上在台上，约翰·爱德华兹向克林顿"开炮"，委婉地谈到真诚和可信赖的重要性。乔·拜登看到数量庞大、喧闹吵嚷的奥巴马支持者，讥讽地笑道："你好，芝加哥！"希拉里·克林顿那天患了感冒，她接着乔·拜登的攻势攻击贝拉克。"'改变'不过是一个词而已，"她说，"如果你没有能力和经验让它发生的话。"

贝拉克是那天晚上最后一个讲话的，他对自己的核心主张进行了激动人心的辩护：我们国家到了一个关键时刻，我们不仅要摆脱布什政府——当然也包括克林顿政府执政时期——造成的恐惧和失败，还要弥合长久以来的政治分化局面。"我不想在明年或者接下来四年继续打和20世纪90年代一样的仗，"他说，"我不想让美国分裂成红色和蓝色两个对立的阵营，我想成为美利坚合众国的总统。"

观众席爆发出雷鸣般的掌声。我在台下看着，心里充满骄傲。

"美国，我们必须现在就行动，"贝拉克说，"我们必须现在就行动。"

他那天晚上的表现正是竞选所需要的，他在民调中一下子跃居首位。他在爱荷华州大约一半儿的民调中都处于领先位置，随着党内预选日渐临近，形势变得越来越好。

在圣诞节后，离爱荷华州的选举还剩大约一周时，我在芝加哥南城认识的人好像有一半儿都来到了天寒地冻的得梅因。我母亲和"凯伊妈妈"来了，我哥哥和凯莉带着孩子来了，萨姆·卡斯也来了。瓦莱丽早在秋天时就作为贝拉克的顾问加入了竞选团队。她带着苏珊、我的闺蜜团还有她们的丈夫和孩子也来到了这里，我在医院的同事也过来了，这让我非常感动，还有我们在盛德的朋友，以及和贝拉克在芝加哥大学做同事的法律教授。他们跟着竞选争分夺秒的步调，一起过来帮忙做最后的推动。他们向当地的办事处报到，在零度的天气里拜访选民，为贝拉克说好话，提醒人们去党内预选地点。同时，还有几百人从全国各地赶来，为了最后的一周，他们住在当地那些支持者空出来的卧室里，每天赶赴各处，连最小的镇子和碎石路最狭窄的路段也不放过。

我很少去得梅因参加竞选活动，这回我乘坐一辆租来的面包车，和梅丽莎、凯蒂一起穿梭于州内各个地方，一天做五六场活动，负责开车的是一组排好班的志愿者。贝拉克和我一样也在外面到处跑，他的嗓音开始变得沙哑。

不管我在外跑多远，每天一定会回到我们的家庭"基地"——西得梅因的居家宾馆，赶上玛利亚和萨沙晚上八点的睡觉时间。当然，她们几乎感觉不到我不在身边，白天有堂（表）兄弟姐妹、朋友和保姆同她们做伴，还可以在宾馆房间里玩游戏，或者到市区去玩。一天晚上，我打开门，正想倒在床上享受片刻的宁静，却发现房间里到处扔满了厨房的东西——擀面杖扔在床罩上，脏砧板放在一个小桌子上，厨房剪刀扔在地板上。灯罩和电视机屏幕上蒙着一层……那是面粉吗？

"萨姆教我们做面食来着！"玛利亚说，"我们有点得意忘形了。"

我大笑起来。我一直在担心女儿们怎么过这个圣诞节，这是她们第一个没去夏威夷和曾外祖母一起过的圣诞节。可喜的是，得梅因的一包面粉就很好地替代了威基基海滩的浴巾。

几天后的一个星期四，党内预选开始了。贝拉克和我在午餐时间去了得梅因市区的美食广场，接着我们又走访了好几处会议地点，去和尽可能多的选民见面。那天晚上，我们请亲戚和朋友们一起吃饭，感谢他们一直以来的支持，当时距离贝拉克在斯普林菲尔德宣布参选已经过去了疯狂的十一个月，是输是赢就看当晚的投票结果了。我提前离席，回到宾馆房间准备贝拉克当晚不管输赢都要作的演讲。不一会儿，凯蒂和梅丽莎进来了，带来了竞选战情中心的最新消息："我们赢了！"

我们欣喜若狂，大喊大叫，惹得特工人员敲门询问是否出了什么事。

在那一年最寒冷的几个晚上，爱荷华州的人走出家门来到当地的党内预选地点，投票人数破了纪录，几乎是四年前的两倍。贝拉克在白人、黑人和年轻选民中都获得了胜利。其中超过一半儿的人之前从未参与过党内预选的投票，而很可能就是这些人帮助贝拉克锁定了胜局。有线电视新闻的主持人也来到了爱荷华州，开始为我们这位轻松击败希拉里·克林顿和一位前副总统候选人的政治奇才大唱赞歌。

那天晚上，贝拉克在海威会议中心发表胜选演说时，我们四个人——贝拉克、我、玛利亚和萨沙——站在台上，我感觉好极了，虽然也有一点儿愧疚。我心想，也许贝拉克这些年来谈论的一切都是有可能实现的。他一次次赶去斯普林菲尔德，他为没能发挥足够大的影响而沮丧，他的理想主义，他真诚地相信人们可以求同存异，而最终政治可以发挥作用——也许他一直都是对的。

我们取得了一场具有历史意义的、影响深远的胜利——不只是对于贝拉克，不只是对于我，还有梅丽莎和凯蒂、普洛夫、阿昔洛和瓦莱丽，每一个年轻的工作人员，每一个志愿者，每一位教师、农民、退休人员、高中生，他们那天晚上都站了起来，迎接一个新时代的到来。

午夜过后，贝拉克和我赶到机场，离开了爱荷华州，我们知道，在几个月之内我们是不会回去了。我和女儿们将回到芝加哥的家，继续我们的工作和学习。贝拉克飞到新罕布什尔州，再过不到一周，那里将举行初选。

爱荷华州改变了我们所有人。尤其对我而言，它让我树立了真正的信心。我们当时的责任，就是要把这个信心分享给全美国其他地方的人们。在接下去的日子里，我们在爱荷华州的现场组织者会分头奔赴其他各州——到内华达州和南卡罗来纳州，到新墨西哥州、明尼苏达州和加利福尼亚州，继续传播那个已经得到证明的信息：改变真的是可能的。

17

　　我上一年级的时候，曾被班里一个男生一拳打在脸上。那一拳突如其来，而且力气很大。当时我们正排队去吃午饭，还讨论着大家六七岁时最关心的事情——比如谁跑得最快，为什么蜡笔颜色的名字都那么怪——然后砰的一声，我就被打了，而且无缘无故。我忘了那个男生叫什么名字，只记得当时疼痛难忍，目瞪口呆地盯着他。我的下嘴唇肿了起来，眼泪也涌了上来，但当时我因为太震惊，以至于忘了生气，直接跑回了家找我母亲。

　　老师跟那个男生谈了话。母亲也私下里去学校见了见他，以确定他到底给我带来了怎样的威胁。"南城的"那天刚好也在我家，一向慈祥的他那次也被惹毛了，坚持要和我母亲一起去学校。具体情况我不清楚，总之大人之间谈了话，也采取了一些惩罚措施。之后那个男生讪讪地向我道了歉，大人们也告诉我，往后不必怕他。

　　那天晚上，母亲在厨房里一边做饭，一边告诉我："那个男生只是因为别的事情又害怕又生气，和你没关系。"说这话时，她摇了摇头，似乎不愿告诉我更多内情，"他自己的生活才真是一团糟。"

　　我们就是这样谈论霸凌的。我当时还小，这样说比较容易理解：霸凌就是有些人心里害怕，所以去吓唬别人。在与我家相邻的一个社区里住着一个凶巴巴的女孩，名叫迪迪，她就是这样；还有我的祖父，他对自己的妻子都那么粗鲁又刻薄。他们之所以咄咄逼人，是因为内心充满了恐惧。面对这样的人，能躲就躲，躲不开就正面和他们对抗。我母亲是那种很想把"待人如待己"这类箴言刻在自己墓碑上的人。她认为处理这类情况的关键，是永远不要让恶霸的辱骂或欺凌真正影响到你。

如若不然，你会伤得很重。

这成了我日后生活中一项巨大的挑战。尤其在我四十岁出头、帮助我丈夫竞选总统时，我想起一年级排队吃午饭的那天，想起平白无故遭到攻击的我有多困惑，而脸上突然挨一拳的滋味有多痛苦。

2008 年里大多数的时间，我都尽量让自己不要害怕重拳。

我先说说那一年里高兴的事儿，因为那年确实有很多美好的回忆。7 月 4 日，我们去了蒙大拿州的比尤特。那天刚好也是玛利亚的十岁生日，距离大选还有四个多月。比尤特是个风格粗犷且历史悠久的小镇，曾经主营铜矿开采，它坐落在灌木丛生的蒙大拿州的西南角，远远望去能看到落基山脉黝黑的山脊。在我们原先的竞选设想中，比尤特的情况是摇摆不定的。上届选举中，蒙大拿州支持的是共和党候选人乔治·W.布什，但这儿也曾有过民主党人当选州长的先例。考虑到这一点，贝拉克此番前往很有必要。

贝拉克每天每分钟如何度过，都是精心计算过的，当时这种情况比以往更甚。他时刻受人关注、指点、评估。人们记录他去了哪些州，在哪家餐厅吃早餐，点了哪种肉配煎蛋。他身边大概有二十五个记者不间断地跟着，他们坐满了竞选专机的后舱，将小镇旅店的走廊和餐厅围得水泄不通，从上一站跟到下一站，用笔记录下一切。总统候选人哪怕得了感冒，也会被大肆报道。有人理发贵了点，或是去星期五餐厅点了法式第戎芥末酱（贝拉克多年前曾这么干过，最后上了《纽约时报》的头条），立马就会被报道出去，然后引发网上各式各样的解读。这个候选人软弱无能？他是个小人？是个骗子？他真的是美国人吗？

这只是过程中的一部分，我们都明白这是为了检验你是否具备领导这个国家，甚至代表这个国家的韧性，感觉就像每天给你的灵魂做透视，一遍遍地扫描，不放过任何差错。如果你不首先接受美国人民的全面审视，你就不会当选。这种审视贯穿了你过去的人生，包括你的社会关系、职业选择还有纳税申报单。尽管争议重重，但这种审视比以往任何时候都更强烈，更容易被操控。当时我们正进入一个点击量就代表着标准和金钱的时代。脸书刚刚成为主流，推特相对来说是个新事物。大多数美国成年人都有手机，大多数手机都有摄像头。我们那时正站在一个全新时代的边缘，我不确定我们是否真的了解这一切。

贝拉克不只是想赢得民主党选民的支持，他在向全美国示好。在爱荷华州进行的党内预选，是一个有多煎熬、多残酷，就有多振奋人心的决定性阶段。从 2008 年年初的寒冬一直到春天，贝拉克和希拉里·克林顿在每个州都交过手，通过那些来之不易的选票角逐看谁能成为打破历史的总统候选人。（约翰·爱德华兹、乔·拜登和其他竞争者都在 1 月底相继出局。）两位候选人激烈交锋，2 月中旬，贝拉克以微弱但具有决定性的优势领先。"他现在是总统了吗？"随后几个月里，当我们出现在不同的场合，四周响起庆祝的音乐时，玛利亚总会这样问我。她的小脑袋无法理解这一切，除了最终的目标。

"好吧，那么他现在是总统了吗？"

"不是，亲爱的，还不是。"

直到 6 月，希拉里·克林顿才承认自己在党内初选中败北。她迟迟不肯认输，浪费了宝贵的竞选资源，致使贝拉克无法将竞选重心转向对手——共和党人约翰·麦凯恩。这位一直以来在亚利桑那州任职的参议员，早在 2008 年 3 月就稳居共和党的总统候选人之位。他以一名特立独行的战争英雄的身份参选，倡导过两党合作，在维护国家安全方面资历雄厚。所有这些都表明，他的领导方式将不同于乔治·W. 布什。

我们选择在 7 月 4 日国庆日到达比尤特有两个目的——当时几乎所有的举动都有双重目的。之前四天，贝拉克在密苏里州、俄亥俄州、科罗拉多州和北达科他州参加竞选。他根本无法抽出时间给玛利亚过生日，更何况在如此有象征意义的一天，他绝不能离开选民的视线。因此，我们就坐上飞机去看他，这样一举两得——全家人既能在一起，又能出现在公众的视野里。随行的还有贝拉克同母异父的妹妹玛雅、她的丈夫康拉德，以及他们可爱的女儿——四岁的瑟哈拉。

孩子出生在重大节日的父母都知道，庆祝生日和庆祝节日这两件事一定要区分开。好心的比尤特市民似乎很清楚这一点。当地主街两旁的商店橱窗里，贴满了"玛利亚生日快乐"的横幅。当我们一家人坐在露天看台上观看国庆游行时，行人纷纷在低沉的鼓声和"扬基小调"的笛声中高呼着向她送祝福。大家对我们的女儿很友好，对我们也很尊重，即使他们坦白承认，投票给任何一个民主党人都跟他们的传统背道而驰。

当天晚些时候，竞选团队举行了一次野餐，场地选在了一块开阔的空地上，从那里可以看到作为大陆分水岭的雄壮山脉在天边起伏绵延。这次活动是为当地的数百名支持者举行的集会，同时也是为玛利亚举办的生日庆典。所有出席的人都让我感动，但与此同时，我有一种更亲密、更迫切的感觉，这与我们在哪里无关。那一天，为人父母所感受到的那种令人惊异的柔情深深地触动了我。你突然注意到，你的孩子已经长大了，他们肉乎乎的四肢开始变得修长，她们的眼光变得更有智慧。奇妙的时间转换就这样发生了。

对我而言，2008 年 7 月 4 日是我们跨过的最重要的一道分水岭：十年前，贝拉克陪着我在产房时，我们以为自己对这个世界很了解，但其实当时的我们什么也不懂。

过去十年的大多数时间，我都在尽量平衡家庭和工作之间的关系，想着如何让玛利亚和萨沙感受到爱和陪伴，如何在工作中有很好的表现。如今我的重心发生了变化：我要在为人父母和其他一些截然不同但更令人困惑的事情之间取得平衡——比如政治、美国，还有贝拉克的雄心壮志，他生活的巨大转变、竞选活动的种种需求以及我们一家的曝光率，这些似乎都在与日俱增。爱荷华州的党内预选结束后，我决定从医院离职，因为我知道我不可能继续待在那里保持高效的工作状态。这场竞选正在慢慢地消耗着一切。爱荷华州的活动结束后，我忙到甚至没时间回医院的办公室收拾东西，也没时间跟同事好好道别。我成了全职妻子兼母亲，尽管身为妻子的我肩负重任，但身为母亲的我仍想尽力保护好我的孩子，不让她们被这重任压垮。放弃工作曾让我痛苦不已，但我别无选择：我的家人需要我，这对我来说高于一切。

这一刻，我在蒙大拿州的竞选野餐上，和一群几乎不认识的人一起为玛利亚唱生日快乐歌。她坐在草地上，面前的盘子里放着一个汉堡，笑得很开心。我知道，选民们都看到了我们可爱的女儿，以及我们其乐融融的家庭氛围。但我总是在想，在女儿们看来这究竟是怎样一番景象。我想减少这种愧疚感。我们计划着周末再办一个真正的生日宴会，邀请一大群玛利亚的朋友来我们芝加哥的家中过夜，把政治什么的都抛到一边。我还计划着晚上一家人在旅馆里好好聚一聚。下午晚些时候，女儿们在野餐的地方跑来跑去，贝拉克和我则不断地跟那些潜在的支持者握手、拥抱。我一直在想，以后她们想起这次活动，会觉得有趣吗？

那些日子里，面对萨沙和玛利亚，我心里产生了前所未有的保护欲。跟我的处境一样，总有陌生人喊她们的名字，还有人想碰触她们，跟她们拍照。入冬以来，政府的人认为我跟女儿们的曝光率很高，因此派了特工保护我们。这意味着当萨沙和玛利亚去上学或去参加夏令营时，以往只是外祖母接送她们，以后后面则会跟着特工的车。

野餐时，我们每个人都有一名贴身特工，密切注意着潜在的各种威胁，如果有人表现得过分热切，就会遭到他们谨慎地询问。好在女儿们似乎没把他们当警卫，只把他们看作成年的朋友，是随我们出行的越来越多的友好的人中的一员，与其他人的区别只是他们戴着耳机，并且非常警觉。萨沙总是称呼他们为"神秘人"。

女儿的陪伴让竞选的过程轻松了不少，因为结果如何对她们来说并不重要。对我和贝拉克来说，这是一种安慰——有她们在就是一种提醒，不管怎样，一家人在一起比支持者暴增或票数暴涨都重要。两个女儿谁都不关心爸爸闹哄哄的竞选，也不在乎建立更好的民主制度，或是住进白宫，她们只想要（而且是非常想要）一只小狗。安静的时候，她们就和团队里的人玩接龙或纸牌游戏；再就是强调，无论去哪里，那附近一定要有冰激凌店。除此之外，其他一切对她们而言只不过是噪音。

直到今天，玛利亚和我一想起爸爸问她竞选总统怎么样时她才八岁，就觉得好笑。当时贝拉克一定是感到了某种责任感，于是在哄她睡觉时说："如果爸爸去竞选总统，你觉得怎么样？"他问她，"你觉得这主意好吗？"

"当然好啊，老爸！"说完，她亲了他一下。她怎么会知道，爸爸竞选总统的决定会彻底改变她以后的生活？她只是翻了个身，随后就进入了梦乡。

在比尤特那天，我们参观了当地的采矿博物馆，打了水仗，还一起踢了足球。贝拉克发表了竞选演说，跟往常一样会见了无数人，但他照样回到了我们中间。萨沙和玛利亚跟他扭成一团，她们天真的想法逗得他笑个不停。看着他笑容里的神采，我真心感叹他总能排除外部的干扰，抓住一切机会做个好父亲。他也跟玛雅和康拉德聊了聊，并且无论我们去哪儿，他总会一只手揽着我的肩膀。

我们一家人根本没办法独处。团队辅助我们竞选，特工保护我们的安全，媒体等着采访，观众远远地拍下我们的照片，但这并不是我们的常态。随着竞选的推进，我们的生活逐渐制式化，隐私和自由渐渐离我们而去。我跟贝拉克几乎将我们生活的方方面面，都交到了一群二十岁出头的年轻人手里。他们学识过人、卓尔不群，但他们不会明白，失去对自己生活的控制权有多令人难过。如果我需要什么东西，只能请人去商店帮我买；如果我想跟贝拉克说话，必须通过一名年轻的工作人员跟他联系。我的日程上，总是出现一些我根本不了解的事项和活动。

但生活还得继续，我们逐渐学会了在更公开的环境下生活，学着接受竞选本来的模样。

那天下午快结束时，我们一家四口——我、贝拉克和两个女儿——接受了电视采访，这还是头一次。通常我们不会让媒体接近孩子，只有出席公共竞选活动时，才允许他们照几张相。这次不知为何，我们竟然答应了。当时团队的人觉得，让公众看到贝拉克作为父亲的一面是件好事，而我也觉得这样做没什么坏处，毕竟他是真的爱孩子，他爱所有的孩子，这恰好能证明为什么他会是一位很棒的总统。

我们在《通往好莱坞》的节目上与玛丽娅·曼努诺斯聊了大概十五分钟。我们四个人坐在一张铺有装饰布的公园长椅上，看起来很有节日气息。玛利亚扎了辫子，萨沙则穿了一件红色的无袖连衣裙。她们俩还是跟往常一样天真可爱。曼努诺斯人很亲切，访谈氛围很轻松，但我们家的"小教授"玛利亚对每个问题都要认真思考之后，才郑重作答。她说爸爸有时候会想要跟自己的朋友握手，这让她觉得很尴尬；她还说爸爸把竞选用的行李堵在门口，大家都觉得很烦。萨沙尽量让自己乖乖坐着，认真听讲。她只打断过一次，就是转过头问我："什么时候能吃冰激凌啊？"其他时候，她都在听姐姐讲话，偶尔补充一些她突然记起来的不相干的细节。有个话题快聊完时，她突然报告说"爸爸有次理了爆炸头！"，逗得大家都笑了。

几天后，我们的采访在美国广播公司电视台分成四段播出，引起了极大的反响。其他新闻媒体也趁势而来，纷纷打出诸如"奥巴马女儿首次亮相电视采访""奥巴马女儿一吐为快"这样令人腻烦的标题。突然之间，全世界的报纸都在刊登玛利亚和萨沙的无忌童言。

贝拉克和我立马对自己的所作所为感到后悔。那次采访没有任何不妥，既没有爆炸性的提问，也没有披露任何特别的细节，但我们仍然觉得自己错了，过早地把她们暴露在公众的视野里，而她们根本不懂这意味着什么。电视里的内容不会伤害到萨沙和玛利亚，但已经传遍了世界，并且将永远保留在网络上面。我们把两个女儿带入了并非她们自己所选的人生，还没考虑清楚，一切就已经发生了。

后来，我渐渐熟悉了这一切。我们生活在大家的目光下，一切也因此变得充满了某种能量。奥普拉·温弗瑞发短信鼓励我；史提夫·汪达，我儿时的偶像，在竞选活动中登台演唱，并且直呼其名地跟我开玩笑，仿佛我们已经认识了很久。巨大的关注让我无所适从，特别是我感觉，我们并没有做什么值得如此关注的事。我明白，我们被拥上高台，不仅是因为贝拉克强大的竞选宣传，更是因为这个重大历史时刻的潜在影响和象征意义。如果美国选举出第一位黑人总统，就不只关乎贝拉克个人，而是关系到整个美国。对许多人来说，无论出于什么原因，这都意义重大。

当然了，对这一切感受最深的是贝拉克——众人追捧的背后，不可避免地伴随着另一部分人的吹毛求疵。你越受欢迎，憎恨你的人就越多。这几乎是条不成文的规律，在政界尤甚。对手们会花重金做反对研究——雇用调查员将候选人的背景查个底儿朝天，寻找任何疑似污点的证据。

我跟我丈夫生来性格不同，这也是为什么他选择了从政而我没有。谣言和中伤像毒气一样充斥在竞选中，他对此非常清楚，却几乎不受影响。他经历过各种竞选。他会研究政治史，并拿其中的情景自嘲。总而言之，他是那种不会轻易被怀疑或伤害这种抽象的事情影响的人。

相反，我还在学习如何面对公众的生活。我自认为是一位自信、成功的女性，但我也一直是那个告诉大家我以后要当儿科医生，保持着完美的学校出勤记录的乖孩子。换句话说，我很在意别人的看法。小时候的我一直在追求肯定，我的目标就是作业要拿金星，避免一切社交冲突。长大以后，我不再严格地以这样的教条和标准来评价自己，但我仍然相信，只要我勤勤恳恳、老老实实，就不会遭受霸凌，就能永远自在地生活。

然而，这种信念就要破灭了。

贝拉克在爱荷华州取得胜利后，我的竞选演说的号召力也愈发强大，几乎跟听众人数一起成比例增长，一开始是几百人，后来发展到上千人甚至更多。记得有一次，我和梅丽莎、凯蒂一起去特拉华州参加活动，车停下后，我看到大家排着有五人那样宽的队，从马路这头排到那头，等着进入已经拥挤不堪的礼堂。这让我非常震惊，同时也非常高兴。我告诉所有人：他们为贝拉克的竞选所倾注的热情和努力让我自叹不如。我的付出，远比不上他们为帮助贝拉克获选每天所做的努力。

鉴于我在爱荷华州奉行的竞选理论收效不错,轮到我进行竞选演说时,我特意设定了一个松散的演说结构。我没有用提词器,也并不担心自己的演说是否稍稍离题。我的词句未经修饰,也不像我丈夫那样雄辩有力,但我说的都是发自内心的话。我谈到自己最初对政治进程的怀疑正一周周逐渐消失,取而代之的是鼓舞和希望。我意识到,我们中的许多人都有着同样的挣扎,都关心自己的子女,都担心未来会如何。跟我一样,很多人都相信:贝拉克是唯一一个能真正带来变革的总统候选人。

贝拉克主张从伊拉克撤军,主张取消乔治·W. 布什颁布的针对超级富豪的减税政策,主张在全美推行基本医疗保险制度——这些听起来似乎遥不可及,但每当我看到礼堂里那些热切的支持者,就觉得也许我们已准备好摒弃异议,让这一切成为现实。礼堂里洋溢着自豪感,大家团结在一起。那种乐观向上的情绪一直在蔓延,令人振奋。我像冲浪一样尽情地沉浸其中。每到一站我都大声宣布:"希望又回来了!"

2月的一天,我正在威斯康星州,贝拉克的沟通团队打电话给凯蒂说出了问题,在那几个小时之前我在密尔沃基的一家剧院发表的演说,其中明显有一些存在争议的内容。凯蒂和我都感到很困惑。我在密尔沃基的演说跟我刚在麦迪逊的演说并无区别,几个月来,我对所有人作的演说都是如此。之前一直没事,这会儿怎么会出问题了呢?

随后,我们知道哪里出了问题。有人将我那段将近四十分钟的演说做了剪辑,剪出一个十秒钟的视频,去掉了上下文,只强调了个别语句。

这些截取自我在密尔沃基和麦迪逊演说的视频片段迅速流传开来,集中在我谈论自己有多骄傲。那天我的原话是:"今年我们发现,希望又回来了!我要告诉大家,这是我长大以来,第一次真正为我的国家感到骄傲。不仅是因为贝拉克做得很好,还因为我发现大家都非常渴望变革。我期盼我的国家能朝着这个方向前进,也不再因挫败和失望而感到孤独。我看到大家因为一些基本的共同问题如此渴望团结在一起，这令我无比骄傲。仅仅是见证这一切就让我倍感荣幸。"

但这些大部分都被剪辑掉了，包括我所说的希望、团结以及我有多么感动。所有的注意力都集中在了一件事上。在那些视频里——保守派的广播和电视节目已经将它传得面目全非——人们听到的是："这是我长大以来，第一次真正为我的国家感到骄傲。"

我都不需要看新闻，就知道这会带来怎样的曲解。"她根本不爱国。""她一向憎恨美国。""这才是她的本来面目。""其他那些不过是作秀罢了。"

这就是那年我遭受的第一记重拳，而且看起来是我自作自受。我忘了演说时每句话都要仔细斟酌，只想着让自己看上去随和一些。无意间，别有用心的人拿这句话给了我一击。跟一年级时的情况一样，我完全没想到会这样。

当晚我乘飞机回到芝加哥的家中，心里满是内疚和沮丧。我知道梅丽莎和凯蒂一直在偷偷通过手机跟进那些负面新闻，并小心翼翼地不让我知道，因为她们明白这只会让情况变得更糟。那年的大部分时间我们都在一起工作，一起走了数不清的路程，永远在跟时间赛跑，以便我晚上能回家照顾孩子们。我们辗转于全美国各个礼堂，吃快餐食品吃到想吐，出席那些在豪宅里举办的募捐晚会时，还要时不时提醒自己别只顾着发呆。当贝拉克和他的竞选团队坐着专机和巡回大巴四处演讲时，我们还在机场慢吞吞地排队，脱了鞋子接受安检，只能乘坐美联航或西南航空的经济舱；有时还要等着好心的志愿者接送我们往返于几百英里外的活动现场。

我原本以为我们大体上做得还不错。我曾见过凯蒂站在椅子上，大喊着让那些年龄两倍于她的摄影师们遵守秩序，服从指挥，或是痛斥那些提出过分问题的记者。我也看到了梅丽莎如何规划我行程的细节，将一天中的各种活动安排得井然有序，不断地敲着手机键盘以确保无虞，还要保证我不错过孩子们的学校演出、老朋友的生日或是去健身房的机会。她们拼尽了全力，牺牲了自己的生活，只为了维持我在公众面前的形象。

当晚我坐在飞机上，机舱灯照着我，我一直担心那句蠢话会把一切都搞砸。

到家后，我把女儿们哄睡后，又把母亲送回了她在欧几里得大道的家。做完这一切，我拨通了贝拉克的电话。那是威斯康星州预选的前一晚，当时票数追得很紧。在党内代表的票数上，贝拉克以微弱的优势保持着领先，但希拉里·克林顿一方一直在大肆批评贝拉克，攻击他的医疗保险方案，指责他不愿跟她多做辩论。风险太大了，贝拉克的竞选真的经不起任何拖后腿的行为。我就自己演说的事情跟他道了歉。"我不知道自己做错了，"我说，"这几个月来我都是那么说的。"

当晚，贝拉克正从威斯康星州赶往得克萨斯州。我几乎能感觉到电话那头的他耸了耸肩。"听着，这是因为你的听众太多了。"他说，"你已经成了竞选中不可忽视的力量，所以人们才会关注你。这都是很自然的现象。"

跟我们每次说话时一样，他感谢了我为此付出的时间，又说他很抱歉让我经历这些。"我爱你，亲爱的，"挂电话前他告诉我，"我知道这让人很难过，但会过去的。事情总会过去的。"

.... * ....

关于这件事，贝拉克既是对的，又是错的。2008 年 2 月 19 日，贝拉克以明显优势赢得威斯康星州的预选，我的言行似乎没有对他造成影响。同一天，辛迪·麦凯恩在发表公众演说时抨击我说："我为我的国家感到骄傲。我不知道你是怎么想的，有没有听清楚我之前说的话——我为我的国家感到非常骄傲。"美国有线电视新闻网说我们是"假装爱国的小人"，许多博主也跟着以讹传讹。但大概一周后，大多数非议就平息了。贝拉克和我都告诉媒体，我觉得骄傲是因为看到许多人拿起电话参与竞选，或是跟邻居讨论，并因为参与到民主建设中而变得愈加自信。我的确是第一次如此深切地感受到这些。之后，我们便投入到接下来的活动中。我在演说中的言辞更加谨慎，但我的本意一如既往，我仍然倍感骄傲，这些都没有变。

然而一粒邪恶的种子自此生根发芽——我给人们留下了这样的印象：满腹牢骚，充满恶意，根本不像期待中的那样得体。无论是贝拉克的竞争对手还是别的散播者，这些谣言和指向性极强的评论，大多数都有些微种族色彩，旨在挑起公众内心最深处的最丑陋的恐惧。"别让黑人当政。""他们跟你们不是一伙人。""他们想要的跟你不一样。"

而美国新闻网的做法让这一切雪上加霜。他们梳理了耶利米·莱特牧师长达二十九小时的布道内容，其拼凑出的场景异常刺眼，显得这位牧师冷酷又无理，将愤怒和怨恨全部发泄在了美国白人身上，仿佛所有痛苦都是他们造成的。贝拉克和我看到后大吃一惊，这位牧师曾主持过我们的婚礼，还曾为我们的女儿施行洗礼，在那二十九小时的布道内容里却显出了他最糟糕又最疑神疑鬼的一面。其实我和贝拉克的家人中，都不乏戴着愤怒和怀疑的有色眼镜看待种族问题的人。我曾感受过祖父长久以来的怨恨，就因为他的肤色，他一直找不到什么好工作。我也了解过"南城的"的顾虑，他担心自己的孙子住在白人社区不安全。贝拉克也一样，他曾听见过他的白人外祖母随意地将黑人一概而论，并且向自己的黑人外孙坦白说，有时候在街上碰到黑人令她很害怕。我们跟家族中某些保守有偏见的长辈生活了许多年，也能理解他们做不到宽容，特别是对那些经历过种族隔离时代的长辈而言。也许正因为如此，我们忽视了耶利米·莱特牧师那滔滔不绝的布道中最为荒谬的部分，即使那些有问题的布道我们一场也没有参加过。看到他那些尖刻的言论以如此极端的形式出现在新闻上，我们真是胆战心惊。整个事件提醒我们，我们美国对种族问题的扭曲是双向的——怀疑和成见始终是双向的。

与之同时，有人找出了我在普林斯顿大学的毕业论文。那是我二十多年前写的——一篇关于普林斯顿的非洲裔美国同学在入学后如何看待种族和身份的调查。我一直不明白，保守派媒体为何把我的这篇论文当作某个秘密的黑人宣言，或是某个挖掘出来的威胁。这已经是 21 世纪了，搞得好像我不去努力在社会学课上得 "A"，或者去申请哈佛法学院，反而跟领导了黑人起义的奈特·特纳一样，还在密谋某种推翻白人的计划，并且终于借着我的丈夫展开了行动。有位名叫克里斯托夫·希钦斯的人写了一个在线专栏，副标题就是：耶利米·莱特的丑剧是否受到了米歇尔·奥巴马指使？他将大学时期的我批得体无完肤，说我深受黑人激进分子的影响，文章也写得一塌糊涂。"说这篇论文读不下去是不恰当的，"他写道，"严格来讲，根本就没法'读'，因为它不是用任何已知的语言写的。"

我不仅被说成外人，而且还被当作 "异类"，差异大到连语言都不通。这无疑是狭隘又荒唐的侮辱，但他对我智力的奚落和对年少的我的排斥，带来的则是更严重的轻视。如今大家都认识贝拉克和我，要无视我们是不可能的。但是，如果我们被视作异类和入侵者，那我们的影响力很可能会荡然无存。这意思已经很明显了，其实他就是想说：我们不是自己人。"德拉吉报道"的网站刊登了一张贝拉克任参议员时出访肯尼亚的照片，照片上他戴着当时别人送给他的头巾，穿着索马里的传统服饰。网站此举不过是想重新挑起那个老掉牙的阴谋论：贝拉克是个秘密的穆斯林。几个月后，网上又充满了匿名散布的毫无根据的谣言，怀疑贝拉克的美国公民身份，说他并非出生在夏威夷，而是出生在肯尼亚，如此一来他根本没有资格参选。

参加俄亥俄州、得克萨斯州、佛蒙特州和密西西比州的预选时，我一直在谈论乐观和团结，也感受到了人们在竞选活动中凝聚起来的对变革的积极性。然而，那些尖锐的反对我的声音似乎越来越大。福克斯新闻台说我"好斗又易怒"；一条谣言在网上炸开了锅，说有视频证明我称白人是"白鬼"。如此稀奇古怪的谣言真是毫无根据。6月，贝拉克终于拿下了民主党的候选人提名，在明尼苏达州的一场活动上，我开玩笑地跟他碰拳以示庆祝。这个举动随后也上了头条，并被福克斯新闻台的某个评论员解读为"恐怖分子间的碰拳"，再一次向公众暗示我们是危险分子。这家电视台还打出新闻字幕，说我是"奥巴马家的代孕妈妈"，借用这套关于美国黑人群体的陈旧观念，要将我异化排除出我的婚姻。

我越来越疲惫，并非在体力上而是在精神上。一次次的重击让我非常痛苦，尽管我明白，这些攻击并非冲着真实的我而来。就好像有一个卡通版的我在那里肆虐，一个我常有耳闻但素不相识的女人——一个巨大、凶猛、随时准备虐杀的怪兽一样的政治家夫人，名叫米歇尔·奥巴马。同样令人痛苦的是，我的朋友有时会打电话向我倾诉他们的担忧，告诉我一堆他们认为我应该转达给贝拉克的竞选经理的建议，或者在听到关于我、贝拉克或竞选状况的负面新闻报道后，希望我能安慰一下他们。当那个关于有视频证明我说"白鬼"的谣言出现后，一位非常了解我的朋友打了电话过来，很明显她担心谣言是真的。我不得不花了半个小时，告诉她我真的没有变成种族主义者。谈完之后我挂上电话，感觉心力交瘁。

总而言之，我觉得要输了，再多的信念或努力都无法让我挺过批评者对我的诋毁。我是女性，我是黑人，我意志坚定，对某些固执己见的人来说，这些只能代表我满腔"怒火"。这是另一种极其有害的陈词滥调，一向被用以将少数族群的妇女扫除出界；这是一个忽略我们声音的无意识的信号。

当时我真的有些生气了，这让我感觉很糟糕，就好像那些抹黑者关于我的预言全部应验了，我要投降了。不要小看偏见的力量，它能像陷阱一样将人困住。有多少"愤怒的黑人女性"被困在这个说法的逻辑死结里！如果没人肯听你的声音，为什么不大声点儿？如果你被形容为愤怒的或情绪化的，那你正常做出的反应，不是恰好会强化他们的这种印象吗？

我疲于应付这些卑鄙的行径，当时它们已演变成了人身攻击，我更是无力招架，感觉自己没有任何退路。5月，田纳西州的共和党放出了一段在线视频，重播了我在威斯康星州对着成群的支持者所说的话，"这是我长大以来，第一次真正为我的国家感到骄傲"。美国国家公共广播电台的网站文章打出了这样的标题"米歇尔·奥巴马是财富还是负担？"底下用加粗字体列出了关于我的争论："她的言辞体现出的是令人耳目一新的真诚还是过于直白？"还有"她的长相：到底是大气还是吓人？"

老实说，这种话题真的很伤人。

有时我会把自己的处境归咎于贝拉克的竞选。我知道我比许多候选人的配偶都活跃，这就招致了更多的攻击。我本能地想要回击，公开抗议那些谎言和不公平的泛泛之谈，或是让贝拉克作些说明。但他的竞选团队一直告诉我，最好的做法是不回应，该做什么做什么，对所有的攻击全部接受。他们一贯的口头禅是"这不过是政治而已"，就好像我们对此毫无办法，好像我们搬到了一颗新的星球上，一座名叫"政治"的城市中，任何正常规律在这里都不适用。

每当我的精神备受煎熬的时候，我就会通过蔑视自己来自我惩罚：这不是我自己选择的。我从来就不喜欢政治。我辞去了工作，全身心投入到这场竞选中，结果如今倒变成了负担？我原本的能力到哪儿去了？

一个星期日的晚上，贝拉克回到芝加哥的家中稍作休息。我们坐在厨房里，我将自己的沮丧和盘托出。

"我没必要参加了，"我告诉他，"如果我对竞选不利，那我究竟为什么要参加呢？"

我解释说，媒体无穷无尽的追问，以及使用紧巴巴的预算四处奔走，都让梅丽莎、凯蒂和我感觉很受挫。我没想把事情搞砸，我想支持他，但如今只是应付眼下的麻烦，就已经让我们没有时间和资源做更多了。还有越来越多的关于我的非议，我厌倦了自己被人肆意攻击，厌倦了完全被当作另一个人看待。"我可以待在家里陪孩子们，如果那样更好的话。"我告诉贝拉克，"我还是做个普通的妻子，只在大活动上现身和微笑就好了。这样也许对所有人都更好。"

贝拉克体贴地听着。我看得出来他很累，急需上楼好好睡一觉。我很讨厌有的时候把家庭生活和政治生活搅在一起。他每天要处理的事情瞬息万变，要与选民进行很多次互动活动。我不想变成他的又一个负担，但话说回来，我的生活现在已经被他的那个世界吞没了。

"你要知道，米歇尔，你绝对是财富而不是负担，"他说，看上去很受挫，"但如果你想停下或慢慢来，我完全理解。你想做什么都可以。"

他告诉我，永远不要觉得受制于他或者是受制于竞选机制。如果我想继续，但是需要更多支持和资源的话，他会想办法帮我解决。

这让我感到安慰，虽然只是一点点。我仍觉得自己是那个排队吃午饭时，猛然挨了一拳的一年级学生。

但有了这点安慰，我们就把政治抛到一边，拖着疲惫的身体上床睡觉了。

之后不久，我去了大卫·阿昔洛在芝加哥的办公室，跟他和瓦莱丽坐在一起看了我出席公众场合的录像。我现在意识到，那是一次指导，是要告诉我竞选中的哪些部分是我可以掌控的。他们俩都肯定了我的努力，以及我有效地将贝拉克的支持者团结在了一起。但是随后，播放到我的竞选演说时，阿昔洛关掉了声音，以便我们仔细看我的肢体语言，尤其是面部表情。

我看到了什么？我看到自己演说时带着紧张和执念，并且一刻都不放松。我一再提及美国人民正面对的艰难，比如学校里的不公平现象和我们的医疗体系。我的表情显示出我认为一切问题都已严重到生死攸关的地步，以及摆在国家面前的选择究竟有多重要。

就人们对女性的一贯印象而言，这样的表情太严肃、太沉重了。我以陌生人的眼光去看自己的表情，特别是在说那些令人不快的内容时。我终于明白为什么我的反对者可以剪辑这些录像，并且在公众面前把我描绘成一个愤怒的女魔头了。这无疑是另一种偏见、另一处陷阱。要忽视一个女性的声音，最简单的做法就是将她包装成一个泼妇。

从来没有人指责过贝拉克表现得过于严肃或笑得太少。我只是他的妻子，不是候选人，或许大家期望我能带来更欢快和轻松的氛围。而且，如果想要知道女性在只讲政治的星球上的遭遇，只需看看睿智又上进的众议院议长南希·佩洛西，是如何总被形容为一个悍妇的；或者看看希拉里·克林顿在每次竞选活动之后，被电视红人和意见领袖反复解读时的遭遇。人们借鉴了所有对女性最坏的成见，无情地利用希拉里·克林顿的性别来攻击她——说她盛气凌人，说她喋喋不休，说她是个贱人。希拉里·克林顿是贝拉克的竞争对手，因此我当时自然不会跟她亲近，但是我非常钦佩她能站出来，坚持反抗仇视女性的现象。

与阿昔洛和瓦莱丽一起看录像的那天，我的眼睛被泪水刺得生疼。我非常沮丧。那时我终于明白，我完全没有掌握政治表演那一套。而这一年多来，我已经做了无数场演说。我意识到，在爱荷华州那些小礼堂里，我在尽力跟听众沟通。而在更大的场地中，要传达温暖无疑更难。听众越多，演说者的表情就要越鲜明，对此我需要好好下一番功夫。然而，我担心事到如今已经太迟了。

瓦莱丽，这位跟我认识了超过十五年的好朋友，过来握住了我的手。

"你们为什么不早点告诉我？"我问道，"为什么没有人肯帮我？"

我得到的回答是之前大家没怎么关注这些。贝拉克的竞选团队原本以为我做得还不错，结果发现并非如此。直到惹了大麻烦，我才被叫到大卫·阿昔洛的办公室。

对我来说，这是峰回路转的一刻。所有资源只服务于候选人一人，而不包含其配偶或家属。尽管贝拉克的竞选团队很尊重我，也很重视我的贡献，但他们永远不会给予我更多的指导。在那一刻之前，团队里没有任何人陪我出行，或是出席过我的活动。我从未接受过应对媒体的训练或是如何为演说做准备的训练。我意识到，除非我自己提出要求，否则没有人会提点我。

竞选还剩最后的六个多月，大众对我们的关注只会愈加密切。考虑到这一点，大家终于确信我需要实实在在的帮助。如果我要继续像个候选人一样参与竞选，那我就要得到候选人应该得到的支持。有了更好的准备，我就能保护自己；争取到了所需要的资源，我才能做得更好。在初选的最后几周，贝拉克的竞选团队给我增派了人手——行程安排兼私人助理克里斯汀·贾维斯，她曾是贝拉克任参议员时的办公室前职员，为人热情，举止稳重，即使在面临重压时也能让我保持镇定；另一位是行事利落、深谙政治之道的沟通顾问，名叫史蒂芬妮·卡特。在那年夏天召开的民主党全国代表大会上，我需要做一个重要的演说，由凯蒂和梅丽莎协助我，史蒂芬妮特地帮我明确了演说的主旨并告诉我应该如何表现。我们终于得到许可乘坐竞选专机，这让我的出行高效了不少。我可以在飞行途中接受媒体采访，在参加活动的途中梳妆，或是带上萨沙和玛利亚一起出行，而不需要负担额外的费用。

这让我松了口气。所有的这一切大大减轻了我的负担。我想也正因为如此，我才能不那么紧张，多展露笑容。

在准备我的公开演说时，史蒂芬妮建议我发挥自己的长处，专注在那些我擅于表达的事情上，比如我对丈夫和孩子的爱，我对职场母亲的理解，以及我引以为豪的芝加哥出身。她发现我喜欢跟身边的人开玩笑，就告诉我不要压抑自己的幽默感。换句话说，我可以尽情地展示自我。预选结束后不久，我担任了《视野》节目的嘉宾主持，与乌比·戈德堡、芭芭拉·沃尔特斯和其他主持人一起，面对现场的观众，度过了愉快又精彩的一个小时。我们谈论了那些针对我的攻击，但也聊了女儿们的趣事，并且取笑了那次碰拳事件和连裤袜有多难穿。我感到了一种全新的轻松，一种重新找回自己声音的感觉。节目播出后获得了多数正面的反馈。我上节目时穿的那条 148 美元的黑白相间的连衣裙，突然间成了女士们争相购买的款式。

与此同时，我的影响力逐渐扩大，我开始学会享受自我，变得越来越坦率和乐观。我也尝试向我见过的支持者学习，举办圆桌晚会来讨论女性如何平衡工作和家庭之间的关系，这是我非常关注的一个问题。最让我受到触动的一课，是我在走访军事社区和士兵家属时学到的——他们大多数是妇女，也有一小部分男性。

"说说你们的生活吧。"我会说。然后听那些抱着孩子的女性告诉我她们的故事，她们中有的还不满二十岁。有些人说自己这些年来换过八次驻地，甚至更多，大致是一年一换，每到一个新环境，就要重新给孩子找音乐培训班或者强化班。她们还说，这样迁来迁去根本无法维持生计：例如有位找不到工作的教师，她新迁去的州不承认原来那个州的教师执业资格证；美甲师和理疗师也面临同样的执照问题；许多年轻的父母找不到一家能负担得起的托儿所。毫无疑问，所有这些问题，都隐藏在顾全大局和深明大义的担当背后。她们的爱人被派往喀布尔或摩苏尔那样的地方，服役一年或是更久。与这些军属的会面让我瞬间放下了我所受到的伤害。她们所做的牺牲远不是我可以比的。我坐在她们中间，全神贯注地听着，发现自己对军事生活一无所知。我暗暗发誓，如果贝拉克如愿当选，我一定要想办法更好地支持这些家庭。

所有这一切都促使我更积极地帮助贝拉克和乔·拜登进行最后的努力。乔·拜登是来自特拉华州的参议员，为人随和，不久就被提名为贝拉克的竞选伙伴。我再次大胆地跟着自己的直觉，与支持我的人倾力合作。出席公众场合时，我专注于跟人群互动，少到几十人，多到上千人，我都在后台与他们聊天，或是越过隔离带与他们交谈。当选民们看到我充满人情味的一面时，自然就会明白那些丑化都是假的。我终于明白，拉近距离就能减少憎恨。

2008 年夏天，我更加频繁地奔走，也更加努力，确信自己能为贝拉克带来积极的改变。随着民主党全国代表大会的临近，我首次雇用了一位讲稿撰写人。她是一名才华卓越的年轻女性，名叫莎拉·赫维茨，有了她的帮助，我的想法得以呈现在那个只有十七分钟的演讲中。经过数周的精心准备，8月底，我站在丹佛市百事中心球馆的台上，面对着两万多名现场观众，以及数百万电视观众，准备好向世界展现我真实的样子。

那天晚上，我的哥哥克雷格介绍我出场。我的母亲坐在二楼看台的第一排，看上去因为我们要面对如此之多的观众而十分震惊。我谈起了我的父亲——他为人谦逊，充满韧性，极大地影响了我和克雷格。我试图让全美人民看到一个最真实的贝拉克，还有他那颗高尚的心。演讲结束后，全场的掌声经久不息，这让我大大地松了一口气，也许我付出的努力终于改变了人们对我的印象。

毫无疑问，那是一个重大的时刻——场面宏大、人数众多，直到今天还能在优兔视频网站上看到。但实际上，出于某些特别的原因，那也是一个微小的时刻。我看待事物的眼光开始改变了，就像一件毛衣慢慢被翻过来。舞台、观众、灯光、掌声，我从未想过这些事物可以变得如此寻常。如今我呈现的一切都未经编排和修饰，没有装模作样，也没有人说三道四，但惊喜还是真实地存在着——有时在不知不觉间，你的心门就敞开了。

说到这里，我们要回溯到7月4日在蒙大拿州比尤特的那天。那天行程结束时，夏日的夕阳终于落到了西边的山后，远处传来鞭炮的声音。我们在州际公路旁的一家智选假日快捷酒店里过夜。第二天贝拉克要动身前往密苏里州，我和女儿们则要回芝加哥的家。所有人都累坏了。我们参加了国庆游行和野餐。我们几乎跟每一个比尤特的市民都进行了互动。现在我们终于可以为了玛利亚小聚一下了。

如果当天有人问起，我会说最后我们草草庆祝了一下——她的生日聚会感觉像是竞选活动热闹过后的一次收尾。我们聚在酒店楼下的一间会议室里，里面灯光很暗，天花板很低。到场的有康拉德、玛雅和瑟哈拉，还有一些跟玛利亚比较亲近的工作人员。当然了，还有那些无时无刻不在我们身边的特工。我们准备了一些气球、一个从便利店买的蛋糕、十支蜡烛和一大桶冰激凌，还有几件别人在之前就买好并在飞机上包装好的礼物。当晚的气氛虽然说不上冷清，但也确实没什么喜气洋洋的感觉。那一天过得实在太漫长了。贝拉克和我的脸色都不太好，因为我们知道搞砸了。

然而，跟其他许多事情一样，这些最终只是一种看法——取决于我们如何看待眼前的一切。贝拉克和我从那间单调的屋子和简单的聚会上，只看到了我们身为父母的失职。但玛利亚想的却是另一番情景，她也确实看到了。她看到了友善的面庞、爱她的人们、涂满糖霜的蛋糕、身边的两个小妹妹，还有崭新的一年。她在外面玩了一天，参加了国庆游行，第二天还能坐飞机。

她跑到贝拉克坐着的地方，一头扎进他怀里。"这是，"她宣布，"我过得最棒的一次生日！"

她并没有注意到她父母眼中的泪花，也没有发现房间里一半儿的人都哽咽了。因为她是对的。突然之间我们都明白了，那天她满十岁，一切都是最棒的。

18

四个月后，2008 年 11 月 4 日，我将我的选票投给了贝拉克。那天我们早早到达了我们所属的投票点，它设在比尤拉·休史密斯小学的体育馆内，离我们在芝加哥的住所只有几个街区。萨沙和玛利亚随我们一起出发，她们俩都穿戴整齐准备去上学。即使在大选当天——或许正是因为在大选当天——我还是要送她们去上学。上学是日常生活的一部分，能让大家安心。当我们经过无数的摄影师和摄像机进入体育馆，听到周围的人谈论着这件事情的历史意义时，我只是庆幸自己给孩子们带好了午饭。

这将是怎样的一天？它注定会很漫长，除此之外，其他的就没有人知道了。

之前，贝拉克每天都是在高压下度过的，因此那天他显得格外自在。他跟投票点的工作人员打了招呼，拿了一张选票，并跟每一个遇到的人握手，看上去非常轻松。我觉得这很正常。他能做的已经都做了。

我们并肩站在投票的地方，我们的女儿依偎在一起，看着我们各自在做什么。

我给贝拉克投过无数次票，从预选到普选，从各州竞选到全国竞选，而这一次也没有什么不同。投票对我而言是一项积极的惯例，需要我认真对待，抓住每一次机会。从小父母就会带我去投票，如今每次需要我投票时，我也会带上萨沙和玛利亚，希望她们习惯这件事，并且明白它的重要性。

我丈夫的职业让我得以亲眼见证政治与权力的微妙。我目睹了仅仅因为每个选区的个别选票之差，两名候选人乃至两种价值体系的结局就会大相径庭。如果每个街区都有少数人待在家里不去投票，这将直接影响到我们的孩子在学校里学习什么内容，我们将享受哪种医保方案，或者我们是否需要派兵打仗。投票既非难事，影响又极为深远。

那天，我盯着参选美国总统的我丈夫的名字旁边那个长方形按键看了好一会儿。经过近两年的竞选，明枪暗箭，历尽艰辛，现在就剩它了——我需要做的最后一件事。

贝拉克看着我的样子笑了起来。"你还没想好选谁吗？"他说，"还要考虑一会儿吗？"

除去那层焦虑和期盼，大选日几乎能算得上某种短暂的假期，某个恍如隔开过去与未来的间歇。你已纵身跃起，但是还未着地。未来怎样，你一无所知。数月来的一切都飞速闪过，如今时间却慢得让人无法忍受。回到家，我既要陪着家人，还要招待一些特地过来陪我们聊天和等待结果的朋友。

大选那天早上，贝拉克跟克雷格和其他一些朋友去了附近的体育馆打篮球。这已经变成了我们在选举当天的一项传统。贝拉克非常喜欢打一场你争我抢的激烈球赛，借此放松紧张的心情。

"千万别让人打破他的鼻子，"他们俩走到门口时，我向克雷格嘱咐道，"你知道，等下他还要上电视的。"

"什么事儿都要让我操心。"克雷格回应道。当哥哥的就喜欢这么说。然后，他们就走了。

如果只看民意测验，贝拉克明显胜券在握。但我知道他为那晚准备了两篇讲稿——一篇是获选宣言，另一篇则是落选致辞。如今我们已足够了解政治和民意测验那一套，因此不会有任何的想当然。我们也知道有种现象叫"布莱德利效应"，它因汤姆·布莱德利而得名。他是一位曾在20世纪80年代初竞选加利福尼亚州州长的非洲裔美国候选人。民意测验一直显示布莱德利处于领先地位，但他在选举当天遭到惨败。这一结果震惊了所有人，也让世界更加深刻地体会到什么叫偏见。许多年来，在各式各样有黑人候选人参与的备受瞩目的竞选竞争中，这样的例子不胜枚举。结果证明，面对少数族裔候选人，选民往往会在民意测验时藏起自己的偏见，直到独自站在投票厅里才会表现出来。

整个竞选中，我曾一遍遍地问自己，美国是否真的准备好选出一位黑人总统，这个国家是否已强大到能超越种族、跨越偏见。终于，答案即将揭晓。

整体来看，普选远比不上预选时那么艰难和激烈。约翰·麦凯恩选择了阿拉斯加州州长萨拉·佩林做竞选伙伴，为此他吃尽了苦头。由于缺乏经验和准备，佩林很快成为美国人民的笑柄。到了9月，局势变得异常糟糕。美国最大投资银行之一的雷曼兄弟公司突然宣告破产，由此美国经济开始急剧失控。世界这才发现，华尔街巨头们数年来都在利用高风险住房债券疯狂敛财。股票暴跌，信贷市场冻结，退休基金消失。

贝拉克是此刻历史上最合适的人选。总统的位子向来不好坐，而且越来越难坐。因为金融危机，所有这些困难都被放大了数倍。这一年半以来，我一直在告诉全美人民：我的丈夫沉着冷静、虑事周全。他不会被一团乱麻吓倒，他能够将复杂的事情梳理清楚。我当然希望我们获胜。即使输了选举，过回以前的生活也能让我心满意足，但我仍然觉得这个国家需要他的帮助。此刻我们需要停止凭借肤色随意地评价他人。此刻不推他上台将是我们的失策，虽然摆在他面前的是一个巨大的烂摊子。

随着夜幕降临，我的手指变得麻木，全身都因紧张而战栗。我吃不下东西，也没心思和我母亲或是来拜访的朋友聊天。于是我上了楼，只想独自待一会儿。

贝拉克此时也躲开了人群，他明显需要自己静一静。

他在我们卧室旁的房间里，坐在书桌前看着自己的获选演讲稿。房间里堆满了书，他时常在这里办公——这是他的"洞"。我走到他跟前，摩挲他的肩膀。

"感觉还好吗？"我问。

"嗯。"

"累吗？"

"不。"他冲我微笑，似乎想证明自己不累。前一天我们刚刚得知，贝拉克八十六岁的外祖母图特在经历了几个月癌症的折磨后，已于夏威夷过世。贝拉克曾错过了见自己母亲的最后一面，因此他时刻惦记着去探望图特。那年夏末我们带着孩子去看她；十天前，他又从竞选日程中抽出一天时间独自前去陪她，握着她的手。想起这件事我就满怀悲伤。贝拉克刚刚踏入政界时，仅在宣布竞选参议员后的两个月，他的母亲就过世了。如今他走到了政治生涯的巅峰，他的外祖母又无缘见证。养育他的人都离开了。

"无论结果如何，我都为你感到骄傲，"我说，"你做得很棒。"

他起身抱住了我。"你也一样，"他一边说，一边将我抱得更紧，"我们都做得很棒。"

那一刻我能想到的，只有日后还需要他承担的一切。

全家人一起吃过晚饭后，我们穿戴整齐，跟朋友和家人一起驱车前往凯悦酒店，在竞选团队为我们租的包厢里等待选举结果。工作人员都避到了酒店别处，想要留给我们一些独处的空间。酒店大堂对面的包厢里，乔·拜登夫妇也在与家人和朋友一起等待结果。

美国中部时间约晚上六点，第一批选举结果产生了。肯塔基州投给了麦凯恩，佛蒙特州投给了贝拉克。随后，西弗吉尼亚州投给了麦凯恩，南卡罗来纳州也投给了他。尽管这都是意料之中的情况，但我还是稍稍有些沮丧。阿昔洛和普洛夫两人在房间里进进出出，一有消息就大呼小叫。据他们所说，一切都如预料的那样进行。尽管他们的消息大多是正面的，但我还是不愿意听见这些政治交谈。这一切不受我们掌控，谈论它又有什么意义呢？我们已经置身在半空中，无论如何最后都会落地。我们从电视上看到，成千上万的人已经聚集在格兰特公园。喷水池前一英里处的巨幅屏幕上正在播放选举结果，贝拉克随后也会在那里发表他其中一篇演说。城市的每个角落都驻扎着警察，湖面上行驶着海岸巡逻艇，天空中盘旋着直升机。整个芝加哥似乎都在屏息等待结果。

康涅狄格州投给了贝拉克，随后新罕布什尔州投给了贝拉克。马萨诸塞州、缅因州、特拉华州和华盛顿特区也投给了贝拉克。当伊利诺伊州说出贝拉克的名字时，楼下街道上响起了汽车喇叭声和激动的叫喊声。我在门口的一张椅子上坐下来，审视着面前的景象。房间里静了下来，竞选团队紧张的消息更新被一种充满期盼的、清醒的冷静取代。女儿们穿着红色和黑色的连衣裙，坐在我右手边的沙发上；我的左手边，贝拉克的西装外套搭在厨房的椅子背上，他坐在我母亲身旁的沙发上。那晚我的母亲穿了件得体的黑色洋装，还配戴了银色耳环。

我听到贝拉克问她："你准备好了吗，母亲？"

我母亲一向很淡定，她斜看了贝拉克一眼，耸了耸肩，然后他俩都笑了起来。尽管后来她告诉我，当时她有多震惊，就跟我一样被这来之不易的胜利冲昏了头。全美人民终于见识到了贝拉克的自信和强大，但我的母亲也见证了这条路的艰险，以及之后工作中的孤独。这个失去了父亲和母亲的人，即将当选为美利坚合众国的领导者。

接着，我看到我母亲的手和贝拉克的手握在一起。

晚上十点整，媒体开始循环播放我丈夫微笑着的照片，宣布贝拉克·侯赛因·奥巴马当选为美利坚合众国第四十四任总统。我们一跃而起，本能地开始欢呼。竞选团队和乔·拜登的人拥进包厢，大家不停地互相拥抱。这一切恍如梦境，我感觉灵魂离开了身体，像个旁观者一样麻木地看着自己做出的反应。

他做到了。我们做到了。原先看起来几乎不可能，如今却吹响了胜利的号角。

之后的感觉就像我们一家穿过了枪林弹雨，进入了一个奇妙的水下世界。所有事物感觉都变慢了，变得朦胧失真；实际上当时我们被数名特工簇拥着，迅速又准确地走进一间货梯，穿过酒店的后门，上了一辆早就等在那里的越野车。出门的那一刻我呼吸到外面的空气了吗？我谢过一路上帮我们开门的人了吗？我那时在笑吗？我不知道。我感觉自己还在尽力回到现实中。我想自己是太累了，出现了幻觉。正如我所预料的，这一天非常漫长。我看到女儿们脸上泛着兴奋的红晕，我提前告诉了她们接下来的事——无论爸爸赢了还是输了，我们都会在公园里举办一场盛大而又热闹的庆典。

此刻我们被警察的摩托车队护送着，沿着湖滨大道飞速向南，驶向格兰特公园。不论是从惠特尼·扬高中坐着公交车回家，还是深夜开着车前往体育馆，这条路我走过无数次。这是我长大的城市，我对它熟悉得不能再熟悉，可是那天晚上的感觉很陌生，一切都出奇地安静。我们好像悬浮在宇宙中，有点像在做梦。

玛利亚趴在越野车的车窗上，注视着外面的一切。

"爸爸，"她说，声音听上去饱含歉意，"路上没有人。我想不会有人来参加你的典礼了。"

贝拉克和我对视了一眼，然后笑了起来。我们这才发现，整条路上只有我们这一辆车。贝拉克如今是总统当选人了，特勤局清除了一切障碍，控制了整条湖滨大道，封锁了所有岔路口——之后我们会发现，这是总统特有的标准的预防机制，但对当时的我们来说这很新鲜。

所有的一切都很新鲜。

我一手揽过玛利亚。"大家已经在那里了，亲爱的，"我说道。"别担心，他们在等着我们呢。"

他们确实在那里。二十多万群众聚集在公园里等着见我们。下车时我们能听到人群中期待的议论声，随后我们被带到公园门前，由许多白色的帐篷搭起的一条通道上，一直通往广场台前。一些朋友和家人也在那里等着向我们表示祝贺，但因为特工安保制度要求，他们只能站在隔离带后。贝拉克一只手环抱着我，像是要确认我是否还在他身边。

几分钟后，我们一家四口走上台，我牵着玛利亚的手，贝拉克牵着萨沙的手。一瞬间，我看到了许许多多的画面。我看到舞台四周竖起了一排厚厚的防弹玻璃护罩。我看到台下人山人海，许多人手里挥舞着小国旗。我的大脑停止了转动。这太盛大了。

我不太记得当晚贝拉克演讲的内容。萨沙、玛利亚和我站在侧台上看着他演讲，周身环绕着那些防弹护罩、我们的城市，还有六千九百多万张选票带来的安慰。当时陪伴着我的就是这种安慰感；11月的芝加哥湖畔，那个格外温暖的夜里有一种异样的宁静。数月以来，伴随着高强度的竞选集会，我们见识过太多人们自发呐喊和嘶吼的狂潮，但格兰特公园却是另一种氛围。我们面对着一群数目巨大、欢呼庆祝的美国民众，但每个人又都显而易见地心怀忐忑。我感受到一种别样的宁静。我感觉似乎能辨别出人群中的每一张面庞。许多人眼里都含着热泪。

或许这种宁静是我幻想出来的，又或许对我们所有人来说，这只不过是因为时间太晚了。毕竟当时已接近午夜。之前，所有人都在苦苦等待，我们已经等了太久、太久。

Part III

·················· ✳ ··················

成为更多

Becoming
More

19

对于即将就任的美国第一夫人来说，并没有任何现成的指南告诉你应该怎么做。严格来讲，第一夫人并不是一份职业，也不是正式的政府官员头衔。第一夫人不领取工资，也没有任何明文规定的义务需要履行，只能说她是总统身边一位比较特殊的搭档。在我接任第一夫人之前，美国历史上已经有过四十三位第一夫人了，她们都以各自的方式履行了自己的职责。

关于之前的四十三位第一夫人以及她们的人生履历，我了解得并不多。据我所知，杰奎琳·肯尼迪曾致力于重新修缮白宫，罗莎琳·卡特曾经参加过内阁会议，南希·里根一度因为收取了知名设计师设计的礼服而招致非议，希拉里·克林顿因为在其丈夫担任总统期间参政而被嘲讽。几年前，在一次专门为参议员配偶举办的午餐会上，我遇到了劳拉·布什，让我感到既吃惊又佩服的是，她前前后后与大约一百多人合影留念，竟然能够全程保持微笑，镇静沉着，毫不松懈，不需要片刻的休息。在新闻报道中经常能够看到第一夫人的身影：她们大多数时候都在陪同国外政要的夫人用茶；每逢节假日，她们都会向民众致以正式的节日问候；有时候，她们还要身着漂亮的礼服出席国宴。据我所知，她们通常还会选择一两项自己热爱的事业，并给予支持。

我也清楚，当公众在评价我时，会使用不同的标尺。作为美国历史上第一位住进白宫的非洲裔第一夫人，我被默认为是"另类的"。假定我之前的历任白人第一夫人的恩泽和权利被默认为是与生俱来的，那么，对我来说情况就完全不同了。在经历了总统选举一路上的各种磕磕绊绊之后，我清楚地知道，现在的我必须要比过去更加坚强，要行动更快、做得更好。我的恩泽不是天生的，而是需要我去打拼才能获得的，但同时我也担心，很多美国人不能与我感同身受，或者说他们不能理解我一路走来的心路历程。对我来说，趁着还没有被人评头论足的时候先慢慢适应角色那太奢侈了。我清楚地知道，一旦人们开始对我评头论足，我还是会像过去一样脆弱，尤其是面对公众潜意识里一直存在的那些毫无依据的恐惧和种族偏见时，而这些恐惧和偏见有可能会被谣言和讽刺煽动起来。

成为第一夫人让我感到既激动又惶恐。但是有一点，那就是我从未觉得自己即将面对的是一份光鲜体面又毫不费力的工作，一秒钟也没有。我想，任何人只要被贴上"第一""有色人种"这样的标签，应该都不会这么认为吧。现在，我已来到山脚下，深知只有不断努力向上攀登，才能获得尊重和喜爱。

成为第一夫人也唤醒了潜藏在我内心深处的应答系统。具体来说，这套应答系统的形成可以追溯到我的高中时代。当时，刚刚进入惠特尼·扬高中学习的我，突然间发现自己被种种质疑声紧紧包围。从那时开始，我逐渐意识到，"自信"有时候需要从内心深处唤起。在此后多次攀登高峰的过程中，我都对自己重复着这句话。

我足够优秀吗？是的，我很优秀。

从贝拉克当选美国总统到他正式宣誓就职，这期间一共有七十六天的过渡时间。在我看来，这段时间极为关键，我必须明确自己想成为什么样的第一夫人，并开始为这样的形象定下基调。早年，我曾涉足法律行业，后来成功转型，开始从事更有意义的社区服务工作。我非常清楚，如果我积极投入工作并努力取得了可以量化的结果，那么我就会感觉很幸福。参加竞选时，我曾对服役军人的配偶们许下承诺，要对外分享他（她）们的故事，并寻找途径帮助他（她）们。因此，我要努力兑现自己的承诺。此后，我又有了开垦菜园以种植果蔬，在全美推行健康学生餐以改善儿童健康状况、促进其健康成长的想法。

作为第一夫人，我不允许自己随意地、毫无准备地应对任何事务。我对自己的要求是：在我到达白宫的时候，就已经准备好了详细的、经过慎重考虑的履职方案，以及一个绝对支持我的强有力的团队。在参加竞选的过程中，我亲眼见证了种种丑陋行径，人们以各种各样的方式将我描述为一个"愤怒""不得体"的女人，从而贬低我的形象。若要问我从中得到了什么教训，那就是：公共舆论无孔不入。如果你不明白这一点，而且不能及时定义自己的话，很快就会被别人定义，而这种定义一定不是客观的。我当然不希望自己陷入被动，等待贝拉克的团队来给我指导。在经历了竞选的严酷考验之后，我告诉自己：我决不允许自己再搞砸一次。

我的思维不停地在跟那些我该做的事情赛跑。至今，还没有什么好的方法，可以帮助我提前为第一夫人这一角色转变做准备，而且，提前做任何事情都会被认为是冒失之举。但是，对于我这样一个习惯于事事提前计划的人来说，让我像一位旁观者那样不采取行动又谈何容易。既然如此，我们就开始超速运转。这样一来，我的当务之急就是找到萨沙和玛利亚，告诉她们我们的打算，并以最快的速度将她们安置妥当——在华盛顿帮她们找一所新的学校，一个能让她们觉得开心、自在的地方。

　　贝拉克当选后的第六天，我飞到华盛顿，去提前预约好的几所学校与校方面谈。要是在平常，我为孩子们选择学校的时候只会关注各个学校的教学水平和校园文化，但是那时，我们一家人已经远远不在"平常"这一范围之内了。我们面前出现了各种从未遇到过的、繁杂的因素需要考虑、讨论——特工处安全保卫制度、突发状况紧急撤离计划，以及保护孩子个人隐私的种种方案，因为全美国的人都在关注着她们俩。我们所面临的可变因素陡然增加，并且越来越复杂。越来越多的人进入我们的生活，即使是再小的决定，也要提前与很多人商议后才能做出。

　　幸运的是，在我角色转变的过程中，我的竞选团队中最关键的几个人——梅丽莎、凯蒂、克里斯汀一直和我在一起，与我并肩作战。我们立刻行动，首先搞定了我们全家搬迁的物流安排，同时着手为我将来在白宫东翼的办公室招募职员，比如日程安排专员、政策顾问、对外联络专员，也为总统官邸——我们一家将来在白宫的住所——面试合适的员工。我们招募的第一批雇员中有一位名叫乔斯林·弗莱伊，她是我在哈佛大学法学院学习时结识的老朋友。此人洞察力极强，善于分析。她表示愿意加入，做我的政策顾问主任，对于我计划要发起的各项活动，她都会帮我最后把关。

　　与此同时，贝拉克也火力全开，一边忙着为他将来的内阁补充成员，一边马不停蹄地举行各类专家磋商会议，讨论如何提振美国经济。当时，全美失业人数超过一千万人，汽车市场陷入低迷，销量一落千丈。每开完一次会议，贝拉克都眉头深锁，牙关紧咬。我从他的表情中感觉到，当时美国经济的真实状况一定比绝大多数美国人想象的还要差。这时候，贝拉克已经开始每天接收书面情报简报，有点猝不及防地参与到了整个国家的重大机密中——隐秘的潜在威胁、暗中进行的结盟，以及公众丝毫不曾察觉的秘密行动。

也是从那时起，美国特工处开始为我们全家提供安全保卫服务，直到贝拉克卸任。特工处还专门为我们挑选了官方代号，贝拉克的代号为"叛徒"，我的代号是"复兴"，两个女儿萨沙和玛利亚则可以从一张预先审核过的头韵体单词清单中选择她们自己的代号。玛利亚选择了"光辉"，萨沙选择了"玫瑰花蕾"。我母亲后来也有了她自己的非正式代号，叫作"雨舞"。

特工处人员直接与我对话时，他们基本上都会叫我"夫人"，比如："这边请，夫人。请后退，夫人。"又比如："夫人，您的专车马上就到。"

谁是"夫人"？起初我总想这样问一问。在我印象中，"夫人"就应该是一位较年长的妇女，随身携带一款漂亮的小提包，穿着朴实而舒适的鞋子，姿态优雅，她此时此刻或许就坐在附近某处。

但事实是，我就是"夫人"，"夫人"就是我。这一称呼的转变只是我角色的转变、我们一家人面临的巨大转变的一部分。

在我去华盛顿与校方见面那天，我就在思考所有这些事情。在与其中一所学校的负责人会面结束后，我回到华盛顿里根国家机场去和贝拉克碰面，他刚刚乘坐专机从芝加哥飞到华盛顿。由于贝拉克已经当选为下一任总统，因此按照惯例，我们收到了时任总统布什及第一夫人的邀请，要去白宫拜访。于是，我们特意将此次拜访安排在我去华盛顿为孩子选择学校期间。我在私人航站楼里，等着贝拉克的飞机降落，站在我身边的是科尼利厄斯·索斯豪尔，他是具体负责我安全工作的特工首领。

科尼利厄斯看上去双肩宽阔结实，他大学时期是一名橄榄球运动员，此前也曾是布什总统安保队伍中的一员。就像我的其他事务的负责人一样，科尼利厄斯头脑灵活、训练有素，任何情况下都能够超前反应，简直就是一个人体传感器。当时，我们两个人看着贝拉克的飞机降落，然后在地面上滑行，最后，飞机在距离我们大约 20 码的停机坪上停了下来。当时，我还没来得及反应，科尼利厄斯就已经掌握了所有情况。

"夫人，从此，您将与过去的生活永远告别了。"他对我说。与此同时，他的耳机里还在接收新的信息。

当我有点疑惑地看向他时，他又说："请您稍等。"

然后，他伸手指向右方。我转身顺着他所指的方向望去，就在他所指的位置，拐角处有一群很大规模的东西朝着我们移动过来，那是一列车队，包括由警车和摩托车组成的方阵，以及好多辆黑色越野车、两辆豪华装甲轿车，车篷上都插着美国国旗，还有一辆防震减灾卡车，一个配备了机关枪的反突击小组，一辆救护车，一辆装备齐全、用来检测任何可能出现的袭击炮弹的信号车，几辆客车，另有一队专门的警察护卫。这就是美国总统车队！整个队伍至少有二十辆车那么长，一辆车紧跟着一辆车，整齐有序地前行。直到最后，车队停止前行，那两辆豪华装甲轿车径直停在了贝拉克的飞机前。

我转身面对着科尼利厄斯。"没有一辆小丑车吗？"我问他，"你确定，从此以后，他都要这么出行吗？"

科尼利厄斯笑了。"是的，在他担任美国总统期间，每一天都将如此。"他回答说。

我被眼前的景象震撼到了：成千上万磅的金属，一个突击队，所有一切都具备防弹性能。除此以外，还有很多是我不知道的，因为针对贝拉克的安全防卫工作远不止这些，还有许多是不可见的。我所不知道的还包括：在此后的时间里，在贝拉克的活动场所附近，一直会备有一架专用直升机，随时准备带他撤离；在贝拉克出行路线周边的屋顶上，一定会有神枪手埋伏；贝拉克身边会有一位随行的专人医生，为可能出现的医疗问题做准备；在贝拉克乘坐的总统专车上，会储存着与他血型一致的血液，以防他万一需要输血。几周之后，就在贝拉克正式就职美国总统之前，总统专用豪华轿车进行了全面升级，被恰当地命名为"野兽"。虽然"野兽"表面看来是一辆豪华轿车，但它实际上是一辆重达7吨的坦克。车上配有催泪弹、防爆轮胎、密闭通风设备，以应对任何可能遭遇的生物袭击或化学袭击。

那时看来，我真是嫁给了这个地球上安全保卫级别最强的人之一，这让我既感到安慰又觉得痛苦。

我看向科尼利厄斯，他伸手指向轿车的方向。

"现在您可以过去了，夫人。"他说。

几年前，我去过一次白宫。那次我们一家去华盛顿，刚好想游览一下白宫，于是我通过贝拉克在参议院的办公室，为我和玛利亚、萨沙报了名，当时我们只觉得这是一件很好玩的事情。去白宫参观游览一般都是自助的，但我们那次参观由一名白宫接待员带领，他带着我们穿过白宫宽大的走廊，参观了各类向公众开放的房间。

我们是从白宫东翼最大的东厅开始参观的。历史上，东厅主要用于举办各类盛大舞会以及大型招待会。我们首先观赏了天花板上悬吊的巨型雕花水晶吊灯，然后仔细观看了悬挂在一面墙上的开国总统乔治·华盛顿的大幅镀金画像。画像上，华盛顿总统脸颊绯红、面容严肃。我们从这位接待员的讲解中得知，在18世纪末期，白宫还未建成的时候，时任第一夫人阿比盖尔·亚当斯曾利用这里巨大的空间晒衣服。几十年之后，在南北战争期间，北军曾临时驻扎在这里。此外，东厅还曾举办过多位美国"第一女儿"的婚礼，两位遇刺的美国总统亚伯拉罕·林肯和约翰·肯尼迪的灵柩也曾放置在这里。

那时，我在大脑中将美国历任总统快速回顾了一遍，同时努力回忆曾经学过的历史知识，试图勾画出他们同家人当时在白宫走廊里穿行的情景。当时只有八岁的玛利亚被白宫的面积深深震撼，而五岁的萨沙则一直尽力控制自己不要去触碰那些不能随意触碰的东西，而且她成功做到了。我们从东厅来到绿厅，绿厅因其墙壁是用精致的绿色丝绸装饰的而得名。接待员为我们讲解了关于美国第四任总统詹姆斯·麦迪逊的故事，以及1812年第二次独立战争的有关历史。紧接着，我们到了蓝厅，这里布置的都是法式家具，接待员为我们讲解了美国第二十二任和第二十四任总统格罗弗·克利夫兰在这里举办婚礼的故事。后来，当接待员问我们是否还要去参观红厅的时候，萨沙抬头看向我，像一个受了委屈的幼儿园小孩似的脱口而出："哦，不要，不要再参观下一个房间了！"她的声音可真不小。我赶紧对她说了声"嘘"，同时意味深长地看了她一眼，试图告诉她："不要让我这么难堪！"

但是说实话，谁又能指责她做得不对呢？白宫确实太大了，地上地下一共六层，有一百三十二个房间、三十五个卫生间、二十八个壁炉。所有地方都有其各自的历史，单单一次参观根本不可能了解全部。坦白说，我根本无法想象能有人在这里过着真真切切的生活。一方面，在下面一层，政府雇员每天因为公务进进出出；另一方面，在上面的楼层，布什总统和他的第一夫人，以及两只苏格兰梗在那里生活。当时，我们只是站在白宫的一角参观，感觉这里犹如时间凝固的博物馆，我们看到的只是这个国家发展的脉络，听到的也是美国的历史和各个珍藏品的象征意义。

两年后，我再一次来到白宫。这一次，我从另外一扇门进入，并且是和贝拉克一起。我们即将要把这里当成未来的家。

布什总统和第一夫人在紧邻南草坪的外交接待大厅接待了我们。第一夫人对我们非常热情，紧紧地与我握手，并对我说："请直接叫我劳拉。"她的丈夫布什总统也同样充满热情，举手投足间洋溢着一种慷慨大方的得克萨斯精神，这种精神似乎掩盖了因政治立场不同而带来的所有不快。在贝拉克竞选总统的整个过程中，他曾频繁地甚至很具体地批评过布什总统的施政能力，并曾承诺选民，他将会尽自己所能，纠正他认为错误的施政方针。同样，布什作为一名共和党总统，他所支持的候选人当然是约翰·麦凯恩。即便如此，他也公开做出承诺，要让此届候任总统完成历史上最顺利的过渡。为此，他要求所有行政部门尽快完成无缝交接，以方便新政府施政。而第一夫人劳拉这边，也要求职员将通讯录、日程表以及公函范本收集起来交接，好让我在正式成为第一夫人之后，履行社会职责时能够尽快进入角色。其实，在残酷的竞选背后，并不缺乏善意，这种善意正是源自大家对这个国家真诚无比的热爱，这也是值得我永远感激和敬仰的。

虽然布什总统没有明说，但我发誓，我当时在他的脸上看到了一丝如释重负的痕迹，因为他知道，这犹如赛跑一般的总统任期即将结束，他很快就可以回到得克萨斯州的家中，现在是时候迎来下一任总统了。

当布什总统和贝拉克离开接待厅前往总统办公室商谈公务的时候，劳拉带着我来到白宫第一家庭专用的私人木质电梯里，开电梯的是一位非洲裔美国人，他身着燕尾服，非常有绅士风度。

我们乘坐电梯上了两层，来到第一家庭的住所，其间劳拉问了问我关于萨沙和玛利亚的情况。劳拉当时已经六十二岁了，她在白宫生活期间，两个双胞胎女儿已经长大到二十多岁。劳拉曾是一名专职教师和图书管理员，因此，在成为第一夫人后，她曾利用这一平台大力推动美国教育发展，拥护、支持教师群体。她认真地看着我，蓝色的眼睛闪烁着温暖柔和的光芒。

"你感觉怎么样？"她问我。

"有点儿喘不过气来。"我实话实说。

她笑了，露出一种怜悯的神情说："我能理解，相信我，我和你一样。"

当时，我还没能完全理解她这番话的含义，后来，我常常回想起这次谈话。实际上，我和贝拉克加入了一个非常特别而又狭小的生活圈子，这个圈子的现有成员是：克林顿夫妇、卡特夫妇、小布什夫妇、老布什夫妇、南希·里根以及贝蒂·福特。在这偌大的地球上，也只有这么几个人能够真正明白贝拉克和我当时的处境，只有他们亲身体会过白宫生活特有的乐趣与艰辛。虽然我们彼此不同，但这一纽带会永远将我们联结在一起。

劳拉带着我参观了整个住所，一间屋子挨一间屋子地参观。白宫内的私人空间位于主建筑的最上面两层，一共占地 20000 平方英尺。主建筑就是常出现在照片中有着标志性的白色柱子的那一栋楼。我参观了第一家庭日常用餐的餐厅，还专门探头进去看了看，厨房收拾得非常整洁，一名厨师正在准备晚餐。我还参观了顶层的客房，心想：如果我们能成功说服我母亲搬来白宫和我们一起生活，或许她就可以住在这里（顶层还有一个小健身房，据说，在贝拉克和布什总统初次参观这里的时候，这个小健身房是他俩都最感兴趣的地方）。而我最感兴趣的是走廊边挨着总统卧房的那两间卧室，我仔细察看了一番，心想莎萨和玛利亚将来住在这里最合适不过了。

搬进白宫之后，两个女儿会不会觉得舒服自在、是不是有家的感觉，这一点我非常在意。如果抛开白宫的豪华以及优越的环境——我是说搬进一栋带有厨师、保龄球场和游泳池的大房子那种童话故事般的不现实感——我和贝拉克此时此刻的所作所为应该没有哪个父母真的想要去做：在一学年的中期突然让孩子们离开她们钟爱的学校，离开她们的朋友，然后将她们强行塞进一处陌生的住所、一所陌生的学校，而且这一切都来得有点突然。虽然我也听说之前的第一夫人以及孩子们都能很快适应白宫的新生活，我也因此感到些许安慰，但我还是满脑子充斥着这些想法。

接着，劳拉带我来到一间明亮的、装饰得很漂亮的房间，这个房间通向总统卧房，历来被用作第一夫人的更衣室。劳拉指向窗外，我顺着她的手望去，可以看见白宫的玫瑰花园以及总统的椭圆形办公室。劳拉告诉我，从这里向外看能让她觉得舒服一些，有时候她也能从这里看到自己的丈夫在做什么。劳拉说，八年前，自己第一次来参观白宫时，时任第一夫人希拉里·克林顿向她展示了这道风景；而十六年前，她的婆婆芭芭拉·布什向希拉里·克林顿展示了这道风景。我向窗外望去，劳拉的话提醒了我，我已是这个不大的连续体中的一员。

在接下去的几个月里，我更加真切地体会到自己与这几位曾经的第一夫人之间的联系有多紧密。希拉里在电话中非常慷慨地与我分享了她当初为"第一女儿"切尔西择校的经历；我还专门与罗莎琳·卡特会面，与南希·里根通电话，她们二人都非常热情地向我提供了帮助。在那次正式访问白宫之后，没过几周，劳拉·布什又非常热情地邀请我再次去白宫做客，她希望我能够挑一个她的女儿杰娜和芭芭拉刚好在白宫的时间，带上萨沙、玛利亚一同前去，这样她的双胞胎女儿就能向萨沙和玛利亚介绍白宫里所有"好玩有趣"的地方，从如何享受白宫电影院的豪华座椅到如何在顶层的倾斜走廊里玩滑梯。

所有这一切都是那么令人振奋。当时，我已经开始期待贝拉克卸任的那一天到来，到时候，我一定会将自己所学到的所有经验毫无保留地传授给下一任第一夫人。

我们和往常一样在夏威夷度过圣诞节后，就搬家去了华盛顿，这样，萨沙和玛利亚就能够在圣诞假期结束后与她们的新同学正式见面，然后开始新的学习生活。那时，距离贝拉克正式就任总统还有三周时间，也就是说，我们要安排一段临时过渡期。于是，我们在华盛顿市中心的海亚当斯酒店顶层租了几间房子。从我们的房间能够俯瞰拉法叶广场和白宫的北草坪，还能看见为总统就职典礼以及随后的庆祝大游行专门搭建的临时性金属露天看台。酒店对面的一幢楼上，悬挂着一条巨大的横幅，上面写着"欢迎玛利亚和萨沙"。看到这一景象时，我惊得差点说不出话来。

经过大量的前期调研、两次会面，以及数次沟通之后，我们为萨沙和玛利亚选择了塞维尔友谊学校，这是一所私立贵格会[1]学校，口碑极好。萨沙将在位于马里兰州贝塞斯达的低年级校区就读二年级，玛利亚将在位于白宫北部几英里处的主校区就读五年级，主校区所在的街区十分安静。两个孩子日常通勤都需要专门的车队接送，由特工处几名全副武装的特工全程保护，其间还专门安排特工在她们的教室外站岗执勤，陪伴她们度过每一段课间休息时间、每一次小聚会以及每一节体育课。

现在，我们一家犹如生活在气泡中一般，与日常的世俗生活隔绝了，至少是部分隔绝了。我已经不记得自己最后一次跑腿办事是什么时候，也不记得最后一次单纯为游玩而去公园是多久以前了。我所有的行动首先必须经过讨论，既有安全方面的考虑，也有一些日程安排方面的考虑。其实，在贝拉克开始参选后，有关他的负面信息就随着竞选的进行逐渐增多，从那时开始，我们生活周围的气泡就逐渐形成了，因为那时候，在我们与普通公众之间设下边界开始变得越来越必要，甚至有时候，我们还需要在自己与朋友之间、与我们的家人之间设下边界。这种犹如在气泡中的生活是很古怪的，而且我也非常不喜欢这种感觉，但是，我能

---

1 贵格会，基督教新教的一个派别，成立于 17 世纪，因一名早期领袖的号诫"听到上帝的话而发抖"而得名 Quaker，中文意译为"震颤者"，音译"贵格会"。

理解，因为这或许是最好的选择。我们出行必定会有警察保驾护航；我们所乘坐的车辆可以不受交通信号灯的限制随意通行；进出某幢建筑物时，如果我们可以从便门或者临巷的运送货物通道快速通过，我们就很少去走前门。在特工处看来，我们在公众面前露面的机会越少越好。

我一直希望萨沙和玛利亚的生活能够有所不同，我希望她们既要安全，又不至于处处受限；我希望她们能够触及的范围比我和贝拉克要更宽更广；我希望她们能够交到自己的朋友，真正的朋友——这些朋友喜欢她们绝不是因为她们是贝拉克·奥巴马的女儿；我希望她们能够刻苦学习、勇于探险，可以犯错误，但能在改正错误的过程中不断成长；我希望学校对她们来说能够成为庇护所，能让她们活出自我。塞维尔友谊学校对我们来说是一所很有吸引力的学校，其中一个原因就是：在克林顿担任美国总统期间，他的女儿切尔西就在这里上学。因此，这所学校的工作人员熟知应该如何保护一些备受瞩目的学生以及她们的个人隐私，并且学校已经制定出了各类安全保障措施，这对玛利亚和萨沙来说恰好适用。也就是说，萨沙和玛利亚的到来并不会给学校的资源带来太大的压力。最重要的是，我喜欢这所学校的氛围。贵格会一向主张共同体意识，所有人一律平等，不优待任何人也不要求任何人优待自己。对我来说，这种理念刚好能够适时地抵消一下现在整日围绕在她们父亲身边的各种小题大做。

萨沙和玛利亚去新学校的第一天，我们一家四口在酒店套房早早吃完早餐，我和贝拉克帮两个女儿穿上防寒冬衣。贝拉克最终还是没忍住，絮絮叨叨地给了孩子们几条建议——保持微笑、态度亲切友好、凡事都要听从老师的安排，告诉她们如何在新学校安安稳稳度过第一天。最后，当两个孩子背上她们的紫色书包要出门时，他还没忘了追加一条："一定不能抠鼻子！"

我母亲在酒店走廊里跟我们会合，我们一起乘坐电梯下楼。

酒店门外，特工处的特工们已经搭建好了安全帐篷，以确保我们不被蹲守在酒店门口的狗仔队以及电视台的记者拍到，他们现在对处于过渡时期的我们一家人可是充满了兴趣。贝拉克前一天晚上刚刚从芝加哥赶回来，他其实很想亲自陪着两个孩子一起去学校，但是他也明白，他的出行车队过于庞大，那样一来阵势就太大了，他也觉得有压力。在萨沙和玛利亚跟他拥抱说"再见"的时候，我能从他的脸上看到那种痛苦的表情。

于是，我和我母亲陪着两个孩子坐上了她们的新校车——一辆黑色的越野车，车窗是由烟灰色的防弹玻璃制成的。那天早上，我一直尽力让自己表现出一副信心满满的样子，一路上陪孩子们说说笑笑。而实际上，我内心感到一阵阵的紧张，这种紧张感甚至让人觉得孤立无援。我们先送玛利亚去了高年级所在的主校区。我带着玛利亚在特工们的贴身护送下，穿过一连串新闻摄像机的包围，匆匆走进教室大楼。将玛利亚交到她的新老师手里后，我又跟着车队赶去位于马里兰州贝塞斯达的低年级校区。到学校后，我将刚才在主校区的流程又走了一遍——不过这回是带着萨沙，然后将她留在了充满欢乐的教室里。那间教室窗户宽大，还专门为小孩子们配备了较矮的桌椅。我默默祈祷，希望这里对她来说是一个安全又充满幸福的地方。

我回到车里，出发返回海亚当斯酒店，安心待在我的"气泡"中。这一天，我还有很多事情需要处理，每一分钟都排上了会议，但我脑子里想的全是两个女儿。她们在新学校的第一天会是什么样的呢？她们的伙食怎么样？她们是被人注视，还是感觉轻松自在？后来，我在媒体上看到了萨沙的照片，是在我们早上去学校途中被偷拍的。看到这张照片时，我顿时流下了眼泪。我知道，一定是我送玛利亚下车去学校，萨沙和我母亲在车里等待的时候被偷拍了。当时，她圆圆的小脸紧贴着越野车的车窗，瞪着大大的眼睛天真地向外看，看到的是记者和其他的旁观者，虽然我不知道她当时内心在想什么，但是我看得出来，她的表情很平静。

我们对两个女儿的要求实在太多了。那一整天，我都在思考这个问题，接下来的数月里、数年里，我一直都这么认为。

第一夫人角色过渡的步伐丝毫没有减慢。我不停地被各种各样的问题轰炸，有上百件事情需要我来做出决定，而且都是些很紧迫的事。我需要为我们将来在白宫的住所挑选所需物品，从浴巾、牙膏到洗洁精、啤酒，等等；我要为自己挑选不同的服装，参加贝拉克的就职典礼以及随后举行的各类舞会；我要为大约一百五十名我们的特邀嘉宾安排好各类保障，他们都是专门从别处赶到华盛顿参加贝拉克就职典礼的亲朋好友。我尽可能将自己能够放手的事情都交给梅丽莎以及过渡团队的其他成员去做。同时，我们还通过一位在芝加哥的朋友的推荐，雇了一位非常能干的室内设计师迈克尔·史密斯，由他来帮助我们布置、装饰在白宫的新家以及总统的椭圆形办公室。

据我所知，新当选的总统可以获得美国联邦基金十万美金的资助，用于搬家以及装饰白宫。但是，贝拉克坚持这些钱都用我们自己的积蓄来支付，具体就是他这些年的图书版税收入。其实，自打我认识他开始，他一直都是这样的作风：只要是涉及金钱和道德的事情，他都异常谨慎，要求自己的标准甚至比法律规定的还要高。在非洲裔美国人的圈子里，流行一句很古老的座右铭：你必须要双倍付出，才能取得别人的一半儿。作为第一个住进白宫的非洲裔美国人家庭，我们被看作是整个种族的代表。我们清楚地知道，我们任何的判断失误或者疏忽都会被别人放大解读，甚至完全脱离事情本身去解读。

总的来说，我其实对装饰白宫以及参加总统就职典礼并不是很感兴趣，我更关心的是，作为第一夫人，将来我究竟能做什么。在我看来，事实上我并没有什么必须要做的事情。没有职位描述就意味着没有工作要求，这就给了我自主决定日程安排及工作内容的自由，我只要确保一点就行了，那就是：我所做的任何努力都能够帮助贝拉克推动新政府的总体施政目标。

让我感到特别欣慰的是，萨沙和玛利亚结束了她们在新学校第一天的学习生活后，回到家都很开心，第二天也是如此，第三天也是。萨沙还带了家庭作业回家，这是以前从来没有过的。玛利亚也报名参加了中学的合唱音乐会表演。据她们说，有时候，其他年级的同学看到她们的时候，会惊讶地再看上一眼，但是所有人都很友善。此后的每一天，由专门的车队护送我和两个孩子去塞维尔友谊学校似乎成了一件例行的公事。大约一周以后，两个孩子觉得她们可以独立上学了，不用我再陪着，只要我母亲做她们的专职陪护就可以了。这样一来，不论是送她们去上学还是放学后接她们回家的阵势都小了很多，特工人数减少了，车队规模缩小了，所携带的武器自然也少了许多。

我母亲原本是不愿意跟我们一起到华盛顿生活的，但是在我的"逼迫"下，她最终还是来了。两个孩子需要她，我也需要她，当然，我一厢情愿地认为她同样也需要我们。在过去几年里，她几乎每天都跟我们生活在一起，不论我们谁遇到什么样的烦心事，她的存在都是一剂缓解的良药。虽然她已经七十一岁了，但是她此前一直生活在芝加哥，从没到过其他地方。她当然非常不愿意离开芝加哥南城以及她在欧几里得大道的家。"我很爱我女儿他们一家人，但是我也爱我自己的家。"在竞选结束后，我母亲在一次接受采访时这样说道，言辞毫不含蓄，"白宫总是能让我联想到博物馆，它确实也像一座博物馆，你怎么能在一座博物馆里面睡觉呢？"

我尽力劝说母亲，我告诉她：如果她能搬到华盛顿，她将能够接触到各种各样有趣的人，她再也不需要自己洗衣做饭，而且她将住在白宫的顶层，那里的空间可要比芝加哥家里的空间大得多。但是，这些对我母亲来说都没有意义，她对所有这些诱惑都无动于衷。

最后，我只好给我哥哥克雷格打电话，我对他说："你必须替我说服母亲，让她同意跟我们一起搬去华盛顿。"

没想到这招最终管用了。在形势需要的时候，克雷格还是很擅长以简单粗暴的方式解决问题的。

就这样，在接下去的八年里，我母亲一直在华盛顿和我们生活在一起。刚开始的时候，她还是坚持说她只是暂时在华盛顿待一阵子，等到我们将萨沙和玛利亚安顿好以后，她就搬回去。她明确反对自己的生活受到任何形式的限制，她拒绝了特工处提供的安全保卫服务，刻意避开媒体采访，尽量让自己保持低调，让自己的行踪保持隐秘。她会因为坚持要自己洗衣服，而让白宫的服务人员觉得她很有亲和力。在白宫的那几年里，她会根据自己的意愿，悄悄进出白宫。当她需要购物的时候，她就走出白宫，到最近的便利店或者飞琳地下商场自己去买；她也会交不同的新朋友，还定期与她们一起相聚，在外面吃午饭。每当有陌生人跟她说她看起来特别像米歇尔·奥巴马的母亲时，她都会非常礼貌地先耸耸肩，然后回答说："是的，经常有人这么说。"然后继续做她该做的事情。我母亲就是这样一个人，总是以她自己的方式行事。

贝拉克正式就职时，我们一家人都赶来参加就职典礼。我的姑姑、叔叔、兄弟姐妹都来了；我们在海德公园的朋友也来了；同时来的还有我的女性朋友以及她们的配偶。每个人都带来了他们的孩子。因此，在就职典礼后为期一周的庆祝活动中，我们专门策划了适合大人和孩子的不同的欢庆活动，包括一场儿童音乐会。总统就职宣誓仪式结束后，在国会大厦举办传统总统午宴时，我们为孩子们准备了他们的专属午宴；在我们大人前去参加总统就职舞会时，我们为孩子们准备了白宫寻宝游戏和儿童聚会。

在竞选的最后几个月里，发生过一件既让人吃惊又可喜可贺的事，那就是：我们一家人与乔·拜登一家人非常自然、和谐地相处，其乐融融。尽管几个月前，贝拉克和乔·拜登还是政治上的竞争对手，但是他俩的关系一直很和谐，而且二人也比较相似——都可以在严肃认真地工作与愉悦地享受家庭生活之间轻松切换角色。在我们接触之后，我也很快喜欢上了乔·拜登的妻子吉尔·拜登，我欣赏她那股温柔而又刚毅的劲儿，以及她良好的职业道德。1972 年，乔·拜登的第一任妻子及一岁的女儿在一次车祸中不幸丧生。五年之后的 1977 年，吉尔嫁给了乔，成为他两个儿子的继母。后来，他们二人又生了一个女儿。吉尔早些年就获得了教育学博士学位，从乔在特拉华州担任参议员的时候起，一直到后来他两次参加总统竞选，她都一直在特拉华州的一所社区大学教授英文。有一点我们俩很相像，那就是我们都非常关心军人家庭，并一直在尝试寻找不同途径来帮助他们。但吉尔与我不同的是，她与军人的家庭有着直接的情感联系，因为乔的大儿子博·拜登当时作为国民警卫队的一员正在伊拉克服役。父亲乔宣誓就职美国副总统时，他才获批短暂回国，来到华盛顿观看父亲的就职典礼。

当时，拜登夫妇的五个孙子孙女也来华盛顿观看了祖父的就职典礼，孩子们就像乔和吉尔两人一样，性格开朗，为人谦逊。其实，早在 2008 年丹佛举行的民主党全国代表大会上，我们就遇见过他们。当时，他们带着萨沙和玛利亚一起玩耍，到了晚上还特地邀请萨沙和玛利亚在乔的酒店套房内一起过夜。几个孩子相处得那么融洽、那么和谐，以至于他们完全忽略了自己身边正在发生的政治大事，只觉得这是他们交朋友的好机会。总之，只要有拜登的孙子孙女们在，我们大家都会觉得很开心。

贝拉克正式就职那天，天气寒冷，最高气温不到冰点，而寒风让人觉得气温似乎有零下九摄氏度。那天早上，我和贝拉克，还有两个女儿、我母亲、克雷格、凯莉、玛雅、康拉德以及萨沙和玛利亚的"凯伊妈妈"一起去了教堂。一路上，我们不断听说那天天还没亮的时候，人们就已经在华盛顿国家广场前排队了，大家都穿得很厚实，在寒风中等待就职典礼正式开始。尽管天气寒冷，但人们还是愿意站在室外等候数小时，这一点我永远都不会忘记，我相信他们之所以选择坚守，一定是因为他们认为值得。后来，我们才知道，那天华盛顿国家广场上聚集了来自全国各地的将近二百万民众，尽管身份多样，但毫无疑问，他们都充满了激情与希望。人群从国会大厦开始，经过华盛顿纪念碑，一直向外延伸了 1 英里多，可谓是人山人海。

晨间礼拜过后，我和贝拉克径直回到白宫，与乔·拜登和他的夫人吉尔·拜登会合。然后我们与时任总统乔治·布什、第一夫人劳拉·布什，时任副总统迪克·切尼以及他的夫人坐在一起喝了一会儿咖啡和茶，随后一起乘车前往国会大厦进行宣誓仪式。早些时候，贝拉克就已经得到了一份特许代码，他可以凭此进入美国的核军火库，同时还有一份简要说明书，内容是关于具体如何使用代码的。从那时开始，不论贝拉克去哪里，他身边都会有一名军事随员，随身携带一个 45 英镑重的手提包，内含核军火库启动认证码以及精密通信设备。这个手提包确实分量不轻，通常，它有一个别名，被叫作"核弹橄榄球"。

对我来说，就职典礼就如那些奇怪的、慢镜头似的经历一样，场面宏大到我有点搞不清自己究竟在做什么。在典礼开始之前，我们被带到国会大厦的一间私人房间里，在那儿，两个女儿吃了一些点心，贝拉克则花了几分钟跟我一起排练了一遍宣誓流程：将他的左手按在一本红色封皮的《圣经》上宣誓，这本《圣经》的主人是一百五十年前的亚伯拉罕·林肯。与此同时，我们的很多朋友、亲戚，以及同僚都在外面的看台上为自己找座位。后来我才发现，在这次总统就职典礼上，有好多位有色人种公民以特邀嘉宾的身份出现在了美国公众以及全球电视机旁的观众面前，这在历史上或许还是第一次。

我和贝拉克都很清楚，对于全美国人来说，尤其对于那些曾积极参加美国民权运动的人来说，这一天究竟意味着什么。贝拉克早已打定主意，决心要邀请"塔斯克基飞行员"——创造过历史的非洲裔美国飞行员，以及参加过第二次世界大战的地勤人员作为他的特邀嘉宾参加就职典礼。他还邀请了著名的"小石城事件"[1]的九名当事人。1957 年，九名非洲裔美国学生被阿肯色州的一所白人中学录取，成为联邦最高法庭判决布朗诉托皮卡教育局案[2]后的第一批试验者，但他们也因为当时"白人至上主义"的观念而遭受了数月的不平等对待和歧视。他们九个人如今都已年老，花白的头发、佝偻的身体，都是岁月留下的痕迹，或许也是他们替后代负重前行的痕迹。贝拉克以前经常说，他之所以要立志跨入白宫，就是因为"小石城事件"九名当事人曾经敢于跨入一所白人中学。

---

1 "小石城事件"发生在美国阿肯色州小石城，围绕公立学校中的种族隔离政策展开的对抗事件。1957 年 9 月，小石城学校委员会宣布逐步改变学校中种族隔离的现象，在白人的中心中学首批录取了九名黑人学生。

2 布朗诉托皮卡教育局案，被认为是美国历史上具有里程碑意义的诉讼案，当时最高法院做出裁决：州法律规定公立学校实行种族隔离侵犯了黑人学生平等受教育的权利，因违宪而必须终止。实际上，此案裁决的影响远远超出了公立学校的范围，这一裁决还为美国各方面向种族隔离提出挑战提供了法律基础。该裁决废止了各州实行种族隔离的权力，为种族融合和民权运动铺平了道路。

在我们所属的所有连续体中，这才是最重要的一个。

这天，临近中午的时候，贝拉克、我，还有两个女儿，我们一家一起站在了整个美国面前。说真的，我只记住了当时一些最微不足道的事，比如：洒在贝拉克额头上的阳光是那么的明媚；当联邦最高法院首席大法官约翰·罗伯茨宣布就职仪式正式开始时，喧闹的人群立刻安静下来，传递出他们的敬意；萨沙当时因为个头儿太小，生怕自己被人山人海的成年人挡住，于是特地站在台子上，表情自豪，让大家看到了她的存在。我还记得当时空气非常清新。我拿起当年林肯总统的红色封皮的《圣经》，贝拉克将他的左手按在上面，开始宣誓，他宣誓要恪守、维护和捍卫美国宪法。誓言虽然很简短，但贝拉克做出了郑重的承诺，他承诺从此关注整个国家、所有美国人都关注的事情。整个仪式既隆重又充满乐趣，这一点从随后贝拉克发表的就职演说中就能体会一二。

"今天，"他说，"我们在这里齐聚一堂，因为我们战胜恐惧，选择希望；摒弃冲突和矛盾，选择团结。"

从寒风中冻得瑟瑟发抖的观众的脸上，贝拉克的这句话再一次得到了验证。整个华盛顿广场以及庆祝大游行沿线的每一寸土地上都站满了观众，无论从哪一个方向看去，都是人山人海，一眼望不到头。我似乎觉得我们一家人马上就要落入他们的怀抱中了。我们与所有人从此达成了一项约定：你们选择了我们，我们也一定会铭记你们。

玛利亚和萨沙很快就体会到了完全暴露在公众视野中是一种什么样的感受。典礼结束后，当我们一家坐进总统的座驾，行驶在游行队伍的最前面，缓缓驶向白宫的时候，我就发现了这一点。那会儿，贝拉克和我已经跟乔治·布什和劳拉·布什道了别，我们边挥手边看着他们乘坐一架海军陆战队的直升机从国会大厦离开。我们一家已经用过午餐，贝拉克和我在国会大厦内的一间正式的大理石大厅出席了总统午宴，我们吃的是鸭胸肉，出席午宴的宾客有好几百人，包括贝拉克的新内阁成员、国会议员，以及联邦最高法院的法官。萨沙和玛利亚则跟拜登夫妇的孙子孙女以及一些堂（表）兄弟姐妹们在一起，他们在附近的另一间屋子里用餐，并且吃到了她们最喜欢的美味佳肴——炸鸡柳、麦卡洛尼芝士意面。

在就职典礼的整个过程中，两个女儿都表现很好，没有一丝烦躁、懒散，还不时地向公众致以微笑，这让我感到非常吃惊。当我们的车队驶到宾夕法尼亚大道时，还有成千上万的观众站在道路两旁观看，即使我们的车窗颜色很深，从外面根本看不见里面，也挡不住他们的热情。当然，还有无数守在电视机旁的观众。贝拉克和我走下车，沿着游行路线走了一小段，并向公众招手。这期间，玛利亚和萨沙则留在暖和的凯迪拉克车内，坐在后排没有下车。当时，她俩好像终于得到解脱，离开公众的视线，有了点属于自己的空间。

当我和贝拉克再次回到车上的时候，发现两个孩子笑得喘不过气来，她们已经将自己从那正式的礼仪束缚中彻底解放了出来。她们摘下帽子，搞乱对方的头发，东倒西歪，开始了她们姐妹的逗乐式争吵。直到玩得筋疲力尽，她们才回到座椅上，摊开四肢躺下来，将双脚高高抬起。一路上，汽车音响里播放的都是碧昂丝的歌曲，我们的生活像是又回到了过去。

看到这样的情景，贝拉克和我都感到既温暖又欣慰。我们虽然是美国第一家庭，但我们还是我们。

就职典礼那天，太阳落山的时候，气温再次下降，天气更冷了。我和贝拉克，还有不知疲倦的乔·拜登在白宫前面的看台上参加了长达两个小时的户外军队检阅仪式，观看来自全美五十个州的军乐队、仪仗队从宾夕法尼亚大道上一一穿过。有那么一阵子，我的脚趾似乎都冻僵了，后来，有人递给我一条毯子，我用它裹住了腿和脚，可即便如此，我的脚趾似乎还是麻木的。随着仪式的进行，和我们一同在看台上观看仪式的其他宾客都借口说要为晚上的庆祝舞会做准备，于是一个接一个地提前离开了。

等到最后一个军乐队穿过宾夕法尼亚大道时，已经接近傍晚七点，天色已黑，我和贝拉克这才一起走进白宫。这是我们第一次以主人的身份来到这里。经过一个下午大约五个小时的忙碌，白宫的工作人员已经将我们的住所彻底收拾了一遍：将前总统布什一家的东西搬了出去，将我们一家的东西搬了进来；以前用过的地毯全部进行了高温消毒，以消除前总统的爱犬留下的痕迹，防止玛利亚因此而过敏；我们的家具搬进来后也已摆放停当，还到处摆满了鲜花作为装饰。当我们乘坐电梯来到楼上的时候，发现我们的衣服都已整理好并放进了衣橱，厨房的食品储存室也存满了我们最喜爱的食品。负责管理我们住所的白宫管家们，随时准备着听候我们的吩咐，他们大多都是非洲裔美国人，年龄跟我们差不多或者稍微比我们年长一些。

我当时实在太冷了，一点儿胃口也没有。我们的时间并不多，还有十场庆祝舞会要参加，而且要在一小时之内赶去参加第一场。我记得，当时在楼上除了几位陌生的管家之外，我几乎看不到别的任何人。我记得，当我一个人穿过一段很长的走廊、经过一扇又一扇紧闭的房门时，我感到有一些孤独。毕竟，在过去两年里，我的身边总是围着不少人，梅丽莎、凯蒂以及克里斯汀几乎一直陪在我身边。但是现在，突然间，只剩下我自己一个人了。两个孩子这会儿应该正在白宫的其他房间欢度美好的夜晚。我母亲、哥哥克雷格以及玛雅本来要和我们一起待在白宫住所的，但是他们现在也都乘车去参加晚上的庆祝活动了。此时此刻，只有一名发型设计师等着为我设计新发型，我稍后需要穿的晚礼服正挂在衣架上；贝拉克去冲澡了，他待会儿也要换上出席舞会的晚礼服。

对我们一家人，甚至对整个美国来说，这一天都是不可思议而又充满象征意义的一天，但对我来说，更像是一场超长距离的马拉松赛跑。我只有五分钟的独处时间，于是我赶紧泡了一个热水澡，打起精神准备参加接下来的活动。随后，我吃了几口助理厨师长萨姆·卡斯准备的牛排和土豆。我重新换了发型，化了妆，然后穿上我专门为当晚挑选的晚礼服。这是一款象牙色的单肩雪纺绸礼服，是一位名叫吴季刚的年轻华裔设计师专门为我设计的，礼服上面布满了精致的欧根纱小花朵，每个小花朵中心又都镶嵌了一颗非常小的水晶，长长的裙摆一直垂到地面。

在我的人生当中，到目前为止，我几乎没有穿过礼服，不过，吴季刚设计的礼服可以说创造了一个小小的奇迹：在我以为自己已经没有什么可以向别人展示的时候，它让我再次觉得自己温柔、美丽，同时又开朗自信。这件晚礼服使我们家原本朦胧的蜕变，以及这段经历所蕴含的前景都变得鲜活起来，让我变成了一位充满吸引力的舞厅公主，如果这个比喻有点夸张的话，那至少可以说它让我意识到自己是有能力登上另一个舞台的女人。现在，贝拉克是美利坚合众国的总统，我是美利坚合众国的第一夫人，这是一个多么值得庆祝的时刻！

当晚，我和贝拉克出席了就职仪式后的第一场舞会——"睦邻舞会"，这是有史以来第一场普通公众可以参加、价格上也能够承受得起的总统就职舞会。舞会上，著名歌手碧昂丝亲自献唱，她翻唱了经典爵士情歌《最后》[1]，这也是我和贝拉克为我们的"第一支舞"亲点的歌曲。

1《最后》（At Last），由美国著名词曲作者马克·戈登（Mack Gordon）和哈利·沃伦（Harry Warren）为《太阳谷小夜曲》（Sun Valley Serenade）合作编写的歌曲。

碧昂丝歌声洪亮饱满，点燃了整个舞会。接着，我们去参加了"贝拉克故乡舞会"，又参加了"三军总司令就职舞会""青年舞会"以及其他六场舞会。我们在每场舞会待的时间都不是很长，流程也基本一样：一支乐队演奏歌曲《向统帅致敬》[1]，贝拉克接着点评了几句，我们展露笑容，向前来参加舞会的人们表示感谢，在大家热情的期盼和注视下，我和贝拉克又在《最后》的音乐声中跳了一支舞。

每次我都紧紧抓着我的丈夫，在他的眼中寻找那一如既往的冷静与沉着。二十多年来，我们这对搭档一直像玩跷跷板一样互相配合，像阴和阳一样相辅相成，并坚守着对彼此发自内心的、根基深厚的爱情。一直以来，我也都非常愿意跟大家分享这一点。

时间一点点过去，夜渐渐深了，我感觉自己已经筋疲力尽，快要站不住了。

那天晚上最精彩的部分当属最后的重头戏——我们在白宫专门为几百位好友举办的私人聚会。只有在这样的聚会上，我们才能真正放松下来，喝上一点儿香槟酒，不用再担心自己的形象问题。当然，我想我当时肯定还脱掉了自己的鞋子。

当我和贝拉克终于回到白宫的时候，已经接近深夜两点。我们穿过大理石地板走向东厅，发现聚会已经进入高潮部分，大家个个开怀畅饮，穿着优雅，在灯光闪烁的吊灯下来回舞动。温顿·马萨利斯[2]和他的

1《向统帅致敬》(Hail to the Chief)，这首歌是美国总统官方歌曲。自 1954 年由美国国防部确认了其官方地位后，常演奏于美国总统在各种公众场合之时。

2 温顿·马萨利斯（Wynton Marsalis, 1961— ），美国家喻户晓的明星音乐家，被称为 20世纪最出色的古典小号演奏家。他出生于美国路易斯安那州新奥尔良的音乐世家，父亲是著名的爵士钢琴家艾里斯·马萨利斯，哥哥布兰福德·马萨利斯是全美最负盛名的爵士萨克斯演奏家，因此人们将这个家庭称为爵士乐"第一家庭"。

乐队正在屋子最后面的小舞台上演奏爵士乐。我看到了我人生的每一个阶段所遇到的朋友——普林斯顿大学的校友、哈佛大学的校友、芝加哥的朋友，以及父亲罗宾逊家族和母亲席尔兹家族的很多人。他们都是我想与之一起畅谈、一起欢笑的人，真想对他们说，我们总算是又聚到一起了！

但是我不行，我的体力已经达到了极限，而且我已经开始考虑第二天的安排了。我知道，第二天早上——也就是从现在起仅仅几个小时之后，我们要出发去参加国家祈祷仪式，接着还要全程站着迎接二百名前来参观白宫的公众代表。贝拉克看着我，读懂了我的心思。"你不用勉强自己，"他跟我说，"没关系的。"

派对高手们已经开始向我围过来，眼巴巴地等着我回应。他们当中有支持我们竞选的捐赠者，也有管理一座大城市的市长。"米歇尔！米歇尔！"大家大声呼喊着我的名字。但是，我当时太累了，我感觉我快要哭了。

贝拉克刚一跨过门槛，就被你推我挤地团团围住了。在那一瞬间，我整个人似乎都怔住了，等到回过神来，马上转身逃走。我甚至没有力气组织语言，编出一个适合第一夫人身份的告辞理由，甚至没有跟朋友挥手告别。我唯一能做的就是踩着厚厚的红地毯离开，全然不顾还紧紧跟在我身后的特工，全然不顾周围的一切，只顾着寻找上楼的电梯，让它赶紧带我回我们的住所。然后，我穿过陌生的走廊，走进陌生的卧室，脱掉鞋子，脱下礼服，躺在了一张陌生的新床上。

20

　　人们总是会问我，白宫的生活究竟是什么样子的。有时候，我告诉他们，那种感觉有点像我幻想自己住进了一家超级豪华的酒店，只是这家酒店里并无其他客人入住，只有我和我的家人。白宫里到处都摆放着鲜花，而且每天都会更换。白宫的建筑本身其实非常古老，而且还有一点儿令人生畏。墙体非常厚实，地面也铺得十分坚实，以至于我感觉从我们住所里发出的任何声音都会马上被吸收而听不见。窗户又宽又高，安装的都是防弹玻璃，出于安全考虑，这些窗户永远紧闭，这更让白宫显得死气沉沉。这里永远都打扫得一尘不染。白宫里有很多工作人员，有招待员、厨师、管家、花匠、电工、画家，以及水暖工。所有人都彬彬有礼，轻手轻脚，尽量保持低调。他们不论是到你的房间替你更换毛巾，还是为床头柜上的小花瓶更换新鲜的栀子花，都会等到你离开房间之后才进入。

　　白宫所有的房间面积都很大，就连浴室和储物间的建筑规模也都是我所见过的最大的，以至于贝拉克和我都吃惊地表示，我们究竟需要挑选多少件家具摆进去，才能让每个房间都有家的感觉。我和贝拉克的房间不仅有一张特大双人床——床体有四根美丽的帷柱，头顶是一顶小麦色的床幔，而且有一个可以取暖的壁炉，一个可以休闲聊天的地方，有一张沙发、一张咖啡桌，还有几把带软垫的椅子。我们一家五口人，每人都有一间浴室，除此以外还有十间浴室空置。我自己有一间衣橱，紧邻衣橱还有一间十分宽敞的更衣室——就是之前劳拉·布什带我参观时，通过窗户向我展示白宫玫瑰园风景的那间屋子。只是当时，这里确确实实已经成为我的私人空间，我可以只穿一件 T 恤，一条运动裤，远离大家的视线，静静地坐在这里享受属于自己的时光，办公、看书或者看电视。

我明白，能够像现在这样生活有多么幸运。主套房比我小时候我们家在欧几里得大道居住的整个公寓还要大。我和贝拉克的卧室门外悬挂着一幅克劳德·莫奈的画作，餐厅里还摆放着一幅埃德加·德加的铜质雕塑作品。我自己小时候的生活环境是芝加哥南城，而当时，我的两个女儿却住在由顶尖室内设计师设计的屋子里，她们甚至可以跟厨师定制自己喜欢的早餐。

有时候，我总是会这样对比，想着想着，就会有种眩晕感。

同时，我也尝试以自己的方式去适当减少白宫的条条框框。我明明白白地告诉房间服务员，两个女儿还是跟以前住在芝加哥的时候一样，每天早晨起床后自己收拾被褥。我也明确要求玛利亚和萨沙一如既往，以前怎样，现在也要怎样——要待人有礼貌，要懂得宽容；如果不是她们真正需要的东西，就不能随意索要；只要是她们能够自己做的事情，就不能使唤别人去做。同时，我们的两个女儿是否能不受白宫某些繁文缛节的限制，这一点对我来说也很重要。我告诉她们："是的，你们可以在走廊里扔皮球。""没错，你们可以去食品储存室里翻找你们想吃的东西。"我还特意告诉她们，如果她们想到楼外面去玩耍，直接去就好了，不必征求我的意见。一天下午，正下着雪，我从窗户往外看，发现她们两个正在南草坪的斜坡上，用从厨师那里借来的塑料托盘滑雪。这一幕顿时让我感到非常欣慰。

事实上，之所以能拥有这一切，是因为我和两个女儿是贝拉克的"队友"，当然，也是他所得到的各式各样奢侈服务的受益者。我们之所以重要，是因为他的幸福很大程度上取决于我和两个孩子是否幸福；我们必须得到保护的理由也只有一个，那就是如果自己家人的安全都受到威胁，那么他也无法保证大脑清晰和领导国家的能力。大家都知道，白宫运作的一个核心目标就是将"一个人"的幸福指数、工作效率以及个人能力最大化，这个人就是美国总统。贝拉克身边所有人的职责都是：将他当作一块珍贵的宝石一样伺候着。有时候，这种感觉就像是大倒退回到了那迷失的年代一样，一个家庭里所有人的工作都是围着一个男人的需求打转，他就是核心。我希望我们的女儿能够意识到，这是一种非正常的状态，相反，一个家庭中每个人都能得到尊重、得到发展才是一种正常的逻辑。其实，对贝拉克自己来说，这种受到"过分关注""小题大做"的待遇也让他感到很不自在，但是，他束手无策。

现在，他身边大约有五十名工作人员，专门帮他接收、回复日常邮件；有专门的海军陆战队直升机飞行员，随时准备带他飞往任何他需要去的地方；还有一个六人小组，专门负责整理各类简报，以确保他能够随时跟进事态的发展，从而做出有根据的、正确的决策。他有一帮厨师，专门负责他的营养问题；还有一批专门的采购人员，负责保证我们的食品安全，他们会匿名去不同的商场，挑选购买我们需要的物品，但从不透露他们为谁服务。

自从我和贝拉克认识以来，他就一直不喜欢购物、做饭，以及做任何形式的家庭维修。他不是那种会在地下室备有电动工具的人，或者那种通过下厨做一顿意大利烩饭、修剪整理家里的树篱来缓解工作压力的人。对他来说，如果能不承担任何家务、不用为任何家庭琐事操心，那就是一件幸福的事，因为这样他就不用分心，可以留出精力去天马行空地思考一些更重要的事情，当然，这样的重要事情有很多很多。

让我感到最有趣的是，他现在还有三名贴身随从，他们的职责包括：查看他的衣橱，确保他的皮鞋擦得锃亮，衬衣熨烫得平整，健身服及时洗干净、晾干并折叠摆放整齐。白宫的生活与普通人的生活真的是大相径庭。

"你看到我现在有多整洁了吗？"一天，我们吃早餐的时候，贝拉克眼含笑意地对我说，"你打开我的衣橱看了吗？"

"看过了。"我也笑着回答他，"但是，那没有一点儿你的功劳。"

正式就任美国总统后的第一个月，贝拉克就签署了《莉莉·莱德贝特公平薪酬法》，以保护劳动者不会因为性别、种族、年龄而在工资上受到歧视。他还下令审讯时不得使用逼供手段，并试图努力在一年内关闭位于古巴的关塔那摩湾的关塔那摩监狱，可惜最终未能实现。他修订了白宫雇员与说客来往的相关职业道德准则。最重要的是，在众议院共和党无一人支持的情况下，他成功在国会通过了一项重大经济激励方案。在我看来，他几乎连连获胜，他竞选时许下的承诺也开始一项一项地兑现。

当时，他也开始按时吃饭了，这简直就是一项额外的福利。

对我和两个女儿来说，这是一个让我们倍感吃惊而又拍手称快的转变。以前，在芝加哥的时候，孩子们的父亲在距离我们家有段距离的伊利诺伊州的议会供职，还经常在外竞选，以升入更高的职位，所以我们一家人很少能在一起吃饭。然而当时，虽然我们住在白宫，孩子们的父亲也成了美国总统，我们一家人却可以经常一起用餐，孩子们也总算能经常见到爸爸了。总之，贝拉克的生活比过去规律了很多，尽管他的工作时间还是跟过去一样非常长，但是下午六点半，他会准时乘坐电梯上楼，回家跟我们共进晚餐，不过，晚饭后，他经常需要马上回到他那椭圆形办公室继续处理公务。有时候，我母亲也会和我们一起吃晚饭，不过大多数时候，她都有自己的生活安排。她通常早上下楼跟我们打招呼，然后陪着玛利亚和萨沙去上学，到了晚上，她很少跟我们待在一起，而是自己在楼上那间紧邻她卧室的日光浴室里，一边看《危险边缘》[1]一边吃晚饭。即使我们挽留她跟我们一起，她通常也都边挥手再见边说："你们也都需要一点儿自己的时间。"

　　刚搬进白宫的前几个月里，我感觉事事都需要我亲自留心。我最早总结出的一条经验就是：在白宫生活成本会相对较高。虽然我们不用为住所支付租金，不用交水电费，也不用为工作人员支付工资，但是，我们要自己承担其他所有的生活开支，这笔花销可真不小，尤其是这里的一切都是高档酒店级别的，支出更是迅速增加。我们每月都会收到一个账单，上面列有我们购买的所有食物以及日用品，哪怕是一卷卫生纸。如果有客人来访，在白宫住上一晚或者跟我们一起吃顿饭，我们也要为其买单。加之我们还有一名米其林大厨级别的厨师，他又非常想讨好总统，因此，我就得留意他到底给贝拉克上了什么高级菜。有时候，贝拉克会随口说一句，早餐时某种外国水果的味道不错，或者晚饭时的寿司很好吃，厨师就会马上记录下来，把它们列在菜单上，定期轮换。后来，直到我们查看账单的时候才发现，其中一些食物是专门从国外运输过来的，价格非常昂贵。

　　然而，那几个月里，让我操心最多的还是玛利亚和萨沙。我需要观察她们的情绪变化，体察她们的感受，并留心她们与其他孩子交往的方式。每当她们告诉我交到新朋友的时候，尽管我非常开心，但我都尽力

1《危险边缘》(*Jeopardy*)，美国著名的电视智力竞赛节目。

让自己保持平静，不要反应过度。直到那时我才意识到，想要在白宫为孩子们安排一场朋友聚会，或者让孩子外出参加聚会，都不是一件容易的事。但是渐渐地，我们也找到了一套可行的办法。

经许可，我可以使用一部私人黑莓手机，但同时也被告知，我需要将联系人控制在十人左右，而且最好是我最信任的朋友——那些会无条件爱我、支持我的人。因此，我将大多数对外联络工作都交由梅丽莎处理，她现在是我的办公室副主任，比其他任何人都了解我的个人生活。她与我所有的堂亲表亲、大学时的朋友都有联系。我们需要对外留手机号码以及邮箱地址时，也都留她的，而不是我的，我几乎将所有请求事项都交给她处理。一些老熟人以及远方亲戚不知从哪儿冒了出来，带来一大堆请求和问题。比如：贝拉克能否在某人的毕业典礼上发表演讲？我能否为某非营利机构发表演讲？我们是否能够出席一场聚会或者一场募捐活动？这些请求大多数都是出于好意，但是，要我同时处理这么多事，我实在是无能为力。

说到两个女儿的日常生活，我经常需要一些年轻员工的帮助，请他们帮我做一些后勤保障类的工作。早些时候，我团队中的职员就去拜访了塞维尔友谊学校的老师以及管理人员，记录了学校举办一些重大活动的日期，协商取消了媒体问询环节，并解答了老师提出的一些问题，比如，当课堂上涉及政治和当天的新闻话题时，应该如何把控、处理。当两个孩子开始安排她们的校外社交活动时，我的私人助理成为她们的中间联络人，收集其他孩子父母的电话号码，精心策划并安排孩子们的接送问题。和过去在芝加哥的时候一样，每当两个孩子交到了新朋友，我总是会想办法尽量去结识对方的父母，邀请几位母亲一起吃午饭；赶上学校举办活动的时候，我还会主动向其他孩子的父母作自我介绍。坦白说，这种与人交往的方式可能会让人觉得比较尴尬。我知道，有时候，让刚刚认识我的人抛开他们对我和贝拉克已有的看法，抛开他们以为自己了解的那个我——从电视里或者新闻里面了解的我，只单纯将我看作是玛利亚和萨沙的母亲，得花上一定的工夫。

令人感到尴尬的事情还有很多，比如：在萨沙去参加小茱莉亚的生日聚会之前，特工处的特工需要先去彻底做一遍安全检查；当其他孩子的父母或者其他监护人送他们的孩子来我们家跟两个孩子玩耍时，他们必须提前报上自己的社会安全号码。所有这些都让人感到尴尬不已，但是又都非常必要。我不喜欢每次认识新的朋友时，都要先越过这样一个奇怪的、小小的障碍。但是，当我看到萨沙和玛利亚对这些事情表现得完全不在乎时，我感到异常欣慰。每当她们的朋友来白宫做客，在外交接待大厅门口刚一下车，她们就会迫不及待地飞奔过去迎接，然后拉着朋友的手，一起咯咯笑着跑回屋里。事实证明，孩子们对于名望的关注只有几分钟，过了这几分钟，她们只想高高兴兴、开开心心地玩耍。

我早些时候就被告知，我需要和我的团队筹办几场传统聚会和晚宴，首先就是2月在东厅举办的每年例行的州长舞会（一场正式的晚宴），然后就是一年一度的复活节滚彩蛋活动。白宫的复活节滚彩蛋活动始于1878年，是一个户外家庭庆典，当天会邀请上万名儿童及他们的家人前来参加，在白宫南草坪滚彩蛋。接下来就是春季午餐会，我需要出席并向国会参众两院议员们的配偶表达敬意——午餐会的形式与我之前遇见劳拉·布什的那次聚会相似。当时，劳拉·布什全程保持镇静，并微笑着与每一位来宾合影留念。

对我来说，这些社交活动与我所希望从事的更有影响力的工作相去甚远，但是，我也开始思考是不是可以给这些活动增加一些新东西，或者至少打破其中一些传统，融入一些现代元素。总的来说，我认为白宫里的生活可以更加前卫，但又不会减损白宫的深厚历史与传统。随着时间的推移，我和贝拉克之间达成共识——要朝着这个方向努力，比如，我们在白宫的墙上挂上了一些非洲裔美国艺术家创作的比较抽象的作品；增添了一些款式更为现代的家具，与白宫中的古董混搭。贝拉克还撤掉了他办公室里原来摆放的温斯顿·丘吉尔的半身像，换上了马丁·路德·金的半身像。在白宫不举办公共活动的时候，我们对管家们的穿着也不做要求，他们可以选择穿得更随意一些，比如可以穿卡其裤配高尔夫球衫，而不用整日里穿无尾礼服。

贝拉克和我都清楚，我们所做的这一切都是想让白宫变得更加开放，更加民主化、大众化，少一些精英气息。每次我们举办活动的时候，我都希望能够有普通人前来参加，而不全是西装革履的上层人士。我同样也希望能有更多的孩子前来参加，因为有孩子的地方总是充满欢乐。我希望能将一年一度的复活节滚彩蛋活动办得更加平民化——分配更多的名额给普通家庭的学生以及军人家庭，而不是将大多数名额都预留给国会议员的孩子，甚至他们的孙子，以及其他一些所谓的重要人士。此外，每当我需要邀请众议院及参议院议员们的妻子（大多数时候都是她们）一起用餐的时候，我就会考虑，难道我就不能邀请她们和我一起到市外去参加一些社区服务活动吗？

我很清楚，什么对我来说才是最重要的。我不想让自己成为衣饰讲究的摆设，每天只会参加一些聚会，出席一些剪彩活动。我希望自己能够做一些有意义的事情，一些会持续产生影响的事情。于是我决定，我要做的第一件有意义的事就是开垦白宫花园，将其变成白宫的菜园。

我不是一名园丁，在这之前也没干过园丁的活，但由于我们一家人以及我们的助理厨师长萨姆·卡斯对在家吃饭的要求都比较高，因此我现在知道6月的草莓吃起来最甜美多汁，深色叶子的莴苣营养最丰富，用烤箱自制羽衣甘蓝脆片其实并没有那么难。当我看见两个女儿正在吃春季豌豆沙拉、花椰菜配芝士通心粉时，我突然意识到，之前，我们对食物的大体了解都来源于食品生产商的各类广告，而这些食品通常是盒装的、冷冻的，或者是用其他方法加工的方便食品。这些食品要么在电视广告歌曲中不断出现，要么利用巧妙的包装，专门吸引那些整日里忙碌奔波、通常都是冲进卖场购物的父母，却从来没有人真正用心宣传新鲜的、绿色的健康食物——刚从地里面拔出来的胡萝卜，咬上一口脆得嘎嘣作响；刚从树上摘下来的西红柿，口味鲜甜到无法形容。

正因为如此，我才决定开垦白宫花园用来种植果蔬。我希望我的这一行动能够释放出一种信号，预示着将来能有更大的、更有意义的行动。贝拉克的新政府此时正在全力推动医疗改革，旨在让全美国人人都能看得起病，而我开垦白宫花园种菜的做法正好与之相呼应，向人们传递一种健康的生活理念。我将其看作一个用以试手的项目，它可以帮我下定决心，以第一夫人的身份去做我有可能做成的事，这也是我让自己扎根于第一夫人这份职业的一种实实在在的途径。我也将其看作一种户外教学课堂，孩子们可以前来参观，学习如何种植作物。从表面看来，花园只是大自然的一部分，与政治扯不上什么关系，我拿起铲子开垦花园只不过是一种单纯无害的天真的行为——或许对于贝拉克在白宫西翼的政策顾问们来说，这倒是一件好事，因为他们一直都非常关心"视觉效果"，在意公众对每一件事情的看法。

但是，这件事的意义绝不止这些。我希望我们在花园的一举一动能够在公众中引发一场关于健康和营养的讨论，尤其是在学校以及父母之间，最好能促使他们关注常见食品的生产、标注的信息以及营销过程，以及那些可能会影响健康和营养的食品加工方式。况且，我对这些问题的探讨是从白宫的角度出发的，这无疑会给那些食品饮料行业巨头带来一种无形的挑战,甚至会给他们几十年来坚持的经营模式形成挑战。

事实上,对于花园的开垦以及后续规划,我当时的思路并不是特别清晰。于是,我将一切交给萨姆(他当时已经成为白宫的工作人员)来处理,在他想办法一步步规划花园的同时,我发现自己的思路也渐渐清晰了。

最初几个月里,我对开垦白宫花园一直非常乐观,但这种乐观情绪最终被一件事冲淡,那就是政治。我们生活在华盛顿,几乎处在丑恶的"红蓝之争"[1]的核心区。这么多年来,我一直尽量避开党派之争,即使在贝拉克决定代表民主党参加竞选之后,依然如此。然而,即使贝拉克已经当选为美国总统,他身边的党派之争也一天都没有间断过。几周以前,在贝拉克还没正式就任的时候,保守电台主持人拉什·林堡就直截了当地称:"我希望奥巴马输掉。"当国会议员中的共和党人也跟他一样开始反对贝拉克时,我感到异常沮丧。对于贝拉克提出的任何缓解经济危机的措施,他们都表示反对;贝拉克提出通过减税来帮助美国工人保住饭碗,并可以赢得上百万个工作机会,他们也拒绝支持。一些经济指标显示,贝拉克就职当天,美国经济下行的速度与20世纪30年代大萧条初期经济下行的速度基本相同,甚至还要更快,仅在1月,全美国就失去了将近75万个工作岗位。贝拉克竞选时一直秉持这样一个理念:共和党和民主党之间的分歧可以弥合,所有美国人内心都希望团结而非分裂。但与此同时,在整个国家面临可怕的危机时,共和党成员却蓄意去证明贝拉克的判断是错误的。

---

1 美国媒体习惯使用红色指代共和党,以蓝色指代民主党,美国两党政治之争因此被称为"红蓝之争"。

2月24日那天晚上，这些烦心事一直在我的脑海里挥之不去，也是在那天晚上，贝拉克出席了在众议院举行的两院联席会议并发表讲话，参会人员包括联邦最高法院的法官、内阁成员、军事将领以及国会成员。对于新就任的总统来说，那次演讲其实就相当于例行的年度国情咨文演讲，总统需要借此机会来阐明他本年度的施政目标，演讲刚好在晚间黄金时段进行，同时进行电视直播。这也是一次充满传统色彩、极具仪式感的活动，在场的立法者表达同意或不同意总统提案的方式非常独特而又引人注目，他们或一跃而起，长时间站立着鼓掌，并重复这一动作，或一直坐着，默不作声。

那天晚上，我在楼座上就座，一边坐的是一名曾参加过伊拉克战争、非常和蔼的退伍军人；另一边是一个十四岁的孩子，这个小孩还曾给贝拉克写过一封非常真诚的信。我们都等着贝拉克出场。从我坐的位置向下看，基本能看到整个议事厅，这是一个不寻常的视角，能让我俯瞰美国的所有领导人。一眼望去，几乎全是穿着深色西服套装的白人男性。在这里，多样性的缺失实在太明显了。老实说，在一个标榜现代化和多元文化的国家，看到这种现象真的让人觉得十分尴尬。而共和党内这种情况尤为明显，当时，整个国会的共和党人当中，只有七名不是白种人，而这七人中无一人是非洲裔美国人，且只有一位女性。总体来看，五分之四的国会议员都是男性。

几分钟后，传来一阵响亮的小木槌敲击声，伴随着警卫官的指示，会议开始了。所有人起立鼓掌，掌声持续了五分钟之久，同时，新当选的政府官员在过道旁寻找座位坐了下来。在人群的最中央，在一堆特工和一名后退着移动的摄像师的包围中，我看到了贝拉克，他面带微笑，一边与大家握手一边缓慢地穿过大厅，走向讲台。

从前，我在电视上已经多次看到过这一仪式，不同的是，时间不是今天，当时的总统与现在的也不是同一位。此时此刻，当我看到下面拥挤的人群中间的那个人正是自己的丈夫时，我才突然意识到这一切已经成为现实，贝拉克正从事着一份重量级的工作，而且在工作中，无论他想要做什么，都必须赢得超过半数国会议员的支持才行。

贝拉克那天晚上的演讲非常详尽，而且他头脑很清晰。他承认美国经济形势已经十分严峻，各类战争还在持续进行，恐怖主义的威胁依然存在，民众不满情绪持续上升，因为在普通民众看来，政府对银行的救助实际上是在帮助那些金融危机的始作俑者，这对他们来说非常不公平。贝拉克整场讲话都非常注意措辞，对现实状况毫不回避，但同时也传递出希望，他提醒所有听众，美国这个国家有快速恢复的能力，有从困境中重新崛起的能力。

我从楼座上观察，在场的共和党国会成员大部分时间都安静地坐着，表现出一副固执且不屑一顾的样子，双臂交叉抱在胸前，眉头紧锁，就像一群没能得到满足的小孩一样。我意识到，贝拉克接下去无论做什么，无论对国家来说是好是坏，他们都会反对。但他们似乎忘记了一点：当初正是在一位前共和党总统的治理下，我们才陷入了这一团乱麻之中。说白了，除了希望贝拉克失败，他们似乎并不关注其他任何事情。我承认，就在那一刻，看到那种状况，我的确在怀疑我们的前方是否还有路可走。

当我还是个孩子的时候，我对自己的未来并没有十分明确的想法。我那时经常去戈尔姐妹家里玩耍，羡慕她们拥有那么宽敞的空间——她们一家人拥有一栋属于自己的房子。我当时就想，如果我们家能换一辆更好一点儿的汽车就好了。我会不由自主地留意我的朋友中，谁的手链比我多，或者谁的芭比娃娃比我多。我甚至会关注，谁平时是去商场买衣服，而不用为了省钱，麻烦母亲在家照着巴塔利克[1]的纸样自己做衣服。其实，当我们还是孩子的时候，在还未真正明白很多东西的意义或价值时，就已经开始以自己的标准去衡量它们了。随着我们慢慢长大，如果足够幸运的话，我们会发现，那些衡量标准其实都是错误的。

我们一家人住在白宫里，渐渐地，这里的一切开始变得熟悉——并不是说我习惯了这里宽敞的空间或者优渥的生活，而是因为这里已经成为我们一家人每天睡觉、吃饭、欢笑的地方。我们在两个孩子的房间里摆满了各式各样的小装饰品，都是贝拉克从各种旅行中带回来的。外出回来给孩子们带礼物已经成为他的一种习惯，比如，萨沙的雪花玻璃球、玛利亚的钥匙扣等。同时，我们对住所也做了一些细微的调整，增添了一些更为时尚的现代灯具来与传统的吊灯搭配，并摆放了一些香薰蜡烛，好让这里显得更温馨一些，更有家的感觉。虽然我觉得在白宫的生活越来越有人情味了，但我从不认为我们的好运气以及安逸的生活都是理所应当的。

我母亲也有同样的体会，此前，她一度认为白宫就像是一座冰冷的博物馆，并为要在这里生活感到十分烦恼，但是很快，她发现这里并不是她想象的那样，有很多事情需要重新加以判定。这里的人和我们并无两样，很多白宫男管家都已经在这里工作了好多年，不论第一家庭如何更换，他们都尽心尽力地服务。他们安静端庄，让我想起了姑婆的丈夫特里，当年，我们住在欧几里得大道的时候，特里就住在我们的楼下，他常常穿着一双正装鞋、一条背带裤为我们修剪草坪。于是，我要求我们一家人在与工作人员沟通的时候，既要意思明确，又要充满尊重，我希望他们永远不会产生被人无视的感觉。我还明确告诉他们，如果他们

---

1 巴塔利克（Butterick），在缝纫机问世时，美国的巴塔利克开始出售纸样，作为裁衣的样板。

中有人关心政治，不论他们支持的是共和党还是民主党，那都是他们的自由，不会受到干涉。他们也小心翼翼，懂得尊重我们的个人隐私。但同时，他们也表现得很开朗、很热心，所以渐渐地，我们的关系越来越亲近。他们能够凭直觉判断出什么时候应该让我一个人待着，什么时候能和我开一开玩笑。他们经常会在厨房里尽情讨论他们最喜欢的球队，每天我在厨房浏览早报头条时，他们都喜欢跟我讲一些最新的员工八卦或者有关他们孙辈的一些趣事。到了晚上，如果电视上正在播放校园篮球比赛，贝拉克偶尔就会进去跟他们一起看上一会儿。萨沙和玛利亚也逐渐喜欢上了厨房里的欢乐气氛，放学后常常偷偷溜进厨房制作冰沙或者爆米花。白宫里许多工作人员都非常喜欢我母亲，经常会跟着她一起去楼上的日光浴室聊天。

刚开始有那么一段时间，我完全辨认不出白宫里各位电话接线员的声音，他们有人负责早晨打电话叫我起床，有人负责帮我和楼下的东翼办公室联系。但是很快，我就跟他们熟悉起来，甚至成了朋友。我们会一起聊天，谈论天气；我也会跟他们开玩笑说，每次遇到官方活动的时候，我都要比贝拉克早起好几个小时，因为只有这样我才能有时间给头发做造型。我们之间的这种交流，时间都不长，但让我觉得生活多少正常了一些。

白宫里经验最丰富的管家当属詹姆斯·拉姆齐了，在卡特总统执政时，他就开始在白宫服务了。他是一名非洲裔美国人，头发已经花白，经常递给我一本最新的 *Jet* 杂志，面带骄傲地笑着对我说："奥巴马夫人，这是我为您特意准备的。"

当我们学会感受生活中的温暖时，我们会发现，一切真的是越来越美好了。

刚到白宫的时候，我在各处转完一圈后心想：我们的新家可真大，不论从面积上还是从豪华程度上来说，白宫都应该算是世界顶级的宫殿了。然后，4月我就陪同贝拉克访问英国，会见了女王陛下，并见识了她所居住的白金汉宫。

这是贝拉克当选美国总统之后，我们第一次对外出访。我们乘坐"空军一号"飞往伦敦，贝拉克要在那里参加二十国集团领导人峰会（即G20峰会），顾名思义，参加这次峰会的成员当然是二十个全球领先经济体及贸易体的领导人。此时召开这样一场峰会，其意义和重要性不言而喻。美国经济危机对全球经济都造成了灾难性的影响，致使世界金融市场陷入混乱。G20峰会也是贝拉克首次以美国总统身份亮相世界舞台。在他刚刚上任的几个月里，他的主要任务是收拾上一届政府留下的残局，因此，他参加这次会议主要就是替上一届政府承受来自其他国家领导人的指责。在他们看来，正是因为美国政府错失了整顿无序金融业的最佳时机，才没能阻止那场经济危机的发生，而最后，他们也要为美国的失误买单。

因为萨沙和玛利亚已经完全适应了新学校的学习和生活，所以在我陪同贝拉克出访期间，我就放心地将她们交给我母亲来照料。不过我也知道，我母亲一定会马上打破我平时订立的那些规矩，比如，让她们早早上床睡觉，晚饭时吃完餐桌上所有的蔬菜，等等。一直以来，我母亲都非常享受外祖母的身份，尤其当她帮助两个孩子推翻我制定的各种规定和约束，并让孩子们采用她那一套自在而又轻松的生活方式时，她最为满足。要知道，她当时对两个孩子的要求比她当年对我和克雷格的要求要松得多。因此，每当轮到外祖母照料她们的时候，她们就异常兴奋。

那次G20峰会由东道主、英国首相戈登·布朗主持，根据安排，与会的领导人要在伦敦市中心一个会议活动中心参加一整天的经济峰会。

但是，和往常一样，当世界各国领导人因公务齐聚伦敦时，英国女王也会邀请所有人去白金汉宫正式会面。可能是因为美国与大不列颠历来关系密切，也可能是因为那是我和贝拉克第一次到访，所以我们受到了特殊礼遇——在女王大规模接待所有宾客之前，我们就得到了女王单独的私人邀请。

不用说，我当然没有与皇室成员会面的经验。我被告知，与女王见面时可以行屈膝礼，也可以和女王握手。我还知道，我们需要称呼女王为"陛下"，而称呼她的丈夫菲利普亲王为"殿下"。除此之外，我一无所知。我们的车队从白金汉宫高大的金属大门缓缓驶入，经过贴着栅栏围观的人群，经过一队警卫以及一名皇家号手，最后穿过一道拱门，来到了白金汉宫的庭院里。直到那一刻，我都不知道接下来的会见会是一番什么样的情景。当时，王室的官方代表等人在庭院里迎接我们。

我那时才发现，白金汉宫实在是太大了，以至于根本无法用言语来形容。这座宫殿一共有七百七十五间屋子，面积足足有白宫的 15 倍大。让我感到幸运的是，在之后的几年里，我和贝拉克还曾多次应邀访问这座宫殿。在后面的几次拜访中，我们还曾在这里留宿，我们当时住的是宫殿一层一间非常华丽的套房，有专门的、穿着制服的男侍从和女侍从照顾我们的起居。我们也曾在这里的舞厅参加正式的宴会，当时用餐的刀叉外表都镀着黄金。我们还在接待员的引领下游览了整座宫殿，当时，我们走到一处，接待员介绍说"这是宫殿的蓝厅"，然后示意我们进去看看。我发现，蓝厅非常宽敞，面积足足是我们白宫蓝厅的五倍大。有一天，女王的首席接待员带着我、我母亲还有两个女儿参观了这里的玫瑰园，整个园子占地面积将近 1 英亩[1]，园里盛开着成千上万朵漂亮的

---

1 1 英亩约为 4046 平方米。

花，美极了。这样一对比，我突然觉得白宫总统办公室外那几丛我们一直引以为豪的玫瑰瞬间逊色了许多。我深深觉得，女王的白金汉宫真是美得令人惊叹，美得不可思议。

第一次到访时，我们径直被带到了女王的私人公寓，并被引领着进到一间会客厅，女王和菲利普亲王正在那儿等着接待我们。当时，女王伊丽莎白二世八十二岁，头发花白，身形小巧，面带微笑，举止优雅，额头上方的头发向后挽起，看上去显得非常庄重。她穿着一件淡粉色的连衣裙，戴着全套的珍珠首饰，还搭配了一款黑色的手提包，手提包挎在胳膊上，位置刚刚合适。我们首先握手寒暄，然后一起合了影。女王彬彬有礼地询问我们是否还有时差反应，并请我们入座。关于之后的聊天内容，我现在已经记得不是很清楚了，好像有一点是关于当时的经济形势，还有英格兰的事态以及贝拉克当时参加的各种会议。

在这次与女王会面的过程中，我感觉有些紧张。其实我觉得，任何正式会面，都可能会有一些不自在的感觉，我的经验是，遇到这种情况，还是可以有意识地设法调整自己的心态的。当时，我虽然坐着和女王聊天，但始终有点心不在焉，满脑子都是白金汉宫的豪华，以及与这样一位真诚善良的面对面时所产生的那种无力感。我努力让自己不要胡思乱想。此前，不论是从历史书上、电视上，还是从英国的货币上，我已经见过女王陛下的容颜几十次了，但此时此刻，我眼前的这位女王却是活生生的，她热情地看着我，并向我提出各种各样的问题。她举手投足都让人觉得温暖、优雅。我也尽力表现，想让自己变得和她一样。在我看来，伊丽莎白二世女王陛下现在已经成为一种象征，而且她已经完全掌握了如何驾驭这一身份。但是，她同时也和我们其他所有人一样——首先是一个人。我很快就喜欢上了这位女王陛下。

当天下午晚些时候，贝拉克和我还参加了白金汉宫专门举行的接待会，和其他二十国集团的领导人以及他们的配偶一起吃了一点儿小吃。我与德国总理默克尔、法国总统尼古拉·萨科齐分别聊了一会儿，也见到了沙特阿拉伯国王、阿根廷总统、日本首相以及埃塞俄比亚总理。我尽自己最大的努力去记住每个人来自哪个国家，以及谁是谁的配偶，全程小心翼翼不让自己多说话，以免出错闹出笑话。总体来说，这是一次正式而又气氛友好的聚会，在这次聚会上，我发现，即使是各个国家的首脑，也会互相聊聊有关孩子的情况，并拿英国的天气来开开玩笑。

在聚会快结束的时候，我一回头，发现伊丽莎白女王不知什么时候站在了我身旁，在这间拥挤的屋子里，我们两个突然落单的人聚到了一起。她戴着一双洁白的手套，看上去依然是那么精力充沛，就像几个小时之前我们第一次见面时一样。她冲我笑了笑。

"你个子可真高。"她对我说，仰起头看着我。

"是呀，"我轻轻地笑着回答她，"这双鞋的确让我高了好几英寸，不过，我确实挺高的。"

女王低头看了看我穿的那双黑色的周仰杰[1]高跟鞋，然后摇摇头。

"这样的鞋子穿起来很不舒服，不是吗？"她说，表现出一点儿懊恼的样子，同时示意我看她脚上那双黑色的高跟鞋。

于是，我向女王承认，我的脚确实很痛。她说她也是。接着，我们看着彼此，面带相似的表情，像是在说，这种给国家领导人当陪站的活儿什么时候才能结束？接着她笑出声来，这样的笑让人很难不被她吸引。

如果不去考虑我们两人的身份，不去考虑她有时候会佩戴一顶镶满钻石的王冠，也不去考虑我是乘坐总统专机到达伦敦的，那么我们就只

---

1 周仰杰（Jimmy Choo, 1952— ），戴安娜王妃生前御用鞋子设计师，世界著名华裔鞋类设计师，英国帝国勋章获得者，创立同名品牌 Jimmy Choo。

是两个被鞋子折磨得苦不堪言的普通女人。想到这里，我不由自主地伸出一只胳膊亲切地搂住了她的肩膀。我就是这样的人，每当我新结识一位朋友，并感觉自己与其投缘时，我都会情不自禁地去直接表达自己的情感。此时此刻，我就这么做了。

当时，我并没有意识到自己的行为有何不妥，但是很快我就得知，我的所作所为被认为是极度失礼的行为。我碰触了大不列颠的女王，犯了英国王室"不能碰触"的禁忌。我们在招待会上的交流被记者拍到，接下来的几天里，全世界的媒体都会发布这样的谴责性报道："英国王室规矩被破坏！""米歇尔·奥巴马竟然无视规矩拥抱女王！"同时，我们参加竞选时公众对我的一些负面猜测也再次浮出水面，他们认为我粗野无礼，缺乏一名标准的第一夫人应有的优雅。这件事一定程度上也让我有一些担心，生怕这会掩盖贝拉克此次出访的所有成果。但我还是尽力让自己在这些批评声中保持镇静。如果说我在白金汉宫的举动有失礼节的话，那它至少是充满人情味儿的。我敢说，女王自己也觉得无所谓，因为当我搂住她肩膀的时候，她并没有反对，相反，她还向我靠近了一些，将一只戴着手套的手轻轻地放在了我的后腰。

第二天，贝拉克又去参加了一系列马拉松式的会谈，讨论经济问题，我则独自去了一所女校。那所学校位于伦敦市中心的伊斯灵顿街区，是一所由政府资助的中学，距离一个市建住房群不远。全校一共有九百名学生，其中百分之九十以上要么是非洲裔，要么是少数族裔，五分之一的学生来自移民家庭或者寻求庇护的家庭。我之所以选择去那所学校，是因为它的生源十分多元，学校虽然资金有限，但教学水平一直以来都非常出众。我还必须确保一件事，那就是：作为第一夫人，如果我选择去某地拜访，我就会真真正正去拜访，也就是说，我一定要找机会和那些真正生活在当地的人见面，而不只是见见当地管理他们的政府官员就了事。在去国外访问的时候，我有很多贝拉克所没有的机会。我可以逃离那些精心策划、犹如表演似的多边会议以及领导人座谈，找寻一些新的方式，给原本严肃呆板的出访增添些许温暖的色彩。我计划每次到国外出访都要如此，英国是我的第一站。

然而，当我走进伊丽莎白·加勒特·安德森女校时，我对接下来要做的事情将要带给我的感受还没有完全准备好。工作人员将我引入一间大礼堂，大约两百名学生已经聚集在那里。根据安排，我们首先会观看一些同学们自己的演出，然后由我为她们作演讲。这所学校是以一名努力上进的女医生的名字命名的，她也是英国历史上第一位女市长。伊丽莎白·加勒特·安德森女校的教学楼本身并没有什么特殊——只是坐落在一条普普通通的街道上的四四方方的砖石建筑，但是，当我坐进一把折叠椅，开始观看演出——演出包括莎士比亚戏剧片段、一段现代舞以及一首由合唱队翻唱的惠特尼·休斯顿的歌曲——的时候，我的内心有东西开始颤动。我似乎觉得自己也回到了过去。

如果你仔细看看礼堂里那些女孩子们的面孔，就会知道，尽管这些孩子有自己的优势，但她们都必须加倍努力，才有可能被人们注意到。有些孩子头戴希贾布[1]，有些孩子的母语并不是英语，有些孩子的肤色是浅棕色，还有一些是深棕色。我知道，这个社会对她们有很多刻板印象，在她们能够自我定义之前，就有人以各种方式去给她们下定义。她们必须抵抗这些刻板印象和来自他人的定义。她们必须进行反抗，让自己不因贫穷、性别以及肤色而被忽略。她们必须努力发出自己的声音，争取她们的话语权并保持其不被削弱，从而保证自己不被打倒。她们必须努力去学习。

---

1 希贾布，穆斯林妇女戴的面纱或者头巾。

她们个个脸上充满希望，而当时，我也跟她们一样充满希望。对我来说，这是一种奇怪的、宁静的启示：她们就是我，因为我曾经和她们一样；我就是她们，因为她们终将成为现在的我。我在这所学校所感受到的那种跃动的力量与人生障碍无关。那是学校九百多名女孩共同奋斗所产生的力量。

演出结束后，当我走上台开始演讲的时候，我几乎无法控制自己激动的心情，我低头看了一眼早已准备好的提纲，但是，就在那一瞬间，我对提纲完全失去了兴趣。我抬头看台下的孩子们，开始即兴演讲。我告诉她们，虽然我从很远的地方来，并且是带着美国第一夫人这样一个奇怪的头衔，但是，有一点她们不知道，我其实有很多地方跟她们相似：我告诉他们，我也来自一个工人阶层社区，从小生活在一个经济并不富裕但是充满爱的家庭里；我告诉她们，我很早就意识到，学校是一个可以定义自己人生的地方——争取接受更多的教育是一件值得去努力的事情，因为教育能帮助我们走向更远的未来。

当时，我成为美国第一夫人刚刚两个月，很多时候，我总觉得自己被忙碌的节奏压垮了，我觉得自己与第一夫人的头衔和魅力并不相称，我担心我们的孩子会过得不好；同时，我对自己的一些目标也信心不足。身处公众生活，放弃个人隐私，变成代表整个国家的一个行动和言论的符号，这些看起来就像专门为夺去你一部分的身份而设计的。但是，当我站在这里，面对这些孩子们发表演讲时，我体会到一种完全不同的、纯粹的感觉——我成功地将过去的自己与当下的角色完美结合。我对她们说：你足够优秀吗？是的，你很优秀，你们所有人都很优秀。我告诉伊丽莎白·加勒特·安德森女校的孩子们，是她们给了我从未有过的感动；我告诉她们，她们都值得被珍视，因为她们的确如此。最后，演讲结束后，我一如既往地遵从自己的内心，遵从自己的本能，拥抱了我能够到的每一个孩子。

我们回到华盛顿的时候已经是春天了。与往日相比，太阳升起得更早了一些，落山的时间则更晚了一些。我眼看着南草坪斜坡上的绿色逐渐加深，直到最后变成一片翠绿。从我们住所的窗户向外看，山脚下银光闪闪的喷泉周围，满是大红色的郁金香和淡紫色的葡萄风信子。在过去两个月里，我和我的团队共同努力，终于将我的想法变成了现实，完成了对白宫花园的开垦，这说起来是一件非常不容易的事情。首先，我们必须要说服美国国家公园管理局以及白宫土地管理处，请他们同意我们开垦南草坪的一小部分，要知道，这可是全世界最著名、最具标志性的草坪之一！我们的这一提议起初的确遭到了反对，毕竟，距离第二次世界大战期间时任第一夫人安娜·埃莉诺·罗斯福在白宫开辟"胜利花园"已经有几十年了，后来似乎并没有人想去效仿这一做法。"他们觉得我们是疯了。"萨姆有一次告诉我。

然而，我们最终还是成功了。刚开始只有一块小小的、隐藏在网球场后边、紧挨着工具房的土地被分配给我们。值得赞扬的是，萨姆最终为我们努力争取到了更好的土地——南草坪上一块 1100 平方英尺的 L 形土地，这里距离总统办公室以及我们最近给两个孩子安装的秋千都不算远，并且几乎整日洒满阳光。我们又跟特工处协调，以确保我们的耕种活动不会干扰到他们的信号感测器以及照准线等安全保卫措施。我们还专门进行了试验，以测试土地营养是否充足，是否含有任何有毒成分，比如铅、汞等重金属。

一切准备就绪，只等开始了。

我从欧洲回来几天以后邀请了班克罗夫特小学的孩子们来白宫。班克罗夫特小学是一所双语学校，位于华盛顿的西北部。几周之前，我们曾用铲子、锄头给菜园松了土，现在同一批孩子又回来帮我栽培作物。还有一点，我们的菜园子距离顺着 E 大街的那道白宫南铁栅栏并不是很远，游客经常会聚集在这里隔着栅栏观赏白宫，我很高兴从此以后这里能成为他们观赏的一道风景。

至少，我希望它能让我在某些时候感到高兴，因为对于这个菜园子，你永远不能确定接下来什么会发生、什么不会发生——这里能长出东西吗？我们邀请媒体对种植过程进行报道，邀请白宫所有的厨师前来帮忙，还邀请贝拉克的农业部部长汤姆·维尔萨克到场。所有人都见证了我们的劳动过程，然后，我们只能静待结果了。那天早上，在所有人还未到来之前，我就跟萨姆说："说实话，我希望我们所做的这一切都不会白费。"

那天，我和一群五年级的孩子们一起跪在地上，小心翼翼地将幼苗一棵棵放进刨好的坑里，然后在幼苗四周盖上土，再轻轻拍打结实。在刚刚结束的欧洲之旅期间，我的每一套服装都会被媒体大加评论、大肆报道，比如，我与英国女王见面时穿了一件开襟衫，这被认为是一件失礼而又丢人的事情，就跟我犯了禁忌碰触了女王一样。如今，穿一件轻便的外套、一条休闲裤，并跪在土地上种植蔬菜，对我来说简直就是一种解脱。孩子们向我问问题，一些是关于蔬菜以及我们手头上的工作的，也有一些其他的问题，比如："总统去哪里了？""他怎么不来帮忙呢？"然而，还没一小会儿，他们中大部分人就已经把我抛在脑后。他们的注意力已经转移到了其他地方，比如，他们的园艺手套戴起来是不是刚好合适，又比如，他们在泥土里面发现了虫子。我喜欢跟孩子们待在一起，孩子们是我的精神慰藉，他们能够帮助我从第一夫人的种种忧虑中暂时逃离，甚至不去在乎别人对我的种种评价。从前如此，在我以后在白宫的生活中亦是如此。在孩子们面前，我能够重新做回我自己。

对他们来说，我也不是一道值得猎奇的风景，只是一位和蔼的、个头儿稍微有点高的女士而已。

那天上午，随着时间一点一点过去，我们分批种植了莴苣、菠菜、茴香、花椰菜，胡萝卜、羽衣甘蓝、洋葱、豌豆，浆果丛以及很多草药。将来能有收获吗？我不知道。同样，我也不知道将来我们在白宫还会面临什么，不知道美国将来会面临什么，也不知道我身边这些可爱的孩子们将来会是什么样子。当时，我们所有能做的事情就是：心怀信念，努力劳动，把余下的都交给阳光、雨露和时间，假以时日，一定会有一些像样的东西破土而出。

21

5月末，一个星期六的晚上，贝拉克决定要带我出去，实现我们二人的单独约会。当选总统的四个月以来，贝拉克每天都在马不停蹄地工作，以兑现他竞选时对选民做出的各项承诺，当然，他同样是在兑现给我的承诺。我们要去趟纽约，一起吃饭，一起看演出。

在芝加哥的那些年，我和贝拉克每周都会单独约会，而且这已经成了我们日常生活中非常神圣的一部分，也算是我们对自己的一点儿小小的放纵。不论什么情况下，我们都尽力维护每周的例行约会，确保其不被其他任何事情影响。我喜欢在昏暗的灯光下，跟贝拉克面对面坐在一张小桌前谈天说地。我们从前一直如此，我希望以后也同样如此。贝拉克是一个很好的倾听者，他不但有耐心，而且很体贴。我非常喜欢看他笑起来头向后仰的样子，喜欢他明亮的眼神、善良的本性。喝上一点儿酒，从容地吃一顿饭，我们好像又回到了当初，回到了我们初次相遇的那个夏天。那时候，我们俩总能擦出火花。

为了这次纽约的约会，我专门梳妆打扮了一番，穿了一件黑色短裙，涂上口红，将头发向后高高挽起，挽成一个优雅的发髻。一想到我即将要有一个短暂的假期，并且是和我的丈夫单独相处，我就感到一阵阵难掩的兴奋。在刚刚过去的几个月里，我们俩也曾多次一起出席晚宴，一起去肯尼迪艺术中心观看演出，但是那些都是官方性质的活动，而且是和很多人一起。这次才是一个真正属于我们二人的夜晚。

贝拉克穿了一套黑色的西装，但是没有打领带。下午晚些时候，我们跟两个孩子和我母亲道别后，手挽手穿过南草坪，登上总统专用的"海军陆战队一号"直升机，前往安德鲁斯空军基地。在那儿，我们将换乘一架小型空军飞机，飞往纽约的约翰·菲茨杰拉德·肯尼迪国际机场，接着飞往曼哈顿。我们的出行路线都是经过日程安排团队及特工处事先周密筹划的，他们考虑问题时从来都是要将效率和安全这两个因素极致化。

在萨姆·卡斯的帮助下，贝拉克为我们挑选了纽约华盛顿广场公园附近的一家餐厅。那家餐厅名叫"蓝山"，面积很小，位置也比较隐蔽，主推当地生产的食物。贝拉克知道，就冲这一点我就一定会喜欢。当我们的车队从曼哈顿直升机停机坪驶向格林尼治村（这是我们此次旅途的最后一段路程）时，前面警车灯光闪烁，我知道，那些警车是专门用来封锁前方的十字路口的，好让我们顺利通过。我顿时感到一阵内疚，正是因为我们的出现，才让这个城市星期六夜晚的交通变得拥堵。说起纽约城，它总会让我产生一种敬畏感，它是那么庞大，那么忙碌，足以让任何人在它面前显得渺小。我还清楚记得很多年前，当我和泽妮第一次来到这里时，我全程被惊得目瞪口呆的情景。我相信，贝拉克的体会一定比我更深刻。很多年前，当他在哥伦比亚大学就读的时候，正是纽约城那强大的能量以及多元的包容性，造就了他今日的智慧以及想象力。

我们到达餐厅后，服务员将我们带到一个不起眼的角落里，这样就不会引起太多人的注意。但是，我们的行程不可能完全保密。随后，只要是在我们之后到来的客人，都要接受安全检查，由特工处特工用手持安检仪进行全身扫描，虽说这样的检查并不费时，但仍然造成了很多不便。这一点也让我觉得非常抱歉。

我们点了马天尼酒，聊的内容也很轻松。在我们分别担任美国总统和美国第一夫人的几个月里，我们俩都在逐渐适应——学习在两种身份之间不停切换，以及如何平衡工作与婚姻的关系。这些天里，贝拉克的生活骤然变得复杂，当然，他遇到的任何一件事情我也没能幸免。也就是说，我们是有足够多的共同话题可以分享的——比如，在两个孩子放暑假期间，他的团队决定安排一次国外旅行；又比如，在白宫西翼召开的员工晨会上，我的办公室主任的发言有没有被采纳——但是，我都尽量避免提到这些话题，不单今晚如此，每天晚上都如此。日常工作中，如果我遇到一些跟白宫西翼有关的事务，我通常都让我的员工去跟贝拉克的员工沟通协调，而不是自己直接出面。总之，我一直尽量避免将白宫的公务带入我的个人生活当中。

虽然大多数情况下贝拉克也会尽量避免将工作带到生活中，但是有时候，他还是忍不住想与我探讨。他的工作都太熬人，他面对的挑战实在太大了，而且通常都非常棘手。通用汽车将在数天以后申请破产保护；朝鲜刚刚进行了一场核试验；贝拉克很快就要出访埃及，并将发表一场重要演说，以向伊斯兰世界伸出橄榄枝。他脚下的每一寸土地似乎从来没有停止过震动。每次有老朋友来白宫拜访我们，我和贝拉克都会问他们很多关于工作、孩子以及个人爱好的问题，他们经常会被逗乐。我们俩都不太愿意谈论我们的新角色以及新角色带来的种种复杂状况，相反，我们更愿意听一些八卦以及家庭生活的趣闻。由此可以看出，我们俩对普通人的日常生活是多么的渴望。

那天晚上，我们俩在纽约吃吃喝喝，在昏黄的烛光中谈天说地。我们甚至一度产生错觉，以为我们终于逃离一切，并陶醉在这种感觉中，尽管它是如此虚幻。白宫确实是一个非常漂亮、舒适的地方，但它更像是一个堡垒，只不过伪装成了一个家的样子。由于特工处的特工承担着保护我们安全的重任，因此对于他们来说，如果我们能永远不离开白宫的地界,那将是最理想的状态。即使在白宫里面,如果我们选择乘坐电梯而不走楼梯,特工们也会放心很多,因为这样就能将我们失足绊倒的风险降到最低。如果贝拉克或者我要到布莱尔大厦参加会议,尽管大厦就坐落在宾夕法尼亚大道对面,并且那里已经对外关闭,他们有时仍希望我们能乘车前去,而不是呼吸着新鲜的空气走过去。我们很尊重他们的这种职业警觉性,但也会因此觉得这种生活就像是监禁。如果我们家任何人想到杜鲁门阳台(一个可以俯瞰白宫南草坪的弧形露台,也是我们在白宫里唯一一个半私用的户外场所)去一趟,我们必须事先告诉特工处,然后他们会提前关闭 E 街区上能够看到阳台的那部分,清除聚集在铁栅栏外观赏白宫的所有游客,因为不论是白天还是黑夜,那里二十四小时都可能会有游客聚集。正因为如此,有时候我会表示反抗,希望能够在我的需求和别人的方便之间取得平衡。有很多次,我本想出去到阳台上坐一坐,但后来重新考虑后又都放弃了,因为我意识到,虽然只是在那里喝一杯茶,算不上什么大事,却会给特工处带来很多麻烦,也会打搅到很多人的假期。

正是因为我们的自由行动严重受限,我和贝拉克每天走路的步数大大减少,所以,我们俩越来越依赖住所顶层的那个小健身房。贝拉克每天都会在跑步机上跑一小时,释放他的运动渴望。我也每天早上和康奈尔一起去锻炼。康奈尔是我们在芝加哥时候的健身教练,现在因为我们的缘故也在华盛顿兼职,每周会来白宫几次带着我们做增强肌肉的训练和力量训练。

抛开公务不谈,我和贝拉克之间也从来不缺话题。那天晚上我们一边吃饭,一边聊到了玛利亚的长笛课,还有萨沙的小毯子,那个小毯子快要磨坏了,但萨沙对它还是一如既往地不舍,每天晚上睡觉的时候,都要把它盖在头上。我还给贝拉克讲了一件那时发生的非常有趣的事,大概就是在某一次拍照的时候，一名化妆师想要给我母亲贴上假睫毛，但最终失败了。贝拉克被逗得直笑，他一边笑一边头向后仰，和我想象中一模一样。最近，我们还多了一个可以谈论的非常有趣的新对象，它是一只七个月大、精力非常充沛的葡萄牙水犬，我们给它取名叫"阿博"，是参议员特德·肯尼迪送给我们一家人的礼物，也是我们当初竞选时给两个女儿许下的承诺，最后总算是兑现了。两个孩子经常带着阿博在南草坪玩躲猫猫游戏，当阿博在草坪上又跑又跳地玩耍时，她们俩赶紧偷偷躲到大树后面，然后大声喊阿博的名字，让它顺着她们的声音去寻找。我们一家人都非常喜欢这只水犬。

在我们吃完晚饭起身要离开的时候，我们周围的食客纷纷站起来鼓掌，这让我多少有些惊讶，我知道他们都是在表达善意，但同时也觉得确实没有必要。不过，他们当中可能也有人希望我们赶快离开。

毕竟，我和贝拉克都是令人讨厌的人，我们所到之处，任何正常秩序都会被打乱，这是一个无法回避的事实。当我们的车队护着我们驶入第六大道前往时代广场的时候，我们就非常真切地体会到了这一点。在我们到达数小时之前，警察已经封锁了百老汇剧院前的整个街区，所有前来看戏的人都要先排队等候，通过安检仪的扫描才能进入，当晚的演出也因为安检原因不得不推迟四十五分钟开演，要在平常，肯定不会出现这些状况。

最终，演出终于开始了。这场演出真的是棒极了，是奥古斯特·威尔逊[1]创作的一出戏剧，讲述了大移民时期，匹兹堡的一间寄宿公寓里发生的故事，就如我父亲和母亲两边的亲戚当年所经历的那样。当时数以

---

1 奥古斯特·威尔逊（August Wilson, 1945—2005），他是 20 世纪末美国最为成功的黑人剧作家。

百万计的非洲裔美国人离开南方乡村，迁移至中西部的工业城市。观看演出的时候，我在黑暗中紧紧挨着贝拉克坐着，有点痴迷，有点感动，有那么一阵子，我似乎完全沉醉在演出以及逃离众人视线、逃离工作所带来的那种安静的满足之中。

那晚晚些时候，当我们启程返回华盛顿时，我就知道，我和贝拉克下一次这样的约会恐怕又要等到很久以后了。贝拉克的政敌一定会借此尽情发挥，指责他带我去纽约看演出是浪费纳税人的钱用于个人享受，甚至在我们还没有回到家的时候，共和党已经召开新闻发布会，称我们此次约会极度奢侈浪费。这一信息也会被新闻媒体捕捉到，并引发热烈讨论。贝拉克的幕僚虽然没有发表意见，但他们用沉默表达了他们的立场——贝拉克和我都应该对政治更敏感、更上心一些，这让我感到更加内疚，觉得自己不应该这样自私，只顾着忙里偷闲与自己的丈夫单独外出约会，而不考虑由此造成的后果。

但其实我们都清楚，对于批评者来说，这并不是真正的理由，即使没有这件事，他们也总能找到其他各种各样的理由。共和党是不会停止对我们的批评的，我们将永远生活在反对派的聚光灯之下。

不过，也正是借着这次单独约会，我和贝拉克共同证实了一种推测，并证实了我们一直以来所猜测的最好的部分和最坏的部分。好的那部分是，即使我们现在生活在白宫中，我们其实也可以外出去度过一个属于我们二人的浪漫之夜，就像很多年前，贝拉克的政治生涯还未开始时那样；即使作为第一夫妇，我们也可以照常亲密，照常相爱，在一座我们共同喜欢的城市里，一起享用一顿晚餐、观看一场演出。不好的那部分是，我们做出这样的选择，也暴露了我们内心的自私，因为我们早就清楚，这样做会带来很多麻烦，比如，特工处需要事先与当地警察局专门召开数小时的协调会议，同时，还会给很多人增加额外的工作量，比如剧院的工作人员、餐厅的服务员、因交通管制而不得不开车绕行西侧高速公路的司机，以及在街道上执勤的警察。而这一切，正是我们当时生活中的不可承受之重。我们没办法觉得轻松，因为会涉及那么多人，影响那么多人。

················· ✳ ·················

从白宫的杜鲁门阳台向外望去，我们在南草坪西南角开垦的菜园尽收眼底，当时已经初步成形。对于我来说，这是一处非常令人愉悦的景致——如同一个正在不断完善的微型伊甸园，到处长满幼嫩的卷须及还未成形的幼苗。胡萝卜和洋葱刚开始抽芽，菠菜又浓又绿，园子四周开满了亮红色和明黄色的花朵。我们正在自己种植作物。

6月下旬，班克罗夫特小学的孩子们又一次来到白宫，这一次是为了我们的第一次丰收。我和孩子们一起跪在土地上，采摘了一些生菜叶子，又从豌豆茎上摘了些豌豆荚下来。在收获过程中，我们的葡萄牙水犬阿博也给大家带来了不少欢乐。我们发现，阿博是真的非常喜欢这个菜园，只见它绕着周围的树木一圈一圈地又跑又跳，等到玩累了，就回来四脚朝天地躺在菜园的高垄上晒太阳。

那天收获完成以后，萨姆和孩子们在厨房里用他们刚刚采摘的生菜叶和豌豆制作了沙拉。晚饭的时候，我们先吃了沙拉和烤鸡肉，接着又享用了美味的纸杯蛋糕，蛋糕上面点缀着我们刚刚从菜园里采摘回来的新鲜浆果。大概十周以后，我们的菜园又整整产出了90多磅的水果和蔬菜，而当初我们购买种子和基肥一共只花了大约200美元。

我们的白宫菜园受到了大家的欢迎，并且是有益健康的。但是我也清楚，对于一些人来说，这还远远不够。对此，我也能理解，因为大家对我总是有更高的期待，尤其对于女性来说，或许对于职业女性来说更是如此。人们对第一夫人有一种特定的期待，他们会想，成为第一夫人之后，我会不会丢弃从前所接受的教育，扔掉多年来积累的管理经验，然后将自己塞进那个满是茶叶和粉红亚麻织品的第一夫人专属的小房间里。总之，人们担心我成为第一夫人之后，无法展现真正的自我。

其实我知道，不论我做出何种选择，都注定会让一部分人失望。在贝拉克参加总统竞选的过程中，我明白了一件事：我的每一个举动、每一个面部表情都会被放大解读，甚至可能有十几种不同的解读方式。有人说我强硬、易怒，也有女权主义者因为我开垦白宫菜园、推广健康饮食理念而对我感到失望，认为我不够强势。在贝拉克正式当选美国总统之前几个月，我在接受一家杂志采访时说过，我将来入住白宫后的头等大事仍然是继续扮演好我们家的"老妈总司令"的角色。其实，我当时也就随口那么一说，但是这句话却被媒体抓住不放，并不断放大。一些美国人似乎能接受我的这种说法，因为他们非常能理解抚养孩子需要付出巨大的精力，不论是身体上的还是心理上的。但同时，还有一些人对我的这种说法表示非常震惊，认为我想传递的信息是：作为第一夫人，除了陪孩子们用毛根做手工外，我将别无其他作为。

而事实是，我想要做好一切——努力兑现我所许下的承诺，悉心照料我的孩子——一直以来，我也都是这么做的。现在，唯一的不同就是：我有了很多的观众，他们都注视着我的一举一动。

对我来说，我所喜欢的做事方式是：不声不响，保持低调，至少在每件事刚开始的时候，我从不喜欢声张。如果我想要做一件大事，我希望能有条不紊地按照计划一步一步向前推进，直到做出一些成果，直到我对其信心十足的时候，我才会对外公布。一直以来，我都告诉我的员工，不论做任何事情，我都不希望像蜻蜓点水一样浅尝辄止，而是要真正深入进去。有时候，我感觉自己像是湖面上的一只天鹅，非常清楚自己工作的一部分就是要高贵优雅地向前滑行，但同时，在水下，我的两只脚永远不能停止划动。在我们的努力下，公众对白宫菜园产生了强烈的兴趣和热情——新闻媒体上正面报道不断，全国各地的民众寄来大量的感谢信——这让我更加坚信一点：只要有好的想法，我就能够通过自己的努力做出成果，制造轰动效应，赚取人气。现在，是时候确定一个更大的目标，并促使各方寻求办法去实现它了。

贝拉克正式就职的时候，全美国将近三分之一的儿童体重超标或者患有肥胖症。在过去三十年里，儿童肥胖症患病率增至原来的三倍。儿童高血压及Ⅱ型糖尿病的患病率达到历史最高点。就连军队也不得不再三强调，日益严重的肥胖症增加了美国军队征兵的难度，在最常见的青少年不符合入伍服役的因素中，肥胖症已经成为其中之一。

其实，这一问题源于美国人家庭生活的方方面面，从新鲜水果价格过高，到公立学校孩子们运动及体育活动项目经费的大幅削减。此外，电视、电脑以及电子游戏占用了孩子们大量的时间，在一些居民区，家长们出于安全考虑，宁愿让孩子们待在家里，也不让他们去外边运动和玩耍，就像我和克雷格小时候一样。在大城市里，很多家庭居住的地区基础设施建设还很不完善，周边街区甚至连杂货店也没有，更不用说购买新鲜食品了。同样，大量乡村地区的居民更是没有条件购买到各类新鲜食品。与此同时，快餐店里供应的食物分量却在不断增加；含糖类谷物、微波方便食品以及超大分量食品通过儿童动画类节目进行推广，广告标语仿佛直接植入到了孩子们的大脑中，影响了他们的饮食习惯。

然而，想要对现有的食品系统进行改变，哪怕只是其中一小部分，都会引发一系列的对抗反应。如果我想要对市场上售卖的含糖的儿童饮料宣战，我不仅会面临来自各大饮料生产公司的压力，还会遭到大批为甜味剂生产公司提供谷物的农民的反对。如果我想推广校园健康午餐计划，就要准备好将自己置于与各类大公司游说团队的冲突中，因为后者几乎决定了餐厅里究竟售卖什么样的儿童餐。多年以来，组织有序、资金充足的食品饮料生产集团已经完全凌驾于公共健康专家以及公共卫生倡导者之上。要知道，每年全美国学校的午餐供应可是一个60亿美元的大项目。

虽然面临如此多、如此大的挑战，但我仍然认为，这是一个进行改革的好时机。其实，我并不是第一个也不是唯一一个意识到这一问题并希望有所作为的人。在全美国，一场健康食品运动已经拉开序幕，并且得到越来越多人的支持。"城市农民"正在全美国各地多座城市进行试验，以期得到大家的支持。在州以及各级地方政府层面，无论是共和党人还是民主党人，也都在想方设法解决问题，或者大力投资各类健康生活项目，或者修建人行道以及社区花园——这恰恰也说明，尽管共和党和民主党历来分歧不断，但两党之间还是有共同的政治基础可待探索。

2009年年中，我的白宫东翼团队着手与西翼的政策人员进行协商，并与政府内外各类专家多次召开会议，商议拟订具体的工作计划。最终，我们决定将侧重点放在儿童健康饮食上，因为我们很清楚，想要让成年人改变他们的观念以及饮食习惯实在是太难了，从政治上来讲也不现实。但有一点我们确定，如果我们将目标定位为孩子，努力帮助他们从小树立不同于他们长辈的、有益身体健康的食品和运动观念，那么我们成功的概率就会更大。反过来说，如果我们真心为了孩子们着想，那么谁还能在这件事上反对我们呢？

那会儿，学校正好在放暑假，我的两个女儿不用去上学。于是，我每周都抽出三天时间尽全力履行第一夫人的职责，剩下的四天留给孩子和家庭。我没有让两个孩子去参加所谓的日间夏令营，相反，我打算自己开办一个奥巴马夏令营，我们计划邀请一些朋友，举办几场游览当地的活动，让孩子们对他们自己生活的地方有所了解。我们游览了蒙蒂塞洛镇和维农山[1]，在谢南多厄河谷[2]探索洞穴奥秘；还参观了美国造币印钞局，观看了美元制造的全过程；游览了位于华盛顿东南部的弗雷德里克·道格拉斯[3]故居，了解了一个出生为奴的人是如何一步步成长为一位受人尊重的学者和英雄的。有一阵子，我还要求两个孩子每参观完一处就写一份参观感想，总结她们的所见所闻，但是后来，她们俩都表示反对这种做法，我也就放弃了。

我们尽可能一有机会就安排外出，但是考虑到出行成本，我们要么每天早起第一件事就是出去，要么就等到晚些时候再出去，这样就能方便特工在我们到达之前做完清场工作，或者为我们划出一片单独的区域，而不至于给别人造成太多的麻烦。我知道，虽然贝拉克并不跟我们一起出行，但我们仍然是令人讨厌的，只是讨厌程度减轻了一些而已。至于两个孩子，我尽力让她们没有任何负罪感，我希望她们能像其他孩子一样自由自在地成长。

说起来，就在那年早些时候，我还因此跟特工处的工作人员发生了争执。当时，玛利亚应邀和学校的一些朋友去参加一次心血来潮的出行——去买冰激凌。出于安全考虑，她不能乘坐其中任何一名同学家的车一同前去。恰好我和贝拉克又将自己的日程也安排在了这时候，而

---

1 得名于美国第一任总统乔治·华盛顿的故居，20世纪以前是美国马里兰州最大城市巴尔的摩最富有及社会地位最高的士绅居住区。

2 美国阿巴拉契亚大山谷的一部分，大部分在弗吉尼亚州境内。

3 弗雷德里克·道格拉斯（Frederick Douglass，1817—1895），19世纪美国废奴运动领袖，出生于美国马里兰州塔尔波特县吐卡霍地方的一个种植场。母亲是黑人奴隶，父亲是白人。

且是几周之前就已经确定了的。于是，玛利亚被告知她需要等待一个小时，等她的安保负责人从郊区赶回来才能送她去。结果就是，所有人的行程都要因为玛利亚而推迟，因此玛利亚不得不跟同学们挨个儿打电话道歉。

这正是我所说的生活中那些不可承受之重，我不希望我的两个孩子也承受这些。当时，我完全不能控制自己的愤怒。对我来说，发生这一切是完全没有道理的。实际上，白宫的每一条走廊都有特工值守，我每次从窗户向外看，都能看见特工处的车辆停在环形快车道上。但是，就因为一些所谓的理由，即使已经经过我的同意，她还是不能出发去跟朋友们会合。只要没有得到她的安保负责人的允许，她就什么也做不了。

"一个家庭不该是这个样子的，出门买个冰激凌不该搞这么复杂。"我跟特工处的工作人员说，"如果你们想要保护好孩子，你们就应该设身处地为孩子着想。"于是，我坚持要求特工处修订他们的安全保卫制度，好让萨沙和玛利亚日后需要离开白宫时，既能保证安全，又不需要事先进行如此烦琐费时的计划。我和贝拉克已经放弃了之前拟定的原则：我们放手不管，凡事顺其自然。对于我们来说，我们可以接受这样的束缚——在我们的生活中，已经没有随意冲动和产生怪念头的空间了。但是对于我们的两个女儿，我们会尽全力维护她们的这一权利。

从贝拉克参加竞选开始，外界就一直非常关注我的着装风格。最初的时候，还只是媒体关注，紧接着时尚博主也加入进来，随后便在互联网上掀起了各式各样的讨论。其实，我自己也不清楚为什么会这样——或许是因为我个头儿比较高，又敢于尝试各种大胆的造型——不过事实确实如此。

当我选择穿平底鞋而不穿高跟鞋时，媒体也会马上跟踪报道。我所佩戴的珍珠首饰、腰带、开襟毛衫、平民风格的 J. 克鲁牌连衣裙，以及我在贝拉克就职典礼上非常大胆地选择穿白色礼服，都在时尚界以及媒体上引发了大量的讨论和实时评论。参加贝拉克在参众两议院联席会议发表演讲的活动时，我穿了一件紫红色的无袖连衣裙，在白宫发布的我的官方照片中，我穿了一件黑色的无袖紧身连衣裙，突然间，我的胳膊上了各大媒体的新闻标题。2009 年夏天快要结束的时候，我们一家人去大峡谷度假，我从"空军一号"总统专机上走下来时，穿了一条短裤（我想补充的是，当时可是三十七摄氏度的高温天气），这一幕被媒体拍到，随后便引发了对我的大肆批评报道，称我这样的着装明显有失庄重。

好像对于大家来说，我穿了什么要比我说了什么还重要，这一点比较有趣。我还记得在伦敦的时候，我在伊丽莎白·加勒特·安德森女校与孩子们聊天时，深受触动，我当时感动得直流眼泪。但当我走下讲台后，我才知道，一名报道此事的记者向我的工作人员提出的第一个问题是：第一夫人的裙子是谁设计的？

出现这种情况让我很苦恼，也有点无能为力。但是，我希望换一个角度思考问题，将其转化为一个可以从中学习的机会，去利用一些在我完全意想不到的情况下可能产生的一切力量。比如说，如果人们浏览一本杂志主要就是为了看我的穿衣风格，我希望他们同时也能看到站在我身边的军人的配偶，或者同时也能看看我关于儿童健康的一些见解。在贝拉克正式当选美国总统后不久，《服饰与美容》杂志邀请我来拍摄杂志的封面人物，为此，我的团队还热烈讨论了一番，主要是围绕在经济低迷期，我接受邀请上杂志封面会不会让人觉得轻率，或者说给人一种搞精英主义的感觉。但是最终，我们还是决定同意接受《服饰与美容》杂志的邀请。其实，每当有杂志邀请非白人女性为其做封面时，都会让人觉得是一个重大的决定。我虽然接受了邀请，但却坚持要自己选择服装来搭配。在正式拍摄的时候，我穿了吴季刚和纳西索·罗德里格斯[1]设计的裙装，后者是一名非常有才华的拉丁裔设计师。

我对时尚略有了解，但并不多。从前，作为一个全职工作的妈妈，我真的是太忙了，根本没有太多时间去考虑到底应该穿什么。在贝拉克参加总统竞选期间，我大多数时候都是在芝加哥的一家时装店买衣服，非常幸运的是，我在那儿认识了一位名叫梅雷迪思·库普的年轻销售顾问。梅雷迪思从小在圣路易斯长大，对时尚非常敏感，熟知不同服装设计师的设计风格，并且对服装色彩以及质地搭配都非常有研究。在贝拉克正式当选后，我又成功说服她来华盛顿做我的私人助理以及服装搭配师。很快，我们成了很要好的朋友，我也对她非常信赖。

每个月，梅雷迪思会分好几次采购很多服装，送到我在白宫的更衣室里。我们会花上一到两个小时试衣服，为我之后几周内所有的日程安排搭配好服装。对于我的个人衣物及配饰，我从来都是自掏腰包。当然，那些我在正式场合才穿的出自各大服装设计师之手的晚礼服，都是设计师借给我的，随后，我都会将它们捐赠给国家档案馆，这也是白宫一直以来遵守的一条道德准则。如果要我自己选择衣服，我通常都会选择让人意想不到的风格，以免任何人将我的穿着与任何政治信息相联系。但是，其实我的选择并不多。无论出席任何场合，我的穿着都不能太过亮眼，以至于掩盖其他人的光彩，我的服饰要与整个场合相协调，而不能显得格格不入。同时，作为一名非洲裔女性，我也清楚，如果我的穿衣风格让人觉得有点炫耀或者有点高档，我就会马上遭人指责；但如果我穿得过于随意，也同样会引来批评。所以，我就开始混搭。我会

---

1 纳西索·罗德里格斯（Narciso Rodriguez, 1961— ），出生于美国新泽西，与华裔设计师吴季刚一样，毕业于纽约设计名校帕森斯设计学院。

穿一款比较高档的迈克高仕的裙子，搭配一件流行的盖璞 T 恤，我前一天可能穿着塔吉特[1]，第二天就换成了黛安·冯·芙丝汀宝[2]。其实，我希望媒体和公众能将注意力转向美国的设计师们，赞美他们的才华，尤其是那些名气还不大的设计师。虽然我这么做有时候会让那些老牌设计师非常恼火，这其中就包括奥斯卡·德拉伦塔[3]，据说他因为我没穿他设计的服装非常不高兴。但是对我来说，我只是想利用公众对我的那种过分好奇的关注，在服装界掀起一种多元化的潮流。

在政界，外在形象或多或少地影响着一些事情。因此，我在每套服装的选择上，都会考虑这一因素。这不仅费时、费脑，也非常费钱，我在白宫购买衣服的花销已经超过了之前多年买衣服的总花销。当然，还需要梅雷迪思提前做大量而又细致的研究工作，尤其当我需要陪同贝拉克到国外出访的时候，她经常需要花上数小时进行研究，以确保我们所选择的服装设计师、服装的色彩、风格都要体现出对出访国及其人民应有的尊重。在举办公共活动之前，梅雷迪思还要为萨沙和玛利亚购买合适的服装，因为她们也是备受关注的公众人物了，这使得我们的服装花费进一步增加。有时候，看着贝拉克总是从衣橱拿出同一套深色套装穿上，甚至头也不梳就去上班，我只能叹气。对他来说，出席公共活动时所需要考虑的时尚就是到底要不要穿上西服外套，要不要打领带。

但是，对于我和梅雷迪思来说，我们永远都得小心翼翼地提前做

---

1 塔吉特公司在美国四十七个州设有一千三百三十家商店，为客户提供时尚前沿的零售服务，物美价廉。

2 黛安·冯·芙丝汀宝（Diane von Furstenberg），简称 DVF，是纽约第一线大品牌，设计师是"纽约时装皇后"、CFDA 美国设计师协会主席黛安·冯·芙丝汀宝女士。

3 奥斯卡·德拉伦塔（Oscar de la Renta），美国十大设计师之一，其经营的时装品类繁多，其中高级时装和晚礼服最为有名。

好准备，每一件衣服我都会提前在更衣室里试穿。比如，当我试穿一件新裙子的时候，我会试着向下蹲、向前迈腿，再甩甩胳膊，确保我能够行动自如。只要是穿起来感觉有点行动不便的衣服，我都重新放回衣架上。外出的时候，我都会带上几套备用服装，以防天气变化或者行程安排有变，当然，还要考虑到诸如酒水洒在身上、拉链坏了这些噩梦般的紧急状况的出现。当然，我还学会了一招，就是无论何时，都会准备好一件适合参加葬礼的服装，因为有时候，贝拉克会毫无征兆地被邀请参加某位士兵、某位议员，以及一些世界级领导人的告别仪式。

渐渐地，我开始越来越依赖梅雷迪思，同时还有强尼·怀特——我的御用发型师，强尼快言快语，做事雷厉风行，不苟言笑，当然还有说话温和、做事一丝不苟的化妆师卡尔·瑞。正是他们三人（在我的团队里被称为"形象三人组"）给了我所需要的自信，让我能每天信心十足地面对公众，同时，我们也都清楚，任何一点儿疏漏都会引发一连串的嘲笑以及恶毒的评论。对我来说，我从来没有想过自己有一天需要雇用别人来帮助我保持良好的形象。最初的时候，哪怕是这样想都会让我觉得不安，但是，很快我就发现了一个大家从来都不会说的现象：当今，几乎每一位女性公众人物——政治家、各界名人，只要是你能想到的——都拥有自己的造型团队，就像我拥有梅雷迪思、强尼以及卡尔这样的造型团队一样。这样的造型团队几乎就是一种标配，也是这个社会双重标准下给女性增加的一项额外的经济负担。

至于之前的第一夫人们是如何应对诸如打理发型、化妆以及置备行头这些挑战的，我不得而知。刚刚入住白宫的第一年里，我有好几次发现自己拿着她们所撰写的书籍或者有关她们的书籍，但是每次，还没看又都放下了。我发现，我甚至不想知道我们每个人之间究竟有什么相同点和不同点。

9月的时候，我终于兑现了跟希拉里·克林顿之前的约定，我们一起在白宫餐厅非常愉快地吃了一顿午饭。贝拉克竞选成功后，让我有一点儿惊讶的是，他选择了希拉里·克林顿出任他的国务卿。他们二人都选择将此前竞选所造成的种种创伤抛到一边，尽力建立一种富有成效的工作关系。希拉里非常坦诚地跟我说，她当初以为，整个美国已经做好准备去接纳一位积极的职业女性来做这个国家的第一夫人，但后来发现，事实并非如此。当年，希拉里还是阿肯色州的第一夫人的时候，她在保留律师事务所合伙人身份的同时，也积极帮助她的丈夫克林顿推动卫生保健及教育工作。来到华盛顿，住进白宫成为第一夫人之后，她试图开创全新的第一夫人形象，带着同样的理想和激情一如既往地为这个国家奉献。然而，她却因为参与白宫医疗改革及政策制定而招致大量批评与嘲讽，外界的反应所传达的信息非常明确而且残酷：选民们投票选出的总统是她的丈夫，而不是她本人。实际上，在美国，第一夫人是没有明确的政治地位的，而希拉里又参与太多、涉足太快，所以，她自然就碰壁了。

我一直提醒自己不要越界，学习其他第一夫人成功的经验，避免过于直接、过于明显地参与白宫西翼的政治事务。于是，我将与西翼办公室的日常沟通统统交给了我的办公室工作人员，比如就一些问题交换意见、我与贝拉克共同的日程安排以及审议相关工作计划等。在我看来，总统的政策顾问们对外在形象过于在意，比如说，几年之后有那么一刻，我想给自己剪个有刘海的发型，可是我的工作人员认为我应该先得到贝拉克幕僚的同意，以确保这么做不会惹出任何麻烦。（我后来确实剪了刘海，也没有惹出任何麻烦，但是我觉得当初就应该直接自己做主，剪完了事。这种换个发型也要事先征得同意的做法实在是荒唐。）

当时，由于全国经济形势非常糟糕，到处气氛都异常沉闷，因此贝拉克的团队处处都小心翼翼，生怕白宫会做出任何让人觉得轻率的举动。但我并不总是赞同这种做法。根据我的经验，在困难时期，而且越是在困难时期，越需要欢乐，而且，哪怕就是为了孩子们着想，也应该制造一些乐趣。正因为存在分歧，我的工作团队与贝拉克的外联团队还曾因为我的一个想法而争执不休。当时，我计划在白宫为孩子们举办一场万圣节派对，但是白宫西翼的幕僚，尤其是时任政府高级顾问的大卫·阿昔洛以及白宫新闻发言人罗伯特·吉布斯，坚持认为我的这种做法一定会被外界解读为炫耀、铺张，或许还会导致贝拉克与普通民众疏远。他们的意见就是："这样做不好，会影响民众。"然而，我并不同意他们的这种看法，我坚持认为，为当地那些从没参观过白宫的孩子以及军人家庭举办一场万圣节派对，正好能够有效地利用社交办公室的一小部分娱乐预算。

大卫·阿昔洛和罗伯特·吉布斯自始至终都没有同意我们的说法，但是后来他们也不再因为此事与我们争论了。让我非常满意的是，10月底的时候，万圣节派对如期举行，一个重达1000磅的"南瓜"摆放在白宫南草坪上，我们还请来了一支铜管乐队演奏爵士乐，一只巨大的黑色"蜘蛛"从白宫的北门廊缓缓落下。我站在白宫前面，穿得像一只豹子一样——黑色的裤子、带有斑点的上衣、发箍上装饰了一对猫耳朵——而站在我旁边的贝拉克，只穿了一件非常普通的毛衣。他这个人，即使考虑公众形象这一因素，也从不注重着装搭配。值得表扬的是，罗伯特·吉布斯也来了，而且将自己扮成一名黑武士[1]，看来他是要好好开心一下了。那天晚上，我们的白宫南草坪迎来了两千多名盛装出席的儿童，他们分别扮成可爱的小公主、冷冰冰的骷髅、野蛮的海盗、超级英

---

1 电影《星球大战》里面的反面角色，叫达斯·维达。

雄、幽灵以及橄榄球选手，我们一共分发出去了好几袋饼干、果干以及一盒印有总统签名的M&M's巧克力豆。正如我所预期的那样，派对所产生的公众影响效果刚刚合适。

我的白宫菜园历经季节更替的同时也教会了我们很多东西。我们种植了香瓜，但最后结出来的瓜颜色发白，毫无香味；我们的菜园经历了暴雨的冲刷，肥沃的表层土流失；鸟儿啄食了我们的蓝莓；黄瓜秧上甲虫肆虐。不过，每当出现这些问题的时候，我们的主管园丁吉姆·亚当斯——国家公园管理局的园艺家，以及戴尔·黑尼——白宫土地主管人，都会帮助我们，及时做一些小小的调整，使品种多样化起来。现在，我们在白宫的伙食里经常能吃到我们在南草坪种植的蔬菜，比如花椰菜、胡萝卜、羽衣甘蓝。我们还将每次收获的蔬菜拿出一部分捐赠给米里亚姆流动厨房[1]。同时，我们也开始腌制泡菜，并将其作为礼物赠送给一些我们需要拜访的重要人物，同时还会带上几罐白宫自己的蜂房产的蜂蜜。对于我的工作团队来说，白宫菜园成了我们值得骄傲的成果，早期那些对其持怀疑态度的人如今都变成了它的粉丝。对我来说，这个菜园简单、繁茂而又健康——它是勤劳和信仰的象征。它不仅看上去很漂亮，而且充满强大的力量。最重要的是，它让大家都感受到了幸福。

在过去几个月里，我和我的东翼员工一起，多次与儿童健康专家及倡导者商议，请求他们帮助我们夯实基础，这样我们后续所有的努力就都有了着力点。我们将致力于为孩子们的父母提供一些更为科学的信息，帮助他们为自己的家人选择更为健康的食品；我们将不懈努力，让学校里的孩子们的饮食更健康；我们也会尽力改善条件，让更多的人吃

---

1 米里亚姆流动厨房，白宫附近的一家慈善机构，很多失业者及无家可归的人经常光顾那里。

上有营养的食物；我们还会努力寻找更多的途径，让年轻人积极锻炼身体。同时，我们也非常清楚，如何介绍、描述这份工作可能关系着整个工作的成败，因此，我又通过种种努力，争取到了史蒂芬妮·卡特的帮助，她同意作为顾问帮助萨姆和乔斯林·弗莱伊一起拟定活动倡议书，而我的外联团队则负责为此次活动树立有趣的公众形象。自始至终，白宫西翼都对我的这一计划非常担心，因为当时，政府对银行以及汽车公司的紧急救助引发了争议，对于任何看似政府可能干预的事情，民众都异常敏感，他们自然担心我的这一计划也被民众解读为这个国家过度保护公民、过度指手画脚的一种体现。

然而，我的目标是：我要让政府之外的力量参与进来。我希望能够从希拉里与我分享的她的个人经历中吸取教训，将与政治有关的事情都留给贝拉克去应对，而我，专心致志做好我自己的事情就够了。当我需要与软饮料公司的管理者以及校园午餐供应者们面对面的时候，我觉得与其硬碰硬，倒不如做一些更为人性化的呼吁、请求，与其与之争斗，倒不如互相合作。然而，每个家庭都有自己早已形成的生活习惯和生活方式，我希望能够与父母们，尤其是与孩子们面对面交流。

我不想依照政界的那套信条行事，也不想时不时出现在星期日早间的新闻节目中。相反，我更愿意与那些专注于父母和孩子的健康类杂志打交道。我会在白宫南草坪上转呼啦圈，希望大家能看到，运动其实是一件很快乐的事情。我还担任了《芝麻街》[1]的嘉宾，与"埃尔莫"和"大鸟"一起讨论有关蔬菜的话题。每一次，当我接受记者针对白宫菜园的采访时，我都会提到，有非常多的美国人因为种种原因在他们生活

---

1 《芝麻街》，美国儿童教育电视节目，是迄今为止获得艾美奖奖项最多的一个儿童节目。
"埃尔莫"和"大鸟"是节目中的卡通人物。

的社区无法购买到新鲜的食品；同时，我也会一再针对卫生保健费用高昂与不断恶化的肥胖现象发表观点。我希望通过我的这些努力，争取到更多人加入我们的阵营，支持我们的活动，并取得积极的成果，同时对有可能出现的反对声音提前掌握，以便更好地应对。正是带着这一想法，我们花费了数周时间与食品饮料生产商、倡议组织以及国会成员私下召开会议进行沟通，我们还召开小组讨论会，针对我们的活动品牌进行市场测试，并争取专业公关人士的无偿帮助，对我们这项活动的信息进行调整。

2010 年 2 月的时候，一切准备就绪，是时候与公众分享我的想法了。在一个寒冷的星期二下午（当时华盛顿经历了一场史上罕见的暴风雪袭击，还没缓过劲来），我站在白宫国宴厅的讲台上，十分自豪地与大家分享我们的新运动，台下的听众有小孩、内阁部长、体育界名人、市长，还有医药领域、教育领域以及食品生产领域的高管，以及各界媒体人士，我们将这一新运动命名为"让我们行动起来"。我们的倡议只有一个目标——力争在当今这一代儿童中解决肥胖症蔓延的问题。

对我来说，这一运动绝不能仅停留在宣布一些不切实际的愿望上，这一点至关重要。确实，我们的努力都是实实在在的，工作也都在扎实推进。那天早些时候，贝拉克签署了一份备忘录，并成立了历史上第一个专门应对儿童肥胖问题的联邦专责小组，以对该项运动表示支持。同时，全美三大校园午餐供应商也宣布，他们将着力减少所供应食物中的食盐、糖分以及脂肪的含量。美国餐饮协会也做出承诺，要让食品标签上所显示的营养成分更加清晰。我们通过努力让美国儿科协会也加入了我们的运动，鼓励医生将儿童身体质量指数测量纳入儿童保育标准，我们也说服了迪士尼、美国全国广播公司以及华纳兄弟，请他们帮助播放公共服务通知，并专门投资一批节目，鼓励孩子们选择更为健康的生活方式。在我们的努力下，来自十二个不同职业运动联盟的管理者也同意帮助推广"每日运动六十分钟"的倡议，号召孩子们积极参加体育锻炼。

一切都还只是开始。我们还计划帮助蔬菜水果商进驻城市社区及农村的"食品荒漠"地区[1]，要求食品生产商在商品包装上提供更为精确的营养成分信息，并抛弃已经快要过时的膳食金字塔，将其重新设定得更为合理，更加符合当下的营养研究成果。在所有这些工作中，我们也要求相关的企业（食品生产商及供应商）必须为他们所做的任何可能影响儿童健康的决策负责。

我知道，所有这一切都需要经过艰辛的努力和精心的组织才能实现，但是，我也清楚，这才是我喜欢的工作。虽然我的工作任务非常艰巨，但是好在我现在拥有一个广阔的平台。我开始意识到，对于我目前的新处境，那些先前看起来很古怪的东西——突然成名的奇怪的陌生感、公众对我个人形象的异常关注、第一夫人含糊不清的工作界定——反而能够得到有效利用，帮助我做到我真正想要做的事情。现在，我充满了力量，我也终于找到了能够充分展示自我的方式。

---

1 "食品荒漠"地区，指缺乏新鲜食品或者难以以合理价格买到新鲜食品的地区。

22

一个春天的早晨，我和贝拉克，还有两个女儿被从楼上的住所召集到了楼下的南草坪。在那儿，我们见到了一位之前从来没见过的先生，他站在车道上等我们，面容友好亲切，还蓄着一绺花白的山羊胡，这让他看上去多了一分威严神气。他自我介绍说他叫劳埃德。

"总统先生、总统夫人，"他说，"我们觉得你们和姑娘们可能想换换口味，给生活增加些许乐趣，所以我们特地为你们安排了一个宠物动物园。"他又冲着我们大声笑着说："还从来没有一个第一家庭参加过类似的活动。"

他指向他的左边，我们顺着他指的方向看去，距离我们大约 30 码的地方，在雪松树荫处，四只又大又漂亮的猫科动物正悠闲地走来走去——一头狮子、一只老虎、一只皮毛光洁的黑色美洲豹、一只修长的带斑点的猎豹。从我站的地方看去，看不到任何围栏或链子，看来并没有任何东西围着它们。这一切都让我感到新奇无比，真的是能让我们换换口味。

"谢谢你，这太体贴了，"我尽量让自己的话听起来有礼貌一些，"就这样吗？劳埃德，没搞错吧？可以不用围栏或者其他的防护措施吗？这样会不会对孩子有一些危险呢？"

"哦，就是这样，您说的这一点我们当然考虑过。"劳埃德回答我说，

"我们想着您和您的家人可能更喜欢能够自由自在活动的动物，就像它们生活在野外一样。但是为了你们的安全，我们已经给它们注射了镇静剂，它们现在是不会伤害你们的。"说完，他又做了一个手势，告诉我们完全可以放心，然后又说："去吧，靠近点，和它们好好玩玩。"

贝拉克和我牵起玛利亚和萨沙的手，我们穿过南草坪还带着露水的草地，朝那几只动物走去。它们比我们预期的还要大，虽然看上去有点儿倦怠但都非常强壮。觉察到我们靠近时，它们的尾巴开始摆动。我还从来没见到过这样的情景，四只猫科动物像朋友一样和谐地待在一起。我们继续靠近的时候，狮子开始有所反应，美洲豹用眼睛紧紧盯着我们，老虎的耳朵稍微向下收起贴近头部。然后，没有任何的预兆，那只猎豹突然发出一声嚎叫，以闪电般的速度像火箭似的从树荫处冲向我们。

我感到一阵恐慌，紧紧抓起萨沙的胳膊，猛地转身带着她顺着草坪向我们的房子冲去，我相信贝拉克此时也带着玛利亚做出了同样的反应。从我们身后传来的声音我判断：四只动物都已经跃起，紧追我们而来。

劳埃德站在门口那里，看起来泰然自若，一点儿也不紧张。

"你不是说给它们打过镇静剂了吗？"我冲他大喊道。

"不必担心，夫人，"他大喊着回答我，"针对这种偶然发生的意外情况，我们也准备好了应对方案。"他挪到一边，随后特工们从他身后蜂拥而出，手里都拿着上了镇静弹的枪。就在那时，我突然感到萨沙滑出了我的手。

我转向草坪，惊恐地发现我的家人正在被野兽追赶，同时特工们也在追赶这些野兽，并不停地朝它们射击。

"这就是你的方案？"我尖叫道，"开什么玩笑？"

就在这一刻，猎豹发出了一声咆哮，随后冲向萨沙，它的爪子完全伸开，身体像飞起来一样。一名特工朝它开了一枪，但没有打中，不过它受到了惊吓，只好改变方向，撤回到小山底下。我这才松了一口气，但等我回过神来，却发现一颗橙白相间的镇静剂子弹打在了萨沙的右臂上。

我摇晃着从床上坐起来，心怦怦直跳，全身都被汗湿透了。这时，我才发现我的丈夫蜷缩在我身边，非常安稳地睡着。原来我只是做了一个噩梦！

·················· ✳ ··················

我一直觉得我们在原地踏步，甚至不进反退，我们一家人仿佛在经历一场巨型背摔游戏，虽然我对白宫早已建立起来的用以支持我们的体系充满信心，但我依然觉得这一切都非常脆弱，我似乎觉得每一件事情，从孩子们的安全到我的日常活动安排全都掌握在别人的手中——他们中很多人甚至比我要年轻二十岁以上。在欧几里得大道的成长经验告诉我：自给自足极为重要，绝不能依赖他人。我也从小就习惯了自己的事情自己处理，但是当时，那完全不可能，我所有的事情似乎都有人帮我处理。在我准备外出之前，工作人员会亲自提前开车去一趟活动地点，并将我的现场活动时间精确计算到每一分钟，提前安排好我上洗手间的时间以及休息的时间。有专门的特工负责带孩子们出去约会玩耍，有专门的保洁人员负责收集我们的脏衣服并清洗干净，我也不用自己开车，或者想着带现金、钥匙之类的事情。同时，我还有助理帮我接听电话、参加会议、代我起草文案等。

所有这一切看起来都棒极了，于我来说大有好处，具体来说，就是让我从琐事中得以解脱，可以集中精力去做我认为更重要的事情。但是，对我这样一个注重细节的人来说，我感觉这让自己失去了对所有细节的控制。正因为如此，我的潜意识里才会出现先前梦境中的狮子和猎豹，这让我倍感无力。

即便如此，还是有很多事情不能提前计划，每天，我们都会遇到一些超出我们想象、超出我们生活范围的事情。作为总统的妻子，你很快就会发现这个世界充满各式各样的混乱，一些灾害会毫无征兆地出现。总有一些看得见的、看不见的力量，随时可能打破你生活中的所有平静。任何新闻都是重量级的：一场地震刚刚袭击了海地；路易斯安那州沿海的一座钻井平台发生爆炸，水下 5000 英尺处的导油管破裂，最终造成百上万桶原油直接涌入墨西哥湾；埃及又爆发了革命性的抗议运动；一名持枪歹徒在亚利桑那州超市的停车场里射杀了六个人，并导致一位美国女议员身受重伤。

每一件事情都是大事，每一件事情都关系重大。每天早晨，我都要通读一遍工作人员发给我的新闻简报，我知道，贝拉克也要首先掌握这所有的一切，并对事态的任何新进展做出反应。除此以外，他还有可能因为那些他根本无法控制的事情遭受批评和指责，他也有可能被推上前去帮助一些非常遥远的国家解决一些非常让人震惊的问题，当然，人们也期待他能够堵住大洋底部漏油的洞口。如此看来，他的工作似乎就是要去解决混乱，然后将其转化为冷静的领导力，每周中的每一天他都是这样度过的，每一年里的每一周他都是这样度过的。

作为第一夫人，我一直尽全力不让自己的日常工作受到外界的影响。具体来说，就是不受这动荡的世界里种种不确定因素的影响，但是，有时候，你根本无法回避。在面对一些不确定的事情时，我始终要和贝拉克保持一致，这一点非常重要。我们能够理解，我们代表着整个国家，在悲剧、灾难或者混乱发生的时候，我们有义务挺身而出，并始终冲在前面。其实，作为总统和第一夫人，我们的一部分角色就是要为全国公众做出表率，向他们展示我们时刻都保持理性、拥有同情心并言行一致。虽然英国石油公司原油泄露事件——这是美国历史上遇到的最严重的一次生态危机——最后终于得到有效控制，但一些美国人仍然感到慌乱，不愿意相信去墨西哥湾度假是安全的，致使当地经济承受巨大压力。因此，我们一家人特地安排了一次前往佛罗里达州的旅行。其间，贝拉克带着萨沙去水里游泳，并拍照发布在了媒体上。照片中，他们父女二人在浪花中开心地打水仗。虽然这只是一个非常小的姿态，但传递出的信息却是巨大的：如果美国总统都相信那里的水质是安全的，那么你也完全可以相信。

如果一场灾难刚刚发生，我们俩其中一人或者我们俩共同前往那里，那就是想提醒所有美国人，永远不要太快忘记别人的伤痛。如果条件允许，我经常会再三强调，要感激那些救灾人员、教育者、社区志愿者以及任何愿意在灾难面前伸出援手的人。2010 年，在海地遭遇地震袭击后三个月，我和吉尔·拜登去那里访问。当我看到人们曾经的家园变成了一堆一堆的废墟，看到数以万计的人民——母亲、祖父、孩子——曾经活生生地被埋葬的现场，我感到无比揪心。我们参观了一组改装过的公共汽车，当地的艺术家正在那儿对无家可归的孩子进行艺术治疗。这些孩子虽然在灾难中失去了很多很多，但因为有周围这些热心的成年人关怀，他们内心依旧充满了希望。

伤痛和抗逆力总是同时存在的。作为第一夫人，我不止在一个场合验证了这句话，相反，我是在多个场合都体会到了这一点。

只要有机会，我就会尽可能地去军队医院看望伤员，他们从战争的伤痛中逐渐恢复。我第一次去的是沃尔特·里德国家军事医疗中心，它就坐落在华盛顿边上马里兰州的贝塞斯达。根据事先定好的日程，我在那里只需要待大约九十分钟，但结果是，我在那儿足足待了四个小时。

对于那些从伊拉克和阿富汗战场上撤回的伤员来说，沃尔特·里德是他们的第二或第三医疗点，很多伤员在被送回美国之前，都是直接在战区接受分诊，然后送至德国兰斯图尔的一家军事医疗机构进行治疗，最后才送回美国。一些士兵比较幸运，只需要在沃尔特·里德待上几天就可以出院，但其他一些人就没那么幸运了，他们在那儿一住就是好几个月。沃尔特·里德雇用了世界上一流的军事医学外科医生，并能够提供非常优秀的康复服务，能够处理哪怕是最具毁灭性的战争伤害。得益于现代装甲的发展，美国士兵能够在遭遇炸弹袭击后生存下来，换作以前，他们一定会丢掉性命。这算是一个好消息，但同样也有不好的消息，那就是，十年内，美国卷入了两起以突然袭击和隐藏爆炸装置为特点的地区性武装冲突，因此受伤的士兵数量庞大而且重伤员偏多。

在日常生活中，我会尽可能地为每件事情做好充分的准备，但是，当我走进那些军事医院和费雪家庭时，却完全不知道该与伤员们说些什么。费雪家庭是由一家同名慈善机构专门为士兵家属创建的免费住宿机构，家属可以在那里照料他们受伤的爱人。我先前已经说过，在我整个成长过程中，我对军队的事情基本没有任何了解，虽说我父亲曾在部队服役过两年，但那是在我出生以前很久的事情了。在贝拉克开始参加总统竞选之前，我从来没有亲眼见过那繁忙而又井然有序的军事基地，也没有见过普通军人以及他们的家庭居住的大片简陋住宅。战争对于我来说，不仅可怕，而且抽象，我无法想象战场上的情形，也根本不认识参加过战争的人。我现在明白了，以前我对战争的那种无知，其实是多么奢侈的一件事。

当我到达医疗中心时，护士长负责接待我，并递给我一套医用手术服要我穿上，在我进入每一个房间之前，护士长都会指导并提醒我对手部进行消毒。然后，要推门进去的时候，我还会快速了解一下这位军人的简历以及他（她）当下的状况。在我到访之前，医疗中心也会事先征求每一位病人的意见，询问他们是否愿意接受我的探访。一些伤员会拒绝我，可能因为他们感觉状态不是很好，或者，也有可能是因为一些政治方面的原因。无论如何，我都能够理解。我最不愿意做的事就是成为别人的负担。

我在每个房间探视的时间长短完全取决于军人的意愿。我们的所有对话都是私密的，没有媒体跟踪，也没有别的工作人员。我们的心情有时忧郁，有时放松。有时候，我们会从墙上挂着的一面队旗或者一张照片谈起，我们会谈到体育，谈到家乡，或者谈到我们的孩子。有时候，我们也会讨论他们究竟需要什么，不需要什么——正如他们经常告诉我的，受伤军人最不需要的就是任何人的怜悯。

有一次，我在一个病房门口看见一张红色海报，上面用黑字写着一段话，内容好像是这样子的：

> 所有准备走进这里的人请注意：
>
> 如果你来到这个房间，是带着悲痛的心情，或者对我所受到的创伤感到难过，那么请你离开。我所受到的创伤，源自我所热爱的这份工作，我是为了我所爱的人，是为了支持我深爱的这个国家所倡导的自由而做这份工作的。我拥有你们难以想象的坚强，我一定会彻底康复。

这就是所谓的抗逆力，这是我在美国部队上上下下看到的广义上的成就感和自豪感的真实体现。有一天，我和一位军人聊天得知，他当年接到了一次去海外部署的任务，当时他年轻又健康，于是就接受了委派，留下怀孕的妻子独自在家。等到他回来的时候，已是四肢瘫痪，胳膊和腿都不能再活动了。我们聊天的时候，他们的孩子——一个刚出生的小生命，小脸粉嘟嘟的——就用毯子包裹着躺在他胸前。我还遇到过另外一位军人，他有一条腿截肢了，他问了我好多关于美国特工处的问题。听完后他兴奋地跟我解释说，他一度希望离开部队后能够当一名特工，但是因为这次受伤，他正在寻找新的人生目标。

在和伤员们的家属见面的时候，我会向等候在床边的伤员们的妻子或丈夫、父亲或母亲，堂（表）兄弟姐妹以及朋友们一一作自我介绍。他们大都让自己的生活暂时停摆，只为了和受伤的亲人或者朋友靠得更近一些。有时候，我只能跟他们交谈，因为他们所爱的人虽然就躺在旁边，但要么因为服用了大量的镇静剂而无法动弹，要么正在睡觉。这些家庭成员义无反顾地承担起了他们的责任。他们中有一些人来自军人家庭——家里世代都是军人，还有一些人自从十几岁就做了军人的女朋友，就在军人接受新的海外任务时才刚刚成为新娘——尔后，他们的未来发生了意外的、极其复杂的转变。我已经记不清自己跟多少位母亲一起哭过了，她们是那么的伤心、那么的悲痛，但是面对她们，我什么也做不了，只能双手合十，在泪水中为她们默默祈祷。

对军队生活的了解让我开始变得更为谦逊。从小到大这么多年，除了在那些病房里，我还从来没有在别的地方体会过这种刚毅和忠诚。

一天，我在得克萨斯州圣安东尼奥市的一家军事医院看望伤员，突然间，医院走廊上发生了一阵规模很小的骚乱，护士们从一间病房里匆忙地进进出出，而我正准备要去那间病房。"他不愿待在床上。"我听到有人小声说。走进病房，我看见里面有一名国民警卫队的年轻军人，他身上多处受伤，而且还有严重的烧伤。他个子很高，来自得克萨斯州的农村地区，我能感觉到他非常痛苦，但是他仍然扯掉床单，正在努力把脚放到地上去——他想要下床。

我们所有人都花了点时间才弄明白他到底想做什么，虽然他极度痛苦，但他仍强忍着想要站起来，向他的统帅的妻子敬礼。

2011 年早些时候，有一天，我们刚吃完晚饭，萨沙和玛利亚已经跑回房间去做家庭作业了，只留下我和贝拉克两人在餐厅。那时候，贝拉克提到了奥萨马·本·拉登。

"我想，我们现在知道他在哪儿了。"贝拉克说，"我们也许可以直接进去将他活捉，但一切都不能确定。"

本·拉登是世界上的头号通缉犯，为了躲避侦查，已销声匿迹了好多年。抓住他或者杀了他已经成为贝拉克上台后的头等任务。我知道，这项任务对整个美国来说意义重大，对那些成千上万的服役军人来说意义重大，多年来正是他们不遗余力的保护，才让我们免受基地组织的袭击。而对那些在"9·11"事件中丧失了亲人的人来说，意义则更为重大。

我从贝拉克说话时冰冷的语调中得知，他们一定还有很多问题亟待解决。虽然我并没有继续追问，也没有要求他向我详细介绍关键信息，但我感觉得到，那些不确定的因素显然给贝拉克造成了巨大压力。一直以来，我和贝拉克彼此之间都非常有共鸣，但我也知道，他现在整日里身边围绕着各个领域的专业顾问，可以接触到各种顶级的机密信息，就我个人的理解，那些机密绝大多数应该都是关于国家安全的，因此，他根本不需要我的建议。通常情况下，我都希望他和我，以及两个女儿待在一起的时候能够获得短暂的休息，尽管他现在几乎每时每刻都被工作包围。毕竟，毫不夸张地说，我们本就生活在办公室。

贝拉克一直都非常擅长统筹区分，当他跟我们在一起的时候，就会尽力做到不分心，完全地融入我们。这是我们俩共同学到的一项本领，因为随着时间的推移，我们的工作和生活都变得越来越繁忙、越来越紧张，所以，我们的工作和生活之间的屏障需要不断加高，我们也学会了守护工作与生活之间的界限。因此，我们晚餐的时候不会谈本·拉登，不会谈利比亚的人道主义危机，也不会谈有关茶党的事情。我们有孩子，孩子需要空间交谈、成长，而只有当我们下决心将那些大的忧虑和紧急事件暂时抛于脑后时，我们才会有真正属于我们的家庭时间，以用来考虑我们这个家庭的问题。这时候，贝拉克和我会一边坐着吃晚餐，一边听两个女儿讲一些发生在塞维尔友谊学校操场上的事，或者听玛利亚讲她做的关于濒危动物的研究项目的一些细节。这时候，我们似乎觉得，孩子们的事情才是世界上最重要的事情，因为对我们来说，她们就是最重要的人，她们的话当然值得我们以最认真的态度去倾听。

然而，即使在我们吃饭的时候，工作依然在不断堆积。经常是饭刚吃到一半儿，我从贝拉克的肩膀上向外看去，就能看见在餐厅外的走廊里，工作人员正将我们的晚间简报堆放在一个小桌上。这也是白宫惯例的一部分：每天晚上会有两个文件夹送来，一个是我的，另外一个更厚、皮面装订的则是贝拉克的。两个文件夹里都装着我们各自的办公室为我们准备的文件，按照惯例，我们应该在当天晚上读完。

到了晚上，我们把孩子哄睡后，贝拉克通常就带着他的文件夹消失了，他一般会去条约厅，而我则带着我的文件夹走进我在更衣室里的休息区。我一般每天晚上会在那里花费一到两个小时读完文件夹里的材料，有时候，我也会选择在第二天早上来完成这件事。文件夹里的文件通常都是工作人员做的记录，或者是我要演讲的内容草稿，或者是一些必须要做的决定，总之，都与我所发起的活动相关。

在我发布"让我们行动起来"的运动一年后，我们终于看到了成果。我们和不同的基金会、食品供应商结盟，在学校餐厅开设了六千个沙拉吧，聘请当地厨师帮助学校提供膳食，这些食物不仅健康而且美味。当时美国最大的食品零售商沃尔玛也加入了我们的运动，承诺要和我们一起努力，减少它所提供的食品中的糖分、盐分和脂肪含量，同时降低农产品价格。我们也争取到了全国五百个城镇的市长、镇长的支持，他们都承诺要在当地想方设法应对儿童肥胖问题。

更重要的是，整个 2010 年，我都在努力帮助贝拉克的政府推动一项新的儿童营养法案，以期通过国会审议，从而确保孩子们在公立学校能够享受健康、高质量的食品，同时提高联邦资助餐的补偿比例，这一做法是近三十年来的第一次。通常情况下，我不愿意涉足白宫西翼的政治，更不愿参与政策制定，但是，这次情况不同，这对我来说就是一场大决战，因此，我破例将自己投入进去。我花了数小时专门给参议院和众议院的议员打电话，试图说服他们，让他们相信我们的孩子值得享用更好的食品。我跟贝拉克、他的顾问，以及任何感兴趣、愿意听我说的人无休止地谈论这一问题。新法案规定，在每天供应的大约四千三百万份学校午餐中，应该增加更多的新鲜水果和蔬菜、全谷物，以及低脂乳品。法案限制通过学校的自动售货机向孩子们售卖垃圾食品，同时，同意资助学校建造菜园并使用当地自然生长的产品。对我来说，这一法案如果能通过将是一桩好事——一个能够帮助解决儿童肥胖问题的非常有效而且接地气的方法。

贝拉克与他的政策顾问也在努力推动这一法案的通过。即使在中期选举之后，共和党控制了众议院的情况下，贝拉克也将该法案作为一个优先项目不断与立法者商议，因为他知道，他对立法进行改革的能力将会有所减弱。12 月初，在新国会还没产生之前，法案终于扫清了最后的障碍。十一天之后，贝拉克正式签署了该法案，使其成为一项必须执行的法律。当时，我满怀骄傲地站在贝拉克身旁，身边围满了当地一所小学的孩子们。

"如果我不能让这一法案顺利通过，"贝拉克和记者们开玩笑说，"那我就只能睡沙发了。"

至于我们的白宫菜园，我一直在努力，希望它不单单是一个菜园，而能成为一个宣传平台，为儿童成长与健康发声。最终，我看到了成果，2010年，贝拉克在国会顺利通过了《平价医疗法案》[1]，保证每一个美国人都能获得健康保险，而我的工作正是对这项法案的补充。后来，我又开始推动一项新的运动，我将其命名为"联合力量"。那是我和吉尔·拜登合作的一次活动。吉尔·拜登的儿子博·拜登刚从伊拉克战场平安归来。我们的工作，也算是对贝拉克这个军队最高统帅工作的支持。

我知道，对于那些服役军人以及他们的家庭来说，我们亏欠他们的太多太多，远不是一句"谢谢你们"之类的口号所能弥补的。于是，我和吉尔·拜登，还有很多同事一起努力，想方设法寻求一些具体的方法来帮助这些军人家庭以及整个军队社区，同时也希望能提高他们在公众中的知名度。这年早些时候，贝拉克也开始在整个政府范围内进行全方位的审计，要求各个机构寻求新的方法来帮助军人家庭。同时，我还将全美最有实力的公司高管们纳入了争取范围，说服他们为国家做贡献，并让他们承诺雇用一大批退役军人以及他们的配偶，以帮助他们解决就业问题。吉尔也通过努力，得到了许多高等院校的支持，他们承诺要为学校的老师和教授们提供更多的专业培训，让他们更了解出身军人家庭的孩子们的需求。此外，我们还想解决退役回乡军人的心理健康问

1《平价医疗法案》，美国总统贝拉克·奥巴马于2010年3月23日签署的联邦法，法案要求所有美国公民都必须购买医疗保险，否则需要缴纳一笔罚款，除非因宗教信仰或经济困难的原因而被豁免。法案还对私人医保行业与公共医保项目进行了改革，将三千万没有医保的美国公民纳入了医保的覆盖范围。

题。为此，我们制订了计划去游说好莱坞的编剧和制片人，并说服他们将一些军事题材的故事写入电影和电视节目中。

我所做的事情虽难，但总有办法解决；而对于我的丈夫来说，尽管他经常深夜还在伏案办公，但仍然有很多问题没有答案。自从我们相识以来，贝拉克一直都喜欢夜间工作，因为那个时候他的思维才能够快速运转，且不被打扰。贝拉克经常能够在夜深人静的时候找到解决问题的新途径或者捕捉到新的灵感，在他不断积累的思维地图上添加新的数据点。每天晚上，当贝拉克在条约厅工作的时候，经常会有工作人员送来更多的文件夹，里面当然都是需要他过目的材料，那些材料是楼下还在忙碌的工作人员（他们通常也会工作到很晚）刚刚整理出来的。如果贝拉克感觉饿了，会有一名贴身的工作人员端给他一小盘无花果或者其他坚果。谢天谢地，贝拉克已经不吸烟了，但他嘴里经常咀嚼着一片尼古丁口香糖。绝大多数夜晚，贝拉克都要工作到深夜一点或两点，读纪要、修改演讲稿、回复邮件，通常，他还会打开电视机，并调至娱乐与体育节目电视频道，任节目不停地播放。工作中间，他也会休息一会儿，过来亲吻我和两个女儿，跟我们说晚安。

到目前为止，我已经习惯了这一切——贝拉克对无休止的政府管理工作全身心地投入和奉献。多年来，贝拉克不只属于我和两个女儿，同时还属于他的选民，而现在，这一人数已经超过三亿，贝拉克是我们共同的贝拉克。有时候，看着贝拉克深夜还独自一人在条约厅办公，我不禁会想，不知道选民们是否会意识到，他们是多么的幸运。

通常情况下，贝拉克每天的最后一项工作是阅读来自全国各地的民众写给他的信，他通常都是在午夜后去完成这项工作。自从开始他的总统任期以来，贝拉克每天都会收到大约一万五千多封来自选民的信件和电子邮件，于是，他要求他的通信员每天挑选出十封放进文件夹里，同其他材料一起送给他阅读。他会非常认真地阅读每一封信，并在页边空白处备注上他的回馈信息，以便于工作人员能够按照他的意思回复信件，或者就此提醒内阁秘书要特别关注。给他写信的人有士兵，有犯人，有正在想尽办法支付高昂医疗费用的癌症病人，有将自己的房子抵押出去无法赎回而无家可归的人，有希望能够合法结婚的同性恋者，也有一些共和党人——他们认为贝拉克正在毁掉这个国家，还有母亲、祖父、年幼的孩子，以及一些赞赏他所作所为的人，还有一些认为他只是个傻子的人。

不论写信人是谁，他都会阅读，在他看来，他既然已经宣誓成为美国总统，那么这就是他的职责。他的工作艰难而又孤独——我经常觉得，总统的工作是世界上最艰难、最孤独的工作。但是，贝拉克知道，他是总统，他有义务接受一切挑战，而不能选择拒绝。当我们大家都入睡时，他才拿掉屏障，独自面对一切。

萨沙那时已经十岁了，每星期一和星期三晚上，她都要去美利坚大学健身中心参加游泳队的训练，那里距离白宫有几千米远。有时候，我也会过去，我尽量不动声色地偷偷溜进游泳池旁边的小屋子里，那儿专门为父母准备了观看座椅，可以透过一扇窗户观看孩子们训练。

要在孩子们训练的高峰期应对一个繁忙的健身场所中的局面，这对负责我的安保工作的特工们来说是个挑战，但他们处理得相当好。而对我来说，在穿过公共区域的时候，我已经完全掌握了快步行走和低头遮挡视线的技巧，这样做会省事很多，也能大大提高效率。我能从正在忙着进行体能训练的大学生以及正在上尊巴课的学生中快速穿过，有时候甚至完全不会被注意到。但有些时候，即使不抬头看，我也能感受到自己的出现引起的骚乱，当大家低声议论时，我就意识到我被认出来了。

有时候，还会有人大喊一声："嗨，那不是米歇尔·奥巴马吗？"但是，这种骚乱最多也就持续一小会儿，随即就会平复，因为我就像一个幽灵一样，刚一出现，可能大家还没完全看清楚，就已经消失不见了。

萨沙去训练的某天晚上，游泳池旁边的座位基本都空着，只有几位家长在那里，他们要么在聊家常，要么低头看手里的苹果手机，等着孩子们训练完毕。于是，我找了一个比较安静的座位坐了下来，专注地看着孩子们游泳。

一直以来，我都非常乐于看到两个女儿活在自己的世界里的样子，我指的是她们离开白宫、离开父母，在她们自己的圈子里所表现出来的样子。萨沙可真是一名游泳健将，她对蛙泳非常感兴趣，同时还下决心要掌握蝶泳。她头戴一顶海军蓝泳帽，穿着一套连体泳衣，非常认真地一圈又一圈地进行练习，每隔一会儿就会停下来听听教练的指导。在规定的休息时间里，她也能和队员们一起愉快地聊天。

对我来说，没有什么事能比此时此刻更让我感到满足和幸福的了。此时，我只是一名旁观者，在不被周围人注意的情况下，安静地坐下来见证一个女孩——我们的女儿——创造奇迹的全过程，见证她成长并逐渐独立、完整的过程。曾经，我们将两个女儿扔进了完全陌生而又紧张的白宫生活中，完全不知道这一切将会对她们造成什么样的影响，也不知道她们会从这种经历中得到什么。我也一再努力，希望两个孩子在与这广阔世界接触的过程中能够尽可能保持乐观积极，我意识到，我和贝拉克有着向她们近距离展示历史的独一无二的机会。当贝拉克需要到国外出访，又正好赶上两个女儿暑假或者寒假的时候，我们就会一家人集体出行，我们知道，这对她们来说是很好的接受教育的机会，她们可以借此多了解、多学习。2009 年暑期的时候，我们带着她们一起出访，期间参观了莫斯科的克里姆林宫以及罗马城内的梵蒂冈。在七天的时间里，她们有幸见到了当时的俄罗斯总统梅德韦杰夫，游览了罗马万神殿、斗兽场，穿行了加纳的不归门[1]——这里曾是无数被贩卖为奴的非洲人离开故乡、穿越大西洋前的最后一站。

当然，要完全消化整个旅途的所见所闻对两个孩子来说还很难，但是我知道，孩子们看事物有她们自己的角度，她们会按照自己的方式尽可能地消化与吸收。我们结束那趟暑期旅行回国之后，萨沙就开始上三年级了。那年秋天，我去参加塞维尔友谊学校举办的家长晚会，我在萨沙的教室里转了一圈，刚好看到了她写的一篇小短文，和其他同学的短文一起悬挂在教室的一面墙上。萨沙的短文题目为《我暑期里做了什么》。"我去了罗马，见到了教皇。"萨沙写道，"他好像丢失了一部分大拇指。"

我无法在此告诉大家教皇本笃十六世的大拇指到底长什么样子，究竟是不是有一部分不见了，但是萨沙全程参与了那趟罗马、莫斯科、阿克拉之旅。她是一个善于观察、实事求是的八岁孩子，这一信息是她带回来的。当时，她对历史的了解还不是很多。

我们本想尽力在两个孩子的成长与贝拉克工作中令人忧虑的一面之间建立一个缓冲区，但我知道即使如此，萨沙和玛利亚仍然会受到很大的影响。她们的生活与各种国际大事交织在一起，在我们的屋檐下，随时都可能产生新闻，她们的父亲也经常会因为一些紧急情况而被电话叫走，而且不管怎样做他总是会遭到一部分人的反对和公开辱骂。我想，很少有孩子的生活会是这样子吧！对我来说，这种生活就犹如狮子和猎豹在朝着你慢慢靠近一般。

---

1 在加纳的首都阿克拉，有加纳规模最大、最著名的奴隶堡——海岸角奴隶堡。海岸角曾是跨大西洋奴隶贸易的据点，那里的"不归门"是被贩卖的奴隶穿越大西洋之前的最后一站，没有一个走出不归之门的黑人还能在有生之年再次看到他的故乡。1998 年，一位黑奴的遗骸被他的后人从美国运回加纳，此后，这扇不归之门被改名为"回归门"。

2011 年冬天，当贝拉克为谋求 2012 年连任而做准备的时候，我们听说真人秀节目主持人、纽约房地产开发商唐纳德·特朗普宣称要争取 2012 年总统选举共和党的提名。然而，当时看来他还只是宣称而已。不过，紧接着他开始在有线电视新闻中抱怨式地、很不专业地批评贝拉克的外交政策，并公开质疑贝拉克的美国公民身份。其实，早在 2008 年贝拉克首次参加竞选的时候，这些质疑贝拉克出生地的人就曾想尽各种办法、使出各种手段来佐证他们的阴谋论。他们声称贝拉克在夏威夷的出生证明只是一个骗局，说贝拉克事实上出生于肯尼亚。现在，特朗普也开始新瓶装旧酒，四处积极活动，试图重新挑起这一争论。他在电视上发表一些越来越离奇的言论，坚持称 1961 年火奴鲁鲁的报纸上关于贝拉克出生的消息具有欺骗性，并称贝拉克所谓的幼儿园同学中并没有人记得贝拉克这个人。而在这一过程中，新闻媒体，尤其是那些保守派新闻媒体，为了追逐点击率及高流量排名，也在不断为特朗普那毫无根据的胡乱猜测煽风点火。

整个事件让人觉得非常疯狂、非常卑鄙，当然，它背后所隐藏的偏执以及仇外心理也暴露无遗。它同时又非常危险，因为涉事人就是想借此故意煽动那些不知情的人以及性格古怪的人对我们产生仇视。因此，对于公众会做何反应，我当时感到非常害怕。特工处也一次又一次向我简要汇报了接下去有可能会出现的更为严重的威胁。我也知道，这个世界从来都不缺那些擅长搅浑水的人。我尽量让自己保持镇静，不去担心，但是有时候，你根本无法控制自己不去担心。我会想：如果有人突然精神不稳定，持枪驾车来华盛顿怎么办？如果这个人直接去找我们的女儿，那会怎么样呢？唐纳德·特朗普，就因为他那毫无根据的污蔑和不计后果的影射，就将我们一家人置于危险境地。就冲这一点，我永远不会原谅他。

但是，即便如此，我们也别无选择，只有自己克服恐惧，选择相信这个国家专门为我们建立的安保体系，然后继续勇敢地生活下去。毕竟，那些将我们视为"异类"的人，多年来一直没有停止对我们的伤害。我们尽了最大的努力，克服种种障碍，以粉碎他们的谎言和对我们的曲解。我们相信，我和贝拉克的一举一动、生活态度以及生活方式终将会告诉人们：我们究竟是谁。自从贝拉克决定要参加总统竞选以来，我从心底就一直有意无意地担心我们一家人的安全。值得欣慰的是，在我们的一连串竞选活动中，常常会有人紧紧握着我的手告诉我："我们一直在为你们祈祷，祈祷没有人伤害你们。""我们每一天都在为您和您的家人祈祷。"这些人来自不同的种族，有着不同的社会背景，年龄阶段也不尽相同，但正是他们不断提醒着我，这个国家依然不缺少善良和宽容。

一路走来，我一直在心底深藏着那些充满善意的话语。我似乎能感受到无数善良的、体面的美国人在为我们祈祷，为我们的安全祈祷。贝拉克和我，我们两个都选择坚守我们自己的信仰。虽然现在，我们只是偶尔才去一次教堂，主要是因为我们去教堂会不可避免地引人注目，每当我们走进教堂要去祈祷时，总会有记者跟着我们高声喊着提问题。贝拉克首次参加总统竞选时，我们当时的牧师耶利米·莱特的言论引发争议，带来了一些困扰；此后，我们的政敌一度试图利用信仰作为武器攻击我们——声称贝拉克是一个"秘密的穆斯林"，在经历了如此种种之后，我们决定从此在家里践行我们的信仰，包括每天晚饭之前进行祈祷，在白宫为两个孩子组织一些主日学[1]教育，等等。我们在华盛顿没有加入任何教堂，因为我们不希望再次经历恶意攻击引发的民众集会，就像我们在芝加哥的三一教堂曾经经历的那样。尽管如此，这对我们来

---

1 基督教教会于星期日早上在教堂内进行的宗教教育，一般在主日崇拜之前或之后举行。

说，也是一种牺牲。我开始怀念生活在一个精神需求能够得到满足的社区，那是多么的温暖。如今，晚上睡觉时，我回过头看贝拉克常常会发现他闭着眼睛躺在床的另一边，嘴里却在不停地默念祈祷词。

几个月之后，在11月一个星期五的晚上，当时有关贝拉克身世的种种谣言愈演愈烈，一个陌生男人将车停在距离白宫大约八百米处的宪法大街的一段封闭地带，将一把半自动步枪伸出车窗开火，目标正是白宫的上面两层。其中一枚子弹击中了黄色椭圆厅的一扇窗户的玻璃，而那儿正是我喜欢坐着喝茶的地方。另一枚子弹射进了窗框里，其他的都打在了屋顶上。那天晚上，正好我和贝拉克外出不在白宫，玛利亚也不在，但是萨沙和我母亲都在，幸好她们没有觉察到，也没有受伤。白宫的工作人员花了好几周的时间才将黄色椭圆厅遭到射击的那扇窗户的玻璃换掉。从那以后，我发现自己经常会不由自主地凝望子弹在窗框上留下的深深的凹痕，心想我们原来是那么的脆弱。

总的来说，我认为既然生活在白宫，大家就不应该一再提醒自己去处处关注、留心各类风险，这样日子可能会更好过一些，即使有时候，总会有人提起来。我们的大女儿玛利亚后来加入了塞维尔友谊学校的高中组网球队，她们平时就在位于威斯康星大街上的学校网球场进行练习。有一天，当玛利亚正在练球的时候，另一位同学的妈妈走到她跟前，指着从球场穿过的拥挤繁忙的马路对她说："你不觉得在这里练球很危险吗？"

我们的女儿玛利亚已经成长得很有主见了，也学会了用她自己的方式表达她想要表达的思想和坚持的原则。"如果你是想问我，我是不是每天都在为死亡担惊受怕，"她尽可能礼貌地回答道，"那么，我的答案是否定的。"

几年之后，在学校举办的一次活动上，那位女士走过来非常真诚地跟我道歉说，她当时听到玛利亚的回答后，很快就意识到了自己所犯的错误——向一个无能为力的孩子传递不必要的忧虑。她能够针对这件事进行反思，这对我来说非常重要。她从玛利亚的回答中，既听到了坚忍，也听到了一个孩子的脆弱；既有我们生活中那些积极美好的东西，也有那些我们想尽办法拒之门外的负面的东西。从此，她也明白了一件事：不论是那天还是往后的每一天，我们的孩子唯一能做的事就是回到球场上，继续练球。

当然，每一项挑战都是相对的。我非常清楚，我的两个孩子在成长的过程中拥有很多优势和资源，这是其他大多数家庭无法想象的。我们的孩子能够住在宽敞漂亮的大房子里，身边有尽职尽责的成年人全天候照料，可以说是过着衣来伸手、饭来张口的生活。在教育问题上，她们更是享受着无比丰富的资源，又有大家不断的鼓励。为了玛利亚和萨沙的个人发展，我可以说是倾尽所有，但是，作为美国第一夫人，我知道我还有更重大的责任要履行。我一直觉得，我之所以能够成为现在的我，一大部分原因是因为孩子们，尤其是那些女孩子们，是她们听完我的人生故事后所做出的反应——确切地说是惊讶，她们惊讶于一个在城市里长大的普通非洲裔女孩，居然能够进入常青藤学校学习，而后从事一些管理性质的工作，最终一鸣惊人，住进白宫——这种反应让我倍感鼓舞的同时，也感到责任重大。我知道，我的人生轨迹不同寻常，但是没有一个确切的理由能够解释我为什么可以做到这一切。在我的人生当中，截至目前，有很多次，我发现自己是唯一一位非白人女性——甚至是唯一的女性——能够坐在会议桌前和大家一起开会，或者参加一场董事会议，或者和其他人一起参加一场 VIP 聚会。每次，当我遇到这种情况的时候，我都希望在不久的将来，我能够不再是这仅有的一个，我希望我身后还有很多人正在努力赶上来，就如我母亲一直以来所说的那样。我母亲这个人说话常常直言不讳，她最讨厌虚情假意和夸张。每次，当有人滔滔不绝地谈论我和克雷格，以及我们所取得的成就时，我母亲都会非常直白地告诉他们："他们俩其实一点儿也不特殊，芝加哥南部像他们一样的孩子非常多。"因此，我们需要做的就是，帮助并引导他们，让他们走上适合自己的道路。

渐渐地，我开始意识到，我的成长故事中最重要的部分其实不是我所取得的成绩的表面价值，而是那些支撑我取得成绩的深层因素——是那些多年来一直默默帮助我建立自信的人们，以及他们所做的每一件看似微小却真正支撑着我的事情。我将永远记着这些，永远记着当初每一个推我向前的人，他们尽了自己最大的努力帮助我，才使我有幸避开前进道路上会遭遇的蔑视和侮辱；我也会记着那些专门为我创建良好成长环境的人们，他们既不是黑人，也不是女性。

我常常会想起我的姑婆萝比以及她严苛的弹琴标准，我会想起她教我弹琴的样子，她让我将下巴高高抬起，就像在弹一架华丽的琴一样去全力演奏，尽管我当时用的只是一台破旧的立式钢琴，而且好多琴键都破损了。我会想起我的父亲，他曾教我如何打拳击，如何投掷橄榄球，后来，克雷格也曾这么教过我。我会想起在布林茅尔时的老师马蒂内先生和贝内特先生，他们从来不会无视我的任何观点。我会想起我的母亲，她永远都是我最坚强的后盾，正是她的警醒才让我在上二年级的时候，没有因为沉闷枯燥的课堂氛围而失去活力。在普林斯顿大学的时候，我有幸遇到了泽妮·布拉苏尔，她常常鼓励我，并想办法通过各种方式向我传授知识和智慧。初入职场的时候，我又结识了苏珊·谢尔和瓦莱丽·贾勒特，许多年后，我们仍然是非常亲密的朋友和同事，她们向我展示了一位职场母亲该有的样子，并为我提供各种途径，相信我一定能有所作为。

这些人大多都互不相识，他们也永远不会有机会碰面，其中许多人就连我自己也已经与他们失去了联系。但是，他们对我而言意义非凡，他们都是我前进道路上的助推器，是最相信我的一群人，也是我的福音音乐[1]，在我的人生道路上一直唱着这样的歌：是的，孩子，你能行！

我将永远不会忘记这所有的一切。当我还是一名初级律师的时候，我就开始考虑要效仿他们，将他们的善良传递下去。当我看见年轻人充满好奇心时，我会鼓励他们保持这种好奇心；我会邀请年轻人参与到非常重要的活动中，帮助他们成长。如果有助理律师跟我谈起他的未来，我会请他到我的办公室里，跟他分享我的人生历程，或者给他一些建议。如果有人在建立联系的时候需要指导或者帮助，我也会竭尽全力。后来，当我到"公众联盟"工作后，我更加深刻地体会到正规辅导体系所带来的益处。我从自己的人生经历中也意识到，如果有人对你曾经的学习和人生发展真正感兴趣，即使你非常忙碌，只能抽出十分钟来跟他分享，那对他来说也至关重要，尤其对女性来说，对少数族裔来说，对那些在快速发展的社会中容易被忽视的人来说，更是如此。

正是抱着这样的想法，我在白宫开启了一项领导力与导师辅导计划，邀请了华盛顿地区二十名刚上高二、高三的女孩每月跟我们相聚一次并参加我们的活动，比如非正式的聊天、实地考察旅行、金融知识普及、择业探讨等。我们所开展的这些活动都是私下进行，不会让孩子们暴露在媒体的聚光灯之下。

我们为每一名孩子配了一名女性导师，导师可以跟自己的学生建立私人关系，跟孩子们分享她所拥有的资源以及她的人生故事。其中有一

---

1 福音音乐，一种宗教音乐，起源于黑人奴隶的祈祷。

位导师名叫瓦莱丽，还有一位叫克里斯·科莫福德，她是白宫第一位女性主厨。吉尔·拜登也是其中一位导师。此外，白宫东翼和西翼很多资历深厚的女性职员也都加入进来，成为她们的导师。这些学生都是通过他们的校长或者专职指导顾问推荐过来的，在毕业之前，她们都会来参加我们的活动。这些孩子有的来自军人家庭，有的来自移民家庭，有一位是少女妈妈，还有一名曾经生活在收容所里。但是，不管她们是什么背景，她们都非常聪明，都有着强烈的好奇心。在我看来，她们与我没有什么不同，与我的两个女儿也没有什么不同。随着时间的推移，我眼看着她们之间建立起深厚的友谊，看着她们彼此之间、她们与周围的成年人之间建立起非常密切的关系。我常常跟她们围成一圈坐着聊天，一聊就是好几个小时，我们一边吃着爆米花，一边就申请大学、保持身材以及交男朋友等话题交换我们的想法。在我们这里，没有不能谈论的话题，我们经常聊着聊着就哈哈大笑。她们在这里感受到的放松、归属感以及对诉说与倾听的鼓励，都是我最希望她们能够保留下来的，我希望她们能将这些带到她们未来的人生当中。

我对她们的希望与我对萨沙和玛利亚的希望是一样的——在学习适应白宫的同时，也要学会适应其他环境。无论在哪种场合，她们都可以快速适应、保持自信，可以怡然自得地坐在任何一张桌前，也可以面对任何人发表她们的观点。

到那时为止，我们已经在总统这一职位所形成的气泡中生活了两年。这期间，我一直在竭尽所能地寻找各种方法，来扩大这个气泡的边界。我和贝拉克一如既往，尽可能地让更多人走进白宫，尤其是孩子们，我们希望他们在看到白宫宏伟壮丽的同时，也能够感受到它的包容；在看到白宫的传统与礼节的同时，也能感受到它的活泼生动。每当有外国政要因国事访问来到白宫时，我们都会邀请当地小学的孩子们来白宫一起加入隆重盛大的官方欢迎仪式中，并一同品尝国宴上的食物。当有音乐家来白宫进行夜场演出时，我们会请他们早一点儿过来，到我们的青年研讨会来帮忙。我们想告诉大家：艺术对孩子们的成长至关重要，它并不是一种奢侈的体验，而是孩子们整体教育经历中必不可少的一部分。我期望看到我们的高中生与当代知名艺术家，如约翰·传奇[1]、贾斯汀·汀布莱克[2]、艾莉森·克劳斯[3]以及史摩基·罗宾逊[4]、帕蒂·拉贝尔[5]等传奇人物之间的交往。对我来说，我们为孩子们所做的这一切犹如回到了我小时候的成长路径——芝加哥南城的屋子里爵士乐不断，姑婆萝比经常进行钢琴独奏并主办轻歌剧讲习班，我们一家人经常去市中心博物馆参观。我深知文化和艺术的熏陶在一个孩子成长过程中的重要作用，而且就我个人来说，沉浸在艺术和文化的氛围中让我觉得轻松自在。每次演出的时候，我都和贝拉克站在前排，随着艺术家们的演奏不由自主地摇晃着身体，就连我的母亲——从不愿在公开场合露面的她，

---

1 约翰·传奇（John Legend，1978— ），原名约翰·史提芬斯（John Stephens），是一位九次夺得格莱美奖的R&B创作型歌手和钢琴师。
2 贾斯汀·汀布莱克（Justin Timberlake，1981— ），美国男歌手、演员、音乐制作人、主持人，前男子演唱组合超级男孩成员，曾获十座格莱美奖、三十个格莱美提名、四座艾美奖。
3 艾莉森·克劳斯（Alison Krauss，1971— ），美国著名歌手，是当今美国蓝草音乐的领军人物。
4 史摩基·罗宾逊（Smokey Robinson，1940— ），演员、歌手、音乐制作人，参演过《最后的假日》《好莱坞重案组》《最后的假期》等影片，获得2015年黑人娱乐电视奖终身成就奖。民谣歌手鲍勃·迪伦曾评价他为"美国活着的最伟大的诗人"。
5 帕蒂·拉贝尔（Patti LaBelle，1940— ），是活跃于20世纪七八十年代的灵魂乐歌手，她的嗓音清澈、高亢，有着金属般的光泽。1973年，她成为第一个登上纽约大都会歌剧院的非洲裔美国歌手。

每当听到音乐声响起，也会马上下楼加入我们当中。

我们还在表演中加入了一些其他的艺术形式，比如舞蹈，我们会专门邀请一些新兴艺术家来白宫演出，给他们创造机会以展示他们的作品。2009 年，我们举办了白宫历史上第一次"诗歌与音乐之夜"，一位名为林-曼努尔·米兰达[1]的年轻作曲家为我们带来了一段说唱音乐，技惊四座，这段音乐源自他当时正在创作的一张专辑，他将其描述为"一张概念碟，讲述的是一位我认为代表了嘻哈精神的人物——财政部长亚历山大·汉密尔顿"。

我记得，我当时与他握手时跟他说："预祝你的《汉密尔顿》能够取得成功。"

每一天，我们都会接触到许许多多的事，魅力、卓越、灾难和希望同时存在。但是，我们的两个孩子希望能在白宫的家庭生活之外，过一些属于她们自己的生活。我也一再尽自己最大的努力让我自己以及两个孩子融入正常的日常生活中，这也是我一直以来坚持的目标——只要条件允许，就要尽量回归常态，过常人的生活。当学校举办足球和长曲棍球比赛时，我会去参加萨沙和玛利亚的主场比赛，与其他孩子的父母一起在球场边线外观看，遇到有人请求合影时，我都会非常礼貌地拒绝，但是我非常愿意跟他们聊上一小会儿。玛利亚开始学习网球后，我也会去看她打比赛，但大多数时候，为了不打扰她，我都会坐在停靠在球场边的一辆特勤车内悄悄观看，只有等到比赛结束的时候，我才会从车上

---

1 林-曼努尔·米兰达（Lin-Manuel Miranda, 1980— ），美国演员、作曲家、制作人，由其创作、主演的音乐剧《汉密尔顿》（Hamilton）以嘻哈说唱风格讲述了美国第一任财政部长亚历山大·汉密尔顿的传奇一生。该剧创纪录地获得了有戏剧类"奥斯卡奖"美誉的托尼奖的十六项提名，并横扫了其中十一项大奖，同时还斩获了格莱美音乐奖和普利策戏剧奖。

下来，上前去跟她拥抱。

只要和贝拉克在一起，我们就不再考虑所谓的常态，因为只要他一出动，阵势就绝对小不了。他会尽量去参加两个孩子的学校举办的各类活动以及体育赛事，但是他在这些场合交际、应酬的机会有限，而且关于他的安全保护工作的细节从来都让人无法忽略——实际上，它们的存在就是要显而易见，目的是向全世界传递出一个明确的信号：没有人能够伤害美国总统。对此，我非常高兴，原因显而易见。但是，如果考虑到日常的家庭生活，这样的小心翼翼未免还是有点儿过了。

和我一样，玛利亚也是这么认为的。有一天，我和贝拉克陪她一起去了塞维尔友谊学校的小学校区，去参加萨沙的一场活动。我们三人穿过一个对外开放的户外庭院，路过一群正在休息的幼儿园学童，在一组攀爬架上荡了荡，在铺着木屑的游乐场地乱跑。我不确定当时其他孩子是否发现了全身黑色装束的特工处狙击小队，他们散布在学校各个建筑的房顶上，手里拿着冲锋枪，但是，我们的玛利亚发现了。

她抬头看看那些狙击手，又看看幼儿园里的孩子，然后转过身来对着他的父亲，带着一种戏谑的表情问他："需要这样子吗，爸爸？至于吗？"

贝拉克只能笑着耸耸肩。因为总统这份工作的重要性，贝拉克的安全问题容不得一点儿闪失。

我敢肯定地说，我们家里没有一个人曾冲破过我们所生活的气泡，它如影随形，我们走到哪儿，它就跟到哪儿。按照我们最初和特工处协商的，萨沙和玛利亚做任何事情，比如，去参加朋友的成年礼，参加校园募捐洗车活动，甚至是去商场购物，都会有特工随行，同时我母亲也会跟着她们。但是，自从我上次与特工处协商之后，她们后来至少可以像她们的伙伴们一样自由行动了。萨沙的贴身特工有贝丝·塞莱斯蒂尼和劳伦斯·塔克，后者经常被大家称为 L.T.，她们都成了塞维尔友谊学校的固定访客，也渐渐得到了大家的喜爱。课间休息的时候，孩子们会求着劳伦斯，让她推着他们荡秋千。当班上有同学过生日，大家一起庆祝的时候，家长们也会特意多准备几份纸杯蛋糕，分给特工们。

随着时间的推移，我们与特工之间的感情越来越深厚，当时，具体负责我安全事务的特工是普雷斯顿·费尔兰，后来换成了艾伦·泰勒，早在我们初次参加竞选的时候，艾伦·泰勒就一直跟着我。当我们外出在公共场合的时候，特工们从来不说话，保持高度警惕，但是当我们在后台或者在飞机上时，他们都会放松下来，分享他们的故事，互相开开玩笑。我经常戏谑地称呼他们为"冷面心软先生"。经过长时间的相处以及旅途中的相伴，我们成了非常亲密的朋友。我会为他们所遭遇的任何不幸感到悲伤，也会因他们的孩子取得好的成绩而为他们高兴。我非常清楚他们工作的严肃性和重要性，也知道他们是一群甘愿不顾个人安危来保证我们安全的人，因此，我从来也不会将这一切看作理所当然。

我也跟两个女儿一样，在公开的官方生活之外，试着开拓属于我自己的个人生活。我发现，只要我愿意，并得到特工处的帮助——他们同意行事可以灵活一些，我还是有办法保持低调的。出行的时候，我可以选择不用车队，而是乘坐一辆没有标志的厢式货车，安保人员也相应地减少了一些。我经常能够闪电般地完成一次购物，每到一处，我都尽量在别人还没注意到我的时候，尽快办完事迅速离开。专门负责为我们购物的工作人员经常会给我们的葡萄牙水犬阿博买一些宠物玩具，但是，每次新买的玩具都会被阿博非常专业地"开膛破肚"或者完全毁坏。

一天早上，我又陪它去了一趟亚历山大市的宠物市场。当我在对比着给阿博挑选牙胶的时候，我才真正享受了一阵隐姓埋名的轻松生活，而阿博也跟我一样兴奋，完全被短途旅游的新鲜感吸引，戴着绳索在我的四周不停转悠。

每当我能够静悄悄地到一个地方而不引起骚动的时候，我都感觉像是取得了一次小小的胜利，或者说是一次自由意志的行使。毕竟，我是一个特别注重细节的人，我还记得，当我一点一点核对购物单上的具体内容时，就有一种获得满足的快乐与成就感。在带阿博去了宠物市场大概六个月之后，我又去当地的塔吉特超市进行了一次让人眼花缭乱的隐身购物。我戴了一顶棒球帽、一副墨镜，我的贴身特工也穿着短裤和运动鞋现身，全程跟着我和助手克里斯汀·琼斯逛超市，但他们摘掉了耳机以尽量做到不那么惹眼。我们在每一个货架前都逛了逛，我先是挑选了一些玉兰油面霜和牙刷，克里斯汀选了干衣纸和洗衣液，然后我又给萨沙和玛利亚买了几款游戏。最重要的是，当时我还购买了一张贺卡，准备在结婚纪念日那天送给贝拉克，这是最近几年内，我第一次有机会这么做。

购物结束后，我兴高采烈地回家了。有时候，你会发现，最微小的事情竟会带给你完全想象不到的快乐。

随着时间渐渐推移，我在我的常规日程中又加入了很多新的冒险。我会偶尔约着朋友一起到外面的餐厅吃晚饭，有时候也会到他们的家里去吃。有时候，我还会去公园散心，沿着波托马克河[1]进行一次长距离的散步。在这些外出活动中，虽然都会有特工跟在我身边，但是他们会尽量保持一定的距离，以免引起别人注意。之后的几年里，我还会去白宫外面上健身课，顺便走访这座城市里的动感单车健身工作室以及核心强

---

1 波托马克河，全美第二十一大河流，全长六百多千米，为华盛顿地区的居民提供百分之八十以上的饮用水。

化健身工作室，在课程就要开始的时候，我会悄悄地溜进工作室一起上课，等到一下课，我就以最快的速度离开，以免引起不必要的骚乱。在所有的冒险中，最让我感到释放的就是高山滑雪了，其实，我之前几乎没有接触过这项运动，但刚一接触我就发现，我非常热爱这项运动。在我们刚到华盛顿的前两年，冬天异常寒冷，我正好利用那两个冬天，跟两个女儿还有一些朋友一起去了几次葛底斯堡[1]附近的一处非常小的滑雪场，那个滑雪场取名也非常恰当，叫作"自由山"。在那里，我们可以戴上头盔、围巾、护目镜，然后随便融入一群人，跟他们一起滑雪。当我从滑雪坡上滑下的那一刻，我终于体会到我是在户外，我是在运动，而且没有被认出来，一切都完美无缺。对我来说，这种感觉就像是在飞翔一样。

融入一个群体对我来说是非常重要的，事实上，融入对我来说意味着一切，因为只有这样，我才是真正的自己，是那个在芝加哥南城长大的米歇尔·罗宾逊，即使时间、环境发生变化，我也还是那个原来的我。我将自己过去的生活全都编织进了我的新生活之中，也将我的个人事务编织进了我的公共事务之中。在华盛顿这几年，我结交了很多新朋友——有萨沙和玛利亚同班同学的母亲，也有我在处理白宫事务时认识的一些人。这些人都有一个共同点：她们不会去刻意关心我的丈夫是谁，我住在哪里，她们真正关心的是，作为一个自然人，米歇尔究竟是谁。其实，你很快就能辨别出生活中哪些人是真的想跟你交朋友，而哪些人只是将结识你作为一个可以获利的机会，这很有意思。有时候，我和贝拉克在晚饭期间，也会跟玛利亚和萨沙聊到这个话题，我们会告诉孩子们：总会有一些人，不论是孩子还是成年人，他们总是徘徊在我们的朋友

---

1 葛底斯堡，美国宾夕法尼亚州南部的一个自治村镇。

圈子周围，看上去有点太着急，我们经常用"目的性太强"来形容那些人。

其实，很多年以前，我就明白了一个道理：对于真正的朋友，一定要真心对待，并保持密切联系。我至今还和一批女性朋友保持联系，她们都是多年以前，我在芝加哥时结识的朋友。当时我们的孩子都还小，吃饭的时候还会不断地从他们的儿童座椅上往下扔食物，我们每天累得想哭，而且无论走到哪里都带着尿片包，即便如此，我们也会在每个星期六晚上一起约会、一起玩耍。正是这些朋友，让我得以坚持下去，当我太忙没有时间去购物时，她们会送我到附近的食品杂货店；当我因为工作原因或者只是想休息而无法接送孩子们去上芭蕾课时，她们也会代劳。在我帮助贝拉克竞选的时候，当我们的竞选团队到达那些把握不大的站点时，她们中很多人也会专门乘飞机赶来帮助我们，是她们在我最需要的时候给了我精神上的慰藉。任何一位女性都会这样告诉你：女人之间的友谊是建立在许许多多诸如此类的小小的善举之上的，你帮我，我帮你，一次又一次。

2011 年的时候，我开始有意识地为我已经建立起来的友谊圈投资、再投资，让我昔日的朋友和新结交的朋友都聚在一起。每隔几个月，我都会邀请十二名我最亲密的朋友到戴维营和我一起过周末。戴维营是美国总统的夏季避暑胜地，坐落在马里兰州北部的群山之间，距离华盛顿大约六十英里，那里树木繁茂、风景如画。我将我们之间的聚会命名为"训练营"，部分原因是我确确实实逼迫每个人每天和我一起锻炼好几次（我一度还试图禁止大家喝酒、吃糖果，但是这种尝试很快就被推翻了），但还有一个最重要的原因，那就是：在我看来，对待友谊一定要认真才行。

我的朋友们往往是那些有所成就又超负荷运转的人，她们中的很多人在应对忙碌的家庭生活的同时，还兼顾着繁重的工作任务。我能够理解她们，很多时候她们想要抽出身来并不容易。但是，这也正是我想说的其中一点。我们这些人都太习惯于为了我们的孩子、我们的另一半儿以及我们的工作而牺牲自己。多年来，我懂得了要在生活中寻找平衡，时不时地可以放下手头那些所谓的头等大事，而一心一意关注我们自己。我非常愿意代表女性朋友们举起这面旗帜，以寻找理由和一种传统的力量，使她们能够转身对自己的孩子、配偶、同事说：抱歉，亲爱的，我想为自己而活。

我们的周末"训练营"成了我和朋友们暂时寻求庇护、相互联络以及充电的一种途径。我们待在舒适的小木屋里，四周树木葱茏，我们坐着高尔夫球车到处跑来跑去，也会骑车出去兜风；我们会一起玩躲避球 [1]，做立卧撑跳，练习下犬式 [2]。有时候，我会邀请几位年轻的白宫职员和我们一起去，多年来，每当我看到快七十岁的苏珊·谢尔，与二十多岁的麦肯齐·史密斯并排在地上练习"蜘蛛爬"时，我总以为自己是产生了幻觉。麦肯齐平时负责我的日程安排，她大学时曾是一名足球运动员。在戴维营，我们的伙食是由白宫大厨亲自烹饪的，非常健康。我们会在我的健身教练康奈尔以及几个长着娃娃脸、称呼我们为"夫人"的海军职员的监督下，完成健身锻炼。我们会做很多运动，还会一直聊天。我们会毫无保留地分享自己的想法、经历、有趣的故事，以及好的建议，有时候，我们或许就是为了告诉彼此，不论是谁，如果她的家里有一个行为出格的青少年，或者她曾经有一位完全难以忍受的老板，那么她并不是唯一的一个，这些都不是什么不能吐露的见不得人的事。通常情况下，我们都会认真倾听，通过倾听来鼓励彼此，好让我们更加淡

---

1 躲避球，起源于英国，并于 1900 年前后盛行于美国的一项传统体育项目。
2 下犬式，瑜伽体式之一。

定。周末要结束的时候，我们挥手告别，并承诺我们很快还会再来一次这样的活动。

我的朋友们让我的人生更完整，她们一直以来都扮演着这样的角色，未来亦会如此。每当我感到沮丧、消沉或者与贝拉克之间产生隔阂的时候，她们都会拉我一把；当我因为别人的评论——从我选择的指甲油颜色到我臀部的大小——而倍感压力的时候，她们会毫无保留地支持我。而且，当我意外遇到一些重大的、令人心绪不宁的"狂风巨浪"时，也是因为她们的帮助，我才能渡过难关。

2011 年 5 月的第一个星期日，我约了两个朋友一起去市中心的一家餐厅吃晚餐，留了贝拉克和我母亲在家照看两个孩子。那是一个非常忙碌的周末，贝拉克当天下午有一堆的简报需要处理，而且就在前一天的晚上，我们刚刚出席了白宫记者晚宴，当时，贝拉克发表讲话的时候讲了几个特别有针对性的笑话，都是关于唐纳德·特朗普的真人秀节目《学徒》，以及他关于贝拉克出生地提出质疑的那套逻辑。当时，特朗普也在场，只是从我的座位上看不到他。那场演讲可以说是贝拉克的独角戏，当时有新闻媒体用摄像机拍到了特朗普，只见他板着脸，表情木然，看得出来非常不自在。

对我们一家人来说，星期日晚上一般都比较安静悠闲。两个孩子经过一个周末的运动和社交活动往往都累了。至于贝拉克，如果幸运的话，他有时候白天可以抽空去安德鲁斯空军基地打一场高尔夫球，这样他就能好好放松一下了。

那天晚上，我和朋友吃完晚饭后回到家时，大约十点钟，如往常一样，接待员在大门口迎我进去。一进门，我就感觉好像发生了什么，似乎白宫的一层正在举行什么不同寻常的活动。于是我问那位接待员，是否知道总统此时在做什么。

"他就在楼上吧，夫人。"他回答我说，"可能正在为全国讲话做准备。"

就在此时，我才意识到那件大事终于发生了。其实，我早就知道马上就会有结果，但是我并不清楚这一切究竟如何开始。在刚过去的两天里，我尽量表现得跟平时一样，假装自己并不知道马上会有非常重大、非常危险的事情要发生。经过好几个月的高级别情报收集工作以及好几周的周密部署，经过各类安全简报分析以及风险评估，贝拉克最后做出了一项重大决策：在一个漆黑的夜晚，在距离白宫大约七千英里的地方，美国海军海豹突击队第六分队突袭了"基地"组织位于巴基斯坦北部阿伯塔巴德的一处院落，搜寻恐怖分子头目奥萨马·本·拉登。

当我刚刚走到楼上住所的大厅时，贝拉克从我们的卧室里走了出来，他穿了一套西装，打着一条红色的领带，此时他似乎肾上腺素飙升。好几个月以来，贝拉克一直因为这一抓捕决策而倍感压力。

"我们把他解决了，"他说，"没有人员伤亡。"

我们俩紧紧地拥抱在一起。奥萨马·本·拉登被击毙了！整个过程没有美国士兵伤亡！不过，对贝拉克来说，他冒了很大的风险——有可能会因此失去总统职位——好在这一切都进行得很顺利。

很快，本·拉登被击毙的消息传遍全世界。人们从餐厅、旅馆、自己的家中拥上街头，他们聚集到白宫周围，大声欢呼庆祝。欢呼声如此之高、如此之热烈，以至于隔着白宫那号称能够阻挡一切的防弹玻璃也能听得清清楚楚，正在房间熟睡的玛利亚也被吵醒。

不过，那晚也没什么室内、室外之分了，全国各个城市的人们被一种冲动驱使，纷纷走出家门，走上街去，想要和其他人靠得近一些。这是出于爱国之心，出于"9·11"事件给大家带来的共同的悲伤，也出于多年来提心吊胆生怕再次遭遇袭击的担忧，大家被紧紧地联系在一起，在那一刻都有着一种向彼此更加靠近一点儿的冲动。而我，则想到了我曾经走访过的所有军事基地，所有那些正在从伤痛中恢复的士兵，那些以保护整个美国的名义将自己的家人送往遥远地区服役的家庭，那些在"9·11"事件中失去了父母的孩子。我知道，即使本·拉登被击毙了，美国人所遭受的那些损失也不可能挽回了，没有任何一个人的死亡能够换回一个已经逝去的生命。我到现在也不确定，本·拉登的死是不是我们进行庆祝的理由。但是，有一点我明白：那天晚上，美国人暂时获得了一阵精神上的放松，获得了一个可以证明我们强大的抗逆力的机会。

23

时光飞逝，既无法测量也无法追溯。在白宫生活的每一天，我们的日程都是满满当当的，每一周、每一月、每一年都是如此。我经常感觉好不容易熬到了星期五，却已经回想不起来星期一和星期二究竟做了什么。有时候，我正坐着吃晚饭，突然会想，我中午是在什么地方吃的午饭，吃了什么。现在，好几年过去了，我依然觉得白宫每天的生活都非常难以应对。白宫的运转速度太快，留给我反思的时间又太少。单单一个下午，我可能就需要出席好几场官方活动，参加好几个会议，还有照片拍摄的行程。仅仅一天之内，我可能就要跑好几个州去考察调研，或者跟一万两千多人谈话，或者在南草坪上跟四百多个孩子做跳跃运动，而紧接着，我还要化妆，换上一套礼服出席一场晚间接待会。在我的"轻松日"，也就是没有公务的时候，我会好好利用这些时间来陪伴萨沙和玛利亚，照料她们的生活。等到"忙碌日"来临的时候，我又要打起精神，做发型、化妆、让自己套上各种行头，重新回到公众的视线之中。

当我们距离贝拉克2012年连任选举越来越近的时候，我发现我完全无法休息，也不应该休息。我还在努力赢得第一夫人的恩泽，我也会经常思考我为什么能够成为现在的我，这一切到底应该归功于谁。一路走来，我带着一部属于我自己的历史，这部历史不是关于美国总统的，也不是关于第一夫人的。对我来说，我从来不会提起约翰·昆西·亚当

斯 [1] 的成长故事，相反，我会经常提起索杰娜·特鲁斯 [2] 的故事；我不会因为伍德罗·威尔逊 [3] 的故事而感动，相反，我会被哈丽特·塔布曼 [4] 的故事感动得一塌糊涂。对我来说，相比曾经的第一夫人埃莉诺·罗斯福 [5] 和玛米·艾森豪威尔 [6] 的人生故事，我更熟悉罗莎·帕克斯 [7] 以及科丽塔·斯科特·金 [8] 的人生故事。我的人生中融入了这些废奴主义领袖和民权运动领袖的历史，也融入了我母亲和我祖母的历史。而这些让我感动、让我敬仰的女性，她们中可能从来没有人想象过我能拥有今天这样的生活，但是她们依然选择了坚持，并且相信她们的坚持终将会让未来变得更加美好，会让我这样的后来者大为受益。因此，我希望我能够以一种姿态出

---

1 约翰·昆西·亚当斯（John Quincy Adams, 1767—1848），美国第六任总统（1825—1829）。他是第二任总统约翰·亚当斯与第一夫人爱比盖尔·亚当斯的长子，毕业于哈佛大学，并曾有一段律师生涯。

2 索杰娜·特鲁斯（Sojourner Truth, 1797—1883），是一名美国福音传教士和改革家，原本是一名黑奴。1827 年纽约州废除奴隶制后，索杰娜开始投身于福音派的传教工作，并在传教内容中加入了废奴和女权主义思想，是 19 世纪美国人权卫士的代表之一。

3 伍德罗·威尔逊（Woodrow Wilson, 1856—1924），美国第二十八任总统，是唯一一名拥有哲学博士头衔的美国总统（法学博士头衔除外），曾带领美国参加第一次世界大战并取得胜利。1919 年，威尔逊被授予当年的诺贝尔和平奖。

4 哈丽特·塔布曼（Harriet Tubman, 1822—1913），美国废奴主义领袖。南北战争爆发后，她积极参战，成为北军中为数不多的女性。战后她回到纽约，并投身为妇女争取权益的运动中。

5 埃莉诺·罗斯福（Eleanor Roosevelt, 1884—1962），美国第三十二任总统富兰克林·德拉诺·罗斯福的妻子，她做了十二年的第一夫人，创了美国历史之最。

6 玛米·艾森豪威尔（Mamie Eisenhower, 1896—1979），美国第三十四任总统德怀特·D. 艾森豪威尔的妻子。

7 罗莎·帕克斯（Rosa Parks, 1913—2005），美国黑人民权行动主义者，美国国会后来称她为"现代民权运动之母"。

8 科丽塔·斯科特·金（Coretta Scott King, 1927—2006），与马丁·路德·金于 1953 年结婚，在民权运动时代，她是丈夫最坚定的支持者。

现在世界舞台上，这种姿态就是：提醒人们永远记住她们这群人。

我常常用这一点来给自我加压，也将其作为我不断前行的动力。虽然在大家看来，我是一位衣着时尚的第一夫人，但是只要想到人们对我的种种批评，以及大家根据我的肤色而对我做出的种种猜测，我还是会无法抑制地感到困扰。正因为如此，每次要发表演讲之前，我都会对着我办公室角落里那台电子提词器一遍又一遍地练习，我还会严格要求我的日程安排人员和工作推进团队，不断提醒她们务必要保证我们的每一场活动都能顺利进行，而且必须按时进行。我对我的政策顾问甚至更严苛，我要求她们要持续不断地推动我们的两项运动——"让我们行动起来"及"联合力量"，以争取能够覆盖更多的人群。现在，我已经完全打起精神，我不希望浪费我所拥有的任何一个机会，但是，有时候，我也会提醒自己稍微放松一下。

贝拉克和我都清楚，即将要进行的竞选活动不仅在时间上要持续好几个月，还要去各地游说，需要我们制定各种竞选战略，同时还将带给我们很多困扰。没错，即使是谋求连任，我们也感到充满压力和担忧，因为一旦失败，代价将是巨大的。（贝拉克和马萨诸塞州前州长、共和党总统候选人米特·罗姆尼需要每人筹措 10 亿美元资金，才能在竞选中保持竞争优势。）同时，责任也非常重大，因为谁最终当选将会决定很多事情的走向和命运——从新通过的健康法案到美国是否会选择与国际社会一道应对气候变化。在白宫工作的每一个人都有点煎熬，都不敢确定我们是否能够成功赢得第二任期。我尽量让自己不去考虑贝拉克会输掉这场选举的可能性，但是，这种可能性的确是存在的——这正是他和我担忧的关键点所在，不过，我们选择独自承担，从不敢将它说出来。

2011 年的夏天对于贝拉克来说真的是困难重重，一群顽固的国会共和党议员拒绝同意发行新的政府债券——也就是人们熟知的提高政府债务上限，一种相对来说比较常规的做法——除非贝拉克能够妥协，忍痛减少一些政府项目支出，比如社会保障支出、医疗补助和医疗保险支出，但是，贝拉克不同意这么做，因为减少这些项目的支出无疑会伤害到那些生活得最困难的人。同时，美国劳工部公布的月度就业报告显示，虽然就业率在不断增长，但增长幅度非常缓慢，也就是说，整个国家还没有从 2008 年金融危机的影响中完全走出来。于是，许多人又开始指责贝拉克。几个月前，奥萨马·本·拉登被击毙，美国民众得到了极大的安慰，贝拉克的支持率也曾一度大幅攀升，达到两年以来最高，但是仅仅几个月之后，随着两党关于提高债务上限的争吵以及公众对美国经济再次步入萧条的担忧，贝拉克的支持率又跌至了历史最低点。

就在这一场混乱刚开始的时候，我要飞往南非进行一次友好访问，这次访问是几个月之前就已经计划好的。萨沙和玛利亚刚刚结束了她们上一学年的学习，因此有机会和我一起去，同行的还有我的母亲、克雷格的孩子莱斯利和埃弗里，他们俩现在都已经是十几岁的少年了。到达南非后，我要在一场美国赞助的论坛上发表主旨演讲，我的听众是来自整个非洲大陆的年轻女性领导。同时，根据行程安排，我还要参加几场聚焦健康与教育的社区活动，并与当地领导以及美国驻南非领事馆的工作人员会面。最后，我们会前往博茨瓦纳进行一次短暂访问，其间将会见该国总统，并在一家社区艾滋病门诊进行考察，然后再享受一个短暂的旅行之后，打道回府。

在这次旅行中，我们刚一到达南非，就立刻被这个国家的活力深深吸引了。在约翰内斯堡，我们参观了种族隔离博物馆，并在城市北部的一个黑人城镇的一家社区活动中心与孩子们一起跳舞、读书。在开普敦的一个足球场内，我们会见了社区组织者以及健康工作者，他们正通过青少年体育项目向孩子们进行艾滋病健康宣讲。我们还在那里见到了德斯蒙德·图图[1]大主教，一位传奇的神学家、反对种族隔离斗士，南非的种族隔离制度最终得以废除，他曾从中起到了很大的推动作用。图图当时已经七十九岁高龄，他胸部宽阔，双眼炯炯有神，总是面带微笑。当他听说我正在大力推动健身运动时，便坚持要和我在一群孩子面前做俯卧撑，引得孩子们直笑。

在南非访问的短暂几天里，我总是有一种不真实的、飘飘忽忽的感觉。此次出访距离我上一次到非洲已经有很长时间了。上一次我去肯尼亚旅游的时候还是 1991 年，当时我和贝拉克乘坐着小型巴士游玩，欧玛的大众汽车坏在了半路上，我们帮忙推着汽车在满是灰尘的道路边上行走。我当时可能一方面是因为时差反应，但最主要的还是因为一些更深层次的东西及一种兴奋感，我似乎觉得我们步入了一股历史和文化的洪流之中，突然间意识到在历史的长河里，我们是多么的渺小。当我看到七十六张年轻女性的面孔时，我好容易才没让自己的眼泪掉下来。这七十六名女性之所以被邀请来参加我们的领导力论坛，是因为她们都在各自的社区里从事着非常有意义的工作。她们给了我希望，同时也不动声色地告诉我，我已不再年轻。当时，整个非洲的所有人口之中，有百分之六十的人年龄都在二十五岁以下，而这七十六名女性也全都不到三十岁，有的甚至才刚刚十六岁，但是已经自己创立了非营利机构，专注于培训其他的女性，希望她们能够成长为企业家。同时，她们还冒着入狱的风险去揭发政府的腐败行为。现在，她们有机会联合在一起，接受培训，得到鼓励，我也希望能够通过这种形式增强她们的力量。

然而，我们此次旅行中梦幻般的一幕早早地就到来了——就在我们

---

1 德斯蒙德·图图（Desmond Tutu，1931— ），南非首位黑人大主教，在 20 世纪 80 年代因坚决反对种族隔离而赢得了世界的赞誉，1984 年获得诺贝尔和平奖。

出行的第二天，我们一家人去了约翰内斯堡的纳尔逊·曼德拉基金会总部，会见了著名的人道主义者、曼德拉的妻子格拉萨·马谢尔。就是在这期间，我们被告知，曼德拉本人非常欢迎我们到他家中做客。

当然，我们很快就动身前往了。纳尔逊·曼德拉当时已经九十二岁了，那年早些时候，他还曾一度因肺病住院。我听说，他现在已经很少见客了。六年前，曼德拉访问华盛顿的时候，当时还是参议员的贝拉克与他见过一次。从那之后，贝拉克就将他们会面的照片一直挂在办公室的墙上。就连我的两个女儿——十岁的女儿萨沙和即将十三岁的玛利亚——都知道这是一件意义多么重大的事。即使是我那从来都镇定自若的母亲，看到他之后也表示有点惊讶。

曼德拉对这个世界所产生的影响，在当时健在的所有人当中，恐怕没有谁能比得过他了，至少我是这么认为的。20世纪40年代，当时还很年轻的他就加入了南非非洲人国民大会，开始勇敢地挑战全是白人的南非政权以及根深蒂固的种族隔离制度。四十四岁的时候，他因为领导反种族隔离运动而被捕入狱，1990年刑满释放的时候，曼德拉已经七十一岁了。曼德拉熬过了长达二十七年的监狱生活，尽管在那二十七年里，他的很多朋友都因种族隔离制度而饱受折磨甚至被杀害。出狱后，曼德拉转而支持和平谈判——不再选择直接对抗——由此奇迹般地实现了新旧南非的和平过渡，带领南非实现了真正的民主，曼德拉也成为南非不分种族大选选出的第一任总统。

曼德拉的居所位于一条树木繁茂的城郊街道上，在黄油色的混凝土墙背后，便是他那座地中海风格的宅子。格拉萨·马谢尔带着我们穿过树荫遮挡的院子，走进房子里。在一间宽敞的、洒满阳光的屋子里，我们见到了她的丈夫曼德拉，他正坐在一把扶手椅上，头发雪白稀疏，穿着一件棕色的蜡染衬衫，膝盖上盖着一条白色的毯子。他身边围着好几辈亲人，所有人都对我们的到来表示了热烈的欢迎。明亮的房间、健谈的家人，还有眼前这位老人狡黠的微笑，让我突然想起了小时候去芝加哥南城外祖父家的场景。来时我一直很紧张，但是这一刻，我放松了下来。

事实上，我也不确定这位老人自己是否真的清楚我到底是谁，以及我们为什么要来他家。他确实已经是一位老人了，注意力看起来有点飘忽，听力也有点弱。"这位是米歇尔·奥巴马！"格拉萨·马谢尔靠近他的耳边告诉他，"她是美国总统的妻子！"

"哦，真好！"纳尔逊·曼德拉低声重复着，"真好！"

他充满兴趣地看着我，但事实上，在他眼中，我有可能会是任何人。很显然，对每一个走近他的人，他都表现出了同等程度的热情。我与曼德拉之间的交流虽然是无声的，但非常深刻——正因为无声，所以可能更为深刻。到目前为止，他一生中想要表达的思想、想要说的话大都已经说过了，他作过的演讲、写过的信件，他的书籍，他的抗议口号，不仅变成了他的个人故事，而且成了整个人类的故事。在我与他相见的那段短暂的时间里，我似乎感受到了所有的一切——在一个没有平等可言的地方追寻平等的尊严和精神。

五天之后，当我们启程返回美国的时候，我仍然在想有关曼德拉的事迹。我们的飞机飞过非洲的北部、西部，然后在一个漫长的漆黑的夜晚穿越大西洋，萨沙和玛利亚盖着毯子四肢摊开躺在她们的表兄旁边，我母亲坐在旁边打瞌睡。在离我们有点儿距离的机舱尾部，我们的工作人员以及特工们有的在看电影，有的在抓紧时间补觉。飞机的发动机不停地嗡嗡作响。我感觉有点孤独，但是又不孤独。我们正在往家里飞去——华盛顿那陌生而又熟悉的家，那里有白色的大理石，也充斥着不同的意识形态，那里的一切仍然需要我们通过战斗才能赢得。我突然想起了我在领导力论坛上见到的那些年轻的非洲女性，她们所有人都已经回到了她们各自的社区，重新开始了她们的工作，不论面临怎样的困难，她们都将选择坚持下去。

曼德拉因为坚持自己的原则而入狱，他因此错过了陪伴孩子们成长的机会，后来也没能亲眼看着孙子们长大成人。但是，这一切并没有让他觉得痛苦，反而让他坚信自己的国家那美好的一面终有一天会成为主流。他为之付出了努力，然后以一颗宽容的心、一种不气馁的精神静静地等待结果。

我在这种精神的激励中向家飞去。生活告诉我：进步和变革都是一个很缓慢的过程，不是两年之内，也不是四年之内，或许更不是一生之内就能完成的事，我们努力种下变革的种子，但是我们有可能永远也看不到它结出的果实。我们需要耐心等待。

2011 年秋季，贝拉克曾先后三次向国会提交一项法案，旨在为美国人创造成千上万个新的就业机会，其中包括向各州提供更多资金，以帮助他们雇用更多教师和第一响应者[1]。但是，三次努力均遭到了共和党人的全力反对，他们甚至没有一人投票表示支持。

早在一年前，参议院议员少数党领袖明奇·麦康奈尔在接受记者采访时就曾亮明了他们的施政目标，他说："共和党人未来两年的优先政治事项就是阻止奥巴马总统赢得第二个任期。"没错，他们的目标就是这么简单。在共和党人看来，最重要的事情就是如何才能让贝拉克遭遇失败。很明显，他们并不在乎整个国家的福祉，更不在乎这个国家的人民

---

1 第一响应者（First responder），又称现场应急人员，指经过专门培训，在交通事故、自然灾害、恐怖袭击等事故发生时，能够最先到达现场并提供帮助的人员。

是不是需要就业。在他们看来，共和党自己的权力才是最重要的。

我终于发现，这一切都是那么令人泄气，那么让人恼火，有时甚至让人喘不过气来。没错，这就是政治，这就是共和党的政治，最钩心斗角、冷酷无情的那种政治，似乎没有任何理性的、有意义的目标。我能够感受到一些贝拉克不能感受到的情绪，毕竟他一直都被工作包围。他大多数时候都不屈不挠，能够安然渡过各种难关，只有在一些他认为可以的问题上才会做出妥协。一直以来，他都坚守着他那镇定的、相信一切总会化险为夷的乐观主义精神。贝拉克已经在政界打拼了十五年，在我看来，他一直都像是一只旧铜罐，不断地在火上接受考验，伤痕累累，但永远保持着最初的光泽。

再一次回到总统竞选游说——我们于 2011 年秋季就开始了——这对我们来说更像是一种慰藉。从那时候开始，我们走出华盛顿，再次来到全国各地的各个城镇，比如，里士满 [1]、里诺 [2]，在那里，我们和支持我们的选民握手、拥抱，认真倾听他们的想法和顾虑。对我们来说，竞选游说也是一个接触基层人民和基层力量的机会，而基层正是贝拉克民主思想的核心。同时，竞选游说也让我们重新意识到，大多数美国公民并不像他们所选举的领导人那样会对我们冷嘲热讽，因此，我们所要做的就是说服他们，让他们愿意走出家门投出他们那神圣的一票。还记得2010 年中期选举的时候，好几百万选民都选择了袖手旁观，致使民主党失去了对众议院的控制，贝拉克也因此迎来了一个"分裂国会"，从那以后，想要通过任何新的立法都变得困难重重。

---

1 里士满（Richmond），美国弗吉尼亚州首府。在美国内战期间，里士满是当时美国南方联盟的首都。

2 里诺（Reno），美国内华达州西部城市，20 世纪 20 年代至 50 年代，有着"世界上最大的小城"之称，更有着"世界离婚之都"之名。

尽管有挑战，但是，仍然有许许多多的事情让我们充满希望。截至2011年年底，最后一批美军士兵撤出伊拉克；同时，从阿富汗撤军的计划也在逐步实施。《平价医疗法案》中的大多数条款都已开始生效，根据法案，年轻人可以享受父母缴纳的健康保险直到二十五岁，公司也不能再为病人一生的赔付总金额设置上限。所有这些都在不断向前推进，于是，我提醒自己耐心等待，所有措施的实施都有一个过程，其成效需要逐步显现。

即使整个共和党合谋，希望看到贝拉克失败，我们也决不会退缩，我们别无选择，只能保持乐观积极，继续前行。这有点像发生在玛利亚身上的那件事——一位塞维尔友谊学校同学的母亲看到玛利亚在网球场练球时，问她是否会担心自己的生命安全。玛利亚回答，她在那种情况下，唯一能做的就是再一次回到球场上，继续打出下一个球。说真的，除此之外，你还能做什么呢？

于是，我们便开始工作，我和贝拉克都开始工作。我将自己全身心地投入到我之前发起的各项运动之中。我们的口号就是"让我们行动起来"，但是，我们还需要继续努力才能赢得更多的支持。我和我的团队一起去游说达登餐厅，该餐厅旗下拥有橄榄花园餐厅、红龙虾餐厅等多个连锁餐厅，我们希望他们能就所提供的食物以及食物的加工方式做出一些改变。功夫不负有心人，达登餐厅最终向我们承诺要对他们的菜单进行修改，降低食物热量、减少盐的含量，并向孩子们提供更健康的儿童餐饮。我们也呼吁公司的高级管理人员，希望他们能坚守良心、守住底线，并说服他们相信美国的饮食文化正在发生变化，如果他们能有先见之明提早行动的话，一定是超前商业意识的体现，将来更能获得非常丰厚的利润。达登餐厅每年向全美民众提供四亿份餐点，按照如此大的体量，即使该公司做出小小的改变——比如从儿童菜单中去除那些吸引人眼球的冰镇苏打水图片——也将会产生非常大的实实在在的影响。

第一夫人这一头衔究竟具有多大的能量，其实是一件很有趣的事情——就如这一职位本身一样，它似乎只是一种软力量，没有任何明确的界定。即便如此，我也一直在探索究竟怎样才能更好地利用这一力量。我没有任何行政权，不能向军队发号施令，也不能从事任何正式的外交活动。根据美国第一夫人的传统，我需要散发出柔性的光芒，以总统为核心全身心投入，以整个国家的利益为核心开展工作，但同时又不能参与任何政治问题。后来，我渐渐开始明白，只要用好第一夫人的光芒，其产生的力量可能远超过直接参与政治。作为一名非洲裔美国第一夫人、一名职业女性、两个孩子的母亲，人们总是对我充满了好奇，这一点其实就是我的影响力。人们似乎对我的衣着充满兴趣，总是去研究我穿了什么礼服、搭配了什么鞋子，设计了什么发型，同时，他们也会关注我以哪种造型出现在哪种场合，以及我为什么会出现在那样的场合。我慢慢学会了如何将我想要传达的信息与我的形象结合起来，如此一来，我就可以大胆、自信地直视任何人的目光了。我可以选择穿一件很有趣的外套，边开玩笑边谈论儿童饮食中的含盐量问题，这样就一点儿都不显得枯燥乏味了。我可以公开地称赞某家公司积极为军人家庭成员提供就业机会，我也可以为了宣扬"让我们行动起来"这一运动而在直播现场与著名主持人艾伦·德詹尼丝进行俯卧撑比赛。（当然，最后我赢了，我也一直因此而沾沾自喜。）

从小到大，我在行为上一直都符合主流孩子的标准，这也成为我人生的一笔财富。贝拉克有时候会称呼我"普通人"，要我也参与到竞选口号和战略的制定中，因为他知道，一直以来我都紧跟流行文化，并乐此不疲。虽然我曾经在普林斯顿大学以及盛德国际律师事务所这样的高等学府和知名律师事务所学习工作过，虽然我现在有时候会佩戴珠宝、会穿舞会礼服，但是我并没有放弃我的兴趣爱好，我一直坚持着阅读《人物》[1]杂志的习惯，也会去追一些系列幽默剧。相比《与媒体见面》[2]以及《面向全国》[3]等电视节目，我会更喜欢看《奥普拉脱口秀》以及《艾伦秀》[4]。而直到今天，最让我觉得开心又放松的就是观看一档家装大改造节目，那种改造过后的焕然一新让人很有成就感。

通过以上这些就会发现，我有一套属于我自己的方法与美国民众建立联系，至于这些方法的效果，贝拉克和他白宫西翼的幕僚可能并没有完全注意到，至少最开始的时候是这样。跟接受主流报社或者有线电视台的专访相比，我更愿意选择与一些很有影响力的"妈妈博客"的作者合作，她们能够接触到甚至影响到一大批女性，那些女性甚至经常打电话与她们进行沟通。同时，当我看到我的年轻职员们每天不停地用手机聊天沟通，玛利亚和萨沙也开始通过社交媒体获取各类新闻，并与学校的朋友聊天分享时，我突然意识到，这是一个机会。人们花费在网络上的时间已经越来越长，社交媒体有很大的潜力可以挖掘。于是，2011年秋季，我在推特上发出了自己的第一条推文，内容是推广我们的"联合力量"这一运动，然后看着它在网络这个奇怪的、没有边界的空间内无限生长、传播。

---

1 《人物》（People），创刊于1974年，视角专注于美国名人和流行文化，是时代华纳媒体集团旗下的杂志。每周，《人物》都会以图文并茂的形式报道名人和普通人的故事。

2 《与媒体见面》（Meet the Press），创办于1947年11月6日，由美国国家广播公司（NBC）制作，是最早也是存在时间最长的关于公共事务报道的访谈型新闻节目，也是美国收视率最高的晨间访谈节目。

3 《面向全国》（Face the Nation），创办于1954年，是美国哥伦比亚电视台（CBS）制作的以新闻人物为主体构成的"提问＋回答"模式的半小时新闻访谈型节目。

4 《艾伦秀》（Ellen Show），是美国CBS电视台的一档热门脱口秀节目，主持人艾伦·德詹尼丝以其轻松诙谐的主持风格备受青睐。2003年9月3日首播，该节目结合了趣闻、名人、音乐嘉宾和人情故事，已获得三十三个日间艾美奖。

这条推文的效果出人意料，所有这一切都是那么出人意料。我发现，我可以利用这些软力量让自己变得非常强大。

如果有记者或者电视台想要采访我，那么我也会利用这一机会，将他们带到我想让他们去的地方。比如，我让他们到华盛顿西北部的一处普通的联排住宅里，看我和吉尔·拜登一起为一位在阿富汗战争中受伤的军医粉刷房子。其实，观看两位夫人拿着油漆刷墙本身并不有趣，但是这件事却像一个诱饵一样，能够将很多人的目光和注意力吸引过来。

这位受伤的军医是海军陆战队中士约翰尼·阿格尼，在阿富汗服役的时候，他的运输机遭到了袭击，他当时才二十五岁。在那次事故中，他的脊椎遭遇粉碎性骨折，大脑受伤严重，需要在沃尔特·里德国家军事医疗中心恢复很长一段时间。现在，为了方便他坐着轮椅活动，他家的一层正在重新装修——门口拓宽了一些，厨房的水槽也降低了一些——这是由公益机构"共同重建"与零售业巨头西尔斯[1]、凯马特[2]的母公司西尔斯控股共同发起的一项公益活动，约翰尼·阿格尼的房子正好是他们帮助退伍军人装修的第一千个家庭的房屋。正好，记者们的摄像机将一切都记录了下来——军人约翰尼·阿格尼、他的房子以及大家所带来的友好和力量。媒体记者们不光采访了我和吉尔·拜登，也采访了约翰尼·阿格尼，以及那些实实在在出力干活的人。在我看来，这才是事情应该有的样子，这里的一切才真正值得关注。

2012 年 11 月 6 日，选举日终于到来了，虽然没有说出来，但我的

---

1 西尔斯公司曾经是美国也是世界最大的私人零售企业，2005 年 3 月 24 日与凯马特公司合并，组成美国第三大零售业集团。

2 凯马特公司是美国国内最大的打折零售商和全球最大的批发商之一，是现代超市型零售企业的鼻祖。

内心充满了紧张、担忧。那时，我和贝拉克，以及两个女儿都回到了位于芝加哥格林伍德大道的家中，等待选举结果公布。美国民众究竟会选择接受我们还是拒绝我们，那种等待真是一种炼狱般的煎熬。在我看来，此次选举比我们以往经历的任何选举都要让人担忧，而且充满不确定性，这次选举不仅是美国人对贝拉克政治表现以及整个国家当前状态的投票，也是对他未来角色以及我们一家能否继续在白宫生活的一次投票。萨沙和玛利亚已经在新的环境中建立起了她们自己的朋友圈，因此，我不愿再一次打破她们好不容易形成的生活常态。而就我个人来说，我也为此付出了很多，我将我们一家人四年的生活全都给了白宫，所以，我不可能无动于衷。

整个竞选活动让我们筋疲力尽，甚至比我早前预想的还要艰苦。我一边要继续推进我倡导的那几项运动；一边要照料两个孩子，比如开家长会、监督她们完成好家庭作业；一边还要为贝拉克的竞选活动助阵，发表各类演讲，平均每天跑三个城市，每周要跑三天。至于贝拉克，他的日程安排则更为紧张，强度也更大，自然更为煎熬。但多次民调结果都显示，他的支持率与共和党候选人米特·罗姆尼相比只是略微领先。更为糟糕的是，在10月举行的第一次总统电视辩论中，贝拉克现场发挥失常，在危急时刻引发了竞选赞助者和顾问们的担忧。这时，我们也能从职员们的脸上看出大家都已经筋疲力尽了，他们一直以来都非常努力地工作，看到这种结果，虽然他们都尽力不表现出来，但是想到贝拉克有可能几个月之后就会被迫搬出白宫的办公室，他们一定也感到非常不安。

自始至终，贝拉克都表现得非常镇定，但是，我依然可以感受到他所承受的巨大压力。在选举前的最后几周里，他的脸色看起来有点苍白，甚至整个人也比先前瘦了许多，就连咀嚼尼古丁口香糖的动作，也比过去夸张了很多。作为一个妻子，看着他尽自己所能在应付着一切——一边安抚那些对竞选感到担忧的人，一边继续完成整个竞选活动；同时还要管理整个国家，包括应对针对美国驻利比亚班加西外交人员的恐怖袭击；在距离正式选举仅仅一周时，敦促联邦政府对横扫美国东海岸的一级飓风"桑迪"做出大规模的紧急响应——我真的替他感到担心。

那天傍晚，当东海岸地区的投票将要结束的时候，我走上我们家的三楼，我们准备提前在那儿办一场实际意义上的美妆沙龙，为晚些时候的公共活动做准备。梅雷迪思已经帮我、两个女儿以及我母亲挑好了服装，并已经熨烫好了，约翰尼和卡尔也已准备好帮我设计发型、妆容。按照惯例，贝拉克一早就出去打篮球了，回来后就去了他的办公室，他需要对自己当晚的发言做最后的润色。

我们在三楼也有一台电视机，但是我刻意没有打开。如果出结果了，不论是好的结果还是坏的结果，我都希望由贝拉克或者梅丽莎或者其他与我关系很亲近的人亲口告诉我。电视机里喋喋不休的新闻节目主持人以及他们的交互式选举地图总在触动我的神经。我不想知道细节，我只关心我的感受。

当时，美国东部时间已经过了晚上八点了，这就意味着已经有了一个初步结果。我拿起我的黑莓手机，给瓦莱丽、梅丽莎、陈远美[1] 分别发了邮件，询问她们是否知道最新进展。

我等着她们的回信，但是十五分钟过去了，半小时过去了，没有人

---

1 陈远美（Christina Tchen，1956— ），美国律师，其父母于 1949 年从上海移民美国。奥巴马担任美国总统期间她任白宫公共联络办公室主任，2011 年 1 月被任命为美国总统助理、第一夫人幕僚长。

回复我。我突然觉得整个屋子都陷入了一种很奇怪的寂静之中，我母亲正坐在楼下餐厅里看杂志，梅雷迪思正在打扮两个孩子，为晚上的活动做准备，约翰尼正在用直发器帮我烫发。是我太多疑了吗？还是大家都不敢直视我，他们是不是已经掌握了什么我还不了解的信息？

随着时间继续无声无息地流逝，我开始感觉到头疼，身体似乎都不能保持平衡了。我不敢看新闻，甚至突然觉得这次对我们来说一定是不好的消息。过去，我已经习惯了在遇到各种情况的时候战胜消极想法，坚信一定会是好的消息，直到最后才会被迫去面对那并不如意的现实。在我内心深处的一座高山上的小城堡中，我一直保持着自信。但是那时，看着放在膝盖上的黑莓手机一点儿反应也没有，每一分钟都是那么煎熬，我觉得我的小城堡的外墙开始坍塌，出现了缺口，怀疑肆虐了起来：或许我们努力得还不够，或许我们不配再为美国公民服务一届。我的双手颤抖了起来。

就在我因为焦虑而快要失去知觉的时候，贝拉克上楼来了，像过去一样，他咧着嘴微笑着，看上去一副信心满满的样子，先前所有的担忧也都不见了踪影。"我们将对手打得片甲不留，"他说，看到我还完全不知情，他马上换了一副惊讶的表情，接着又说，"没有任何悬念了。"

原来，在楼下，所有人一直都沉浸在喜气洋洋的气氛中，地下休息室里的电视机上接连传来的都是好消息。而我的问题出在了黑莓手机上，手机服务不知为何中断了，我的邮件并没有发送出去，当然也没有接收到别人发来的最新消息。于是，我把自己困在了各种消极的想象中。事实上，并没有人知道我当时是多么的担心、多么的焦虑，即使当时陪我在房间里的人，大概也都不知道。

那天晚上，贝拉克赢得了几乎所有选区的支持，只有一个拉锯州除外。正如 2008 年初次竞选时一样，他得到了年轻选民、少数族裔选民以及女性选民的大力支持。尽管共和党使出了一切手段，想要挫败贝拉克，并通过各种方式阻止他再次赢得美国总统职位，但最终，贝拉克的政见赢得了民众的支持。在竞选游说过程中，我们曾请求美国选民，希望他们给我们一个继续为这个国家服务一届的机会——能够让我们坚持到最后——最终，我们得到了选民们的认可。此时，所有人都解脱了。我们足够优秀吗？是的，我们非常优秀。

几个小时之后，米特·罗姆尼宣布承认败选。又一次，我们一家人盛装出席，站在台上向大家挥手致意，奥巴马一家四口——贝拉克·奥巴马、米歇尔·奥巴马、玛利亚·奥巴马、萨沙·奥巴马，在五彩纸屑飘扬的欢乐气氛中，欢欣鼓舞地迎来了又一个四年的白宫生活。

再次成功当选也让我起起伏伏的情绪随之安稳了许多。我们又赢得了更多的时间，可以朝着我们的目标继续努力，在各项工作的推进过程当中，也可以更加有耐心。同时，我们在华盛顿的生活也有了"未来"，这让我感到非常开心，因为萨沙和玛利亚可以继续留在塞维尔友谊学校上学，我们的职员可以继续他们先前的工作，我们的任何想法依然重要而不可忽视。最终，当这四年结束的时候，我们也就真正完成了使命，那才是让我最开心的。接下去，我们再也不需要去参加各种竞选活动，不用备受煎熬地召开各类战略制定会议、等待民意调查结果、参加选举辩论、关注支持率下降还是上升。一切都将结束。我们终于能够看到政治生涯快要结束的曙光了。

而事实上，一切远非如此乐观，未来总是既充满惊喜又充满惊吓——有一些让人开心的事，也有一些让人无法言说的不幸。在白宫再待四年意味着之后四年我们还要继续作为这个国家的象征，而对于任何有关这个国家的事情，我们都必须全部接纳并及时做出回应。在贝拉克和我参加竞选的时候，我们就是基于这样一个理念：我们仍然对未来充满信心，我们有能胜任白宫工作的精力和自制力，也有勇气继续为美国民众服务四年。如今，未来正朝着我们走来，而且速度远比我们想象的要快。

　　五周之后，一名男子持枪闯进了康涅狄格州纽顿镇的桑迪·胡克小学，无故射杀教师和儿童[1]。当天，我刚刚在白宫对面作完一场简短的演讲，根据日程安排，接下来要去一家儿童医院进行访问。这时候，陈远美将我带到一边，告诉我究竟发生了什么。其实，就在我演讲的时候，她和其他几位职员已经从手机上看到了这一爆炸性事件，相关新闻报道一时间铺天盖地，但她们掩藏着情绪，坐着等我顺利结束演讲。

　　陈远美带来的消息是如此骇人听闻，我一时间彻底陷入悲伤之中，甚至有点不明白她到底在说什么。

　　她告诉我，她已经与白宫西翼取得了联系，贝拉克此时正一人在西翼的总统办公室里。"他让您马上过去，"陈远美说，"现在就过去。"

　　此时，我的丈夫需要我的帮助，这是八年里，贝拉克唯一一次在工作日要求我去见他，然后我们都临时调整日程安排，就我们两人单独待了一会儿，以寻求片刻的安慰。通常情况下，我们都坚持着"工作是工作，家庭是家庭"的原则，但是，纽顿镇枪击事件完全打破了我们之前形成的这些规矩，我们在工作和生活之间建立起的屏障瞬间不见了，我相信，很多人也都跟我们俩一样。当我走进总统那椭圆形的办公室时，我和贝拉克什么都没说，只是拥抱在一起。此时此刻，说什么都是多余的，我们也找不出合适的词语。

---

1 2012 年 12 月 14 日，美国康涅狄格州桑迪·胡克小学发生枪击案，造成包括枪手在内的二十八人丧生，这是美国历史上死伤最惨重的校园枪击案之一。

我相信，很多人都不会知道，他们的总统奥巴马一直都在关注着与这个国家相关的每一件事，或者说他至少对关乎整个美国福祉的每一条信息都有所掌握。贝拉克是一个实事求是的人，他总是选择承担更多，而非尽可能逃避。不论发生什么情况，哪怕是对他来说非常不好的情况，他都会去尽可能了解最多、最真实的信息，因为只有这样他才能给出真正有依据的对策。对他来说，这就是他的责任，也是他身为美国总统应尽的义务——他要直面问题，而非选择逃避，当我们其他人都要倒下的时候，他必须屹立不倒。

也就是说，当我去总统办公室找贝拉克的时候，他已经对桑迪·胡克小学犯罪现场的可怕场景有了非常详细的了解。工作人员已经向他非常形象、具体地汇报了一切，包括教室地板上溅洒的血迹、凶手用一把半自动步枪射杀的二十名一年级学生及六名成年教育者的尸体。与那些第一时间冲进教学楼保护大家安危并从大屠杀中撤离幸存者的第一响应者相比，贝拉克当时的震惊和悲伤肯定不亚于他们，当然，与那些在寒风中等待在教学楼外，经历了无比漫长的煎熬并不断祈祷还能再见到自己孩子的父母相比，也根本不算什么；而与那些经历了漫长等待的煎熬，最后发现只是一场空的父母相比，就更什么都不算了。

即使如此，枪击案的具体细节还是深深地刻在了他的心里，我能够从他的双眼中看出这件事对他内心造成的创伤，以及对他的信仰所造成的动摇究竟有多大。他开始跟我描述犯罪现场的情形，但是，又马上停住了，可能他意识到，没有必要继续增加我的痛苦。

和我一样，贝拉克对孩子们一直都有着非常深沉的、真挚的爱。他不仅非常宠爱我们的两个女儿，还经常带其他孩子去他的总统办公室参观，他还会要求抱抱孩子。每当他有机会参加学校的科学展览会或者青少年体育赛事的时候，他整个人都会变得快活起来。就在刚刚过去的冬天，他还开始为萨沙的中学篮球队"毒蛇队"做助理教练，这让他体会到了一种前所未有的快乐。

对他来说，孩子们的存在会让一切都变得轻松。而当时，与所有人一样，他知道，对于那二十个幼小的生命来说，他失信了。

在纽顿镇桑迪·胡克校园枪击惨案之后依然保持屹立不倒，对贝拉克来说可能是所有经历中最艰难的。那天下午，玛利亚和萨沙放学回到家后，我和贝拉克在楼上住所见到了她们，我们将她俩紧紧地抱在怀里，同时尽量不让她们感受到我们是多么迫切地等待着她们回来。关于这场枪击案，我们不知道究竟该跟她们说些什么，又不该说些什么，我想，全美国所有的父母此时都在为这个问题发愁吧。

那天下午，贝拉克在白宫楼下召开了一场新闻发布会并发表了一场电视讲话，尽量通过他那支离破碎的、断断续续的语言向受害者的家庭表示慰问。在短暂的发言中，即使面对着媒体摄像机不停地拍摄，贝拉克也忍不住数度落泪，因为他明白，对于那些受害者的家庭来说，没有什么能够真正安慰他们。他所能做的就是拿出解决问题的办法——他知道，全国上下，不论是普通美国民众还是立法者都会这么想——通过最基本的、理智的立法措施控制枪支售卖，从而避免更多类似惨剧的发生。

贝拉克在悲痛中开始前行，但是我知道，我还没有做好这样的准备。在作为第一夫人的四年时间里，我经常去安慰别人。当亚拉巴马州西部城市塔斯卡卢萨遭遇龙卷风袭击时，城镇的大片区域一瞬间不见了踪影，很多人失去了他们的家园，我曾经安慰他们，并与他们一起祈祷。当我见到那些经历了丧亲之痛的人们时，不论是男性、女性还是孩子，我都会和他们一一拥抱，安慰他们，鼓励他们从悲伤中走出来，他们挚爱的亲人有的牺牲在了阿富汗战争中，有的牺牲在了得克萨斯州胡德堡陆军基地的独狼式恐怖袭击中，有的丧命于自家街角处的暴力冲突中。在过去的四个月里，我还访问了那些在科罗拉多州奥罗拉影院枪击事件以及威斯康星州一座什叶派清真寺的枪击事件中幸存下来的人。这些事件都性质恶劣，极具毁灭性。每次与他们见面的时候，我都尽量让自己表现出最平静、最乐观积极的一面，我希望我的关心、我的到来、我无声的支持能够带给他们继续生活下去的力量。桑迪·胡克小学枪击案发生两天之后，贝拉克动身前往纽顿镇，在为受害者举行的守夜祈祷活动上发表讲话，但此时我还没有勇气面对这一切，我不能和他一同前往。这件事对我的打击、震撼太大，以至于我不能像先前那样，还有多余的力量可以带给别人。我住进白宫成为美国第一夫人已经有四年时间了，也见证了太多的杀戮——很多本可以预防但是仍然发生了的死亡事件，以及我们太过薄弱的预防措施。但是我不确定，在面对自己六岁的孩子刚刚被枪杀在校园里的父亲或者母亲时，我该如何去安慰他们。

相反，就像绝大多数父母一样，我内心充满爱和恐惧，能做的只是紧紧地抓住自己的孩子。圣诞节临近了，萨沙被选中和其他一群孩子一起跟随莫斯科芭蕾舞剧团演出两场《胡桃夹子》，两场演出当天正是纽顿镇守夜祈祷活动当天。贝拉克终于抽出了一点儿空，溜进剧场坐在最后一排，看了会儿孩子们的带妆彩排，然后起身去康涅狄格州发表讲话。晚上，我一个人去观看了萨沙的演出。

就如所有对《胡桃夹子》这一故事的描述一样，孩子们的芭蕾舞剧演出绚丽多彩、超脱尘俗，月色下被积雪覆盖的森林中由胡桃夹子变身而来的王子，以及糖果王国里的糖果仙子们华丽优雅的舞蹈，都是那么的吸引人。萨沙在舞剧中扮演了一只老鼠，穿着一套黑色的紧身连衣裙，戴着毛茸茸的耳朵和尾巴。在管弦乐器优美大气的乐声中，在随风飘落的晶莹剔透的雪花中，当一个华丽的雪橇出现时，她开始了表演。

我的视线完全被她吸引了，紧紧盯着她一刻也没有离开。我整个人都在感激生命里能有她。萨沙站在舞台上，眼中闪着熠熠的光芒，一开始她似乎不能相信自己正站在舞台上，整个场景对她来说是那么的华丽而又不真实。没错，整个场景确实非常华丽壮观。但是，她是那么年轻，可以全身心地投入，任由自己在仙境中尽情地表演，至少那一刻她做到了。整场舞剧没有人说话，大家只在尽情地跳舞，这时候，圣诞假期马上就要来临了。

请原谅我的啰唆和牢骚，但是，所有这些并不一定会向好的方向发展。如果美国是一个简单的国家，只有简单的历史和故事；如果能透过甜美、有序的滤镜去讲述我所参与的那一部分事情；如果前进中不会有任何倒退，如果所有伤痛都能得到救赎——至少是在最后，那么，一切就可以另当别论。

但是，美国从来都不是一个简单的国家，我也不是一个只会粉饰太平的人。我不会失去客观判断，刻意将这一切描述成极致完美的景象。

在很多方面，贝拉克的第二任期确实要比第一任期更容易一些。过去的四年时间里，我们学习到了很多，我们将身边合适的人安排在合适的岗位上，建立了一套行之有效的行政体系。现在，我们非常清楚该如何去完善第一任期内一些考虑不周全的地方，如何去避免第一任期内所犯的一些小错误。2013 年 1 月，我们迎来了贝拉克第二任期的就职典礼，吸取了第一次参加军队检阅仪式时双脚近乎被冻僵的教训，这一次，我要求观礼台全程供暖。为了保存体力，我们也只举办了两场就职舞会，而 2009 年，我们整整举办了十场。接下来，我们还有四年的时间可以去做我们想做的事情，如果说这四年我学到了什么，那就是学会放松，调整自己的步伐。

贝拉克又一次站在全美国民众面前完成了宣誓就职仪式，接着我们一起在观礼台参加户外军队检阅仪式，我坐在贝拉克身旁，看着来自全美五十个州的军乐队、仪仗队不停地变换着队形——走过，此时，我比2009年有了更深的体会。从我当时所处的有利位置，我勉强能够看见每一名表演者的面孔。足足有上千名表演者，他们每一个人身上都有着自己独特的人生故事。此外，在就职典礼之前的一段时间里，还有好几千名表演者，他们也来到华盛顿特区，参加了很多场其他表演。同时，还有几万名的观众也专程来到这里，只为亲眼观看就职仪式。

后来，我常常会近乎疯狂地想：如果我当时能够看清楚一个人，那该有多好。她是一名身材瘦削的非洲裔美国女孩，是来自芝加哥南部国王学院预科高中的游行乐队队长，她当时头戴一条闪闪发光的金色发带，穿着一套蓝色的乐队队长制服，专门来到华盛顿参加一些周边活动的演出。我宁愿相信，在那些天里，我本该有机会在华盛顿的人潮中见到她的——她的名字叫哈迪雅·彭德尔顿，当时只有十五岁，正处于人生成长期。当时，她迎来了人生中非常重要的时刻，她和她的乐队成员一路开车来到华盛顿。在芝加哥的家中，哈迪雅跟父母还有一个弟弟生活在一起，她家距离我们在格林伍德大道的家大约只有两英里远。在学校，哈迪雅是一名优等生，她经常跟大家说，她将来要上哈佛大学。她当时已经在筹办她"甜蜜的十六岁"生日聚会了。她喜欢吃中餐，喜欢吃奶酪蛋糕，经常和朋友们一起去买冰激凌吃。

几周之后，我才知道所有这一切，而且是在她的葬礼上。就在贝拉克就职典礼结束后第八天，在芝加哥，哈迪雅·彭德尔顿在学校附近的一处市民公园里被射杀了。当时，天降暴雨，她和几个朋友一起站在公园运动场旁边的金属挡雨棚下面避雨。她们被误认成帮派成员，被另一个帮派一名十八岁的成员持枪射杀。哈迪雅是在逃跑寻求保护的时候背部中枪的，她的两个朋友也受了伤。那天是星期二，这一切发生在下午两点二十分。

我多么希望在她活着的时候曾见过她一面，这样，我就能跟她的母亲分享一段属于她的回忆。现在，这位母亲对女儿的所有回忆突然有了边界，她只能收集往事，紧紧地抓住不放。

我之所以去参加哈迪雅的葬礼，只因为我认为这样做是对的。在为纽顿镇桑迪·胡克小学枪击案受害者举行纪念仪式的时候，贝拉克前去参加了，但我因为当时无法面对那一切而没能一同前往，现在，是时候迈出这一步了。我希望，我的到场能够让更多的人开始关注美国城市里几乎每天都会发生的射杀无辜儿童的事件，我希望人们能够同时想起桑迪·胡克小学惨案，从而意识到出台一个合理的控枪法案的急迫性。哈迪雅·彭德尔顿的家庭与我从小生活的家庭非常相像，都是芝加哥南城的工薪阶层家庭，一家人关系非常融洽。简单地说，我本可以认识她的，甚至我曾经在一些方面和她完全一样。如果她那天放学后能选择另外一条路线回家，或者说如果当时枪声响起的时候，她能够向左偏移 6 英尺，而非向右偏移的话，那么她就不会死，那么有一天，她也许会成为今天的我。

"我做了一切我应该做的。"哈迪雅的葬礼开始前，我见到了她的母亲克利欧佩特拉·考利－彭德尔顿，她这么跟我说，她棕色的眼睛里满是泪水。克利欧佩特拉为人热情，声音温柔，留着一头短发，在一家信用评级公司的客服部工作。哈迪雅葬礼当天，她在衣服领子上别了一朵大大的粉花。一直以来，她和丈夫纳撒尼尔都非常细心地照料着哈迪雅，鼓励她报考国王学院预科高中，那是一所对生源非常挑剔的公立高中。他们也尽量让哈迪雅少在街道上活动，他们还为她报名参加了排球队、啦啦队以及教堂的一个舞蹈班。就如我父母当年照顾我一样，他们宁愿自己做出牺牲，也要让哈迪雅走出自己从小生活的社区，到外面更大的世界去看一看。那年春天，她本该和她的乐队成员一起去欧洲的。很明显，她对华盛顿之行也非常满意。

"那里非常的干净，妈妈。"从华盛顿回去后，哈迪雅告诉母亲克利欧佩特拉，她还说，"我想，我将来可能会从政。"

然而，天不遂人愿，就在刚过完年的1月的那一天，她遇难了。当天，芝加哥还有其他两名女孩和她一样，分别在另外两起枪支暴力事件中遇难。哈迪雅是当年芝加哥第三十六位丧生于枪支暴力事件的公民，而那时，2013年才刚刚过去二十九天。不用说，几乎所有受害者都是黑人，虽然哈迪雅对未来充满希望，虽然她非常努力，但她却成了一个错误事情的牺牲品。

哈迪雅的葬礼上来了很多人，这又是一个因为枪击案而破碎的社区，居民都拥进教堂，想亲眼见证这个十几岁的女孩人生的最后一刻——被装进一个内衬着紫色丝绸的棺材——并亲自为她送行。克利欧佩特拉站起来，开始跟大家讲述她女儿生前的故事，哈迪雅的朋友们也都一一站起来，哽咽着跟大家分享他们这位朋友的故事，每个人都时不时为一种更大层面的愤怒和无助感所打断。他们还都是些孩子，但他们充满了疑问，他们不仅在问"为什么会这样"，同时也在问"为什么会如此频繁"。那天，在场的还有很多身居要职的成年人——除了我，还有芝加哥的市长、伊利诺伊州的州长、杰西·杰克逊以及瓦莱丽·贾勒特——我们这些人当时都挤在教堂里的长凳上，在唱诗班的演唱声中独自忍受着内心的悲伤和愧疚，那演唱声是那么的强劲有力，教堂的地板似乎都开始晃动起来。

我从来不希望自己仅仅扮演一名安慰者的角色，这一点对我来说非常重要。在我有限的人生中，我已经听过很多重要的人说过太多毫无意义的空话。每逢危急时刻，这些人都只会说一些好听的话，但从来不付诸任何行动。我下定决心要做一个实话实说的人，在我力所能及的范围内帮助那些没有话语权的人发声，并在有人需要我的时候及时出现。我知道，不论我去哪里，都异常引人注目——摩托车队、一大群特工、好多助手以及随行的媒体，将我重重包围在正中间，犹如一场突如其来的风暴，我们气势十足地出现，然后又离开。然而，我并不喜欢这样的阵势，以及这种阵势对我之后开展活动所带来的影响，因为这种阵势经常会让人们变得紧张，不知道该以什么样的姿态面对我，甚至说话结结巴巴，有的甚至不愿开口，保持沉默。因此，我经常试图通过一边拥抱大家一边作自我介绍，尽量让活动的节奏缓慢一些，尽量甩掉我们身上哪怕一丁点儿的伪装，表现出最真实的样子。

一直以来，我都尽力与我遇到的人建立良好的关系，尤其是那些在一般情况下根本无法接触到白宫生活的人。我想尽可能地与大家分享所有的美好。在参加完哈迪雅葬礼几天之后，我邀请了她的父母和我一同出席贝拉克的国情咨文演讲，并让他们紧挨着我坐。结束后，我又在白宫接待了他们，邀请他们参加我们的复活节滚彩蛋活动。克利欧佩特拉后来成了一名积极的暴力预防倡导者，她后来还曾几度因为此事来到白宫，参加各类会议。我一直和伦敦的伊丽莎白·加勒特·安德森女校的孩子们保持着通信联络，鼓励她们即使没有任何特权，没有优越的生活环境，也要心存希望，坚持努力学习。我很重视这件事，因为那些女孩子们当时让我深深感动。2011 年，我邀请了该校三十七名女孩和我一起参观了牛津大学，这三十七名女孩并不是学校里最优秀的，而是学校老师认为还没有充分发挥出潜力的孩子。我希望通过这趟牛津之旅告诉孩子们，她们究竟能够达到什么样的高度，让她们意识到人生的诸多可能性。

2012 年，在英国首相卡梅伦赴美进行国事访问期间，我又邀请了数名来自该校的学生，到白宫做客。我认为，一定要与孩子们多接触，并以多种不同的方式接触，这样她们才会觉得那些美好和希望都是真实的。

我很清楚，在我早期的人生中，我之所以能取得成功，就是因为在我孩童时期，周围人对我无私的爱以及非常高的期待，不仅在家如此，在学校也是如此。正因为有这种感悟和启发，我才在白宫举办了一对一的导师指导项目，该项目也是我和我的团队筹备发起的一项新教育倡议的核心，这项倡议名为"追求更高"。我想鼓励孩子们，让他们努力学习，将来考入大学。并且一旦进入大学校门，就一定要坚持下去，因为我知道，在未来一些年，对于那些想要进入全球就业市场的孩子来说，一张大学文凭是多么的重要。"追求更高"这一倡议就是要去帮助这些孩子，让他们的求学之路更容易一些，我们计划为校园顾问提供更多的支持，并为他们争取更多的联邦财政支持。

我是幸运的，一路走来，不论是我的父母、老师，还是后来的导师们，都一直不停地向我传递着这样一个信息：你很重要。现在，作为一个成年人，我希望将这一信息传递给新一代人。我也将同样的信息传递给了我的两个女儿，她们也非常幸运，每天，她们都能够从学校以及优渥的生活环境中得到相同的信息，这无疑更加坚定了她们的信心。同时，我也决定，要将类似的信息传递给我所接触到的每一位年轻人，我希望自己的角色是正面积极的，而不是像我高中时期的大学申请顾问那样，以一副非常无所谓的样子告诉我，我不是上普林斯顿大学的料儿。

"我们所有人都相信你们将来一定属于这里。"伊丽莎白·加勒特·安德森女校的孩子们在牛津大学参观时，我这样告诉她们。当时，她们正坐在学校那历史悠久、哥特式风格的餐厅里，充满敬畏地看着周围的教授和学生，他们当天是专门受邀来指导这些孩子们的。我也会将类似的话告诉那些到白宫参观的孩子们，他们有来自立岩苏族保留地 [1] 的青少年，有和我一起在白宫菜园劳作的当地学生，有来参观白宫求职日以及我们的时尚、音乐、诗歌工作坊的高中生，甚至也有排着长队等候而我只来得及快速有力地拥抱一下的孩子。我所想表达的信息基本都是相同的，那就是：你属于这里，你很重要，我非常看好你。

后来，英国一所大学的一名经济学家专门针对伊丽莎白·加勒特·安德森女校的孩子们的学习成绩进行了一项研究，研究结果发现：自从我与这些孩子开始联络后，她们的整体学习成绩大幅提升——相当于从平均 C 水平上升到了平均 A 水平。其实，孩子们学习成绩的提升真正要归功于她们自己、她们的老师以及她们所有人每天共同的付出，但是这项研究同时也说明：当孩子们能够感受到外界对她们的关注时，她们自己就会加倍地投入。我意识到，我的行为一定也为孩子们的成长注入了某种力量。

在哈迪雅·彭德尔顿的葬礼举办两个月以后，我又一次回到芝加哥，在这之前，我已经派了我的办公室主任陈远美跟一位曾经在芝加哥生活过多年的律师一起前往芝加哥，在那里提前开展工作，争取人们对预防枪支暴力的支持。陈远美是一个为人非常慷慨的政策研究者，她的笑声总是那么有感染力，在我认识的所有人当中，她工作起来是最拼命的。她能非常巧妙地把握好如何在政府内外同时发力，以求达到我所期盼的最佳效果。除此以外，她的性格以及她的人生经历都决定了她的声音不

---

1 立岩苏族保留地，立岩保留地的主体在美国北达科他州。苏族是北美原住民中的一个民族，苏族人生活在美国西部的大平原区，主要靠狩猎为生。如今苏族由横贯几个保留地的许多单独的部落组成。

可能被埋没，尤其是在一群男性占主导地位的会议上，她往往能让自己脱颖而出。在贝拉克的第二任期内，她曾尽全力与五角大楼国防部及其他部门协调沟通，以打破一些繁文缛节的束缚，帮助退役军人和军队现役人员的配偶更好地发展他们的事业。同时，她也帮助新一届政府精心策划并大力推动解决全国范围内女性接受教育的问题。

哈迪雅遇难后，陈远美便开始利用自己在芝加哥的人脉，鼓励当地的企业领导及慈善家积极与芝加哥市长拉姆·伊曼纽尔合作，在全市范围内开展并不断扩大对处于危险中的青少年的公益项目。陈远美利用自己的影响力在短短几周内为该项目筹集到了 3000 万美元的投资承诺。那年 4 月的一天，天气非常寒冷，我和陈远美飞往芝加哥参加一个社区领导人会议，讨论有关青少年赋权的问题，并与一群之前从未谋面的孩子见面。

那年冬天早些时候，美国公共广播节目《美国生活》用整整两个小时的时间讲述了一群学生和教育工作者的故事，他们来自芝加哥南部英格伍德社区的威廉·哈珀高中。就在前一年里，该校一共有二十九名在校生曾遭遇枪击事件，其中八人遭受了致命的伤害。不论对于我还是我团队的其他成员来说，这一数字都非常惊人，然而，更让人感到悲伤的是，全美国的城区学校内充斥着不断蔓延、愈演愈烈的枪支暴力事件。在所有关于青少年赋权的讨论中，似乎有一点非常重要，那就是真正坐下来，倾听青年们的声音。

在我还小的时候，英格伍德社区就是一个相对野蛮的社区，但也绝不至于像这样，成了枪击案件高发地带，被称为芝加哥最危险的街区。在我上初中的时候，我每周都会去该社区的一所社区大学的生物学实验室做实验。如今，好多年过去了，当我的车队一路穿过一片片早已废弃的平房、关闭的商铺、空旷的场地以及被烧毁的建筑时，我似乎觉得这一地区唯一比较景气的就是酒吧了。

我不由自主地回忆起我的童年、我小时候生活过的社区，回想着"贫民区"这个词是如何弄得人心惶惶的。现在，我终于明白，"贫民区"这一标签为何会让那些生活稳定的中产阶级家庭担心自己的财产价值缩水，并一早就下定决心移居郊区，"贫民区"成了"黑色人种""生活无望"的代名词，它预示着失败，并会加速失败的到来。它导致街角原有的杂货铺、加油站关闭；它削弱了学校以及教育工作者的信心，他们原本打算给社区的孩子们传输自我价值。"贫民区"成了一个人人都不愿谈及的词语，但是它能在一个社区里迅速传播。

威廉·哈珀高中就坐落在西英格伍德社区的中央，那是一座庞大的多翼沙砖建筑。我在那里见到了学校校长莱奥内塔·桑德斯，她是一位行动非常利落的非洲裔美国人，在那里已经工作了整整六年。我还见到了两名学校的社会工作者，她们都全心全意地专注于全校五百一十名在校生的日常生活，这些学生大多数都来自低收入家庭。有一名社会工作者名叫克丽丝·史密斯，她经常在孩子们课间休息的时候在教室走廊里踱步，鼓励孩子们要乐观积极，并毫不掩饰她对他们的高度认可。她经常对孩子们非常大声地说："我真为你们感到骄傲！""我看到了，你们非常努力！"对于孩子们做出的任何她认为好的选择，她都会告诉他们："我要提前恭喜你们！"

那天，在威廉·哈珀学校的图书馆里，我和二十二名学生围成一圈开始座谈，这二十二名学生全都是非洲裔美国人，大多数是初中生和高中生。他们穿着卡其裤和带领子的衬衫，有人坐在椅子上，有人坐在沙发上。大多数学生都很愿意交流，他们向我描述了对帮派的恐惧，以及他们每天甚至每小时都在担心暴力事件的发生。一些孩子说他们的父母已经过世，一些孩子说他们的父母酗酒成性，一些孩子说他们曾经进过青少年拘留中心。一位名叫托马斯的初中生描述了去年夏天他亲眼看到的一次枪击事件。在那次事件中，他的好朋友——一名年仅十六岁的女孩——遭遇枪击并丢了性命，他的哥哥——早前就因为枪伤而致使身体部分瘫痪——当时正好坐着轮椅也在现场，再次遭遇枪击，再次受伤。那天，几乎在座的所有孩子都曾因为枪击暴力事件而失去过生命中非常亲近的人——朋友、亲人或是邻居。同时，他们中几乎没有人去过市中心的湖滨地带，也没有参观过海军码头 [1]。

正在我们座谈期间，一名社会工作者突然插话对大家说："今天 80 华氏度 [2]，阳光明媚。"在座的学生都纷纷点头，且面带悲伤。我当时有点茫然，不知道这是什么意思。"告诉奥巴马夫人吧，"这位社会工作者说，"当你早上睁开眼睛的时候，如果你听天气预报说今天阳光明媚、80 华氏度，你会想到什么？"

很显然，她自己知道答案，但她想让我也亲耳听到答案。

对于哈珀学校的学生来说，这样晴朗的一天并不是什么好事，因为天气好的时候，也是帮派活动更为猖獗的时候，枪击暴力事件发生的可能性也就更大。

受环境影响，这些孩子已经适应了这种混乱的逻辑，天气好的时候他们就待在室内不出门，并根据帮派团伙地盘的变化以及效忠对象的变化，每天不停地变换上下学的路线。他们告诉我，有时候，最安全的回家路线就是大胆地走在马路的正中央，感受车辆不停地从他们的两侧飞奔而过。这样一来，他们也能更清楚地看到冲突是否升级，或者看清楚枪手的位置和具体情况，从而有更多的时间逃跑。

---

1 海军码头（Navy Pier），始建于 1914 年，1916 年开始向公众开放，是当时世界上最大的码头，在第一次和第二次世界大战期间作为海军训练基地和使用基地。芝加哥海军码头已成为芝加哥人消遣的最好地方，那里有 20.23 万平方米的公园、花园、商店、餐馆。
2 80 华氏度相当于 26.6 摄氏度。

美国从来都不是一个简单的国家，这个国家的矛盾甚至让我感到无所适从。在参加总统竞选为民主党筹募资金期间，我曾在曼哈顿的高级公寓酒店里，与富有的女性一起啜饮美酒，她们告诉我，她们对教育和儿童问题非常感兴趣。接着，她们身子稍稍倾斜，又意味深长地说，她们的华尔街老公是绝对不会投票给任何想要提高他们税负的候选人的。

当时，我在哈珀高中，听着孩子们讲述他们每天如何保命的故事。我很钦佩他们身上所表现出来的抗逆力，但是，我多么希望他们的人生能够轻松些，并不需要如此多的、如此顽强的抗逆力。

有一名学生非常坦诚地看了我一眼说："你能来到这里，是非常好的一件事。"他耸了耸肩，接着又说："但是，对于这一切，你又打算做些什么呢？"

对于这些孩子们来说，对于整个芝加哥南城来说，我代表的就是在华盛顿特区的美国政府，而说起当时的美国政府，我觉得我应该告诉他们实情。

"说真的，"我回答他们说，"我知道你们所有人在这里承受了太多太多，但是没有人能马上帮助你们摆脱这一切。华盛顿的很多人甚至没有为此做过任何努力，他们中很多人甚至都不知道有你们存在。"我跟那些孩子们解释说，变革和进步都是一个缓慢的过程，他们不能只坐着等待变革的出现。许多富人并不希望政府增加他们的税负，国会分裂，陷入党派纷争，就连一项再正常不过的预算都无法通过。因此，在这种情况下，教育领域不可能会有数十亿美元的投资，他们生活的社区也不会马上出现很大的改观。即使在康涅狄格州纽顿镇桑迪·胡克小学发生枪击惨案之后，国会中的共和党人还是下定决心要继续阻挠任何可能出台的控枪措施（旨在加强对购枪者背景的调查，让那些不该拥有枪支的人无法购枪），这些立法者似乎对从美国全国步枪协会募集竞选资金更感兴趣，而从不会去考虑如何加强对儿童和青少年的保护。我对他们说，政治就是一团糟。从这方面来讲，我没有什么特别令人振奋、鼓舞人心的话要说。

话虽这样说，但我又转换角度，以我自己在芝加哥南城的成长经历告诉他们：要坚持下去，一定要利用好在学校的时光。

那天，孩子们花了整整一个小时，跟我分享了他们生活中那些充满悲伤、让人不安的故事。但是，我也提醒他们，这些故事正好体现了他们内在坚持不懈、独立顽强的品质以及他们克服困难的能力。我向他们保证，他们身上已经具备了成功所需的素质和品质。他们也是幸运的，能够在这所学校里免费接受教育，而且，这里又有那么多富有同情心的、尽心尽力的成年人照顾他们、鼓励他们。我对他们说，在这所学校的教师和其他工作者心中，他们都是最重要的。非常值得高兴的是，大约六周以后，在当地商人的慷慨资助下，哈珀高中的一批学生有机会来到白宫。我和贝拉克亲自带着他们参观了白宫，同时，他们还参观了霍华德大学，了解了大学生活究竟是什么样子。我希望他们能够坚持下去，将来也能够走进大学，亲自去感受大学生活。

我从来不会刻意给大家造成这样的印象：第一夫人所说的话或者第一夫人的拥抱就能改变某个人的一生。对于哈珀高中里处在困境中的学生，我也从未承诺会有什么捷径能够帮助他们解决一切问题。事情从来不会那么简单。当然，那天和我一起坐在哈珀高中图书馆里的每一个孩子都明白这些道理。但是，我希望我那天的出现，能够帮助孩子们一起，推翻大家对美国城市黑人小孩的固有偏见，那种预示着失败并会加速失败到来的偏见。我想，如果我能发现孩子们身上的优点，我一定会毫不犹豫地告诉他们，并对他们未来的人生发展提出中肯的意见。这也是我能够做到的一点小小的改变。

24

　　2015 年春天，玛利亚向我们宣布，有一名男生邀请她去参加他的毕业舞会，而她似乎对这名男生也有好感。当时，玛利亚已经十六岁了，刚刚在塞维尔友谊学校完成了初中阶段的学习。虽然她每天都在成长，越来越像个成年人，但在我们眼里，她仍然是个小孩子，长长的腿，和以前一样对任何事都充满热情。她当时已经差不多和我一样高，而且开始考虑申请大学的事情了。她学习成绩非常好，有很强的求知欲以及自制力，跟她父亲一样做任何事情都很注重细节。她对电影以及电影制作非常感兴趣。2014 年夏天，有一天晚上，著名电影导演史蒂文·斯皮尔伯格到白宫参加晚宴，玛利亚完全靠自己的努力找到了和史蒂文聊天的机会，还向他请教了好多问题。随后，这位大导演邀请玛利亚到他正在制作的一部电视连续剧中实习。总之，我们的两个孩子都在找寻自己未来的人生方向。

　　通常情况下，出于安全方面的考虑，玛利亚和萨沙是不能搭乘其他任何人的车辆外出的。当时，玛利亚自己已经有了一本临时驾照，能够独自开车在城里兜风，当然每次都会有特工开车跟随。自从她十岁那年我们一家人搬到华盛顿之后，她就再也没有乘坐过公交车或者地铁，也没有被特工处的特工之外的任何人开车带出去过。然而，为了她的这次约会，我们破例了。

到了约定好的那天晚上，那名男生开车来到白宫，在东南门通过安检之后，径直往前开，绕着南草坪转了一圈停下。他的行车路线其实就是其他国家元首和一些要人到访白宫时所走的路线。然后，那名身穿黑色西服的小伙子勇敢地走下车，又勇敢而兴致勃勃地走进白宫的外交接待大厅。

"请表现得酷一点儿，好吗？"玛利亚提前嘱咐我和贝拉克道。但是，看到我们俩乘坐电梯下楼时，她开始觉得有些尴尬了，我当时赤着脚，贝拉克穿了一双平底人字拖。玛利亚自己穿了一件黑色长裙，露肩款式，显得优雅漂亮，看起来似乎已经有二十三岁那么大了。

对于我们当时的表现，虽然玛利亚至今回忆起来仍不禁发笑，说我们甚至让她有一点儿抓狂，但是在我看来，我们当时确实表现得很酷。我和贝拉克首先与那名男生握了手，拍了几张照片，然后又拥抱了下我们的女儿，最后送他们离开。但是，想到玛利亚的贴身特工一定会全程默默值守，一路跟随那名男生去他们用餐的餐厅，然后继续跟随他们参加舞会，我们多少感到一些安慰，尽管这样做对他们来说并不公平。

从父母的角度来讲，以这样一种方式照顾处于青少年时期的孩子并不是什么坏事——有很多非常警惕的成年人随时跟在孩子们身后，随时能将他们从任何可能发生的紧急情况中解救出来，这无疑非常让人放心。但是，从一名青春期的孩子的角度来讲，这完完全全是多余的。因此，对于在白宫生活的方方面面，我们需要自己来权衡这一切对一个家庭来说究竟意味着什么——我们需要在哪些方面坚决划清界限、如何来划清界限，以及如何在总统职位所附带的各项要求与两个孩子的需求之间找寻平衡，毕竟，她们正在快速成长、正在学着慢慢成熟起来。

两个孩子一进入高中阶段，我们就对她们实行了宵禁制度——起初是晚上十一点，后来推迟至午夜十二点——并且强制她们必须执行。据玛利亚和萨沙说，与她们许多朋友的父母相比，我们的要求严格得多。在日常管理方面，如果我担心她们的安全，想要掌握她们的行踪，其实完全可以与特工们核实，但是，我尽量不让自己那么做。对我来说，孩子们与她们的特工之间建立起信任感是非常重要的。相反，我采取了在我看来很多父母都会采用的方式：与其他孩子的父母建立紧密的联系，依靠他们来获取消息。所有人都将自己掌握的信息进行共享，比如，他们一群人去了哪里，是否有成年人陪同。当然，我们的两个女儿也因为她们父亲的身份而背负了额外的责任，她们知道，不论她们惹出什么麻烦，都会立马成为头条新闻。贝拉克和我都意识到这对她们来说非常不公平，因为即使是我们俩，也曾在青春期的时候做过许多越界的、愚蠢的事情，但是，我们比她们幸运，因为当时不论我们做什么，都绝不会引起整个国家的关注。

当年，玛利亚才八岁，在我们芝加哥的家里，贝拉克曾坐在她的床边问她，是否支持爸爸去参加美国总统竞选。现在回想起来，她当时还那么小，怎么会知道这一切意味着什么，事实上，当时我们所有人都不知道这一切究竟意味着什么。或许在她看来，这一切只意味着她将来有可能会成为一名生活在白宫的孩子，意味着她将来的成长历程中可能会有一些与众不同的经历。无论如何，她都不可能想到，将来有一天，当她应邀去参加舞会的时候，会有一些人荷枪实弹地跟在她身后。她又怎么会想到，就连她偷偷抽一支烟，都会被人偷拍，照片还被卖给那些八卦网站呢？

我们的孩子生活在一个非常独特的时代。2007 年 6 月，也就是贝拉克正式宣布参加美国总统竞选大概四个月之后，苹果公司开始售卖苹果手机。短短不到三个月的时间，他们就卖出了一百万部，就在贝拉克第二任期还未结束的时候，苹果手机总销量已经达到了十亿部。这是一个全新的时代，而贝拉克是这个新时代的第一位美国总统。在这个新时代里，有关个人隐私的所有准则都被打破了，而且涉及方方面面，包括自拍、数据黑客、快拍以及个人官方网站的崛起，比如金·卡戴珊的照片墙账号。与我们相比，我们的女儿所受的影响要深得多，一部分原因是社交媒体已经主导了青少年的生活，另一部分原因是她们的日常学习、生活都需要她们与公众保持更为亲密的联系。当玛利亚和萨沙放学之后或者周末的时候跟朋友一起在华盛顿闲逛时，经常会有陌生人拿出手机对准她们拍照，有时候她们还会遇到一些成年男女，请求甚至是要求与她们自拍合影。"我还只是一个孩子，这你是知道的，对吧？"有时候，玛利亚会以这种方式拒绝他们。

贝拉克和我一直都竭尽所能，保护我们的两个孩子尽量不暴露在媒体的聚光灯之下，为此，我们拒绝了很多媒体采访她们的请求，并尽量让她们的日常生活处在公众视线之外。负责保护她们安全的特工也给了我们很大的支持，比如，当她们出现在公共场合的时候，特工们会一如既往地跟着她们，但同时会尽量保持低调，比如他们会选择穿沙滩裤和T恤，而不是穿正装，会选择使用耳机，而不使用对讲机、手腕麦克风等显眼的装备，从而避免引起大家的注意，也好让两个孩子更好地融入和伙伴们的聚会当中。当时，玛利亚和萨沙经常和她们的朋友一起出去聚会。除了正式的官方活动之外，我们也坚决反对以任何形式公开两个孩子的任何照片，对此，白宫新闻办公室还专门向各个媒体作了说明。每当有两个孩子的照片出现在八卦网站上时，梅丽莎以及我团队的其他成员都会成为我强有力的助手，态度坚决地与对方进行电话沟通，要求尽快将照片撤下。

保护两个孩子的隐私就意味着，我们需要寻找其他的方法来满足公众对我们一家人的好奇心。在贝拉克第二任期刚刚开始的时候，我们在白宫又迎来了另一只小狗——萨尼，这只幼犬性格自由奔放，丝毫不受约束，看到它的新家如此之大，似乎也就完全没有考虑过要接受入室生活训练。萨尼和阿博的存在使得每一件事情都变得轻松了许多。它们充满活力，活蹦乱跳，到处游荡，想证明白宫就是它们的家。因为玛利亚和萨沙基本不可能接受采访，所以白宫的外联团队要求我们允许阿博和萨尼在正式活动中露面。在晚上阅读简报的时候，我经常会在备忘录上看到要求我同意"阿博和萨尼随行"的请求，他们希望我能让两只狗与媒体或者前来白宫参观的孩子们见面。当有记者来白宫采访，希望了解美国贸易和出口的重要性，或者想听听贝拉克替上诉法院法官梅里克·加兰德——他提名的最高法院大法官——说话时，我们都会派两只狗一同前去。在我们为复活节滚彩蛋活动制作的推广短片中，就是阿博担任了主角。阿博和萨尼还与我一同拍照合影，在网上发起一项运动，呼吁大家为扩大医疗保险覆盖范围签名。阿博和萨尼确实都是很棒的代言人，它们不会受任何批评声音的影响，也从不会关注自己的名声。

就如所有孩子一样，随着时间的推移，萨沙和玛利亚逐渐长大，很多事情在她们的身上已经不再适用。自从贝拉克就任美国总统第一年开始，每年秋天，她们都会陪着父亲一起会见记者，举行一项可以说是白宫最为荒唐的总统仪式——在感恩节前夕"大赦"一只火鸡[1]。在前五年里，当她们的父亲认真履行这项仪式并说一些老掉牙的笑话时，她们俩也会咯咯咯咯地跟着一起笑。但是到了第六个年头的时候，她们都已长大（萨沙十三岁了，玛利亚也已经十六岁了），即使要她们假装这项

---

[1] 美国总统每年感恩节前都会象征性地"赦免"一只火鸡，使它们免于宰杀。而获得赦免的火鸡，会被送到动物园等地，直到自然死亡。

仪式非常有趣，她们也无法做到。在持续数小时的仪式中，她们俩的照片（一副愤愤不平的样子，像是受了委屈一样）开始在互联网上到处传播——萨沙面无表情，玛利亚双臂交叉站立，身边就是她们的总统父亲、演讲台以及那只不知道发生了什么的火鸡。《今日美国》的一条新闻报道标题将这一场景描述得非常到位——玛利亚和萨沙真是受够了他们父亲的火鸡赦免仪式。

此后，不论是感恩节前的火鸡赦免仪式，还是白宫的其他任何事务，玛利亚和萨沙都可以自愿选择是否参加。她们幸福快乐，完全适应了环境，生活丰富多彩，参加各式各样的社交活动，但这一切都与他们的父母无关。作为父母，你只要从总体上把握，一切还处在掌控之中就够了。两个孩子都有她们自己的日程安排，因此，即使我们的活动更有趣、更精彩，对她们来说也没有太大的吸引力。

"你们今晚要不要到楼下来看保罗·麦卡特尼的演出？"

"妈妈，求你了，还是算了吧。"

玛利亚的房间里经常会传出响亮的音乐声，萨沙和她的朋友迷上了有线电视烹饪节目，有时候，她们会霸占我们的白宫厨房去装饰点心或者一时兴起为自己做好多道精致的菜品。不论是平时上学的时候，还是与同学的家庭一起出去度假的时候（当然，她们的特工会全程陪护），两个孩子都喜欢以一种相对匿名的方式出现。萨沙最喜欢做的事情就是：每次在杜勒斯国际机场登上拥挤的商务航班之前，先挑一些自己喜欢的零食。她这一爱好原因其实很简单，因为在她看来，在这里乘坐飞机是一种全新的体验，完全没有安德鲁斯空军基地跟随总统出行那些冗长复杂的程序，而那些程序已经成为我们一家人需要履行的规范。

当然，跟随我们一起出行也有很多好处。比如，在贝拉克总统任期还未结束的时候，两个孩子可以和我们一同出访，在哈瓦那观看棒球比赛，在中国爬长城，在巴西里约热内卢夜晚迷人而朦胧的黑暗中观看救世基督像。但是有时候，和我们一起出行确实会让人非常头疼，尤其当我们的行程与总统职务毫不相关时。比如，在玛利亚刚刚上高中的时候，有一天，我们俩计划一起去纽约参观几所大学，当时，我们决定逛逛纽约大学和哥伦比亚大学。刚开始的时候，一切都进行得非常顺利，我们一路非常迅速地、轻松地逛完了纽约大学的校园，可能是因为当时时间还比较早，许多学生还没有起床出来活动。我们参观了学生教室，将脑袋伸进一间学生宿舍看了看，跟一位系主任聊了会儿天，然后出发去住宿区，我们计划早早地吃完午饭，然后前往下一个目的地。

可问题是，第一夫人的车队太过明显，根本无处藏身，尤其当我们在一个工作日的午间来到曼哈顿岛时。当我们吃完午饭的时候，大约已经有一百多人围在了餐厅外面的人行道上，骚动只会引发更大的骚动。当我们走出餐厅的时候，发现有好多人举着手机对着我们的方向开始拍摄，同时我们被淹没在一阵欢呼声中。其实，人们都是出于善意——"申请哥伦比亚，玛利亚！"人们高呼着——然而，对于一个正在默默地思考自己未来的女孩来说，这一切并没有多大作用。

就在那会儿，我突然意识到接下来我该怎么做了。我应该自己找个安静的地方待着，让我的私人助理克里斯汀·琼斯陪着玛利亚去下一所学校。如果没有我的出现，玛利亚被大家认出来的概率就会小很多，那么她就能提高效率，还不用出动那么多特工。如果没有我的出现，那么，很有可能她看起来就只是一个在校园漫步的孩子。无论如何，我都应该给她这样一个机会。

克里斯汀是土生土长的加利福尼亚州人，当时二十八九岁的样子，对于玛利亚和萨沙来说，她就像是一个大姐姐。她来我白宫办公室的时候还是一名年轻的实习生，她和克里斯汀·贾维斯一起，为我们一家

人的生活提供了非常大的帮助，直到不久前，贾维斯还负责我的行程
安排。此外，她们帮助我们填补一些生活中非常特殊的空缺，这些空缺
有些是因为我们日程安排太过紧张造成的，有些则是由于我们自身的身
份和名声导致的，但无论在任何情况下，"克里斯汀姐妹"（我们总这么
称呼她们）总能站出来帮助我们解决。她们是我们一家人和塞维尔友谊
学校之间的联络人，在我和贝拉克脱不开身的情况下，代替我们出席学
校的会议并与学校的老师、教练以及其他同学的父母沟通交流。和两个
孩子在一起的时候，她们充满关爱，处处保护着她们，甚至在孩子们眼
中，她们比我更时髦、更善解人意。玛利亚和萨沙打心底里信任她们，
几乎事事都会征求她们的意见，从日常的着装、社交媒体的使用到与男
孩子日渐增多的交往。

　　那天下午，在玛利亚参观哥伦比亚大学的时候，特工处将我安排
在一处非常安全的等候区——学校一座教学楼的地下室——为了不引
起其他人的注意，我要一个人待在那里。我当时多么希望随身携带一本
书，那样起码我还能打发一下时间。我承认，一个人待在地下室确实有
点难熬，我突然感到一阵孤独袭来，这种孤独与其说与我当时所处的环
境（我独自一人待在一间没有窗户的屋子里）有关，倒不如说是因为我
内心那不可抑制的想法——不论我愿不愿意，未来都在朝着我们一步步
靠近，我们的大女儿玛利亚即将长大离开我们。

.... ✳ ....

　　虽然我们在白宫的生活还未结束，但是，我发现自己已经不由自主
地开始评估一切，计算得失，回想我们为此所作出的牺牲以及我们因此
取得的进步——有关于整个国家的，也有关于我们的家庭的。我们尽全

力了吗？我们一家人离开白宫的时候，还能够一如当初吗？

我拼命地回忆过去，试图回想当初我的生活是如何一步步偏离原来的轨道的。当初，根据我的设想，我的生活应该是事事可以预测、事事都处于我能够控制的状态——稳定的工资收入、一间可以永久居住的房子、每天几乎重复的日程安排。但是，我是什么时候改变了自己的人生方向？我又是什么时候允许我的生活出现混乱的？是在那个夏天的夜晚吗，当时，我放下冰激凌，靠过去第一次亲吻了贝拉克？还是在我选择离开那大摞大摞摆放有序的文件，放弃我律师事务所合伙人的职业规划，并说服自己一定会找到一份更有成就感的工作那天？

有时候，我的思绪会回到一间教堂的地下室里，那座教堂位于芝加哥最南部的玫瑰园区。二十五年前，我和贝拉克一起去了那里，贝拉克为一个社区的居民们作了演讲。当时，那个社区的居民正在绝望和社会的冷漠中挣扎。那天晚上，我认真听了贝拉克和他们的谈话，很多内容都是我熟悉的，但是换了一种方式讲了出来。我知道，一个人是可以以两种截然不同的态度对待生活的——既要立足现实，也要展望未来。当我还是一个孩子、生活在欧几里得大道时，我就是这么做的；同时，我的家人，以及所有被社会边缘化的人们都是这么做的。通过构建更好的愿景，你会有所成就，尽管一开始它只存在于你的大脑中。或者你也可以像贝拉克当时所讲的那样，一边努力生活在当下的世界，一边努力去创造理想中的世界。

那时候，我和贝拉克认识不过数月，但现在回想起来，那就是我人生的转折点。就在那一刻，虽然没有说一句话，但我在内心已经决定要与这个男人共度一生，也决定了我一辈子将要为之奋斗的人生道路。

在此后的这些年里，我亲眼见证了美国社会的进步，为此，我感到非常欣慰。2015 年，我仍然坚持定期去沃尔特·里德国家军事医疗中心探访伤兵。但是，每去一次我都发现，那里的伤员越来越少，这就意味着在海外服役的美国士兵所面临的风险越来越小，受伤的士兵越来越少，因为孩子在外服役而心碎的母亲也越来越少。这一切，对我来说就是进步。

进步就是多家疾病防控中心报告称儿童（尤其是二岁到五岁的孩子）肥胖率不再上升，开始趋于平稳；进步就是来自底特律的二千名高中生前来和我一起庆祝"美国大学签名日"，这是我们为庆祝孩子们进入大学生活而专门设立的节日，也是我们"追求更高"运动的一部分；进步就是当美国最新的医疗改革法案的关键部分遭遇挑战时，美国最高法院决定推翻任何挑战，坚决维护贝拉克在国内取得的标志性成就——确保每一位美国公民都能享受医疗保险——并保证即使贝拉克卸任，该项法案依然完整有效；进步就是在贝拉克刚刚就任美国总统时，平均每个月失去八十万个工作机会的美国经济如今开始复苏，工作机会实现了连续五年持续增长。

在我看来，这一切无疑都证明了美国有能力创造更美好的现实。但是，我们依然生活在当下现实的世界里。

在纽顿镇桑迪·胡克小学枪击事件发生一年半之后，美国国会依然没有通过任何一项控枪措施法案。本·拉登已经不在了，但是 ISIS 又出现了。芝加哥的杀人犯罪率并没有降低，反而上升了。在密苏里州弗格森地区，一个名叫迈克尔·布朗的非洲裔美国男孩被一名白人警官枪杀，他的尸体在马路中央横躺了好几个小时。在芝加哥，一个名叫拉宽·麦克唐纳的非洲裔美国青年被白人警察连射十六枪身亡，其中九枪射在背部。在俄亥俄州克利夫兰，一个名叫塔米尔·莱斯的非洲裔美国男孩因手持一把玩具枪玩耍而被警察开枪击中，数小时后不幸身亡。在马里兰州巴尔的摩，一位名叫弗雷迪·格雷的非洲裔美国男子在被警方关押期间因被忽视而蹊跷死亡。此外，还有一位名叫埃里克·加纳的非洲裔美国男子在纽约史泰登岛被抓捕时，因遭遇警察扼颈窒息而亡。所有这些都证明，美国依然每天都在发生一些无法改变的恶性事件。在贝拉克刚刚当选美国总统的时候，许许多多的评论都曾天真地宣称，美国从此进入了"后种族"时代，从此，肤色将不再决定一切。然而，以上事件无疑都证明了这些评论家当时的判断是多么的失误。如今，许多美国人过度关注恐怖主义，而忽略了正将这个国家撕裂的种族歧视主义和部落主义。

2015 年 6 月底，我和贝拉克飞往南卡罗来纳州的查尔斯顿市，与又一个沉浸在悲痛中的社区居民见面座谈——这一次，我们是去参加南卡罗来纳州参议员、牧师平克尼的葬礼。就在当月的 17 日，在该市一座古老的非洲裔卫理圣公会教堂（当地人昵称为"圣母伊曼纽尔"）内，发生了一起种族仇恨枪击案，导致平克尼牧师在内的九人死亡。所有的受害者都是非洲裔美国人，当天，他们曾热情地将一名二十一岁的失业白人——他们都不认识的一名陌生人——迎入教堂，并同意他参加他们的圣经学习会。这名陌生人先是和他们一起坐着学习，然后，当大家都低头祈祷的时候，他突然站起来朝大家射击。据幸存者回忆，他在射击的时候还大声喊："你们奸淫我们的姐妹，占领我们的国度，你们必须消失！"

在平克尼的葬礼上，贝拉克发表了一段感人至深的悼词，承认了我们所面临的悲剧，然后，贝拉克带领大家缓慢而深情地唱起《奇异恩典》[1]，他的这一举动出乎所有人的意料，他只不过是希望通过这种方式

1《奇异恩典》(Amazing Grace)，也有人称《天赐恩宠》，是美国最脍炙人口的一首乡村福音歌曲，被视为非洲裔美国人对抗种族歧视的象征。

祈求大家依旧心怀希望，呼吁大家一定要在逆境中坚持下去。当时，在场的人都加入了集会。虽然当时贝拉克正式就任美国总统已经有六年多时间，但在那六年多的时间里，我们从来没有忘记过一点：对于一些人来说，我们本身可能就是一种挑衅因素。近些年，美国的少数族裔公民逐渐在政治、经济、娱乐等方面扮演越来越重要的角色，而在这些人当中，我们一家人可以说最为突出。我们住进白宫曾经得到了数百万美国人的祝福，但同时，也激起了其他一些人的恐惧、怨恨，甚至是强烈反对，他们对少数族裔的仇视根深蒂固，而且一如既往地充满危险。

作为一个家庭，我们需要去忍受这一切。作为一个国家，我们也需要忍受这一切。但我们仍要不断前行，而且尽量保持步伐优雅。

2015年6月26日，就在我和贝拉克赴查尔斯顿参加平克尼牧师葬礼的同一天，美国最高法院做出了一个划时代的、历史性的判决，宣布全美国五十个州内同性恋婚姻合法化。由此，一场有条不紊地持续了几十年的关于同性恋婚姻的法律战争终于达到高潮，这场战争的最终胜利是一个州接一个州、一个法院接一个法院持续对抗的结果，如所有的民权斗争一样，它也是许许多多的人坚持不懈和勇敢付出的结果。就在那一天，不断有新闻报道称，所有美国人都因为最高法院的这一判决而欣喜不已。在最高法院外的台阶上，沸腾的人群高呼着："最终，爱情胜利了！"一时间，一对对同性恋情侣成群结队地拥进市政厅以及县法院去行使宪法赋予他们的权利。同性恋酒吧也早早地开张了，全美各地在街角处，都有彩虹旗¹飘扬。

这一切的发生，使得我们在南卡罗来纳州原本悲痛的一天稍微好过

---

1 彩虹旗，最常见的是用以代表同性恋的六色彩虹旗。

了一些。回到白宫之后，我们换下葬礼服，和两个孩子一起很快吃完晚饭，接着，贝拉克就消失在了条约厅，和往常一样，他将电视频道调至娱乐与体育节目，然后继续熬夜赶工作。当时我正准备去我的更衣室，就在这时候，我看见我们住所的一扇朝北的窗户上闪耀着紫色的光芒，我这才想起，这是我们的员工之前就已经计划好的，他们当晚要用代表同性恋骄傲的旗帜——彩虹旗上的色彩照亮白宫。

顺着窗户向外望去，我看见在宾夕法尼亚大道上的白宫门外，一大群人在夏日的黄昏中观看白宫的彩虹灯。白宫北面的车道上，也站满了政府工作人员，他们特意加班观看白宫披上彩虹色，以庆祝同性恋婚姻在全美合法化。从此，同性恋者开始享有平等的婚姻权。最高法院的这一裁决无疑让大家都很感动。从我所站的位置看去，我能够看到大家的兴奋和激动，但是，我什么也听不见。这就是现实，是我们所面对的现实中非常奇怪的一部分。白宫是一个安静的、密闭的堡垒，几乎所有的声音都会被那厚厚的窗玻璃和结实的墙体吸收。当总统专机"海军陆战队一号"直升机在它的一侧降落时，飞机的高压涡轮转子叶片掀起航空强风，吹得树枝直晃，但即便如此，我们在住所里面也什么都听不到。通常情况下，当贝拉克外出乘坐专机回到白宫时，我都是通过不知为何仍能渗入一点的航空燃油的气味首先获知的，而不是通过飞机所发出的声音。

很多时候，结束一天繁忙的工作，回到异常安静的住所里，会让我感到无比的幸福。但是，这天晚上不同于以往，我的心情和这个国家一样，非常的矛盾。在南卡罗来纳州度过了悲痛的一天之后，现在，我又亲眼看着窗外开起了盛大的庆祝晚会。此时此刻，看着大家庆祝、联欢，突然间，我自己也非常渴望加入他们的庆祝活动当中去。

我来到条约厅，从门外探头进去问贝拉克："你想不想到外面去，看白宫亮起的彩虹灯？"我告诉他，外面有成千上万的人都在观看。

贝拉克听完笑了。"你知道的，我是没办法成为这成千上万人中的一员的。"他回答我说。

萨沙正在她的房间里，全神贯注地玩平板电脑。"你愿意和我一起去外面看彩虹灯吗？"我问她。

"不去。"

就剩下玛利亚了，让我惊奇而又高兴的是，她马上愉快地答应了，我终于找到伴儿了。于是，我们俩决定一起去冒险——走出白宫，加入欢聚的人群当中——而且我们不打算征得任何人同意。

按照以往，正常的程序应该是：只要我们离开住所，无论是去楼下看电影还是带着阿博和萨尼去外面放风，我们都首先要在电梯旁值守的特工那里登记确认。但是那晚，我们不打算这么做。我和玛利亚低头快速从值守的特工面前经过，没有跟他做任何眼神交流，然后绕开电梯，从狭窄的楼梯迅速跑下去。但是，我立马听到身后台阶上皮鞋底发出的清脆响亮的声音，特工们已经随后跟了上来。玛利亚看了我一眼，坏坏地笑了，她还不适应我这种完全不把规矩放在眼里的做法。

下到国务层后，我们径直朝着通往白宫北门廊的那扇高大的门走去，这时，我们听见一个声音。

"您好，夫人，有什么需要帮忙的吗？"她是克莱尔·福克纳，当晚的值班接待员。克莱尔皮肤略黑，待人和蔼，说话声音温柔。我猜想，一定是在我们离开之后，楼上的特工使用手腕麦克风向她通风报信了。

我一边继续大步向前走，一边回头看向她说："噢，我们就是到外面去一下。"接着又补充说："去看彩虹灯。"

克莱尔被我的回答惊得眉毛上扬，但是，我们并没有理会她。到了门口，我抓起门上那厚重的金属把手，使劲推门。然而，门一点儿也没有动。九个月前，一名持刀入侵者曾成功越过栅栏，当时就是从这扇门进入，穿过了国务层之后才被一名特工抓住。从那之后，特工处就将这扇门锁了起来。

我转过身，发现已经有一群人跟在我们身后，包括一名身穿制服（穿着白色衬衫、打着领带）的特工处官员。"你们是怎么打开这扇门的？"我对着他们一群人问道，"一定有一把钥匙吧。"

"夫人，"克莱尔说，"我不确定，你是要从这扇门出去吗？此时此刻，所有的网络媒体的摄像机都正对着白宫的北侧。"

我知道她想说什么。此时，我的头发乱成一团，穿着一双平底人字拖鞋、一条短裤、一件T恤。简单来说，我这身打扮非常不适合在公共场合露面。

"好吧，"我说，"但是，难道就没有办法不让他们发现我们吗？"

此时，我和玛利亚只能为自己争取，我们不打算轻易放弃，我们要设法到外面去。

这时，有人建议我们试一下一层比较偏僻的货物运输门，那是一道供为白宫运送食物和办公用品的卡车进出的专用门。于是，我们一群人开始往那里移动。玛利亚挽着我的胳膊。此时，我们内心非常激动，感觉有点疯狂。

"我们要出去了！"我说。

"是的，我们要出去了。"玛利亚回答说。

我们顺着大理石楼梯走下去，走过红色的地毯，经过乔治·华盛顿和本杰明·富兰克林的半身像，接着经过厨房，突然发现，我们走出白宫了。夏日晚上潮湿的空气扑面而来，草坪里萤火虫闪闪发光，我终于听见铁门外人群嗡嗡的声音，大家都在大声呼喊着、庆祝着。这一次，我们花了足足十分钟，才从自己的家里走出来，但是毕竟成功了。此时，我们站在外面，站在白宫一侧的一块草坪上，处在公众的视线之外，近距离地、清清楚楚地观赏白宫亮起彩虹灯的美丽夜景。

我和玛利亚靠在一起，为我们的成功感到由衷的高兴。

美国实行总统制，总统选举每四年举行一次。2015 年秋季，新一任总统选举已经全面展开。共和党方面竞争激烈，多人宣布参加候选人提名，包括俄亥俄州州长约翰·卡西奇、新泽西州州长克里斯·克里斯蒂，得克萨斯州参议员特德·克鲁兹、佛罗里达州参议员马尔科·卢比奥，以及其他十几个人。而民主党方面则很快缩小了选择范围，将最终人选圈定在希拉里·克林顿和伯尼·桑德斯之间。伯尼·桑德斯是佛蒙特州的联邦参议员，他不属于任何政党，一直以来都保持着独立人士的身份。

早在夏初的时候，唐纳德·特朗普就站在曼哈顿的特朗普大厦中宣布要参加美国总统竞选，他大肆抨击墨西哥移民——将他们描述为"强奸犯"——同时称美国正被一群"失败者"统治。我当时以为他只是哗众取宠的表演，用他自身的影响力吸引媒体的注意。单从他的行为举止来看，没有任何迹象表明他是在严肃对待这个问题，是真的想要治理这个国家。

我也一直关注选情，但显然不如前两次那样专注。相反，我正在全力以赴推动我作为第一夫人提出的第四项行动计划，名为"让女孩学习"[1]，这是我和贝拉克在春天的时候共同发起的一项计划，旨在通过政府层面的努力，帮助全世界范围内的女童，让她们都有机会接受教育，可以说是雄心勃勃。到那时为止，我履行美国第一夫人的职责已经将近七年，在这七年里，我一次又一次被我们这个世界上年轻女孩的巨大潜

---

1 "让女孩学习"（Let Girls Learn），这一计划旨在帮助冲突地区的女童接受教育。

力和她们在现实中的窘迫处境所震撼——从伦敦伊丽莎白·加勒特·安
德森女校那些来自移民家庭的女孩，到巴基斯坦女孩马拉拉·优素福扎
伊[1]。马拉拉曾因为塔利班政权下的失学女童呼吁而遭到塔利班政权的残
忍追杀，后来她到白宫与我、贝拉克以及玛利亚分享了她争取女性接受
教育的主张。马拉拉到访白宫大约六个月之后，又发生了一起让我感到
无比惊骇的事件，二百七十六名尼日利亚女学生遭到当地极端组织"博
科圣地"绑架。"博科圣地"似乎希望借此震慑尼日利亚人民，让他们不
要再将自己的女儿送去学校读书。正因为那次绑架事件的发生，使得我
在贝拉克任职总统期间第一次，也是唯一一次代替他出席了每周的总统
广播讲话，在讲话中，我毫不掩饰、发自内心地告诉听众，我们究竟如
何努力，才能更好地保护全世界范围内的女孩并给予她们鼓励。

　　说到接受教育这一问题，我有着亲身的体会，教育是我改变自己人
生、迈向上层社会的主要途径。然而，有一个事实让我非常震惊，根据
联合国教科文组织的数据，全世界范围内有超过九千八百万女童无法接
受教育。一些女孩因为她们的家庭需要劳动力而无法上学，一些女孩因
为家庭距离学校太远或者学费太过昂贵而无法上学，一些女孩因为上学
途中遭遇袭击的风险太大而无法上学。很多情况下，令人窒息的性别规
范以及经济因素共同导致女孩不能像男孩一样正常接受教育——她们也
因此失去了更多的人生机会以及更丰富多彩的人生。此外，即使多项研
究显示，让女童接受教育，或者让成年女性接受教育，并让她们走上社
会参加工作毫无坏处，反而会提高一个国家的国内生产总值，但是在世

---

1 马拉拉·优素福扎伊（Malala Yousafzai, 1997—)，居住在巴基斯坦斯瓦特地区的一
名普通学生。马拉拉以争取妇女接受教育的权利而闻名，她通过博客介绍她和朋友们在
塔利班政权下的生活。2012 年 10 月，马拉拉遭到塔利班枪击，伤势严重，经过治疗于
2013 年在英国重返校园。2014 年，她与萨蒂亚尔希共同获得诺贝尔和平奖。

界上一些地区，至今还流行着一种非常惊人的落后观念——送女孩去学校学习是不值得的。

我和贝拉克都希望通过自己的努力改变这些落后的观念，告诉大家究竟怎样才能够帮助年轻女性成长为对社会有价值的人。贝拉克最终成功地在他的任期内，通过美国国际开发署、美国和平队，以及美国国务院、劳工部、农业部，筹集到数亿美元的贷款资源，用于资助女童接受教育。我们还共同游说其他国家的政府也参与进来，为女孩接受教育项目提供资金支持。同时，我们也鼓励私营企业和智库贡献他们的力量。

同样，在这一点上，我也知道如何运作才能引起大家的注意，以更好地推动我们的计划。我能理解，对于很多美国人来说，他们自然不会去关心其他遥远国度为生活而苦苦挣扎的人们。于是，我试图将这些问题带到美国人的生活中，并召集了一批知名人士，比如史蒂芬·科拜尔[1]，借助他们的影响力来开展活动并在互联网上造势。我还争取到了加奈儿·梦奈[2]、赞达亚·科尔曼[3]、凯莉·克莱森[4]以及其他一些知名人士的帮助，发布了一首由戴安·华伦[5]创作的脍炙人口的流行歌曲，歌名为

---

1 史蒂芬·科拜尔（Stephen Colbert，1964— ），美国知名脱口秀主持人、喜剧演员、艾美奖获得者，因其幽默讽刺和扑克脸式的喜剧表演风格在美国广为人知。

2 加奈儿·梦奈（Janelle Monáe，1985— ），出生于堪萨斯州堪萨斯城，美国另类女歌手，代表作品有 *Metropolis* 等。

3 赞达亚·科尔曼（Zendaya Coleman，1996— ），出生于美国加利福尼亚州奥克兰，美国女演员、歌手、舞者。

4 凯莉·克莱森（Kelly Clarkson，1982— ），出生于得克萨斯州沃思堡市，美国女歌手、演员。2002 年，凯莉·克莱森成为第一届《美国偶像》比赛的冠军。2006 年，凯莉荣获第 48 届格莱美奖所颁发的"最佳流行女声"和"最佳流行专辑"两项大奖。

5 戴安·华伦（Diane Warren，1956— ），美国知名作曲家，当代最优秀的音乐创作者之一，她的作品传遍了世界的各个角落，甚至有种说法：每五分钟，这个世界的某个地方就有一个人在听她写的歌。

《为了我的女儿》，这首歌发布后的所有获利都用作全世界范围内女童的教育基金。

最后，我还做了一件对我来说有些恐怖的事情，那就是唱歌，我专门参加了由夜间秀节目主持人詹姆斯·柯登主持的火爆综艺节目《拼车卡拉秀》。在节目中，我与詹姆斯·柯登一起开着一辆黑色越野车绕着白宫南草坪转圈，一边开车一边高声歌唱，我们首先唱了一首《签名，盖章，投递，我是你的》，接着唱了《单身女郎》，最后又演唱了《为了我的女儿》，这也是我最初同意参加这一节目的根本原因。其间，梅西·埃丽奥特[1]也作为嘉宾露面，梅西溜进我们的越野车后排，与我们一起说唱。为了这次卡拉秀节目，我花了好几周的时间认真练习唱歌，争取牢牢记住每首歌的每一个节拍，我希望我的这期节目看起来轻松有趣，但是在热闹的表象背后，一如既往地隐含着我的努力和更长远的目标——让人们关注我所关注的话题。我与詹姆斯·柯登的这期节目播出后前三个月就在优兔视频上收获了四千五百万次点击，这也让我觉得努力是值得的。

2015 年快要结束的时候，像往年一样，我和贝拉克带着两个女儿飞往夏威夷过圣诞节。我们租了一套宽敞的海景房，站在宽大的窗户前就能看见外面的海滩，与我们同行的还有一群经常往来的家族朋友。和过去六年一样，在圣诞节当天，我们专门安排时间慰问了附近一处海军陆战队基地上的现役军人以及他们的家人。和以往一样，对贝拉克来说，

---

1 梅西·埃丽奥特（Missy Elliott, 1971— ），演员、歌手，曾荣获十七座 MTV 音乐大奖提名、五座格莱美奖，以及五座灵魂列车音乐奖，并在出道短短五年之内两度获得美国《滚石》杂志"年度最佳嘻哈女艺人"的封号。除了在音乐上有着非凡的地位，梅西·埃丽奥特还深深影响着街头文化。

假期永远只是相对的假期——事实上，只能勉强算是假期吧。他总是不停地接听电话，准时坐下来处理每日简报，与驻扎在附近酒店的骨干顾问、助手以及演讲稿撰写员不停协商有关事项。我不由得想，等到真正自由的那一天到来时，他是否还记得如何彻底放松自己；等到贝拉克卸任，这一切都彻底结束的时候，我们俩还能否找到一种途径放下这一切；当那一天终于到来之时，当我们外出发现身边再也没有人拎着"核弹橄榄球"跟着我们的时候，我们会是一种怎样的感受？

虽然我常常会允许自己幻想一些场景，但我无论如何也想象不出这一切会以什么样的方式结束。

假期结束后，我们返回华盛顿，开始我们在白宫最后一年的生活。我们都知道剩下的时间已经不多了，于是，我开始了一连串的"倒计时安排"。我们举办了最后一场州长舞会，最后一次复活节滚彩蛋活动，最后一场白宫记者晚宴。此外，我和贝拉克还一起赴英国进行了最后一次国事访问，其间，我们专门抽出时间探望了我们的老朋友伊丽莎白女王，虽然时间非常短暂。

贝拉克总是对伊丽莎白女王怀有一种特殊的感情，他说女王总能让他想起他那严肃的外祖母图特。而对我来说，我则非常敬畏女王的办事效率，这也是她经历了一生的公众生活所锻炼出的一种必备的能力。几年前的一天，我和贝拉克与女王以及她的丈夫菲利普亲王一起迎接贵宾，当时，我看着女王非常友好而又简洁地问候了每一个人，促使每个人都快速通过，几乎没有给大家留下任何可以深入聊天的机会，效率之高让我惊讶不已；再看看贝拉克，明显拖沓了许多，他一副和蔼可亲的样子，总是主动与大家聊天，然后又非常详细地回答每一个问题，为此甚至还破坏了宾客队伍原先整齐的队形。他就是这样的一个人，从我们相识到现在，虽然很多年过去了，但我依然常常催促他动作快点。

2016 年 4 月的一个下午，我和贝拉克在美国驻伦敦大使馆乘坐直升机飞往位于伦敦以西郊区的温莎城堡[1]。我们的先遣组报告说，女王和菲利普亲王计划要在我们的降落点迎接我们，然后亲自开车带我们回城堡共进午餐。当然，按照经验，他们事先向我们简要介绍了需要注意的礼仪事项：我们首先要向皇室成员致以正式的问候，然后才能上车与他们一起返回城堡。我将和九十四岁的菲利普亲王坐在前排，由亲王亲自开车，而贝拉克则和女王一起坐在后排。

那是八年多以来，我和贝拉克第一次乘坐不是由特工处特工驾驶的车辆出行，而且车上也没有我们的特工跟随，这让我们的特工感到非常不安。就如那些皇家礼仪让我们的先遣组感到不安一样，他们总是忍不住担心我们的言行举止，想要确保任何一件小事都符合要求，从而保证整个过程顺利进行。

然而，当我们的飞机在广场上降落，我们下来跟大家打过招呼之后，女王的一个举动把事先计划好的一切都打乱了，她示意我上车和她一起坐在那辆路虎揽胜的后排。我当时愣住了，努力回忆有没有人告诉过我在这种情况下怎么做才会更礼貌一些，是同意女王的邀请，还是坚持让贝拉克和她一起坐在后排？

女王看我站着发呆，马上明白了原因。

"是不是他们已经跟你们讲了一些规则？"她问我，然后摇了摇头说，"那些都是胡扯，你愿意坐哪儿，就坐哪儿。"就这样，女王瞬间就化解了之前那些大惊小怪的不必要的担心。

---

1 温莎城堡（Windsor Castle），位于英国英格兰东南部区域伯克郡温莎 - 梅登黑德皇家自治市镇的温莎，距伦敦近郊约四十千米，是现今世界上有人居住的城堡中最大的一个。

　　对我来说，在学生们的毕业典礼上发表演说一直是一项非常重要，甚至可以说非常神圣的春季仪式。每年，我都会选择几所高中及大学来发表演说，我挑选学校的时候，主要选择那些有名望的演说者一般不会光顾的学校。（当然了，普林斯顿大学和哈佛大学都不在我的选择之列，很抱歉，但是，你们其实也并不需要我。）2015 年，我回到芝加哥，到了南部的国王学院预科高中，在孩子们的毕业典礼上发表了演说，不幸遇难的哈迪雅就曾在这里就读，如果她还在世的话，她也要毕业了。在毕业典礼上，我们为她保留了座位，以示对她的纪念，她的同班同学还专门用向日葵花朵和紫色布料为她装饰了座椅。

　　我作为第一夫人的最后一轮毕业典礼演说开始了。我首先选择了密西西比州的杰克逊州立大学，这也是一所历史悠久的非洲裔学校，我希望利用此次机会告诉孩子们：一定要坚持下去，要不断追求卓越。接着，我去了纽约市立学院，主要跟孩子们探讨了多元文化和移民的价值。5 月 26 日，也就是特朗普获得共和党总统候选人提名当天，我在新墨西哥州为一个班的原住民学生发表了演说，那些孩子刚刚从一所小型寄宿高中毕业，接下来几乎所有人都要进入大学学习。我发现，作为第一夫人，我经历得越多、越深入，就会越加大胆、坦诚、直接地去讨论种族和性别问题，比如，因为种族原因和性别原因而被社会边缘化究竟意味着什么。我想要告诉年轻人，新闻报道以及政治对抗中所充斥的仇视观点的背景以及逻辑是什么，从而告诉他们为什么要永远心存希望。

　　我也尽力向大家传达有关我个人成长以及个人社会地位的相关信息，因为我觉得这样的讲述可能会产生一定的意义。我想告诉他们，我也体会过隐形的滋味，我也曾经在隐形中生活，我和我的家族都曾有过隐形的历史。我经常告诉大家，我是一位名叫吉姆·罗宾逊的非洲裔奴隶的玄孙女，吉姆·罗宾逊可能被葬在南卡罗来纳州一处奴隶庄园的一块无名墓地里。每当我站在讲台上，面对一批正在思考未来的孩子们演讲时，我常常会举例告诉他们：我们生活中所面临的隐形环境其实是可以克服的，至少在某些方面可以克服。

6月，我以个人名义参加了最后一场校园毕业典礼——玛利亚在塞维尔友谊学校的毕业典礼。那天，天气温暖晴朗，我们的老朋友、著名诗人伊丽莎白·亚历山大（她曾专门为贝拉克的初次就职典礼创作了一首诗）应邀为同学们发表毕业演说。也就是说，这一次，我和贝拉克不用上台，只需要坐在下面认真倾听、认真体会就可以了。我为玛利亚感到由衷的高兴，毕业典礼结束后，她就要和朋友们一起去欧洲，开启为期几周的毕业旅行，接着她会休学一年，之后进入哈佛大学学习。我也为萨沙感到骄傲，那天正好是她十五岁的生日，但她不准备举办生日聚会，而是要去参加碧昂丝的演唱会。接下去的暑期里，她大多数时间都将在玛莎葡萄园岛度过，在我和贝拉克到那里度假之前，她要和我们的家族朋友待在一起。她在那里结交了不少新朋友，也在一家快餐店找到了她人生的第一份工作。同样，我也为我的母亲感到骄傲，她那时穿着一条黑色的裙子、一双高跟鞋，正坐在附近晒太阳，她在坚持自我的同时，努力和我一起在白宫生活，一起去世界各地旅行。

我为我们所有人感到骄傲，我们在白宫的旅途即将结束。

在玛利亚的毕业典礼上，贝拉克就坐在我旁边的一把折叠椅上。当玛利亚走上讲台领毕业证书的时候，他目不转睛地看着，透过他的太阳镜，我能看到他的眼睛里充满了泪水。我知道，他太累了。三天前，他刚刚为一位去世的朋友致了悼词，那位朋友是他在哈佛法学院时结识的，后来也在白宫为他工作。而两天之后，一名恐怖分子将会在佛罗里达州奥兰多市的一家同性恋夜总会开枪射杀四十九人，并导致五十三人受伤。贝拉克的工作强度如此之大，一刻也不能松懈。

他是一位好父亲，时刻关注着孩子们的成长，从不间断，这是他自己的父亲从来没有做到过的。但是，这一路走来，他仍然牺牲了很多很多。初为人父的时候，他已从政，他既要关注孩子们的成长需求，又不能忽视选民对他的需求。

玛利亚的毕业典礼一定让他多少有些伤感，他可能意识到，自己马上就会拥有自由，拥有大把大把的空闲时间，但是，两个女儿却要慢慢离开我们了。

即便如此，我们也要坚强面对这一事实，孩子们的未来本就该属于她们自己。

7 月末，我需要前往费城，在那里召开的民主党代表大会上作最后一次演讲。那天，我顶着暴风雨出行，当我们快要降落的时候，飞机上下摇摆，突然开始急速下降，这应该是我在飞行旅途中经历过的最剧烈的一次颠簸，和我同行的是我的通信主任卡洛琳·阿德勒·莫拉莱斯，她已经怀孕，我担心颠簸所带来的身体上的压力、精神上的紧张会导致她提前分娩。而梅丽莎本就是一个胆小的人，即使在正常天气下飞行她也会恐慌，更不用说这种情况了，她在座位上不停尖叫。然而，我满脑子想的都是，最好能让我按时降落，好留点时间准备我的演讲。虽然我早已适应了在各种大场合露面、演讲，但是，我依然需要充分的准备，才会感觉更踏实、更自信。

早在 2008 年贝拉克第一次参加总统竞选时，为了那次演讲，我曾一遍又一遍地演练，直到最后我在睡梦中甚至都在记演讲内容。我之所以如此重视那次演讲，一部分原因是我从来没有做过类似的电视直播演讲，同时也因为那次演讲对我个人来说意义非凡。当时，我被妖魔化成一个愤怒又不爱国的黑人女性，那天晚上的演讲正好是一个我向大家展示自己的人情味的机会，我要亲口告诉大家我究竟是谁，我要用自己的言语消除大家对我的刻板印象。四年之后，在北卡罗来纳州夏洛特市举行的一次大会上，我又非常详细、坦诚地告诉大家，在贝拉克第一个任期内，我从他的身上看到了什么——他是如何一如既往地坚持自己的原则，他依旧是当初我所嫁的那个贝拉克；是什么让我意识到，"成为美国总统并不会改变一个人，相反，能够真正展示一个人"。

而这一次，我要在演讲中为希拉里·克林顿拉票。2008 年总统竞选的时候，民主党内总统候选人提名竞争异常激烈残酷，当时的希拉里·克林顿是贝拉克的强劲对手，后来贝拉克成功当选后，她又出任国务卿，忠诚而又高效。在这几届总统竞选中，除了我的丈夫贝拉克，我还从来没有对其他候选人真正产生过兴趣，因此，为其他人助选对我来说有一些困难。但是，我给自己定下了一个原则：只要是公开谈论政治圈内的任何人、任何事，我只讲我确信的，以及我真切感受到的。

我们在费城安全降落后，我直接冲向了会议中心，到那儿的时候，我发现我只来得及换衣服，最多浏览两遍我的演讲稿。然后，我走上讲台，开始了客观真实的讲述。我讲到了我们当初刚刚搬到华盛顿时，我对在白宫养育两个女儿的担忧，后来，我又是多么为她们骄傲，她们如今已成长为聪慧的年轻女性。我告诉大家，我相信希拉里，因为她对总统这一职位的要求有着非常深入的了解，她自带领袖气质，而且与历史上的任何一位美国总统相比，她的能力都毫不逊色，完全能够胜任。我也承认，当前，美国民众面临着非常严酷的选择。

从儿时起，我就明白了一件事：面对恶霸，一定要大胆地站出来大声反对，这一点非常重要；同时，也绝不能让自己堕落到和他们同一档次。我们现在正面对着一名恶霸，这个男人在多种场合贬低少数族裔，并对战俘表示轻蔑，他几乎每一次发言都在挑战我们这个国家的尊严。

我想让美国民众知道，言语是评判一个人非常重要的标准——他们每天在电视机里听到的那些充满仇恨的言论并不代表我们这个国家真正的精神，我们可以通过手中的选票予以回击。我要为尊严呼吁，也为一个理念呼吁，那就是：作为一个国家，我们必须要坚持一个核心，这一核心世代相传，也一直是我们家庭的支撑，这个核心就是"尊严"，尊严能够帮助我们渡过难关。我希望大家能够选择坚持"尊严"这一核心，而且我知道这样的选择注定是艰难的。但是，我可以告诉大家的是，我一生中最敬佩的那些人，他们都做出了这样的选择，并且他们每一天都在坚持这一选择。在生活中，我和贝拉克一直信奉这样一句座右铭：当我们的对手选择丢弃道德和尊严的时候，我们更要选择坚持。在那天晚上的演讲中，我也跟大家分享了这句座右铭。

两个月后，就在正式选举前几周的时候，也是在大家毫无戒备的时候，关于特朗普的一盘录音带浮出水面。根据录音带的内容，2005 年的时候，特朗普曾对一名电视台主持人吹嘘他是如何对女性进行性骚扰的，用词粗俗、下流至极，以至于各家媒体都开始犯难，不知道究竟该如何引用他的话，才不至于冒犯业已建立的行业道德。最后，为了如实让民众了解这位候选人的真实面目，媒体只得降低他们的道德标准。

当我听到录音内容的时候，我简直有点不敢相信。又一次，我从这盘录音带那妄自尊大的男性幽默和充满威胁的语言中，感受到了熟悉的痛苦：我能伤害你，还能成功逃脱。这种表达曾经出现在充满仇恨的年代，如今，仇恨早已退出体面的场合，然而，它却依旧潜藏在我们所以为的文明社会的骨髓里——它是那么活跃，那么有市场，以至于唐纳德·特朗普之流敢于在他人面前如此肆无忌惮。我所认识的每一名女性都有过类似的经历，那些被这个社会贴上"异类"标签的人也都有过这样的经历，而这也恰恰是我们大家希望自己的孩子永远都不要有的经历，但是，他们很可能依然会经历。统治，哪怕是统治所产生的任何威胁，都是非人性的，也是权力最为丑陋的一种形式。

听完那盘录音带之后，我怒火中烧。根据安排，我要在接下来的那周在希拉里的竞选集会上发表演说。我决定，与其直接赞美希拉里的能力，还不如直接引用特朗普的一些负面言论。而且，我必须要那么做，我要用我自己的声音去和特朗普对抗。

当我坐在沃尔特·里德国家军事医疗中心的一间病房，陪同我母亲做一个背部手术的时候，我还在继续准备我的演讲词，当时，我思绪万千。到那时为止，我在生活中已经经历过无数次的嘲笑和威胁，因为黑人身份、性别以及直言不讳的性格，我曾多次遭受攻击。我甚至一度感到这种嘲笑是指向我的身体的——我在这世上实际占据的空间。在一次选举辩论中，我看到，特朗普曾昂首挺胸地走近希拉里，在希拉里辩论的时候围着她走来走去。他如此靠近希拉里，试图用他的存在去削弱希拉里的气势。我可以伤害你，还能成功逃脱。在女人的一生当中，我们都不得不忍受这种侮辱和蔑视——可能是嘘声，可能是肢体骚扰，可能是攻击，也可能是压迫。不论是何种形式，这些行为无疑都伤害了我们，削弱了我们的力量。我们所受的伤害中，一些伤口很小，几乎无法看到；一些伤口又非常大，甚至是裂开的，给我们留下无法愈合的伤疤。无论如何，我们所受到的伤害都在不断积累，永远伴随着我们——在上学的路上，在放学回家的路上，在去上班的路上，在下班回家的途中，在我们照顾孩子的时候，在我们做礼拜的地方，在我们准备前行的任何时候。

对我个人来说，特朗普那些评论又是一次重重的打击，但我是不会给他的言论留下生存空间的。于是，我和莎拉·赫维茨（她是一位思维敏捷的演讲稿撰写员，自从 2008 年起就一直和我一起工作）一起合作，将我的愤怒转化为文字，然后，在我母亲康复之后，我选择在 10 月的一天，在新罕布什尔州曼彻斯特市发表演讲。我对着一群充满激情的听众非常明确地表达了我的感受。"这不正常，"我告诉他们，"这不是政治，这是耻辱，绝不能容忍。"我向他们清晰地诉说了我的愤怒和恐惧，以及我的信仰：通过此届选举，美国人会真正明白，他们在两位候选人之间进行选择，究竟是在选择什么。那天，我用尽全身的能量去完成那场演说。

然后，我飞回华盛顿，祈祷我的演讲大家真正听进去了。

那年秋天，随着时间一天天流逝，我和贝拉克也开始为我们下一年 1 月的搬家做准备。这次，我们只需要搬到一所新房子就可以，因为我们计划继续留在华盛顿，好让萨沙在塞维尔友谊学校完成高中学业。玛利亚当时正在休学，要去南美历险，她想尽可能远离政治圈的紧张氛围，享受一段自由的时光。同时，我恳求我白宫东翼的同事们，希望他们继续努力工作，坚持到最后一刻，虽然我知道他们也需要考虑重新找工作的事情，随着希拉里·克林顿和唐纳德·特朗普之间的选战变得越来越激烈，大家都很难集中精力。

2016 年 11 月 7 日，也就是正式选举的前一天晚上，我和贝拉克去了一趟费城，加入希拉里和他们一家之中，在独立宫[1]前为她的最后一场竞选集会助阵，当时那里已经聚集了一大群选民。当晚，空气中弥漫着积极、期待的情绪，希拉里当时所表现出的乐观精神，以及民意测验显

---

1 独立宫（Independence Hall），美国著名历史纪念建筑，位于费城国家独立历史公园独立大厦内，那里曾诞生过美国《独立宣言》和宪法，也曾是美国独立战争的指挥中心，是美国独立的象征。

示的她有较明显的领先优势，这都让我倍感振奋。我以为，我足够了解
美国民众，了解他们究竟能够接受领导人的哪些品质，不能容忍哪些品
质，我为此同样感到振奋。我没有对选情进行详细推测，但我感觉胜算
比较大。

到了正式选举的那天晚上，完全没有我和贝拉克什么事了，这还是
多年来第一次。我们不需要提前预订宾馆套房去那里等待结果，不需要
提前准备好盘装的点心，也不用打开电视机随时关注选情。我不用提前
做头发，不用化妆，不用准备行头，也不用让两个孩子跟着我们一起做
准备，更不用提前为选举结束后的深夜演讲做准备。我们没有任何事情
可做，这反倒让我们有些紧张。这只是开始，即将回到原来的生活，这
是我们第一次清楚地感受到未来的滋味。不可否认，我们曾全身心地投
入，但接下来的时刻并不属于我们，我们唯一能做的就是去见证这一时
刻。虽然知道再过一会儿工夫就会出结果，但我们还是邀请了瓦莱丽和
我们一起去白宫剧场看电影。

我现在已经记不起那晚任何有关电影的事情了——不记得那场电影
的名字，甚至也不记得它的类型。说真的，我们只不过是选择在黑暗中
打发时间而已。我当时满脑子在反复考虑贝拉克总统任期即将结束这一
事实，我们马上要着手做的事情就是和大家告别——许许多多的告别，
都将非常感人，届时我们所深爱的、欣赏的员工也都要陆续离开白宫。
我们希望我们也能像乔治·布什和劳拉·布什当年一样，竭尽所能，让
权力移交平稳顺利。我们的团队已经开始为继任者准备简报手册和通讯
录。在离开之前，白宫东翼的大部分工作人员都将在他们的办公桌上留
下一份手写便签，对即将报到的新人表示欢迎，同时许诺不论何时，都
会在他们需要的时候提供力所能及的帮助。

我们依旧每天公务缠身，但同时也开始认真地规划我们的未来。贝

拉克和我对继续留在华盛顿的计划都感到非常兴奋，但同时，我们也计划在芝加哥南部选址建立奥巴马总统中心。同时，我们计划创立一个基金会，旨在鼓励、培育未来的领导人。我们都设立了许多目标，但我们最大的目标就是为青年人以及他们的想法提供更多的支持，创造更大的发展空间。当然，我也非常清楚，我们首先需要好好休息一阵子：我已经开始物色比较私人的休闲场所，我们计划1月新任总统完成宣誓就职之后，马上动身，去好好放松一些时日。

现在，我们只差一位新总统。

那天晚上，就在电影结束灯光打开的时候，贝拉克的手机响了。他看了一眼手机，然后又仔细看了一遍，同时眉毛微微一耸。

"哈，"他说，"佛罗里达州的投票结果有些奇怪啊。"

他的声音里并没有惊慌，只有一点儿小小的警觉，仿佛草地上仍有余热的灰烬突然冒出的火光。就在这时，电话铃声又一次响起。我的心跳开始加快，犹如打鼓一般。我知道这是大卫·西马斯打来的，他是贝拉克的政治顾问，此刻一直待在白宫西翼关注着最新的选情动态，他甚至了解选情地图上各个县之间的具体动态，只要选情出现任何重大变化，大卫·西马斯都能第一时间发现。

我在一旁目不转睛地盯着贝拉克的脸，不确定自己是否已经做好准备听他接下来的话。不管怎样，看起来都不是什么好消息。突然，我感觉胃里一阵沉闷，像是被什么东西紧紧抓住一样，我的焦虑迅速加剧，我甚至感到一丝恐惧。接着，贝拉克开始和瓦莱丽讨论初期选举结果，我则告诉他们我要上楼。我走向电梯，此时，我只想做一件事，那就是：将所有这一切统统抛诸脑后，然后安安稳稳地睡上一觉。我知道接下来可能会发生什么，但我还没有准备好去面对这一切。

就在我睡觉的时候，最后的选举结果得到确认：美国选民选择了唐纳德·特朗普来接替贝拉克任下一届美国总统。

但是，我想让自己尽可能晚一些面对这一现实。

第二天早上醒来的时候，我发现天气潮湿沉闷，整个华盛顿都笼罩在一片灰色之中，我不禁将这解读为一种默哀。时间仿佛是在慢吞吞地爬动。萨沙去上学了，她在心里默默地说服自己接受这一事实。玛利亚从玻利维亚打电话回来说，她感到非常恼火。我告诉两个女儿，我爱她们，一切都会好起来的。同时，我也一直在用同样的话尽力说服自己。

最后的选举结果显示，希拉里·克林顿获得了比唐纳德·特朗普多达近三百万张普选选票；但是特朗普争取到了更多总统选举团的支持，通过在宾夕法尼亚州、威斯康星州和密歇根州获得选举人的投票，他最终以不到八万张选票的优势赢得了总统职位。我不是一名政客，因此我不打算对此次选举结果进行分析，我也不想推测究竟谁应该为这样的选举结果负责，或者这样的选举究竟哪里存在不公平。我只是想，要是能有更多的选民出来参加投票就好了。我也一直感到非常困惑，为什么会有如此多的选民，尤其是女性选民，会拒绝一个原本非常出色、资历深厚的女性候选人，反而去选择一个歧视女性的人做她们的总统呢？但是，不管怎样，木已成舟，这个结果是我们自己选择的，当然也要我们自己去面对。

贝拉克当天晚上几乎没有睡觉，他一直在分析选举数据。就如过去多年一样，大家都呼吁他站出来，作为一个稳定的象征，帮助整个国家面对这场意外。但是，我并不羡慕他这份工作。第二天早上，他先在总统办公室面对他的工作人员作了一场动员讲话。然后，快到中午的时候，他又在白宫玫瑰园向全国民众发表了一场冷静的、安抚式的讲话。像以往一样，他号召大家要团结一致，要保持尊严；他号召美国民众互相尊重，同时，也要尊重我们以民主为基础所建立的各类制度，比如总统选举制度。

那天下午，我和我白宫东翼的所有工作人员都挤在我的办公室里，我们从其他房间搬来沙发、办公椅，然后挤坐在一起。我的团队内大部分成员都是女性和少数族裔，还有几个人出身于移民家庭。当时，很多人都哭了，感觉她们的脆弱完全暴露了出来。曾经，她们全力以赴地工作，因为她们对自己所致力于推动的事业深信不疑。那一刻，我只有想方设法找机会告诉她们，她们应该为自己是谁而感到骄傲，为他们所从事的极其重要的工作感到骄傲。我还想告诉她们，一届选举并不能抹杀我们这八年所带来的所有改变。

我们并没有失去一切，我们要永远谨记这一信念，而这也正是我真正的信仰。这不是理想主义，而是真真切切的现实——现实世界就是如此。我们要做的就是坚定不移，朝着进步的方向继续前行。

我们在白宫的生活真的到了尽头。我发现自己在回首过去和展望未来之间进退两难。我开始仔细思考一个问题：离开白宫之后，我的生活中哪些东西还将继续？

我们是住进白宫的第四十四个美国第一家庭，也是第十一个在白宫内度过了两届总统任期的家庭。同时，我们还是并将永远是第一个住进白宫的非洲裔家庭。我希望在将来，当其他父母带着他们的孩子前来白宫参观时，就如当年贝拉克还是参议员的时候我带着玛利亚和萨沙来白宫参观一样，他们能够看到我们一家人在这里生活的痕迹。我认为，如果从更长远的历史角度来观察白宫的话，我们曾经在这里的存在一定是非常重要的。

例如，并不是每一位美国总统都会选择瓷器作为装饰元素，但是，我敢十分确定地说我们这么做了。在贝拉克第二个任期内，我们还对白宫内位于国宴厅旁边的有将近两百年历史的"老家庭餐厅"[1]进行了重新装修和设计，使其焕然一新，以全新的现代艺术风格重新亮相，并首次对外开放成为民众参观景点。在餐厅的北墙上，我们悬挂了一幅阿尔玛·托马斯[2]的抽象画《复兴》，作品融合了让人眼花缭乱的红、黄、蓝三种颜色，这也是被白宫永久收藏的第一件出自黑人女艺术家的作品。

然而，我们在白宫所留下的生命力最强、最持久的标志并不在白宫屋内，而是在外面的院子里，那就是我们的白宫菜园。至今，这个菜园已经有七年半的历史了，它每年能够产出将近两千磅的食物。这七年多的时间里，虽然经历了暴风雪、倾盆大雨，甚至破坏力极强的冰雹，我们的菜园都顽强地挺了过来。几年前，一次狂风甚至吹翻了那足足四十二英尺高的国家圣诞树，但我们的菜园依然挺了过来。在我离开白宫之前，我想做一些事情，以给它更持久的生命力，于是，我们将它扩大到 2800 平方英尺，比原来面积的两倍还要大。我们还在菜园里铺设了石头步道，增加了木头长凳，并在入口处修建了一个表示欢迎的大木头门框。制作这个门框的时候我们专门从美国第三任总统托马斯·杰斐逊、第四任总统詹姆斯·麦迪逊、第五任总统詹姆斯·门罗的房产以及马丁·路德·金儿时的家中进行取材。在一个秋日的下午，我穿过南草坪，正式将菜园献给我们的下一代，希望它能成为"白宫永恒的传统之一"。

那天，和我一起行动的还有其他很多人，几年来，他们一直都在帮助我们推动关于营养和儿童健康方面的运动，都是我们的活动的支持者和儿童健康运动的倡议者。此外，还有几年前曾受邀和我一起种菜的班

---

1 "老家庭餐厅"，1825 年由时任总统的亚当斯设置，最初是作为第一家庭的餐厅。后来，第一家庭的餐厅移至楼上的私人居住区后，历任总统均把"老家庭餐厅"用于举行小型正式宴会，包括与外国元首举行工作午餐等。

2 阿尔玛·托马斯（Alma Thomas，1891—1978），非洲裔表现主义女画家。

克罗夫特小学的几名五年级学生，他们如今快要长大成人了。我的大多数工作人员也都加入了进来，其中包括萨姆·卡斯，2014年的时候，他离开了白宫，为了参加此次活动，他又专门回来了。

从白宫里面看此时站在菜园里的这些人，我非常感动。我要感谢我团队里的每一位成员，她们几乎将自己的全部都奉献给了工作，帮助我分类整理手写信件、核查演讲稿内容、搭乘国际航班飞来飞去帮我提前安排各项活动。我看到她们很多人平日里都承担了远超出她们职责的工作任务，同时也看到，即使用最严苛的标准来衡量，她们不论是在工作能力上，还是个人素质上都得到了快速的提升。所以说，"第一"（无论是第一家庭还是第一个住进白宫的非洲裔家庭）这一负担并不是仅仅由我们一家人承担的。这八年来，这些积极乐观的年轻人，以及几位经验丰富的专业人士一直都是我们坚强有力的后盾。梅丽莎跟了我将近十年了，她是我们刚参加竞选时就招募的员工，她一直在白宫东翼陪着我，直到贝拉克两届任期结束。对我来说，她将是我一辈子的挚友。和她同样情况的还有陈远美，她是我非常出色的办公室主任。克里斯汀·贾维斯的职位后来由琪娜·克莱顿接替，琪娜是个来自迈阿密的年轻女孩，工作非常卖力，她也很快成为我们两个孩子喜爱的大姐姐，对我日常工作、生活的正常运转发挥着极为重要的作用。

在我心里，无论是我的现任员工，还是前任员工，她们都跟我的家人一样。对于我们之间共同的努力和合作，我一直感到非常骄傲。

为了让我们录制的每一段宣传视频都能够快速渗透到互联网的每一个角落，我们并不满足于仅仅在推特上进行推送，为此，我甚至亲自与《吉米·法伦深夜秀》的主持人吉米·法伦一同打扮成"乡下妈妈范儿"，大跳"妈妈版演化舞蹈"；在勒布朗·詹姆斯面前表演飞身扣篮；

与演员杰·费罗尔[1]共同演绎说唱歌曲，鼓励孩子们考大学。功夫不负有心人，我们的努力见到了成效。现在，多达四千五百万个美国孩子每天可以吃到更健康的早餐和午餐；在"让我们行动起来"运动的倡导下，一千一百万美国学生每天都会抽出六十分钟时间进行体育锻炼，这也是我们"活力校园"计划的一部分。从总体上来说，孩子们开始食用更多的全谷物类食品和农产品，超大份快餐食品的时代即将终结。

通过我和吉尔·拜登的共同努力，"联合力量"运动也取得了很大成效，我们成功说服多家公司雇用、培训了共计一百五十万名退役军人以及他们的配偶。我们成功促成了美国全五十个州在专业许可协议上展开合作，以保证军人配偶不会因为居住地迁移而每每中断其职业发展。在当初为竞选进行巡回演讲时，这项工作是我最早了解到的民众关注的问题之一，我们所做的这些就是为了持续跟进直到将其解决。

在教育方面，我和贝拉克利用筹集到的数十亿美元资金，帮助全世界的适龄女孩，以期她们能够和其他孩子一样接受教育。目前，美国和平队有二千八百名志愿者正在接受培训，而后会被派往世界各个国家实施这一项目。而在美国，我和我的团队共同努力，尽可能帮助更多年轻人获得联邦学生救助金，尽可能为校园顾问提供支持，并将"美国大学签名日"提升到国家层面进行庆祝。

与此同时，贝拉克已经设法带领全美国扭转了自20世纪大萧条以来最为严重的经济危机，他还协调各国领导人共同签署了应对气候变化的《巴黎协定》，并决定从伊拉克和阿富汗撤军，让成千上万的驻外士兵得以回家。同时，他还有效地叫停了伊朗的核试验计划。此外，他还

---

1 杰·费罗尔（Jay Pharoah, 1987—　），美国演员，曾经在《周六夜现场》扮演贝拉克·奥巴马。

让全美国两千万多人获得了健康保险保障。在我们的努力下，贝拉克两届任期内没有传出任何重大丑闻。在推进工作的同时，我们无论是对自己，还是对工作人员，都以最严格的道德标准和品行标准进行要求，并且坚持到底，从无例外。

对于我们来说，有一些变革很难用标准去衡量，但确实十分重要。在我正式送出白宫菜园六个月之前，林－曼努尔·米兰达——我于2009年在白宫"诗歌与音乐之夜"上结识的那位年轻作曲家，又一次来到了白宫。此时，他以说唱方式演绎的音乐剧《汉密尔顿》已经引起巨大轰动，在百老汇炙手可热，他也因此成为全球巨星。《汉密尔顿》以音乐剧的方式歌颂了美国的历史和多元文化，重新唤起我们对少数族裔的关注和理解，他们曾经在美国的历史发展中扮演了非常重要的角色。《汉密尔顿》还突出了长期以来在男性主导的世界中，被忽视的女性所扮演的重要角色。其实，当音乐剧在外百老汇剧院中上演时，我就去看过了，而且被它深深吸引，因此当它在百老汇正式上演时，我又去看了一次。不得不说，这场音乐剧真的非常有趣，内容极具吸引力，时而让人心潮澎湃，时而让人悲伤难忍。从任何角度来说，这都是我看过的最好的艺术作品。

林－曼努尔将他演员阵容中的绝大多数人都带到了华盛顿，这可真是一个天才齐聚的多民族乐队。这些表演者与来自白宫周围的一些当地高中生一起度过了一个下午，他们都是刚刚崭露头角的剧作家、舞蹈家以及说唱者，这些年轻人正好借此机会与他们心目中的英雄一起写歌词、打拍子。到了傍晚的时候，我们所有人一起来到白宫东厅进行了一场演出。当时，我和贝拉克坐在前排，四周围绕着来自不同种族、不同背景的年轻人。最后，当克里斯托弗·杰克逊和林－曼努尔一起合唱《最后一次》作为结束的时候，我和贝拉克陶醉在他们的演出之中。我们面前的两位艺术家，一位非洲裔美国人，一位波多黎各人，共同站在已有一百一十五年历史的枝形吊灯下，在高耸的乔治·华盛顿和玛莎·华盛顿的古老肖像的包围中，放声高歌，犹如在歌唱"共同生活在这个我们共同创造的国家里"。至今，他们当时演出的场景和所表现出的力量仍清晰浮现在我的眼前。

《汉密尔顿》这部音乐剧之所以会让我如此感动，是因为它所反映的历史多多少少与我的生活经历相关。它讲述了一个能够包容多样性的美国，它让我想到：在生活中，我们很多人都选择将自己的历史和人生故事隐藏起来，要么是感到羞愧，要么是担心我们的人生现状与我们所树立的理想相差太远。在我们的成长历程中，我们不时会接收到这样的信息：要想成为真正的美国人，只有一种途径，或者说，如果你的肤色是黑色的，如果你的臀部比较宽大，如果你没能以一种特殊的方式享受到别人的爱，如果你的语言不同，如果你来自另外一个国家，那么，你就不属于美国。这种观念似乎根深蒂固，直到有人站出来，开始讲述不同的故事。

小时候，我们一家人生活在一个很小的房子里，生活也不富裕，我的父亲身患疾病，而且我们所在的街区已开始衰落。不过，幸运的是，我们一家人相亲相爱，我从小在音乐的熏陶中长大，我们所在的城市芝加哥是一个充满多元文化的城市，我们的国家重视教育，使我可以通过接受教育改变我的命运。你可以说我什么都没有，你也可以说我拥有一切，这完全取决于你选择从哪个角度进行解读。

距离贝拉克的总统任期结束越来越近，我也开始以同样的方式思考美国。我热爱我的国家，我热爱这个国家的方方面面。在过去将近十年的时间里，我有幸能够近距离地感受这个国家的一切，感受它那鲜明对立的矛盾、令人痛苦的冲突、它的痛苦、它坚持不懈的理想，以及它战胜这一切的强大抗逆力。或许，我的观点有点不同寻常，但是我相信，过去这些年里，我的经历、我的认识与很多人是不谋而合的——我们因为见证进步而感欣喜，因为感受到同情而感宽慰，因为看到那些隐形的、无名的人找到了生活的希望而感高兴。哪怕只是一缕微光，我们也希望它可以持续，因为只有这样，正在成长的新一代人才能够意识到他们的未来充满可能，甚至充满更多可能。不管未来发生什么，这将是我们可以掌握的属于自己的故事。

后 记

Epilogue

2017年1月20日，我和贝拉克最后一次走出白宫，陪同唐纳德·特朗普和他的夫人梅拉尼娅·特朗普参加总统就职仪式。那天，我百感交集——疲惫而又骄傲，心烦意乱而又充满期待。然而，大多数时间，我都尽力让自己更加专注地面对当时正在发生的一切，因为我知道，还有很多的摄像机正对着我们，实时播出我们的一举一动。我和贝拉克已经决定要带着优雅和尊严来完成我们的角色转变，虽然我们在白宫的八年生活已经走到尽头，但我们依旧初心不改，我们的理想、我们内心的平静一如既往。那一刻，我们迎来了政治生涯的最后时刻。

那天早上，贝拉克去了一趟总统的椭圆形办公室，给他的继任者留了一份手写的便条。随后，我们来到国务层，在那里跟白宫的永久职工——男管家、接待员、厨师、女管家、花匠以及其他一些人——一一道别，这些人曾经用真诚的友谊和专业的服务照料我们一家人的生活。虽然我们在当天下午就要搬离白宫，但他们依然同往常一样，不失平日里的所有礼节。道别总是令人难过，对于玛利亚和萨沙来说更是如此，因为对于她们来说，自从出生以来有一半儿的时间，几乎每天都会和这些人见面。我跟他们每一个人拥抱，当他们送给我们两面美国国旗作为分别礼物的时候，我强忍住不让自己哭出来，这两面旗帜分别是贝拉克就任美国总统第一天以及在任最后一天白宫上空飘扬的美国国旗，象征着我们在白宫生活的开始与结束。

这已经是我第三次坐在美国国会大厦的台阶上参加总统就职仪式了，我尽力控制着不让自己的情绪流露出来。前两次贝拉克就职总统仪式上所呈现的充满活力的多样性在此次就职仪式上已经完全消失，取而代之的是令人沮丧的单一性，眼前是一幅白人和男性占据绝对优势的画面，其实，这样的场景我已遇见过多次——尤其是在那些特权云集的空间，那些各式各样的权力圈，更是如此。自从我告别童年，离开儿时在芝加哥南城的家，我也通过自己的努力进入了他们的行列之中。多年来，我所从事的专业工作——从为盛德国际律师事务所招募新员工到为白宫招募新职员——告诉我，单一性只会催生更大程度上的单一性，除非你能下定决心想办法去改变这种状况。

那天早上，看着台上就座的大约三百位来宾——他们都是新一任美国总统所邀请的尊贵嘉宾——我就清楚地意识到，新一任白宫主人是不可能做出这种改变的。当初，如果贝拉克也做出这样的选择，他的政府中一定会有人说，这种阵容的"视觉效果"不好——既不能反映出总统身边的真实现状，也不能反映出总统的执政理想。但是，对于现任总统，也许这就是他身边的真实现状，这就是他的执政理想。意识到这一点之后，我调整了自己的"视觉效果"，我不想再赔笑脸，甚至连假装都不想。

交接仪式开始了，新的篇章开启。新当选的总统用左手按着《圣经》，重复完简短的誓言后，正式就任新一届美国总统。卸任总统的家具从白宫中搬了出去，新任总统的家具又搬了进来；原先的衣橱刚被腾空，又马上有新的衣物放进去。没错，白宫就是这样，不断上演着新人换旧人的剧情，并总是迎来不同性情的主人，他们带着不同的梦想。当你的任期走到尽头，当最后一天你离开白宫的时候，你也同时开启了新的人生，开启了更多重新发现自己、实现自我的机会。

现在，我也迎来了人生新的起点、新的生活。这么多年以来，作为一名从政者的妻子，我第一次感觉自己一身轻松，无须履行任何义务，无须背负他人的任何期望。我的两个女儿都即将长大成人，她们对我的依赖相比过去也少了许多；我的丈夫再也不用肩负治理整个国家的重任。而我所肩负的责任——对萨沙和玛利亚的、对贝拉克的、对我的事业的、对整个美国的——都已开始转移，这也让我得以从一个完全不同于以往的角度来审视未来。从此，我将拥有更多的时间反思过去，做真正的自己。虽然如今我已五十四岁，但我仍在追求进步，我希望未来的我能够一如既往，永不停歇。

对我来说，"成为"并不意味着一定要到达某个位置或者达到某一特定目标；相反，我认为"成为"应该是一种前进的状态，一种进化的方式，一种不断朝着更完美的自我奋斗的途径，这条道路没有终点。我成为一位母亲，但是在为孩子们付出的同时，我一样可以从她们身上学习到很多；我成为一名妻子，但是，对于如何去爱一个人，对于与另一个人携手生活，我仍在适应，有时也会遭遇挫折。从一些标准来衡量，我已经成为一名拥有权力的女性，但仍然有很多时候，我感觉没有安全感，感觉自己被忽视。

"成为"是一个漫长的过程，需要一步一步慢慢实现。"成为"既需要耐心，也需要艰苦付出，二者同等重要。"成为"是永不放弃要继续成长的想法。

鉴于常常有人向我提出这样的问题：我将来是否有意竞选公职，在此，我可以非常坦诚地做出回答：我从没有打算去竞选公职，从来没有。我从来都不是一个政治爱好者，即便过去的十年，我一直生活在政治旋涡的最中心，但那也丝毫没有改变我的人生追求。面对政治中那些肮脏的东西——红蓝两党常年对立、争执不休，一旦身处政治旋涡当中，你必须选择一边站队，予以坚决支持，并完全无视另一方的任何观点，绝不妥协，甚至有时候连最基本的礼貌和尊重都丢在一边。我当然相信，从积极的方面来看，政治斗争也是催生积极变革的一种手段，但是我的确不喜欢这种方式。

这并不是说，我不发自内心地关心我们国家的未来。自从贝拉克卸任之后，我经常会看到一些让我反胃的新闻报道，我也常常因为对这些报道事件感到愤怒而夜不能寐。这位继任总统的所作所为以及政治议程导致许多美国人开始自我怀疑，甚至彼此怀疑、彼此惧怕。看着贝拉克曾经小心谨慎建立起的那些富有同情心的政策都被这位继任总统一一推翻，我们与曾经最为亲密的盟友逐渐疏远，社会上的弱势群体失去了保护，人性被剥夺，这一切对我来说，太难以接受。有时候我甚至想知道，他们的底线究竟在哪里？

然而，即便如此，我也不允许自己变成一个愤世嫉俗的人。每当我感到极度焦虑不安的时候，我都会深深地吸一口气，提醒自己去想想自己人生当中见到过的人们所表现出来的高尚与正直，以及许多已经被克服的困难。同时，我也会提醒自己，这都不算什么，毕竟那么多的困难都被克服了。我希望大家都能和我一样坦然面对，我们共同努力，为推动美国的民主进步贡献自己的一分力量；同时，我们也一定要谨记每一位选民所具有的力量。于是，我要求自己一如既往地保持一种品质——它更为高尚，也比任何的选举、任何的领导或者新闻报道都更强大而有力——乐观主义。对我来说，保持乐观就是一种信仰，它是专门应对恐惧的良药。在我小的时候，在芝加哥欧几里得大道的小公寓里，曾经弥漫着乐观的精神：我曾经在我父亲的身上看到了乐观精神，他虽然疾病缠身，却永远四处活动，就好像那随时可能带走他生命的疾病压根儿不存在一样；我在我母亲的身上也看到了这种乐观精神，她一直都对我们所生活的社区抱有固执的信仰，即便她的很多邻居都因为恐惧而先后搬离，她依然决定留下来；我在贝拉克的身上看到了这种乐观精神，当年，他第一次走进我在盛德国际律师事务所的办公室时，咧嘴而笑，看上去乐观而又充满希望，正是这一点，深深吸引了我。

后来，也正是这种乐观主义精神帮助我克服了内心的种种疑虑和脆弱，让我坚信：即使我们一家人作为公众人物生活在公众舆论和聚光灯之下，我们也依然能够安然无恙、幸福快乐。

现在，乐观主义精神又一次帮助了我。当我还是第一夫人的时候，我经常能够在一些意想不到的地方看到乐观主义精神：在沃尔特·里德国家军事医疗中心，那名伤员曾在自己的病房门口贴上便条，拒绝他人的同情并提醒每一个前来探访的人，他不仅坚强不屈，而且心怀希望，这是乐观主义精神；克利欧佩特拉·考利－彭德尔顿曾在帮派枪击事件中不幸失去女儿，但她化悲痛为力量，致力于推动控枪措施出台，这是乐观主义精神；在芝加哥南部英格伍德社区的威廉·哈珀高中，那位名叫克丽丝·史密斯的社会工作者每次在楼道里遇到学生们，都会大声表达她对他们的喜爱和欣赏，这也是乐观主义精神。此外，在孩子们的身上，我们也总能看到乐观主义精神，他们每天从睡梦中醒来，相信所有事物都有着善良的本质，孩子们从不愤世嫉俗，他们发自内心地相信一切。正是因为他们，我们才能始终保持坚强，不断努力去创造一个更为公平、更加人道的世界。面对孩子们，我们不仅要坚强，还要充满希望，我们要认识到，不论是我们还是他们，都需要不断地成长。

现在，在华盛顿的美国国立肖像馆里，悬挂着我和贝拉克的官方肖像，这又让我们倍感压力。我猜想，任何见证过我们童年生活、我们成长环境的人，应该没有谁预想到，将来有一天我们的肖像会在那里出现，供人瞻仰。说实话，我们俩的肖像都非常可爱，但我认为它们更重要的意义在于可以供年轻人瞻仰，引发他们思考——我们的面孔能够帮助他们打破这样一种观念：想要被载入历史，你的肤色至关重要。那么现在，既然我们做到了，一定还有其他许许多多的人也可以做到。

我是一个普通而又平凡的人，但是我发现，我的人生之路却充满不平凡。通过这本书，我向大家分享了我的人生故事，我希望此举能够为其他想要分享故事的人、想要表达声音的人开辟空间，为那些和我一样心怀理想的人拓宽路径，为所有人指出希望和可能。一路走来，我是非常幸运的，我有幸走入石砌的古堡面对女王，步入城区教室与师生交流，坐在爱荷华州的小厨房里跟选民聊天——我努力做我自己，努力与别人建立联系。我一直铭记人生道路上每一扇为我打开的门，并尽自己所能以同样的方式回馈后来者。最后，我还想说的是：让我们鼓励身边每一个人，让我们一起加入进来，只有这样，生活中的恐惧才会越来越少，我们做出错误设想的可能性才会越来越小；让我们摒弃生活中那些将我们隔离的偏见和刻板印象，这样一来，或许我们就能更好地欣赏彼此的共同点。我们不要求尽善尽美，也不管你最终究竟能走到哪里，我们只希望终有一天，你能够获得理解，得到倾听，能够拥有属于你自己独特的故事，发出你自己最真实的声音。同样，如果你能做到主动了解别人、倾听别人，那无疑是一种慈悲。在我看来，这才是我们真正要成为的样子。

致 谢

Acknowledgements

就如我一生中所取得的每一项成就一样，如果没有很多人的爱与支持，这本自传将不可能完成。

一路走来，如果没有我母亲玛丽安·席尔兹·罗宾逊坚定的支持和无条件的爱，我就无法成为今天的我。一直以来，母亲都是我最为坚实的后盾，她允许我遵从自己的内心，按照自己的意志成为我想要成为的人；同时，又能够时刻帮我把舵，让我不至于偏离航向。她对我两个女儿毫无保留的爱，她愿意将我们全家的需求置于她个人的需求之上，这些都给了我无尽的安慰和信心，让我能够毫无后顾之忧地去打拼，因为我知道，即使我不在孩子们身边，有外祖母的关爱和照料，她们也一定能够安全健康地成长。

我的丈夫，贝拉克，我的爱人，我二十五年的伙伴，我两个孩子最最慈爱的父亲，他也是我理想中的人生伴侣。属于我们的故事还在继续，我非常期待我们日后即将共同面对的许许多多的冒险。贝拉克，我要感谢你对我写作本书所提供的指导和帮助，感谢你认真而又耐心地阅读每一个章节，并且随时给予我精准的指导。

同时，我要感谢我的哥哥克雷格，该从什么时候说起呢？自从我出生那天，你就成为我坚定的守护者，在这个世界上，你是让我笑得最多的人，你是一个有求必应的好哥哥，一个体贴、会关心人的儿子、丈夫和父亲。克雷格，我要感谢你，感谢你和我的团队一起度过的时间，感谢你耐心地去挖掘我们儿时的故事。在我写作本书的过程中，我们曾经和母亲一起坐在厨房回忆往事，这些都已经成为我人生最美好的回忆。

当然，如果没有一个极具才华的合作团队支持，我此生也绝不会完成这部自传的写作，对于团队的每一位成员，我都极为欣赏。一年多以前，当我初次遇到萨拉·科贝特的时候，我对她的所有了解仅仅是：我的编辑特别尊重她，而她几乎不了解政治。如今，我对她已是完全信任，不单单是因为她头脑灵活、求知欲强，还因为她善良、为人宽厚而又慷慨。我希望，我们能够成为一辈子的朋友，而此次合作只是我们之间友谊的开始。

十多年来，泰勒·莱希滕贝格一直是奥巴马团队非常重要的一员。当初，他作为来自爱荷华州社区组织者中年轻而又非常有前途的一员，走进了我们的生活，也就是从那时开始，他成为我们十分信赖的顾问。我看着他逐渐成长为一位非常有实力的作家，前途一片光明。

然后，我要感谢我的编辑莫莉·斯坦恩，她为人热情、充满能量和激情，这一切立即吸引了我。从始至终，她对我写作本书的视角毫不动摇的支持和信心都使我无比振奋。对她以及所有皇冠出版团队的成员（包括：玛雅·马弗耶、蒂娜·康斯达珀、大卫·德雷克、艾玛·贝瑞以及克里斯·布兰德），我将永远心存感激，他们从一开始就给了我全力支持。此外，还有阿曼达·达西埃诺、兰斯·菲茨杰拉德、萨莉·富兰克林、卡丽莎·海斯、林内亚·诺尔缪埃尔、马修·马丁、唐娜·帕萨南特、伊丽莎白·兰德弗雷士、安克·斯泰内克、克里斯汀·谷川以及丹尼·奇特，正是你们所有人的努力和帮助，使我的这本自传的写作成为可能。

我还要专门感谢企鹅兰登书屋的首席执行官杜乐盟先生，是他帮忙调动了企鹅兰登书屋的各类资源，来帮助我完成这项工作。

最后，我还要特别强调，如果没有我的团队成员的帮助，我就不可能成为一名合格的母亲、妻子、朋友和专业人士。任何一个了解我的人都知道，梅丽莎·温特就是我的另外一半儿大脑。梅，谢谢你，谢谢你一直以来都坚定地陪在我身边，尤其要感谢你对我以及对我的两个女儿热烈真挚的爱，没有你，就不会有今天的米歇尔。

梅丽莎是我的团队主管，我们这个团队虽然人数不多但力量强大，我们的成员都是努力而又充满智慧的女性，她们包括：卡洛琳·阿德勒·莫拉莱斯、琪娜·克莱顿、麦肯齐·史密斯、萨曼塔·塔布曼以及亚历克斯·梅·西利，正是在她们的努力和帮助下，我才得以保持正确的航向。

在本书的出版过程中，威廉姆斯和康诺利律师事务所的鲍勃·巴内特、迪尼恩·豪厄尔也提供了十分宝贵的指导意见，对他们提供的建议和支持，我将永远感激。

我还要专门感谢那些通过各种方式提供帮助，让本书得以面世的人们，她们包括：皮特·苏扎、查克·肯尼迪、劳伦斯·杰克逊、阿曼达·露奇东、萨曼莎·阿普尔顿、克里斯汀·琼斯、克里斯·哈夫、阿丽尔·瓦瓦瑟、米歇尔·诺里斯以及伊丽莎白·亚历山大。

此外，我还要感谢艾希莉·伍尔希特，她足智多谋，为本书的创作做了大量深入的研究工作；我还要感谢吉莉安·布拉斯尔，她做事一丝不苟，帮我做了大量的资料和信息核实工作。同时，对于书中所涉及的许多关键细节和时间信息，我的许多前任员工也都帮助我做了大量的核实工作，在此，我无法一一列举他们的名字，但是，我真心感谢他们每一个人。

我还要感谢生命中那些魅力非凡的女人——我的女性朋友们、我的导师们，以及我"另外的女儿们"——是你们让我一直充满激情，你们每个人都清楚地知道自己是谁，又都明白自己对我究竟意味着什么。对了，我还要特别感谢"凯伊妈妈"。总之，在整个写作过程中，你们所有人都给了我最大的支持，也帮助我成为更好的自己。

还是第一夫人的时候，我的生活太忙碌，根本没有时间去写日记。这就是为什么我要如此感谢弗娜·威廉姆斯的原因，我亲爱的朋友，她现在已经在辛辛那提大学法学院担任临时院长、法学教授。当初，我们每年会在白宫举行两次对话，都是由她来记录。现在，我特别依赖那份大约一千一百页的文字记录。

对于我们当时在白宫东翼所取得的所有成绩，我深感骄傲。在这里，我想要感谢那些将自己的人生都奉献给美国这个国家的人们，不论是男性还是女性。我要感谢第一夫人办公室的所有成员——感谢你们帮我制定政策、安排日程，负责日常的行政管理、对外联络、讲稿起草、社交活动以及通信工作。谢谢你们，谢谢白宫的所有伙伴们，谢谢各项工作的具体执行者，是你们帮助我落实我的每一项倡议、每一项行动计划，这其中包括"让我们行动起来""追求更高""让女孩学习"，当然还有"联合力量"。

在我心中，"联合力量"计划一直有着特殊的分量，因为它让我真切感受到美国部队、军人以及军人家庭是如何的出色，他们所表现出的力量和抗逆力是多么强大有力。我要向所有的服役人员、退役老兵以及军人家庭说声感谢，我要代表我们所有人所深爱的国家感谢你们的付出和牺牲。感谢吉尔·拜登博士以及她的团队——能够与你们并肩合作，开展这项极为重要的计划，我真的非常幸福、非常快乐。

我还要感谢那些大力倡导健康饮食、营养饮食以及普及教育的领导者们，感谢你们每天的辛苦付出，做了那么多很多人甚至不领情的工作，来保证我们的孩子拥有实现梦想所需要的爱、支持以及各类资源。

感谢美国特工处所有工作人员以及他们的家庭，正是因为他们的家庭成员甘愿做出牺牲，他们才能够安心履行自己的职责。对于我来说，尤其要感谢那些曾经为我们一家人服务以及将继续为我们服务的特工，对于你们的付出和职业精神，我将永生感激。

感谢白宫数百位男性和女性工作人员，是他们每天努力工作，才将白宫——美国最值得珍视的标志性建筑——收拾得像家一样，让一个又一个"第一家庭"得以安心生活，他们中有接待员、厨师、管家、花匠、地勤人员、家政人员以及工程人员。他们将永远是我们家庭中非常重要的一部分。

最后，我想要感谢我作为第一夫人时所遇到的每一位年轻人，感谢那些前途无量的年轻人，过去这些年里，他们深深触动了我的内心。我要感谢他们帮助我种植白宫菜园，感谢他们和我一起跳舞、唱歌、做饭、用餐；感谢他们能够敞开心扉，接受我的爱和指导；感谢他们给了我无数温暖的、甜蜜的拥抱，正是他们的温暖不断激励着我，让我即使在最困难的时候也能继续前行。感谢你们总能给我一个理由，让我对生活充满希望。

图片来源

....

Photo Credit

INSERT, PAGES 1 TO 4: All photographs courtesy of the Obama-Robinson Family Archive

INSERT, PAGE 5: (from top) © Public Allies, courtesy of Phil Schmitz; CREDIT TK; Courtesy of the Obama-Robinson Family Archive

INSERT, PAGE 6: (from top) © David Katz 2004; © David Katz 2004; © Anne Ryan 2007

INSERT, PAGE 7: (from top) © Callie Shell/Aurora Photos; © Callie Shell/ Aurora Photos; Courtesy of the Obama-Robinson Family Archive

INSERT, PAGE 8: (from top) © David Katz 2008; © Spencer Platt/Getty Images; © David Katz 2008

INSERT, PAGE 9: (from top) Photo by Chuck Kennedy, McClatchy/ Tribune; © Mark Wilson/Getty Images

INSERT, PAGE 10: (top left) Official White House Photo by Joyce N. Boghosian; (top right) © Karen Bleier/AFP/Getty Images; (bottom left) Official White House Photo by Lawrence Jackson; (bottom right) Official White House Photo by Samantha Appleton

INSERT, PAGE 11: (from top) Official White House Photo by Samantha Appleton; Official White House Photo by Chuck Kennedy; Official White House Photo by Pete Souza; Official White House Photo by Samantha Appleton

INSERT, PAGE 12: (from top) Official White House Photo by Lawrence Jackson; Official White House Photo by Samantha Appleton; Official White House Photo by Chuck Kennedy

INSERT, PAGE 13: (from top) Official White House Photo by Pete Souza; Official White House Photo by Pete Souza; Official White House Photo by Chuck Kennedy

INSERT, PAGE 14: (from top) Official White House Photo by Lawrence Jackson; Official White House Photo by Amanda Lucidon; Official White House Photo by Pete Souza

INSERT, PAGE 15: (top left) Official White House Photo by Pete Souza; (top right) Official White House Photo by Samantha Appleton; (middle) Official White House Photo by Pete Souza; (bottom) Courtesy of the Obama-Robinson Family Archive

INSERT, PAGE 16: (from top) Official White House Photo by Amanda Lucidon; Official White House Photo by Lawrence Jackson

FRONT ENDPAPER: All photographs courtesy of the Obama-Robinson Family Archive

BACK ENDPAPER: (from left) Courtesy of the Obama-Robinson Family Archive; Courtesy of the Obama-Robinson Family Archive; © Callie Shell/ Aurora Photos; © Susan Watts/New York Daily News/ Getty Images; © Brooks Kraft LLC/Corbis/Getty Images; Photo by Ida Mae Astute © ABC/Getty Images

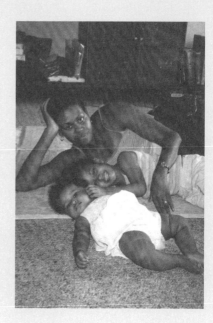